ATHENÄUM

BRECHT HEUTE BRECHT TODAY

Jahrbuch der Internationalen Brecht-Gesellschaft
Jahrgang 3/1973

Herausgegeben von
Gisela Bahr, Eric Bentley, John Fuegi,
Reinhold Grimm, Jost Hermand,
Walter Hinck, Ulrich Weisstein

BRECHT HEUTE · BRECHT TODAY

ANSCHRIFTEN

Prof. Dr. Gisela Bahr, Miami University, Department of German, Russian, and East Asian Languages, Oxford, Ohio, 45056, USA

Prof. Dr. Eric Bentley, New York City, New York, USA

Prof. Dr. John Fuegi, University of Wisconsin – Milwaukee, Department of Comparative Literature, Milwaukee, Wisconsin 53201, USA

Prof. Dr. Reinhold Grimm, University of Wisconsin, Department of German, Madison, Wisconsin 53706, USA

Prof. Dr. Jost Hermand, University of Wisconsin, Department of German, Madison, Wisconsin 53706, USA

Prof. Dr. Walter Hinck, 5000 Köln-Lindenthal, Institut für deutsche Sprache und Literatur, Albertus-Magnus-Platz

Prof. Dr. Ulrich Weisstein, Indiana University, Department of German, Ballantine Hall 644, Bloomington, Indiana 47401, USA

Prof. Dr. Edward P. Harris, Secretary-Treasurer, University of Cincinnati, Department of German, Cincinnati, Ohio 45211, USA

BRECHT HEUTE · BRECHT TODAY

JAHRBUCH DER INTERNATIONALEN BRECHT-GESELLSCHAFT

herausgegeben von

GISELA BAHR · ERIC BENTLEY · REINHOLD GRIMM
JOST HERMAND · WALTER HINCK · ULRICH WEISSTEIN

Geschäftsführender Herausgeber

JOHN FUEGI

(Mitarbeiter: B. Correll)

Jahrgang 3/1973-74

ATHENÄUM

Umschlaggestaltung: Jürgen Keil-Brinkmann
Satz und Druck: Poeschel & Schulz-Schomburgk, Eschwege
Buchbinderische Verarbeitung: Klemme & Bleimund, Bielefeld
ISBN: 3-7610-7180-9

INHALTSVERZEICHNIS

Werner Mittenzwei
Brechts Verhältnis zur Tradition
1

Lew Kopelew
Brecht und die russische Theaterrevolution
19

Marjorie Hoover
Brecht's Soviet Connection: Tretiakov
39

Günther Stark und Günther Weisenborn: Die Mutter nach Gorki
Notes by E. L. Thomas
57

Keith A. Dickson
Brecht's Doctrine of Nature
106

Fred Fischbach
L'Evolution politique de B. B.
122

Karl-Heinz Schoeps
Bertolt Brecht und George Bernard Shaw
156

Charlotte Koerner
Das Verfahren der Verfremdung in Brechts früher Lyrik
173

Anthony Tatlow
The Hermit and the Politician: On the Translation of Chinese Poetry
198

Interview with Peter Stein conducted by Jack Zipes
210

Herbert Knust
Brechts Dialektik vom Fressen und von der Moral
221

BUCHBESPRECHUNGEN

Herbert Knust
251

Naomi Ritter
253

Anthony Tatlow
255

Louise J. Bird-Laboulle
260

Max Spalter
263

Marjorie L. Hoover
266

Edith Kern
270

Ulrich Weisstein
273

Hans Mayer
275

Richard J. Rundell
276

W. H. Nienhauser
278

Werner Mittenzwei
[Berlin, DDR]

ÜBER DEN SINN DER TRADITION IM WELTREVOLUTIONÄREN PROZESS: BRECHTS VERHÄLTNIS ZUR TRADITION

I

Wenn sich Brecht intensiv mit dem Werk eines großen Dichters, eines Klassikers beschäftigte, so bediente er sich dabei einer merkwürdigen Methode, die er den Dichter und sein Werk »in die Krise bringen« nannte. An die großen umstrittenen Werke sollten ungewöhnliche Fragen gerichtet werden, um auf diese Weise zu testen, inwieweit ein Werk über seine Entstehungszeit hinaus Impulse für die Gegenwart zu geben und immer wieder auf neue Art Genuß zu verschaffen vermag. Bedienen wir uns ein wenig dieser Methode, wenden wir sie auf Brechts Auffassung über sein Verhältnis zur Tradition, zum weltliterarischen Erbe an. Die Frage, die hier zu stellen ist, heißt: Können Brechts Anschauungen über das weltliterarische Erbe Impulse für neue Überlegungen, neue Schritte zur Bewältigung des weltliterarischen und künstlerischen Erbes in der entwickelten sozialistischen Gesellschaft geben? Es besteht sicher kein Zweifel darüber, daß neue Schritte, neue Anstrengungen auf diesem Gebiet notwendig sind. Die Übereinstimmung in den Grundfragen der marxistisch-leninistischen Erbeauffassung schließt nicht aus, daß jede Zeit neue Fragen stellt, neue Probleme aufwirft, die neue methodologische Vorschläge und Verfahren verlangen. Das Verhältnis zur Tradition und die Bewältigung des Erbes sind Fragen, die von den realen gesellschaftlichen Prozessen und dem jeweiligen Stand der Bewußtseinsbildung hier und heute beantwortet werden müssen. Deshalb muß die Literaturwissenschaft immer wieder neu überprüfen, ob sie genügend taugliche Lösungsvorschläge und methodologische Verfahren entwickelt hat, damit nicht nur die Größe, sondern vor allem die ursprüngliche Lebendigkeit und Frische des weltliterarischen Erbes übermittelt wird. Wir müssen uns fragen, ob unser theoretisches Arsenal nicht zu museal, ob unsere Fragestellungen nicht allzu gebräuchlich und bequem geworden sind. Die wissenschaftliche Haltung gegenüber den klassischen Werken der Vergangenheit verlangt nicht nur Respekt und Ehrfurcht, sie muß auch soviel Raum für die »positive Provokation« ermöglichen, um die Lebendigkeit und impulsgebende Kraft alter Werke für die Bewußtseinsbildung der sozialistischen Menschen und den Kunstfortschritt im Sinne des sozialistischen Realismus herauszufordern. Bei solchen Gedanken drängt sich die Frage auf: Wäre es dann nicht besser, nicht Brecht, der schon als Klassiker gilt, sondern die Wirklichkeit selbst zu befragen? Mit den Brechtschen Theorien zur Tradition werden unsere Probleme nicht zu lösen sein, selbst wenn wir sie nicht isoliert von den Lösungsvorschlägen betrachten, die von anderen sozialistischen Dichtern, von Becher und Seghers, von Gorki und Majakowski, von Aragon und Neruda eingebracht wurden. Aber die Überlegungen eines Dichters, der die Fragen von Tradition und Revolution in den verschiedenen Phasen seines Lebens immer wieder neu überprüft hat, setzen uns auch in den Stand, unsere eigenen, gegenwärtigen Probleme besser zu verstehen und zu meistern, denn, wie der Dichter selbst sagt, »das Heute geht gespeist durch das Gestern in das Morgen«[1].

Worin bestehen einige der wesentlichen Probleme in der gegenwärtigen Phase der Erbeaneignung und der weiteren Entwicklung der marxistisch-leninistischen Erbetheorie? Die Aneignung des weltliterarischen Erbes ist ein sehr komplexer Vorgang, er umfaßt sowohl die Ebene der Rezeption, der Vermittlung des Erbes wie auch die Ebene, auf der der Schriftsteller sich mit den Problemen des Erbes und der Tradition auseinandersetzt und sie für sein künstlerisches Schaffen und den Kunstfortschritt nutzbar zu machen versucht. Der Literaturwissenschaftler ist an beiden Problemebenen interessiert und engagiert. Für den Marxisten-Leninisten sind Tradition und Revolution keine sich von vornherein ausschließenden Gegensätze. Aber indem das Verhältnis zur Tradition, zum weltliterarischen Erbe als unabdingbares Moment des weltrevolutionären Fortschritts begriffen wird, entstehen auch die Probleme des Zusammenhangs von Tradition und weltrevolutionärem Prozeß immer wieder neu. Wie und auf welche Weise in der sozialistischen Gesellschaft das weltliterarische Erbe angeeignet wird, hängt von den Kampfbedingungen, dem Entwicklungsstand und den historischen Aufgaben der Arbeiterklasse ab. Von diesen Gesichtspunkten aus muß auch beantwortet werden, was wir unter der Aneignung des Erbes im Leninschen Sinne verstehen. Lenin spricht von der kritischen Aneignung des Erbes, das bedeutet jedoch nicht Einengung im Zugang zum weltliterarischen Erbe. Lenins Betonung des Kritischen bedeutet nicht Einseitigkeit in der Traditionsbestimmung, nicht Armut in der Auswahl des Erbes. So tadeln wir mit völligem Recht die spätbürgerlichen Traditionskonzeptionen auch wegen ihrer Einseitigkeit. Kritische Aneignung heißt, die großen Kunstleistungen früherer Gesellschaftsformationen aus ihren Klassenverhältnissen und in ihren Widersprüchen zu begreifen. Eine solche Aneignungsweise muß mit historischem Sinn vorgenommen werden und darf keineswegs dazu führen, die Schwächen statt die Stärken der großen Werke der Vergangenheit zu zeigen. So einleuchtend diese Prinzipien auch sind, so schwierig sind sie zu handhaben. Die kritische, die Widersprüche nicht übertünchende Erbeaneignung erschließt erst die ursprüngliche Lebendigkeit und Frische des Erbes und macht das Erbe anwendbar für die gegenwärtigen Aufgaben und

1 Bertolt Brecht, *Stücke*, Bd. 1, Berlin, Weimar 1955, S. 15.

Kämpfe. Es ergibt sich nämlich durchaus keine Schmälerung des Kunstgenusses, wenn der Aneignungsprozeß darauf gerichtet ist, ein Werk in seinen Widersprüchen – und zwar in seinen Widersprüchen zu seiner Zeit wie zu unserer Zeit – aufzugreifen. Es hängt mit dem Entwicklungsstand der Arbeiterklasse und dem Kulturniveau unserer sozialistischen Gesellschaft zusammen, daß eine solche kritische Sicht, die nicht nur die Vergangenheit als ein bestimmtes Feld historischer Möglichkeiten wertet, sondern auch die Gegenwart in diese historische Sicht einbezieht, zur direkten Quelle des Kunstgenusses und der menschlichen Produktivität wird.

Die kritische Aneignung des Erbes beruht auf der Dialektik von Aneignung und Aufhebung. Für den Marxisten-Leninisten verbinden sich Tradition und Revolution, weil das Proletariat die zwei objektiven Grundvorgänge zu verbinden weiß, daß sich das Proletariat bei seiner Gesellschaftsumwälzung auf das »feste Fundament des menschlichen Wissens stützt...«, auf alles Wertvolle, was von der menschlichen Gesellschaft geschaffen worden ist (Lenin), und daß vom Proletariat zugleich bei dieser Gesellschaftsumwälzung »am radikalsten mit den überlieferten Ideen gebrochen wird[2]». Hierin besteht der theoretische Ausgangspunkt dafür, daß wir von einer kritischen Aneignung des Erbes sprechen.

Diese Fragen verbinden sich mit einem weiteren Problemkomplex, der in unserer Kunstdiskussion – insbesondere um das Theater – eine große Rolle spielt und den Ernst Schumacher wie folgt formulierte: »Inwieweit können wir diejenigen, die vor uns progressiv waren, für uns produktiv machen, ohne uns gleichzeitig der Gefahr auszusetzen, nicht genügend aktuell zu sein[3]«. Hierbei geht es um die Frage, inwieweit die großen Werke der Weltliteratur Gegenstand der Aneignung, der Aufhebung (im dialektischen Sinne) oder der Umformung sind. Vor diese sehr komplizierten Probleme sieht sich die Literaturwissenschaft gestellt, will sie sich nicht bloß museal verhalten. Denn schließlich geht es darum, ob und in welcher Weise das weltliterarische Erbe Einfluß auf die gegenwärtige Kunstentwicklung nimmt. Die Literaturwissenschaft kann viel zur Mobilisierung des Kunstfortschritts beitragen, wenn es ihr gelingt, den schöpferischen, dialektischen Prozeß der Erbeaneignung näher zu beschreiben und bestimmte methodologische Verfahren zu entwickeln. Zu zeigen wäre, wie im Prozeß der schöpferischen Aneignung immer auch das Moment des Umformens und Umwertens enthalten ist. Denn erst innerhalb einer solchen Dialektik ist eine wegweisende Kanalisierung des Kunstfortschritts möglich.

Ich möchte diese Fragen, die aus der gegenwärtigen Entwicklung abgeleitet sind, in Zusammenhang bringen mit der Analyse von Brechts Position zum

2 Karl Marx / Friedrich Engels, *Werke*, Bd. 4, Berlin 1969, S. 481.
3 Ernst Schumacher, in: *Mitteilungen der Deutschen Akademie der Künste* 10 (1972), H. 1, S. 8.

weltliterarischen Erbe. Es geht nicht darum, sie aus der Sicht Brechts zu beantworten, sondern mehr um ein Testen, ob seine Vorschläge und Methoden auch zur Lösung der Probleme unserer Zeit beitragen können.

II

Noch immer ist die Meinung anzutreffen, Brecht habe in seinem Verhältnis zur Tradition eine Außenseiterposition innegehabt. Gerade ihm, der immer wieder die Tradition, die Großen der Weltliteratur als Verbündete für seine Kunstrichtung suchte, wird oft ein skeptisches, widerspruchsvolles Verhältnis zur Tradition vorgehalten. Dabei gab es in keiner Phase seines Lebens ein Desinteresse am literarischen Erbe. Wo es sich um wirkliche revolutionäre Fortführung handelt, betonte er schon in den zwanziger Jahren, »so ist Tradition nötig«[4]. Bei aller Radikalität gegen die Vorherrschaft der »traditionellen Kunst« war er nicht bereit, auf Tradition zu pfeifen. Für Brecht war das literarische Erbe aber auch nicht etwas Selbstverständliches, zu dem sich die Menschen bekennen, weil es ihnen zufällt, weil es schließlich durch Größe legitimiert ist. Mehr als das Bekenntnis zur Tradition stellte Brecht die Widersprüche im bürgerlich-humanistischen Erbe wie auch die Schwierigkeiten der Aneignung heraus.

Die Kompliziertheit, aber auch die Widersprüche in seiner Erbeauffassung kommen in seiner Theorie über *die Funktion der Vorkämpfer* zum Ausdruck, die Brecht in den dreißiger Jahren im Exil entwickelte. Die Vorkämpfer-Theorie zeigt besonders deutlich Brechts Streben nach Tradition und zugleich die Vorsicht, sich selbst den besten Traditionen nicht allzu willig auszuliefern. In dieser Theorie wies er den aus der bürgerlichen Klasse kommenden, aber fest mit dem Proletariat verbundenen Schriftstellern, die er Vorkämpfer nannte, die Funktion zu, die literarische Tradition mit den großen Neuerungen der sozialistischen Literatur zu verbinden. Über diese »Vorkämpfer« vollziehe sich die Dialektik von Tradition und Neuerertum. Ihre Funktion sei gerade dadurch gegeben, daß sie gewisse Phasen der bürgerlichen Kultur mitvollzogen, ihr aber zugleich kritisch, ja antagonistisch gegenübergestanden habe. Dagegen falle der »Neu Anfangende«, also jener Schriftsteller, der aus dem noch nicht zur Macht gekommenen Proletariat hervorgegangen ist, dadurch, daß er die Tradition noch nicht beherrscht, leicht unter die Herrschaft der Tradition zurück[5]. Nachdem aber das Proletariat gesiegt habe, werde die Funktion der »Vorkämpfer« eine rein formalistische. Ihre Schwäche bestehe darin, daß sie, durch die Entwicklung überholt, nurmehr die Form entwickeln würden, wäh-

4 Bertolt Brecht, *Schriften zum Theater*, Bd. 1, Berlin, Weimar 1964, S. 247.

5 Bertolt-Brecht-Archiv, Berlin, Tagebücher, Eintragung vom 5. 8. 40, Mappe 277, Blatt 30 (im folgenden so zitiert: BBA, Tgb. 5. 8. 40, 277/30).

rend der Vorstoß zu neuen Gegenständen nicht mehr von ihnen, sondern von den neu auf den Plan tretenden Dichtern der sozialistischen Gesellschaft ausgehe. Aus den Händen der »Vorkämpfer« aber empfange die neue sozialistische Dichtergeneration jenes Arsenal, das sie zur Bewältigung ihrer Aufgaben benötige.

Soweit die Auffassung Brechts. Meiner Meinung nach kann man sie nicht in allen Punkten teilen. Das Problem des Beherrschtwerdens durch die Tradition und der Souveränität gegenüber der Tradition ist nicht mechanisch aufteilbar zwischen den mit dem Proletariat verbundenen »Vorkämpfern« und den Dichtern des Proletariats. Die Vermittlung zwischen Erbe und Neuerertum wurde sowohl von den einen wie den anderen wahrgenommen. Die Inbesitznahme des gesamten humanistischen Erbes durch die proletarischen Schriftsteller wie durch das Proletariat als Klasse wurde hier von Brecht unterschätzt. Sieht man aber von dieser Unterschätzung und mechanischen Aufspaltung ab, so griff Brecht mit seinen Überlegungen einige Probleme auf, die Einblick in die überaus komplizierte Dialektik zwischen Tradition und Neuerertum ermöglichten.

Brechts Vorkämpfer-Theorie, so viele Einwände es auch gegen sie geben mag, verdeutlicht sein Verhältnis zur Tradition. Sie hebt den Widerspruch hervor, den Brecht bei der Bewältigung der Tradition durch revolutionäre Schriftsteller sieht. Die Ablehnung wie die Gleichgültigkeit gegenüber der Tradition verwirft Brecht als sektiererisch, als unproduktiv im revolutionären Kampf. Zugleich sieht er sich aber auch veranlaßt, auf die Schwierigkeiten und Gefahrenmomente bei der Aneignung des Kunsterbes aus der antagonistischen Klassengesellschaft hinzuweisen. Dabei lenkt er insbesondere auf zwei Gesichtspunkte hin. Erstens: Das große Kunsterbe der antagonistischen Klassengesellschaft sei, wie progressiv auch immer in einzelnen Werken, doch von der Art, daß ihm erst einmal widersprochen werden müsse, bevor es angeeignet werden könne. Man muß in diesen Überlegungen Brechts einen Versuch sehen, das näher zu beschreiben, was Lenin die kritische Aneignung des kulturellen Erbes der Vergangenheit nannte. Brecht kam es vor allem in seiner letzten Schaffensphase darauf an, die großen Werke des weltliterarischen Erbes in ihrem ursprünglichen Ideengehalt, in ihrer Kühnheit und Frische zu erschließen. Die Klassiker sollten in ihren Vorzügen und nicht in ihren Schwächen gezeigt werden; das hinderte ihn jedoch nicht, die Widersprüche in ihren Werken und in ihrer Geisteshaltung herauszustellen. In seinen Tagebüchern, die er immer wieder benutzte, um über sein Verhältnis zum Erbe zu reflektieren, finden sich viele Eintragungen, viele Analysen, die alle aus der Dialektik von Kritik und Bejahung gesehen sind. Wenn ein Werk der Vergangenheit zu sehr nur vom Gesichtspunkt her vorgestellt wird, was uns mit ihm verbindet, sah Brecht die Gefahr der Harmonisierung, die Preisgabe einer klassenmäßigen Wertung historischer Prozesse. Ein solches Verfahren widerspricht nicht nur der Leninschen Auffassung über die kritische Aneignung, es birgt auch die Gefahr, die ursprüngliche Schönheit und Frische eines Werkes zu beschädigen oder zu zerstören. Vor allem am Beispiel der deutschen Klassik machte Brecht klar, daß den Klassikern durch die kritische Sicht, durch die Hervorhebung der Widersprüche nicht ihre Größe und Schönheit genommen wird, daß aber das unkritische Vertrauen auf Größe und Klassizität eine lebendige Traditionsvermittlung und Erbeaneignung negativ beeinflussen kann. Wirkliche Größe birgt immer auch die Gefahr eines pontifikalen Verhaltens zur Kunst der Vergangenheit. Brecht nannte eine solche Haltung die Einschüchterung durch Klassizität. Ihr kann entgegengewirkt werden, wenn das Erbe ständig einbezogen wird in die Prozesse der sich verändernden Gegenwart, wenn Verfahren und Methoden gefunden werden, die darauf abzielen, ein Werk im dialektischen Prozeß von Kritik und Bejahung mit den nachhaltigsten Tendenzen des gegenwärtigen Kunstfortschritts zu verbinden. Hier liegt unsere Aufgabe, die eben nicht nur darin bestehen kann, zu zeigen, was historisch legitim ist und was nicht, sondern die mehr darauf gerichtet sein muß, durch methodologische Impulse und Vorschläge die Einwirkung wesentlicher Teile des weltliterarischen Erbes auf die gegenwärtige Literatur zu ermöglichen und zu fördern. Innerhalb des Prozesses von Kritik und Bejahung, von Umgestaltung und Aneignung gilt es Markierungspunkte zu setzen und Fehlentwicklungen anzuzeigen.

Soweit einige Schlußfolgerungen für unsere literaturwissenschaftliche Arbeit. Doch kehren wir zu den Gedankengängen Brechts über das Problem der Souveränität gegenüber der Tradition zurück und wenden wir uns dem zweiten wesentlichen Gesichtspunkt Brechts zur Traditionsproblematik zu.

Brecht betrachtete die strategischen Fragen der Erbeaneignung stets im Zusammenhang mit dem weltrevolutionären Prozeß, mit der Revolutionstheorie. Im Zusammenhang mit den großen politischen Kämpfen in den dreißiger und vierziger Jahren korrigierte er einige frühere Auffassungen über weltliterarische Erscheinungen. Im Exil wurde das Erbe zu einer hochgradig politischen, im bestimmten Sinne sogar weltpolitischen Frage. Es ging hierbei nicht nur um Bekenntnisse zu bestimmten literarischen Vorbildern der Vergangenheit. Die Auseinandersetzung um das weltliterarische Erbe war in erster Linie eine Frage nach der richtigen Politik, nach der Revolution, nach der Art und Weise, wie neue Formen menschlichen Zusammenlebens aussehen und praktisch verwirklicht werden müssen. In dieser Hinsicht sind die Tagebücher Brechts ein ausgezeichnetes Studienobjekt. Dort stehen Eintragungen über das literarische Erbe neben der besorgten Frage nach dem Ausgang der Schlacht von Smolensk. Gerade dieser unvermittelte Umschlag von Eintragungen über Erbeprobleme, gegenwärtige literarische Produktion und Weltpolitik macht den Zusammenhang, die objektive Dialektik dieser Probleme deutlich. Hier liegt Material für eine minutiöse Studie, in der die Haltung Brechts zum Erbe in direkter Konfrontation mit den historischen Ereignissen und den weltpolitischen Grundfragen jener Zeit dargestellt werden könnte. Auf diese Weise ließe sich nicht nur der eminent politische Charakter des ganzen Erbeproblems deutlich machen, sondern auch jener Zusammenhang, den Brecht in einer Tagebuch-Eintragung vom 5. 2. 1942 in dem knappen Satz zusammenfaßte: »die schlacht um smolensk geht auch um lyrik«.[6]

Im Zusammenhang mit der Volksfrontbewegung und teilweise als direkter Ausdruck ihrer Aktionen und ihrer Politik gab es in den dreißiger und vierziger Jahren einige große Debatten um das literarische Erbe. Allein schon ihr Bezug zur Volksfrontpolitik, zum antifaschistischen Kampf zeigt, daß es in ihnen nicht um akademische Fragestellungen, nicht um vergangene Zeiten, sondern um die unmittelbare Gegenwart, ja, mehr noch, um jene Zeitphase ging, die der Zerschlagung des Faschismus folgte. Das große Arsenal der Weltliteratur, ihre Dichter, Gestalten und Ideale wurden kritisch durchleuchtet, analysiert und gewertet, um auf diese Weise Vorstellungen und Wege in eine neue Gesellschaft sichtbar zu machen. War das Traditionsproblem für viele Dichter bisher nur eine Frage des subjektiven Bekenntnisses zu literarischen Vorbildern gewesen, so wurde es jetzt zur angewandten Revolutionsstrategie, beziehungsweise zu einem Instrumentarium für die Klärung der Frage, wie nah oder wie weit entfernt man sich von der revolutionären Gesellschaftsumwälzung glaubte.

Brechts Position innerhalb dieser Auseinandersetzung wird besonders deutlich, wenn man seine Erbe- und Traditionsauffassung mit der von Georg Lukács, Theodor W. Adorno und Herbert Marcuse vergleicht. Mit Adorno und Marcuse traf Brecht bekanntlich im amerikanischen Exil zusammen. Mit Lukács begann sich Brecht schon in den zwanziger Jahren auseinanderzusetzen. Mit allen drei Theoretikern polemisierte Brecht heftig in seinen Tagebüchern, und wiederum ist das Traditionsproblem als angewandte Revolutionsstrategie eigentlicher Gegenstand des Streites.

Betrachtet man den Kampf um das Erbe in jenen Jahren aus der Situation Brechts, so ergibt sich eine merkwürdige Konstellation. Er sah Erbevorstellungen aufgebaut, die ihm unannehmbar schienen, weil sie seinem dichterischen Schaffen gar keinen produktiven Zugang ermöglichten. Die Negation des Erbes – die Marcuse und Adorno propagierten – war für ihn kein kämpferischer Standpunkt. Eine solche Konsequenz hatte er schon in den zwanziger Jahren verworfen. Aus seinen politischen Erfahrungen heraus konnte er aber auch nicht Lukács' Position teilen. Adorno und Marcuse verwarfen das Erbe, Lukács hypertrophierte es in einigen Teilen und leitete daraus »formale Muster« ab.

Das Argument, das Adorno gegen das künstlerische Erbe ins Feld führte,

6 BBA, Tgb. 5. 2. 42, 280/01.

ging davon aus, daß die traditionelle Kunst »sozial« sei. Durch das ästhetische Stilisationsprinzip, durch den Abbild- und Realitätsbezug habe das große künstlerische Erbe der Vergangenheit wie auch jene Kunst, die dieser Tradition folge, ihren »Zoll an die verruchte Affirmation« entrichtet[7]. So vollziehe sich die Anpassung an den Markt und an eine Gesellschaft, in der dann die großen traditionellen Kunstwerke im bürgerlichen Alltag einfach verschlissen würden. Den Ausweg aus dieser Situation sah Adorno in der kritischen Selbstaufhebung der Kunst; sie war für ihn im total individualisierten Kunstwerk vollzogen, das keinen Zugang zur empirischen Realität und keinen gesellschaftlichen Anspruch mehr kennt. Nicht das gesellschaftskritische, auf Veränderung zielende Kunstwerk, sondern das individualistische, autonome Kunstwerk liefere die richtige »Anweisung auf die Praxis«, »auf die Herstellung richtigen Lebens«[8]. Deshalb seine Losung: »Aufgabe von Kunst heute ist es, Chaos in die Ordnung zu bringen«[9]. Es war nur zu verständlich, daß Brecht in Adorno keinen Partner für eine fruchtbare Diskussion sah. In der undialektischen Negation der Tradition hatte Brecht schon in den zwanziger Jahren, als seine Kunstauffassung von radikalistischen Tendenzen nicht frei war, keinen rechten Sinn gesehen. Ihm ging es nicht darum, die Kunst der Vergangenheit als affirmativ zu verteufeln, sondern sie ihrem affirmativen Gebrauch zu entreißen. Eine solche Aufgabe war ganz im Sinne der Volksfrontpolitik. Diese kämpferische Einstellung aber ließ die Theorie Adornos völlig vermissen. Sie beruht nicht nur auf der Negation, sondern auch auf der Kapitulation. Wenn Brecht mit Adorno darin übereinstimmte, daß in der bürgerlichen Gesellschaft die Kulturgüter dieselbe Funktion erhalten wie alle anderen Güter, nämlich zu Waren zu werden, so zog Brecht aus dieser These die Schlußfolgerung, daß die Kultur ihren »Gütercharakter« verliere und erst Kultur werde, wenn das Proletariat die gesamte Produktion und damit auch die künstlerische von den kapitalistischen Fesseln befreie. Brecht sah den Sinn der Kunst darin, daß sie den Menschen hilft, ihre Existenz, ihr Schicksal zu meistern. Dieses Kriterium bezog er auch auf das Erbe, wenn er über eine Erbediskussion der exilierten Frankfurter Schule in sein Tagebuch notierte: »natürlich werden nur die künste gerettet, die an der rettung der menschheit sich beteiligen«[10].

Lukács' Erbekonzeption war Teil seiner politischen Vorstellung von der »revolutionären Demokratie«, mit der er sich in die Volksfrontbewegung einreihte und von der aus er den Gedanken der Volksfront propagierte. Aber in ihrem eigentlichen Wesenszug wich diese Vorstellung von der politischen Strategie, wie sie das Kollektiv der kommunistischen Parteien erarbeitet hatte, ab. Bereits in seinen »Blumthesen« (1929) formulierte Lukács seine Vorstellun-

7 Theodor W. Adorno, *Noten zur Literatur*, Bd. 3, Frankfurt a. M. 1965, S. 127.
8 Ebenda S. 134.
9 Theodor W. Adorno, *Minima Moralia*, Berlin, Frankfurt a. M. 1951, S. 428.
10 BBA, Tgb. 22. 8. 42, 280/27.

gen von der »revolutionären Demokratie«, indem er darlegte, welche Strategie und Taktik die Arbeiterklasse in einer nicht unmittelbar revolutionären Situation verfolgen müsse. Obwohl Lukács' Thesen Ende der zwanziger Jahre viele Züge zukünftiger politischer Entwicklung vorwegnahmen, führten seine Darlegungen letzten Endes zu einer Überlagerung der antagonistischen Klassenverhältnisse. Bei ihm verdrängte die Vorstellungswelt der bürgerlich-demokratischen Revolution die Leninsche Auffassung von der proletarischen Revolution. Lukács richtete sich auf eine lange Übergangsperiode ein, aus deren Sicht die proletarische Revolution zu einem unbestimmten Fernziel wurde. Wie Lukács auf politischem Gebiet für seine »revolutionäre Demokratie« das Vorbild der klassischen bürgerlichen Revolution des 19. Jahrhunderts benötigte, so rückte er auf literarischem Gebiet die Traditionen des 19. Jahrhunderts in den Mittelpunkt seiner ästhetischen Überlegungen. Sein Verdienst, daß er nämlich einen breiten Kreis nicht direkt revolutionärer Schriftsteller des 19. Jahrhunderts in seine Erbetheorie einbezog, schwächte er aber dadurch ab, daß er die Werke dieser Schriftsteller in einer Weise interpretierte, die den eigentlichen Kampf gar nicht mehr erkennen ließen. Alles lief auf Vermittlungen hinaus. Wichtig wurden vor allem die indirekten Zusammenhänge für ihn. Der Klassenkampf vergeistigte sich, wurde zu einer Frage der hochgestochenen literarischen Analyse. Brecht ärgerte es maßlos, wie sich in der Erbekonzeption Lukács' der Klassenkampf verflüchtigte. Verbittert trug er in sein Tagebuch ein: »aber, natürlich, den [Klassenkampf] können wir uns ja dazudenken, ›schließlich‹ ist alles klassenkampf! dieser stumpfsinn ist gigantisch«[11]. Diese Methode bekam aber bei Lucács noch insofern einen fatalen Zug, da er die Schriftsteller des 19. Jahrhunderts weit wichtiger nahm als die der bürgerlichen Aufstiegsphase. Zwar fehlt es im Gesamtwerk Lukács' nicht an Lob auch für die Schriftsteller der revolutionären bürgerlichen Ästhetik, wie zum Beispiel für Diderot. Aber dieses Lob blieb abstrakt. Aus ihren Werken leitete er keine methodologischen Schlußfolgerungen ab.

Da bei Lukács das Erbe stets mit dem Realismusproblem verbunden war, interpretierte er die großen Werke der Vergangenheit immer von seiner Realismusauffassung her. Dabei wurden die wirklichen Probleme, die sich bei der Entwicklung eines neuen, des sozialistischen Realismus herausbildeten, von der Gipfelhöhe des bürgerlichen Realismus, die Lukács theoretisch aufrichtete, einfach überschattet. Mit völligem Recht wandte hier Brecht ein, daß Lukács gar keinen Unterschied zwischen bürgerlichem und sozialistischem Realismus mache. Der von Hegel entlehnte Totalitätsbegriff (als dieser das alte Epos analysierte) wurde für Lukács zum eigentlichen Kriterium, einem Kriterium, das im wahrsten Sinne des Wortes nicht von dieser Welt war, um die es Brecht ging. Wie wenig Brecht für ein solches Kriterium Verständnis auf-

11 BBA, Tgb. 18. 8. 38, 275/09.

brachte, zeigen einige Zitate aus Lukács' Darlegungen über den Goetheschen Roman, die Brecht in sein Tagebuch eintrug. »›breiter reichtum des lebens‹ und der roman erweckt ›die illusion der gestaltung des ganzen lebens in seiner vollständig entfalteten breite‹«.[12] In der Kontroverse mit Lukács erwiesen sich einige Begriffe, wie sie Lukács verwandte, als unhaltbar. Begriffe wie »breiter Reichtum des Lebens« wurden von Lukács unhistorisch, geradezu idealistisch gebraucht. Sowenig ein Standpunkt, der innerhalb der kapitalistischen Entfremdung blieb (bei Adorno und Marcuse) als richtig angesehen werden konnte, sowenig konnte auch eine Auffassung geteilt werden, in der das Moment des Kampfes, der Gegensätze, des Klassenkampfes ausgespart blieb oder zumindest stark reduziert wurde. Deshalb richtete sich Brechts Kritik in ihrer weltanschaulichen Konsequenz auch immer auf die gedankliche Ausklammerung des Klassenkampfes. «die marxschen kategorien«, schreibt Brecht gegen Lukács, »werden da von einem kantianer ad absurdum geführt, indem sie nicht widerlegt, sondern angewendet werden. da ist der *Klassenkampf* ein ausgehöhlter, verhurter, ausgeplünderter begriff, ausgebrannt bis zur unkenntlichkeit ... bei dem lukács ist der klassenkampf nur noch ein dämon, ein leeres prinzip, das die vorstellungen der leute verwirrt, nichts mehr, was stattfindet«[13]. Man muß verstehen, daß der Streit um das Erbe für Brecht keine akademische Frage war, sondern ein Schaffensproblem. Die Traditionslinie, die Lukács herauskristallisiert hatte, verwarf er nicht nur aus politischen und ästhetischen Gründen, er sah in ihr einen weltfremden, vom Kampf wegführenden Anspruch aufgerichtet, mit dem man, wie er in sein Tagebuch schrieb, den fortschrittlichen Schriftstellern den Strick drehte[14]. Lukács' Orientierung auf Balzac und Tolstoi war nicht *nur* ein mechanisches Abziehen formaler Muster, hierin täuschte sich Brecht; Lukács' ästhetisches Credo war vielmehr aufs engste verknüpft mit seiner Vorstellung von der »revolutionären Demokratie« als langwirkender Übergangsphase. Brechts Orientierung auf die Schriftsteller der direkt revolutionären Phasen, insbesondere der bürgerlichen Aufstiegsphase wiederum entsprach seiner Vorstellung von der Möglichkeit revolutionärer Umwälzungen. Dagegen waren die Theorien von Herbert Marcuse und Theodor W. Adorno über den »affirmativen Charakter der Kultur« die Gegenposition zur Volksfrontbewegung mit einem nicht zu übersehenden konterrevolutionären Akzent. So kam es, daß sich in den dreißiger und vierziger Jahren die Stellung zum Erbe im starken Maße politisierte und zu einem direkten Mittel der großen gesellschaftspolitischen Auseinandersetzung wurde.

Allein schon diese Ausführungen erklären, daß Brecht in seinem Verhältnis zum weltliterarischem Erbe keine Außenseiterposition bezog, kein Vertreter

12 Ebenda.
13 BBA, Tgb. Juli 38, 275/03.
14 BBA, Tgb. 18. 8. 38, 275/09.

einer ausgesprochen »plebejischen Tradition« war, der die Traditionslinie von Lessing, Goethe, Hegel, Heine zu Marx durch eine andere Traditionsmarkierung zu Marx hin zu ersetzen suchte. Freilich, mehr als das Bekenntnis zur Tradition stellte Brecht die Widersprüche im bürgerlichen humanistischen Erbe heraus wie auch die Schwierigkeiten der Aneignung dieses Erbes. Empfänglich für »große Vorbilder«, warnte er jedoch vor jeder Einschüchterung durch Größe; deshalb sann er auf Mittel und Methoden, um Größe auf ihre Brauchbarkeit für neue gesellschaftliche Zwecke zu überprüfen. Auf diese Weise entstanden theoretische Überlegungen und methodische Verfahren, mit denen die marxistisch-leninistische Erbetheorie ausgebaut und weiterentwickelt werden konnte.

III

Zum Verständnis wie zur Kritik der Brechtschen Erbekonzeption und der damit verbundenen methodologischen Verfahren ist die Klärung des Aneignungsbegriffes in bezug auf das Kunsterbe notwendig. Große Kunstwerke, die Ausdruck menschlicher Wesenskräfte sind, wirken über den geschichtlichen Horizont ihrer Entstehungszeit hinaus. Über Generationen und Jahrhunderte hinweg bildet sich sozusagen eine »zweite historische Dimension«. Das Kunstwerk ist etwas Einmaliges, Unwiederholbares. Auch deshalb sind Kunstwerke im eigentliche Sinne nicht »aufhebbar« und nicht »ausschöpfbar«. Marx hat bekanntlich diese Tatsache treffend anhand der Homerischen Epen dargelegt. Sie vermögen auch den heutigen Menschen noch Genuß zu bereiten und Erkenntnisse zu vermitteln, obwohl die Entwicklung auf allen Gebieten über die historischen Voraussetzungen der griechischen Kunst hinweggegangen ist. Insofern besteht zum Beispiel ein wesentlicher Unterschied in der Aneignung des philosophischen Erbes und des Kunsterbes. Im Unterschied zum philosophischen Erbe ist das Kunsterbe auch nicht im dialektischen Sinne aufhebbar. Aber diese Regel ist allzu grob, ist eine zu weitgreifende Verallgemeinerung, als daß sie als besonders tauglich für die komplizierten literaturhistorischen Prozesse angesehen werden könnte. Sosehr es auch geboten ist, sich dem Kunstwerk gegenüber als einem Ganzen zu verhalten, muß sich der Schriftsteller wie auch der Literaturwissenschaftler doch der verschiedenen Elemente im Kunstwerk und ihrer unterschiedlichen Anwendung bewußt sein. Gerade der Aneignungsvorgang gegenüber den großen Werken des künstlerischen Erbes verlangt die Berücksichtigung der verschiedenen Elemente, die ihm in der Ganzheit des Kunstwerkes gegenübertreten. Nur aus einer solchen Sicht sind die Probleme der Vermittlung an den Leser, die Probleme der Aufnahme des Erbes durch den produzierenden Schriftsteller differenzierter zu bestimmen. Wenn man nämlich den Aneignungsvorgang im einzelnen untersucht, wenn man sich des komplexen und komplizierten Vorgangs bewußt wird, zeigt es sich, daß ihm nicht nur die Bejahung, sondern stets auch die Kritik zugrunde liegen. Eine lebendige Aufnahme des Erbes in der sozialistischen Gesellschaft vollzieht sich im dialektischen Prozeß von Aneignung und Aufhebung. Diese Dialektik verwischt nicht den positiven Charakter des Aneignungsbegriffs, vielmehr wird er dadurch handhabbarer im Sinne des Einflusses auf die gegenwärtigen Kunstvorgänge. Der Aneignungsvorgang bezieht sich immer auf die Ganzheit des Kunstwerkes. In dieser Ganzheit sind aber auch Elemente vorhanden, die nicht angeeignet, sondern die negiert oder dialektisch aufgehoben werden. Solche Elemente sind die philosophischen, ästhetischen, kunsttheoretischen und kunstkritischen Interpretations- und Vermittlungsmuster, in die die Kunstwerke eingebettet sind, und ein solches Element bilden die literarischen und künstlerischen Techniken. Mit beiden Erscheinungen hat sich Brecht im Zusammenhang mit der marxistisch-leninistischen Erbetheorie wiederholt beschäftigt, so daß es sich lohnt, auf diese Probleme etwas näher einzugehen.

Künstlerisches Erbe, Traditionen werden überliefert. Sie sind nicht nur selbst ein ideologischer Faktor, sie werden auch über ein bestimmtes ideologisches Feld mit verschiedenen philosophischen und kunsttheoretischen Systemen vermittelt. Diese Überlieferung ist ein Machtfaktor, und es hat bisher noch keine Klasse gegeben, die nicht bestrebt gewesen wäre, auf diese oder die andere Weise die Macht der Überlieferung für sich in Anspruch zu nehmen. Schon deshalb ist die Aneignung des literarischen Erbes kein passiver Vorgang. Das Proletariat übernahm das Erbe nicht unbeschädigt aus den Händen der Bourgeoisie. Auch konnte niemand erwarten, wie Brecht schreibt, »daß es sich bei diesem Erbe um ein friedliches fleißiges Hereinschaffen herrenlos im Regen stehengelassener Güter handeln könnte«[15]. Die Aneignung des Erbes vollzog sich im Kampf, der weit über die politische Machtübernahme durch das Proletariat fortdauert, der in verschiedenen Formen bis in die entwickelte sozialistische Gesellschaft hineinwirkt. Eine materialistisch dialektische Erbeaneignung wird deshalb nicht nur die historische Situation des aufzunehmenden Kunstwerkes in Betracht ziehen, sondern auch die philosophischen und ästhetischen Theoreme, die den Kunstwerken anhaften. Die Aneignung des weltliterarischen Erbes durch die sozialistische Gesellschaft kann nicht erfolgen, ohne das künstlerische Werk von den ideologischen Hüllen und Interpretationsmustern freizulegen. Die philosophischen und kunsttheoretischen Übermittlungsversuche der bürgerlichen Ideologen können jedoch nicht angeeignet, sondern müssen, entsprechend ihres gesellschaftlichen Charakters, entweder negiert oder aufgehoben werden. Brecht wies besonders darauf hin, wie zäh und langlebig oft diese ideologischen Einkleidungen sind. Wie bei alten Gemälden, so sind auch in der Literatur die alten Geschichten von verschiedenen ideo-

15 Bertolt Brecht, *Schriften zur Politik und Gesellschaft*, Bd. 1, Berlin, Weimar 1968, S. 142.

logischen Schichten überlagert. Die Aneignung von Kunstwerken in einem solchen Zustand durch die sozialistische Gesellschaft widerspräche einer kritischen Erberezeption im Leninschen Sinne und wäre verhängnisvoll. Um diese ideologischen Schichten abzutragen und die früheren Interpretationsmuster zu zerstören, benutzte Brecht in den fünfziger Jahren in seinen Bearbeitungen und in seiner Inszenierungspraxis das Mittel der Ideologiekritik. Bei seinen Studien zu Goethes *Faust* und bei der Inszenierung des *Urfaust* machte er darauf aufmerksam, daß das Stück erst von »Philosophie«, von ideologischen Zusätzen gereinigt werden müsse, bevor der Zuschauer das Stück in seinem ursprünglichen Ideengehalt, in seiner ursprünglichen Frische genießen kann. Allein schon daraus ist zu ersehen, daß die Dialektik von Aneignung und Aufhebung, von Aneignung und Umformung von dem Grad und dem Ausmaß der ideologischen Kämpfe abhängig ist, in denen ein Werk der Vergangenheit gestanden hat und gegenwärtig steht.

Zu den Elementen des Kunstwerkes, die nicht einfach angeeignet, sondern dialektisch aufgehoben werden, müssen auch die literarischen Techniken gezählt werden. Für Brecht waren die literarischen Techniken ein ganz wesentliches Element der Tradition. Erst das Verständnis dieses Standpunktes erklärt seine Haltung zur spätbürgerlichen Kunstentwicklung. Die literarischen Techniken verlangen als Element des Erbes eine andere Behandlungsweise als das literarische Werk in seiner Gesamtheit. Während das Kunstwerk der Vergangenheit im Grunde nicht aufhebbar ist, müssen künstlerische Techniken im dialektischen Sinne aufgehoben werden. Nicht Aneignung, sondern Aufhebung ist hier geboten. Der Unterschied in der methodologischen Verfahrensweise ist ganz wesentlich, obwohl das Kunstwerk immer als Ganzes, als etwas Unteilbares wirkt. Eine solche Einstellung erklärt auch die Vorliebe Brechts für bestimmte Dichter seiner Zeit, die technische Neuerer waren, deren ideologische Position er aber überhaupt nicht teilte. So sagte er zum Beispiel über Georg Kaiser: »Auf diese Weise sind Leute, die nichts Neues auf dem Herzen haben, für die neue Technik bahnbrechend gewesen«.[16] Brecht war der Meinung, daß ein Schriftsteller, der etwas von literarischer Technik versteht, Techniken durchaus von ihrem spätbürgerlichen, unbrauchbaren Inhalt abzulösen vermag. Auf diese Weise könnten die Techniken für neue gesellschaftliche Zwecke brauchbar gemacht werden. Was bisher der Verdunklung gesellschaftlicher Zusammenhänge diente, könne nunmehr zu ihrer Aufhellung benutzt werden. Über die Schwierigkeiten eines solchen Verfahrens war sich Brecht durchaus klar. Wenn man Brechts Einstellung zur literarischen Technik als ein Element des Erbes sieht, wird auch verständlich, daß sein Vorschlag nicht bedeutet,

16 Interview mit Bertolt Brecht im Kopenhagener »Ekstrabladet« vom 20. 3. 1934. Zitiert in: Ernst Schürer, *Georg Kaiser und Bertolt Brecht. Über Leben und Werk.* Frankfurt a. M. 1971, S. 56 (*Schriften zur Literatur*, 17).

literarische Techniken als »neutral«, als »wertfrei« zu behandeln. Literarische Techniken entwickeln sich bei der Formung gesellschaftlicher Inhalte, aber einmal herausgebildet, bleiben sie nicht dem Inhalt untrennbar verhaftet. Als Techniken erkannt und behandelt, als künstlerisches Erbe nicht angeeignet, sondern dialektisch aufgehoben, sind sie handhabbar für die verschiedenen gesellschaftlichen Zwecke. So schätzte Brecht Dichter wie Joyce, Proust und Kafka wegen ihrer technischen Kultur. Auf ihre weltanschauliche Position einzugehen sah er keine Veranlassung. So findet man bei Brecht zu diesen Schriftstellern außer der Wertschätzung ihrer Technik meist kein weiteres kritisches Wort. (Nur zu Franz Kafka gibt es einige Bemerkungen, die auf die weltanschauliche Position zielen.) Diese Gleichgültigkeit Brechts gegenüber der weltanschaulichen Haltung dieser Schriftsteller hat aber – so paradox es klingt – in der Brechtforschung zu dem Eindruck geführt, als ob Brecht den Werken dieser spätbürgerlichen Dichter besondere Verehrung entgegenbringe. Das ist aber gar nicht der Fall, Brecht kannte diese Dichter kaum. Die Kenntnis über ihre Technik hatte er sich informativ verschafft. Auch verstand er in Büchern zu »blättern«, um sich ihre literarische Machart, ihre Technik bewußt zu machen. Wie wenig Brecht zu bewegen war, den umfangreichen Roman von Joyce oder gar das große Romanwerk von Proust zu lesen, darüber berichtet Hanns Eisler: »Selbst auf mein dringendes Bitten hat er nicht Proust gelesen, sondern ließ sichs referieren. In ›Ulysses‹ von Joyce hat er hineingeschaut – wegen der Technik«.[17] Wenn Brecht Joyce, Proust und Kafka gegenüber Lukács verteidigte, so war damit keineswegs deren gesamtästhetische Position oder gar die Weltanschauung gemeint; was Brecht mit den Namen dieser Dichter verteidigte, war das künstlerische Experiment. Es ging Brecht um die Bewahrung und Entwicklung des technischen Standards und der Kunstmittel. Von diesem Gedanken ausgehend, formulierte er: »Jede Epoche muß wenigstens soviel historischen Sinn aufbringen, daß sie auf weitere Entwicklung gefaßt ist und Werke, die rein technische Merkmale der Kunstfertigkeit aufweisen, aufhebt«.[18]

Zum dialektischen Vorgang der Erbeaneignung gehört auch die Umformung alter Werke. Obwohl dieser Vorgang zu allen Zeiten der Kunst ein legitimes und notwendiges Verfahren war, ist er noch immer umstritten. Gerade Brecht und seine Versuche auf diesem Gebiet haben die Meinungen immer wieder herausgefordert. Gegenwärtig erleben wir auf dem Gebiet des Theaters einen nicht minder heftigen Meinungsstreit um diese Fragen. Hier sollen zunächst noch einige Überlegungen Brechts zur Sprache kommen. Bei all seinen Bearbeitungen, die Brecht seit Ende der vierziger Jahre vornahm, vertrat er niemals

17 Hans Bunge, *Gespräche mit Hanns Eisler*, München: Rogner+Bernhard, S. 163).
18 Bertolt Brecht, *Schriften zur Literatur und Kunst*, Bd. 2, Berlin, Weimar 1966, S. 349 f.

den Standpunkt, die Originalwerke zu ersetzen. Er wollte sie als einen »Umweg« auf dem Wege zum Verständnis der Originale verstanden wissen. »In nicht allzu ferner Zukunft«, schrieb Brecht, »wird dieser [der Genuß an den Originalwerken] infolge der Schulung des historischen Sinns und des ästhetischen Geschmacks auch den breiten Massen der Bevölkerung möglich sein.«[19] Brecht strebte eine Betrachtungsweise des weltliterarischen Erbes an, die es gestattete, durch Schulung des historischen Sinns ästhetischen Genuß auch aus historisch ungenauen Kunstwerken zu ziehen wie auch aus solchen, die eine Parteinahme für die historisch progressiven Kräfte vermissen ließen. Allerdings sollte der Genuß an solchen Dichtungen nicht dadurch zustande kommen, daß historische Gesichtspunkte überhaupt verdrängt werden. Vielmehr zielte Brechts Bemühen darauf ab, ein historisches Verständnis zu entwickeln, das die Hintergründe und Ursachen von falscher Parteinahme und historischer Fehleinschätzung einsehbar machte. Das Publikum war gleichsam angehalten, die Korrekturen mitzulesen und aus einer solchen Lesart Genuß zu ziehen. Was gegenwärtig noch durch Bearbeitungen sichtbar gemacht werden mußte, sollte später vom Publikum als schöpferischer Denkakt ästhetisch mitvollzogen werden. Die Betrachtungsweise, die Brecht hier vorschwebte, stellte hohe Anforderungen an das Publikum. »Erst ein spätes Bildungsstadium verschafft jedoch den Genuß an historischer Betrachtung«, vermerkte Brecht. »Genuß hatten zum Beispiel Marx und Engels, wenn sie den reaktionären Balzac dabei ertappten, wie er in der Beschreibung der Realität seine eigenen Theorien aufgibt. Aber dieser Genuß eines ungeheuer geschulten Betrachters ist unserem Publikum vorläufig versagt.«[20] Das war zu Beginn der fünfziger Jahre. Brecht sah deshalb in den Bearbeitungen einen Ausweg. Sie boten die Möglichkeit, auf jenes historische Verständnis hinzuarbeiten, ohne es einfach vorauszusetzen. Später, so räumte Brecht ein, könne man vielleicht von Bearbeitung der Klassiker ganz absehen. Brecht formulierte: »Nach 20 Jahren kann vielleicht ein Denkmalschutz der Klassiker eingeführt werden – heute sollte man Eingriffe gestatten[21]«. Der von Brecht vorgeschlagene Zeitraum für Bearbeitungen wäre gerade jetzt abgelaufen. Die Bearbeitungen und Umformungen alter Geschichten aber ist eher häufiger geworden, und der Streit darüber wird kaum duldsamer geführt. Wo ist hier eine Lösung?

Brechts vorsichtige Formulierung, daß man »vielleicht« eine Art Denkmalschutz für Klassiker einführen könnte, besagt schon, daß er sich seines Vorschlages nicht ganz sicher war. Andere, die Brechts Experimentierlust und Freude am Neuerzählen alter Geschichten genau kennen, glauben in dieser Bemerkung sowieso nur eine Beschwichtigung seiner auf historische Treue

19 *Schriften zum Theater*, Bd. 6, Berlin, Weimar 1964, S. 337.
20 Shakespeares »Coriolan« im Berliner Ensemble, in: *Theater der Zeit* 19 (1964) H. 7, S. 5.
21 Ebenda.

drängenden Kritiker zu sehen. Tatsächlich aber hat sich Brecht in seiner letzten Schaffensphase immer wieder mit dem Widerspruch von Bewahrung und Eingriff beschäftigt. In seinen theoretischen Schriften der letzten Jahre findet sich die Rechtfertigung des radikalen Eingriffs dicht neben der Warnung vor der »Beschädigung alter Werke«. Insofern ist beim späten Brecht eine Wandlung gegenüber seinen Ansichten aus den zwanziger Jahren, als er die Materialwerttheorie vertrat, festzustellen.

Indem Brecht vor der Beschädigung warnte, räumte er auch mit den Restaurierungen, Verfälschungen und Entstellungen auf, zu denen die spätbürgerlichen Theoretiker und Praktiker griffen, um die alten Werke an den bürgerlichen Zeitgeschmack anzugleichen, um sie für eine Bourgeoisie schmackhaft zu machen, die den Kampfwert dieser Stücke nicht mehr billigen wollte.

Die Warnung vor der Beschädigung darf aber nicht falsch verstanden werden. Brecht redete hier nicht einer Pietät das Wort, die in die Pflege auch die Staubflecken auf den alten Werken mit einbezog. Jede Form von Konservierung war ihm fremd. Ging es ihm doch um die Dialektik von Historizität und Aktualität. Die Gefahr der Beschädigung sah er, wenn diese Dialektik nicht funktionierte. Eine Beschädigung nach der einen oder anderen Seite hin trat ein, wenn sich der dialektische Umschlag von inhaltlich-historischer Substanzauswertung und die Einflußnahme durch neue gesellschaftliche Gesichtspunkte nicht vollzog. Dann wurde das Werk entweder nur positivistisch, museal erfaßt und blieb dadurch in seiner Lebendigkeit und Wirkungskraft beeinträchtigt, oder es wurde durch einen oberflächlichen Aktualitätsbezug in seiner historischen Substanz und der ihr innewohnenden eigenen Schönheit beschädigt.

Werden die Werke des klassischen Erbes nur noch über Zusätze aus der gegenwärtigen Kunstproduktion oder näherliegender Stilepochen genossen, hört das Erbe auf, mit der ihm eigenen Kraft in die Gegenwart hineinzuwirken. Es wird im spätbürgerlichen Kunstbetrieb zu einer Art Halbfabrikat, das des Zusatzes bedarf, um zu wirken. Eine solche Auffassung mißtraut dem Erbe, dessen Lebendigkeit gar nicht mehr vorausgesetzt wird. Brecht kämpfte zu seiner Zeit gegen die Verwirrung, die dadurch entstanden war, daß der Eingriff in die alten Interpretationsmuster und Überlieferungsgewohnheiten als Vergewaltigung angesehen wurde. Um aus dieser Verwirrung herauszukommen, entwickelte Brecht die ästhetische Kategorie der Naivität. Die Begründung dieser Kategorie zählt zu den wichtigsten kunsttheoretischen Leistungen des späten Brecht. Natürlich wurde diese Kategorie nicht in erster Linie im Hinblick auf das Kunsterbe, sondern mehr als Hilfestellung für die gegenwärtige Kunstproduktion erarbeitet. Sie ist auf diese Weise ein Teil der Dialektik von Tradition und Neuerertum.

Der Widerspruch von Bewahrung und Eingriff, oft Quelle des Streits, kann in der Einzelanalyse gelöst werden, für die Gesamtheit der Problematik wird er bleiben. Denn er ist ein wesentliches Moment, durch das eine dialektische

Aneignung weltliterarischer Werke bewirkt und ein Einfluß auf den gegenwärtigen Kunstfortschritt möglich wird. Die Umformung alter Werke, wie auch die Umwertung bestimmter Traditionen war von jeher ein wesentliches Bindeglied zwischen Tradition und Kunstfortschritt. »Positive Provokation«, die dem sozialistischen Künstler auf dem Gebiete der Erbeaneignung eingeräumt werden muß, unterscheidet sich von den nihilistischen Experimenten in der spätbürgerlichen Kunst allein schon dadurch, daß diese jeden geschichtlichen Sinn vermissen lassen, daß sie die Geschichte und die Erfahrungen des Klassenkampfes, des Kampfes um die menschliche Emanzipation negieren.

Gewiß ist mit historischem Sinn allein die Gefahr der Einseitigkeit nach dieser oder jener Seite hin nicht gebannt. Brecht baute sich deshalb die verschiedenen methodologischen Hilfen und Verfahren aus, um einerseits das Allzusichere und Ungefährdete der großen Kunst »in die Krise zu bringen«; andererseits hob er auch die Warnung vor der Beschädigung hervor, mahnte, sich an den ursprünglichen Ideengehalt und die alten Schönheiten zu halten.

Vor allem die Methode des Historisierens und die Kategorie der Naivität waren ihm wesentliche methodologische Hilfen.

Das Begreifen der klassischen Ideale im Sinne des historischen Materialismus verlangt, das ursprüngliche, historische Moment in der ganzen Fremdheit zu uns, aber untrennbar verbunden damit auch das zu uns und unserer Welt hinführende Moment herauszuarbeiten. Brecht begriff, daß man erst über eine solche dialektische Sicht die Größe und Schönheit der alten Werke herauszubringen vermag. Undialektisches Heranziehen der ursprünglichen Ideale an die Gegenwart im Sinne einer mechanischen Vollstrecker-Theorie wie auch die ebenso undialektische Betonung der Fremdheit der ursprünglichen Ideale, zu der der junge Brecht neigte, behindern die Darstellung der klassischen Ideale in ihrer Größe und Schönheit. Immer wieder betonte der späte Brecht, daß die Größe der klassischen Werke in ihrer menschlichen Größe bestehe und nicht in »einer äußerlichen Größe in Anführungszeichen«. Größe erkannte Brecht überall dort, wo das Bemühen der Menschen um gesellschaftliche Veränderungen gezeigt wurde. Es bedurfte dazu jedoch jenes dialektischen Verständnisses, diese Veränderungen aus dem Blickpunkt einer Gesellschaftsordnung zu begreifen, von der aus, wie Marx sagte, sich die eigentliche Emanzipation des Menschen vollziehen konnte.

Das Problem des Zusammenhangs von Tradition und Revolution, das sich Brecht in seinem Leben immer von neuem stellte und zu beantworten suchte, besteht in unserer sozialistischen Gesellschaft in der Beförderung der menschlichen Produktivität durch die Weisheit und Genüsse der Menschheitskultur und -kunst, verbunden mit dem Wissen, daß wir eine Gesellschaft aufbauen, die ihre Sittlichkeit und ihre Größe nicht aus der Vergangenheit bezieht, sondern aus ihren eigenen gesellschaftlichen Anstrengungen um die Emanzipation des Menschen. Auf diese Weise sind unsere Bemühungen um das Erbe Teil des weltrevolutionären Prozesses in der Gegenwart, Teil des Kampfes und der Anstrengung, wie Brecht sagt, »in Richtung auf immer kräftigere, zartere und kühnere Humanität«.[22]

22 *Schriften zum Theater*, Bd. 7, Berlin, Weimar S. 342.

Lew Kopelew
[Moskau]

BRECHT UND DIE RUSSISCHE THEATERREVOLUTION

Wladimir Majakowski schrieb 1921 in der Einleitung zu einer Neuausgabe seines *Mysterium buffo,* des ersten Dramas der russischen Revolution, dessen Endfassung von 1918 stammt und das auch zur ersten gewaltigen Massenaufführung eines einmalig neuen Revolutionstheaters wurde: »In einem halben Hundert Jahre werden vielleicht die Großflugschiffe der Kommune sich in den Raum werfen – zum Sturm auf ferne Planeten ... All ihr künftigen Schauspieler, Inszenierer, Rezitatoren und Herausgeber des *Mysterium buffo* ändert jeweils seinen Inhalt, macht den Inhalt zeitgemäß, heutig, minutengerecht«.[1]

Es war eine in doppelter Hinsicht poetisch-prophetische Vision. Nach einem halben Jahrhundert, ja in kaum vierzig Jahren trugen der Sputnik und bald darauf die Riesenraketen die Wappen der »Kommune« in den Weltraum, auf Mond und Venus. Und bereits Jahrzehnte vorher arbeitete ein deutscher Dichter an revolutionären Mysterien, die zugleich freche Buffonaden waren. Auch er wollte immer wieder alles ändern – die Welt und die Bühnenkunst, Shakespeares Dramen und Gorkis Roman, japanische Volksstücke und eigene Schauspiele – um sie zu »konkretisieren«, d. h. »zeitgemäß, heutig, minutengerecht« zu machen.

Käthe Rülicke-Weiler erinnert sich daran, wie ihr Brecht 1952 die deutsche Übersetzung des *Mysterium buffo* zu lesen gab und wie er 1955 in Moskau zum erstenmal Majakowskis Stücke *Die Wanze* und *Das Bad* im Theater der Satire sah.[2] Wußte er aber früher vielleicht schon mehr von Majakowski? In Brechts *Schriften zur Literatur* wird Majakowski nur zweimal erwähnt (*WA* Bd. 19, S. 334, 379); in beiden Fällen im Zusammenhang mit der Realismus-Diskussion von 1938 als ein »Formzerstörer«. Aber die Briefe und Notizbücher Brechts enthalten möglicherweise zusätzliche Informationen.

Eine vergleichende Betrachtung der poetischen Jugendwerke von Majakowski und Brecht läßt jedenfalls eine deutliche Artverwandtschaft erkennen, und nicht nur in äußerlichen Zügen. Die vordergründige Roheit in Sprache und bildlichen Ausdrucksmitteln, die frechen, bilderstürmerischen, blasphemischen Auseinandersetzungen mit allen überlieferten Heiligtümern – religiösen und ethischen wie ästhetischen – sind dem Verfasser der *Wolke in Hosen,* der *Flöte der Wirbelsäule* und der *Tragödie Wladimir Majakowski* ebenso

1 Wl. Majakowski, Mysterium buffo u. a. Gedichte, Frankfurt 1960, S. 9.
2 Käthe Rülicke-Weiler, Die Dramaturgie Brechts, Berlin 1966, S. 255.

eigen wie dem Verfasser des *Baal* und der *Hauspostille*. Diese äußeren Ähnlichkeiten deuten auf tiefe innere Zusammenhänge.

Majakowski und Brecht kamen beide in der Nachfolge Whitmans und Verhaerens als Dichter einer neuen globalen Zivilisation – einer industriellen, großstädtischen, technologisch anspruchsvollen Massenzivilisation des fieberhaft hektischen Lebens in steinern-stählernen Beton- und Asphaltstädten, in lärmenden und bunten, von Dampf-, Elektro- und Benzinmotoren getriebenen Menschenameisenhaufen ... Whitman und Verhaeren begrüßten lyrisch dies neue Zeitalter, sangen ihm Hymnen und Hoheitslieder; aber Majakowski und Brecht waren nicht nur von seiner kosmisch gewaltigen Größe, sondern auch von der Tragik seiner Widersprüche durchdrungen. Brecht, der später kam, um die Erfahrungen eines verlorenen Weltkriegs und einer verlorenen Revolution reicher, sah die großen Städte düsterer, im baalisch-eschatologischen Vorgefühl der »großen Erdbeben«. Doch genau wie Majakowski suchte er in der dialektisch-materialistischen Geschichtslehre, in den Aussichten der proletarischen Weltrevolution Lösung und Erlösung. Und ebenso gemeinsam war beiden das »baalische« Weltempfinden, der unstillbare Lebensdurst: ein Lebensdrang, der durch Beton und Asphalt, durch alle modernen Hüllen und Oberflächen tief in den eigentlichen Boden, in die Urschichten der Sprache und Volkspoesie weitverzweigte Wurzeln schlug. Sie waren zwar in ihrer einmaligen Eigenart nicht unmittelbar verwandt, stimmten aber um so mehr als poetische Verkörperungen ihrer Völker überein, deren verschiedene nationalgeistige Schicksale in ein und demselben Zeitalter sie repräsentierten. Majakowskis Beziehung zu Dershawin und zur altrussischen Poesie, seine rebellische, aber trotz aller nihilistischen Frechheit untrennbare Verbundenheit mit Puschkin, Lermontow, Nekrassow entsprechen Brechts vielfädigen genealogischen Verbindungen mit der ältesten deutschen Volkspoesie, mit Luther, dem Barock und dem Sturm und Drang. Auch die widersprüchlichen und doch produktiven Beziehungen beider Dichter zum Geist und zur Sprach- und Bilderwelt der Bibel ähneln einander in mancher Hinsicht.

Majakowski besuchte Berlin viermal: 1922, 1924, 1927 und 1929. Aber schon bei früheren Gelegenheiten und zwischendurch auch in Moskau kam er mit deutschen Literaten und Künstlern zusammen, die wie Heartfield, Herzfelde, Becher, Reinhardt, Granach, Grosz und Weißkopf oder die Mitarbeiter des Malik-Verlags, der *Roten Fahne* und des Deutschen Theaters mit Brecht beruflich und freundschaftlich verkehrten. Die Leningrader Literaturwissenschaftlerin Bella Tschistowa hat aus diversen Archiven sowie aus manchen zum Teil noch unveröffentlichten schriftlichen und mündlichen Berichten russischer und deutscher Zeitgenossen von Majakowski Zeugnisse gesammelt und ausgewertet, denen zufolge er damals mit denselben deutschen literarischen Kreisen verbunden war, denen auch Brecht nahestand[3].

3 Berlinskije pojesdki i wstretschi Majakowskogo, in: Utschönyje Sapiski Petrosa-

Jefim Etkind berichtet darüber in seinem neuesten Brecht-Buch unter Berufung auf die Angaben des bekannten Literaturhistorikers A. W. Fewralski[4]. Die ersten deutschen Übersetzungen von Gedichten Majakowskis schrieben bereits 1917–1919 die jungen russischen Literaten Rita Rait und Wladimir Neustadt. Das *Mysterium buffo* wurde anläßlich des Kominternkongresses von 1921 durch Rita Rait verdeutscht, von dem deutschen Literaten, Regisseur und Kongreßteilnehmer Reinhold Reichenbach lektoriert und dann einmalig für die ausländischen Gäste aufgeführt. Reichenbach, der an dieser Aufführung teilnahm, war später Mitarbeiter Max Reinhardts am Deutschen Theater[5]. Im Majakowski-Archiv sind Briefe und Notizen aus dem Jahre 1922 erhalten, die davon zeugen, daß schon damals konkrete Pläne bestanden, das *Mysterium* in Deutschland aufzuführen[6]. Johannes R. Becher hat 1923 das Poem *150 000 000* übertragen, das, von Majakowski autorisiert, in Deutschland verlegt wurde. Es gab auch andere Nachdichtungen Bechers von Majakowskis Gedichten[7] – darunter solche, die unveröffentlicht blieben wie *Wolke in Hosen* und *Mysterium buffo*, die aber im Malik-Verlag u. a. den Brecht-Freunden Heartfield und Herzfelde bekannt waren[8]. Becher erinnerte sich an diese Zeit: »Der Ruhm Majakowskis überholte seine Werke. Sein Name, von der Welle der großen russischen Revolution emporgehoben, brach über uns herein. Wir erzählten einander von seinen Versen, jemand las sie und gab sie weiter . . .[9]«

Im April 1924 trat Majakowski bei einem Berliner Künstlerabend auf. Er las seine Gedichte; die Schauspielerin Mary Schneider rezitierte aus Brechts Balladen. Die Literarhistorikerin Nyota Thun (DDR) interviewte Teilnehmehr einer freundschaftlichen Zusammenkunft mit Majakowski im Frühjahr 1924 in der Wohnung Alexander Granachs, an der hauptsächlich die Schauspieler des Deutschen Theaters beteiligt waren. Gustav von Wangenheim hat nachträglich darüber sogar ein Gedicht gemacht[10]. Mary Schneider und Alexander Granach traten in den Jahren 1924 bis 1933 mehrmals in verschiedenen deutschen Städten als Majakowski-Rezitatoren auf. Im Mai 1927 und im Februar 1929 war Majakowski wiederum in Berlin: er las in Arbeiterlokalen, traf Jeßner, Eduard Fuchs, F. C. Weiskopf, Alfred Wolfenstein, Erich

wodskogo Uniwersiteta. t.VI wyp. 1 1957; K istorii wsaimootnoschenij Majakowskogo s nemezkimi literatorami, in: Woprossy literatury 1960 No. 6, S. 146-163; Wladimir Majakowskis Beziehungen zu deutschen Literaturschaffenden, in: Kunst u. Literatur 1961 no. 4; Majakowski und Becher, in: Kunst u. Literatur 1970 Nr. 7, S. 698-720.

4 J. Etkind, Bertolt Brecht (russ.), 1971, S. 43-44.
5 Kunst u. Literatur 1961 Nr. 4, S. 372.
6 Majakowski-Museum Archive, Nr. 7 716.
7 Zschr »Arbeiterliteratur« (Wien) Nr. 5 u. 6.
8 Tschistowa in Kunst u. Literatur 1961, Nr. 4, S. 372.
9 Prawda, 14. Apr. 1940, zit. nach Tschistowa, Kunst u. Literatur 1970, Nr. 7, S. 699.
10 N. Thun, Majakowski in Deutschland. Neue Deutsche Literatur 1953, Nr. 7, S. 153–170; G. Wangenheim in der Anthologie »Sieg der Zukunft«. Berlin 1952, S. 47-49.

Baron, Nico Rost und andere alte und neue Bekannte, Kollegen, Freunde. Eindrücke seiner Deutschlandreisen verdichtete er in Prosaberichten und lyrischen Bekenntnissen wie zum Beispiel *Deutschland* und *Zweierlei Berlin*.

In Fritz Mieraus Essay *Zur deutschen Rezeption sowjetischer Lyrik* wird auch das Problem Brecht und Majakowski angeschnitten: »Majakowski ist er nicht begegnet. Grund genug, daß das Kapitel Brecht und Majakowski nicht geschrieben wurde. Es bedarf dringend des historisch-typologischen Studiums. Dann auch könnten die biographisch-anekdotischen Daten, die sich an mehreren Stellen finden, ausreichend qualifiziert werden«.[11] Darauf folgen einige der eben genannten Daten. Man kann Mierau nur zustimmen. Mit puren Anekdoten und vereinzelten Randbemerkungen ist »dem Gesetz der Beziehungen« zwischen zwei großen literarischen Zeitgenossen nicht beizukommen. Mehr noch: manchmal können rein persönliche Beziehungen das wahre historisch-typologische Verhältnis eher verzerren und vernebeln; denn meistens sind die großen Künstler ihren ebenbürtigen Gegnern viel näher verwandt als den treuesten Epigonen, obwohl man in unserem Fall gar nicht von einer Gegnerschaft reden kann. Manches läßt indes schon die erwähnte Abhandlung der Tschistowa über *Majakowski und Becher* auch zum Problem Majakowski und Brecht vermuten. Die präzise Analyse der Becherschen Nachdichtungen berechtigt zu der Schlußfolgerung: Der die monologische Homophonie gewohnte Becher versuchte nicht die eigentümliche stilistische Polyphonie Majakowskis wiederzugeben.[12] Auch in anderer Beziehung verwandelte Becher die poetische Eigenart Majakowskis auf eine eher expressionistisch-pathetische, abstrakt verallgemeinernde Weise. Er hat dies später selbst anerkannt und die Vorzüge der neuen Majakowski-Übersetzer Leschnitzer und Huppert betont.[13]

Wie Brecht die expressionistische Pathetik, ja Pathetik schlechthin empfand, ist bekannt. So ist wohl anzunehmen, daß der pathetisch interpretierte Majakowski dem Autor der *Hauspostille* und der *Dreigroschenoper* kaum besonders wesensnah erschien. Von dem wahren Majakowski konnte Brecht erst um 1928/29 etwas mehr erfahren. Denn um diese Zeit wurden in Deutschland Versuche unternommen, *Die Wanze* aufzuführen, was auch Tschistowa mit Recht hervorhebt. Diese »biographische Anekdote« bringt nicht nur die Namen von Brecht und Majakowski, sondern auch ihre produktive Tätigkeit zum erstenmal in engere Verbindung. *Die Wanze* war bereits von Meyerhold in Moskau uraufgeführt worden; auch existierte bereits eine deutsche Übersetzung, als Majakowski über eine deutsche Aufführung zu verhandeln begann[14]. Etwa um dieselbe Zeit interessierten sich die Moskauer Theaterleute

11 In: Deutschland-Sowjetunion 1966, S. 300-301.
12 KuL 1970, Nr. 7, S. 703.
13 Ibid. S. 712. S. a. Becher, Poetische Konfession, Berlin 1959, S. 727.
14 Tschistowa, Majakowski und die deutschen Künstler, Diss. (masch.), S. 123-128.

für neue deutsche Dramen und besonders für Brecht. Der junge Regisseur Slatan Dudow wurde aus Berlin nach Moskau eingeladen, um als Sachverständiger und eventueller Mittelsmann behilflich zu sein. Sein Biograph berichtet darüber: »Es ist paradox, aber erst über diese Moskaureise wird Dudow mit Brecht bekannt. Anlaß dazu ist ein Auftrag, mit Brecht wegen der Übersetzung von *Trommeln in der Nacht* zu sprechen. Vier Stunden unterhalten sich die beiden über Moskau, dann versichert sich Brecht der Mitarbeit Dudows an seinem Studio im Theater am Schiffbauerdamm«.[15] Bald darauf folgte ein Brief Dudows an Majakowski (5. September 1929)[16] sowie ein Schreiben der Theaterdirektion an den Verlag Festland (29. November 1929)[17], die eine Aufführung der *Wanze* unmittelbar betrafen. 1931 begann Brechts Freundschaft mit Sergej Tretjakow, von dem er bestimmt viel über seine Freunde Majakowski und Meyerhold zu hören bekam.

Käthe Rülicke-Weiler behauptet: »In der Tat steht kein Dichter Brecht näher als Majakowski in der Auffassung der Kunst«.[18] Auch andere Brechtforscher führen konkrete Beispiele socher Übereinstimmungen an.[19] Majakowski sagte einst, als er von den Aufgaben des neuen revolutionären Theaters sprach: »In unserem Theater sollen die Ideen nicht auf der Bühne, sondern die Zuschauer sollen mit diesen Ideen aus dem Theater herauskommen«.[20] Genau das gleiche hätte auch Brecht sagen können. In einem diesbezüglichen Gespräch meinte Ilja Fradkin, der eigentliche Begründer der sowjetischen Brechtforschung und auch heute noch beste Kenner Brechts in Moskau, daß es eine sehr dankbare Aufgabe wäre, die kunsttheoretischen Äußerungen von Majakowski und Brecht systematisch zu vergleichen; denn in manchen ästhetischen Vorstellungen stimmten sie erstaunlich überein. Diese Aufgabe harrt nach wie vor ihrer Bearbeitung.

Es wurden bis jetzt noch keine Fälle direkter Einwirkung von Majakowskis Werken auf Brechts lyrisches, episches oder dramatisches Schaffen festgestellt. Und doch ist es keine zufällige Ähnlichkeit, die auch heute die Poesie und die Gedanken dieser in vieler Hinsicht grundsätzlich verschiedenen Dichter und Menschen verbindet. Brecht hätte ebenso wie Majakowski über sich sagen können, daß er für die Straße, die sich da »sprachlos krümmt«, nach einer »nackten und genauen Sprache« suche. Majakowski hat seine »Dialektik nicht

15 Horst Knietsch, Slatan Dudow. Lebensdaten eines sozialistischen Künstlers. In: Neues Deutschland, 31. 5. 1958. Beilage Kunst u. Literatur.
16 Majakowski-Museum (Moskau) Nr. R 338/54-49, zit. nach KuL 1961, Nr. 4, S. 386.
17 Handschriftenarchiv d. Gorki-Instituts f. Weltliteratur (Moskau), Nr. 16 028.
18 K. Rülicke, S. 115.
19 Klaus Schuhmann, Der Lyriker Bertolt Brecht, Rütten u. Loenning, Berlin 1964, S. 201; A. R. Wolkow, Obobschtschennost mesta i wremeni deistwija w dramaturgii majakowsko-brechtowskogo naprawlenija, in: Woprosy Russkoi Literatury. Wypusk 2(5), Lwow 1967, S. 115.
20 W. Majakowski, Sobr. Sotschin, B. XII.

von Hegel gelernt«. Brecht studierte zwar eine Zeitlang Hegel, nachdem er bereits Marx gelesen hatte; aber auch er kam zum revolutionären Marxismus »nicht von unten her«, sondern stürzte sich, genau wie Majakowski, »aus den Himmeln der Poesie in den Kommunismus.«

Zwischen Brecht und Majakowski herrscht eine Art Wahlverwandtschaft, die von der Weltgeschichte vorherbestimmt und den Betroffenen selber vielleicht nicht einmal bewußt war. Dieses Verhältnis dürfte auch für die Beziehungen Brechts zu einigen anderen russischen Zeitgenossen gelten. Heute noch scheiden sich die Geister, sobald Literatur- und Theaterwissenschaftler über ›Verfremdung‹ zu sprechen beginnen. Man kann dabei nicht umhin, den russischen Begriff *ostranenije* zu erwähnen – einen Begriff, der von Wiktor Schklowski erstmals 1914 gebraucht[21] und dann von ihm und Tynjanow ausführlich definiert[22], späterhin aber als »formalistisch« verworfen wurde. John Willett schrieb über die Brechtsche Verfremdung recht entschieden: »Offensichtlich leitet sich der Begriff von jenem ›Priem Ostranenije‹ oder Kunstmittel der Verfremdung[23] der russischen formalistischen Kritiker her.« Zur Begründung wies er darauf hin, »daß die Theorie wie auch das Schlagwort erst nach Brechts erstem Aufenthalt in Moskau 1935 in seinem Werk auftauchen«.[24] Das stimmt aber beides nicht: erstmals in Moskau war Brecht bereits 1932, und seine Theorie der Verfremdung wurde sogar noch früher formuliert – nämlich spätestens im Prolog und Epilog zum Stück *Die Ausnahme und die Regel* von 1930, wo es heißt:

Was nicht fremd ist, findet befremdlich!
Was gewöhnlich ist, findet unerklärlich!
Was da üblich ist, das soll euch erstaunen.

Ja, viel früher noch hat Brecht die Verfremdung dichterisch bewußt und betont praktiziert. Bereits *Die Legende vom toten Soldaten* (1918) war eine vorbildlich zielbewußte und spielerisch spontane Verfremdung. Unheimlich grotesk und doch poetisch verklärt, expressionistisch überbetont und doch volkstümlich naiv verfremdete der junge Autor die ganze unfaßbare Trostlosigkeit eines nichtendenwollenden, zum tristen Alltag gewordenen Krieges. Auf gleiche Art und ebenso wuchtig einleuchtend verfremdete er im *Baal* den exaltiert pathetischen Idealismus mancher seiner literarischen Landsleute und in *Trommeln in der Nacht* die Aussichtslosigkeit der deutschen Revolution des »kleinen Mannes«. Im selben Buch von Willett wird erwähnt, daß Brecht 1924 den Proben Reinhardts beiwohnte, als dieser Pirandellos *Sechs Personen su-*

21 W. Schklowski, Woskreschenije slowa, St. Petersburg 1914; Iskusstwo kak priem, 1917.

22 W. Schklowski, Teorija prosy, Moskau 1925; Juri Tynianow, Archaisty i nowatory, Leningrad 1924.

23 Ostranenije von stranno – sonderbar, wunderlich; also auf deutsch eigentlich »Versonderbarung«.

24 John Willett, Das Theater Bertolt Brechts, Reinbek 1964, S. 163.

chen einen Autor inszenierte[25] – ein Stück, das ja an sich die Verfremdung selbst ist. Ilja Fradkin hat in seinem Buch die Auffassung Willetts, der sich auch Reinhold Grimm, Paul Böckmann und andere anschlossen, sowie den Anspruch Schklowskis, der Urheber des Begriffs ›Verfremdung‹ zu sein, den Brecht dann angeblich über Tretjakow erkannt hätte[26], ausführlich und überzeugend widerlegt. Unbeachtet blieb dabei jedoch, inwiefern sich die Begriffe *ostranenije* und ›Verfremdung‹ voneinander unterscheiden. Fradkin bewies, daß die Verfremdung als Erkenntnismethode, die Hegel bereits in der *Phänomenologie des Geistes* vorwegnahm, von Brecht ins Marxistische »transponiert« wurde.[27] Wiktor Klujew – dem übrigens die Ehre gebührt, ein russisches Äquivalent für den Brechtschen Begriff konstruiert zu haben, nämlich *o-tschushdenije* im Unterschied zu *ot-tschushdenije* = Entfremdung –, Klujew glaubt, daß der V-Effekt von Brecht »dank seiner dialektisch-materialistischen Weltanschauung entdeckt und hauptsächlich mit den Bühnenkunst-Mitteln verwirklicht wurde«[28].

Kurz, aber treffend erörtert Boris Singermann die eigentliche – dramatische wie auch bühnenmäßige – Verkörperung und Gestaltung des V-Effekts, den er aber mißverständlich entweder mit *ot-tschushdenije* oder *ostranenije* übersetzt. Er erwähnt dabei, daß das Streben, »Gewöhnliches ungewöhnlich darzustellen«, auch Shaw und Chaplin eigen war[29]. Singermann wie Arseni Gulyga – auch er ein geistvoller Brechtforscher[30] – meinen, daß ›Verfremdung‹ und *ostranenije* gleichbedeutend seien. Dieselbe Auffassung vertritt auch Otto F. Best im Handbuch literarischer Fachbegriffe, der diese Begriffe einfach gleichsetzt und auf Schklowski zurückführt[31].

Eine ausführliche, allseitig vergleichende Studie der theoretischen Schriften von Brecht, Tynjanow, Schklowski usw. wird – so glaube ich – manche grundsätzlichen Unterschiede erkennen lassen. Doch dieses Problem mag hier ausgespart bleiben; denn trotz solcher (vielleicht ganz krassen) Unterschiede ist in dem, was und wie sie über den Sinn des künstlerischen Schaffens gedacht und geschrieben haben, eine offenbare Verwandtschaft der Weltempfindung – der Empfindung eher als der Anschauung – unleugbar. Es ist eine Verwandtschaft, die vor allem welthistorisch bestimmt war. Bereits im ersten Jahrzehnt des 20. Jahrhunderts waren die scharfsinnigsten Denker und seismologisch feinfühligsten Künstler sich bewußt, daß die scheinbar so friedlich und erfolgreich

25 Willett, S. 160.
26 I. Fradkin, Bertolt Brecht (russ.), Moskau 1966, S. 132-139.
27 Ibid.
28 W. G. Klujew, Teatralno-estetitscheskije wsglady Brechte, Moskau 1966, S. 143.
29 Singermann, O teatre Brechta in: Jean Vilar i drugije, Moskau 1964, S. 141–142.
30 A. Gulyga, Brecht i Fisiki, in: Westnik Otdelenija Obschtschestw. Nauk. Akademii Nauk, Grusinsk. SSR, 1971, Nr. 2, S. 48-61.
31 Frankfurt, 1972, S. 300; Vgl. E. Bloch, Entfremdung, in: Brecht, hrsg. von Erika Munk, New York 1972, S. 3–11.

fortschreitende Zivilisation katastrophale Überraschungen birgt, daß die Erkenntnisse der positivistischen Wissenschaften unzulänglich sind, daß jede neue Entdeckung immer neue Rätsel aufgibt und auf neue Geheimnisse in der Natur und in der Gesellschaft, im Atominneren und in der Menschenseele deutet. Lenins historisch-politische Analysen und Voraussagen, Machs und Einsteins empiriokritische Betrachtungen in Physik und Philosophie sowie die vielfältigen ästhetischen Rebellionen der Kubisten, Expressionisten, Futuristen usw. waren Vorzeichen eines neuen Zeitalters, einer Epoche der großen Veränderungen und Umstürze, der Kriege und Revolutionen. 1914 war dieses Zeitalter schon für alle sichtbar und spürbar angebrochen; Jahr für Jahr wurden dann immer neue Völker, immer mehr Millionen Menschen in seine stürmischen Strudel hineingerissen. Die vertrautesten Alltagsdinge erschienen ent- und verfremdet, Heiligtümer versanken im blutigen Dreck, ewige Werte zerfielen zu raschvergänglichem Schutt: man sah »klein das Große, groß das Kleine«, wie Goethe es einst geahnt hatte. Damals merkten manche Künstler und Kunsttheoretiker, daß auch die scheinbar autonomen ästhetischen Welten großen Veränderungen ausgesetzt sind, daß Veränderung und Veränderbarkeit und somit ›Versonderbarung‹ und Verfremdung zum eigentlichen Sinn, zur Natur aller Kunst gehören. Man erkannte, daß es in den ältesten und primitivsten Felszeichnungen der Urmenschen, nicht anders als in den allerneuesten und raffiniertesten Kunstarten, keineswegs bloß auf Nachahmung oder Widerspiegelung ankommt, sondern hauptsächlich auf die Um-, Neu- und Andersgestaltung und somit Veränderung und Verfremdung der Wirklichkeit – ob diese nun in plastischen Formen oder im Wort, in Laut oder in Farbe, in irgendeiner konkret faßbaren Materie oder in abstrahierenden Begriffen dargestellt und verallgemeinert wird.

Es war die neue dialektische Erkenntnis einer alten, naiv gewußten Wahrheit. Und diese Erkenntnis war an und für sich revolutionär; denn sie entstand aus den großen weltumwälzenden Ereignissen und wurde für manche Künstler zum Anreger nicht nur ästhetisch, sondern auch gesellschaftlich revolutionärer Produktivität. Der erste Weltkrieg erschien als eine zunächst unfaßbare, spontane und chaotische, wilde Ent- und Verfremdung aller gewohnten Begriffe und Vorstellungen von Zivilisation, Kultur, Menschlichkeit, Moral. Die darauffolgenden Revolutionen verfremdeten meist schon zielbewußt die verderblichen Gewalten der alten Welt, damit man sie richtiger erkennen und bekämpfen konnte; und die verkannten und unbewußten Kräfte der Werktätigen und Unterdrückten wurden verfremdet, um sie ihrer selbst bewußt und kampflustig zu machen.

In seiner *Geschichte des politischen Theaters* weist Siegfried Melchinger darauf hin, daß die »internationale unverabredete Übereinstimmung der russischen Formalisten (Schklowski als Theoretiker) mit dem Imagismus von Pound/Eliot, mit Valérys Weg von Mallarmé zu *Jeune Parque*, auch mit Gottfried

Benns ›Wirklichkeitszertrümmerung‹ seine Entsprechung in der revolutionären Bewegung der Bildenden Künste« hat[32]. Dies mußte selbstverständlich auch auf die Bühne übergreifen und stand zudem in Zusammenhang mit dem »Vorstoß der Musik zur Atonalität« (Schönberg)[33].

Die russische Revolution warf ihren Riesenschatten auf Jahrzehnte voraus. Er ist bereits in den Werken von Tolstoj und Dostojewski erkennbar, noch deutlicher in den zeitlich näheren von Gorki und Majakowski. So war es nur natürlich, daß sich eine revolutionär dialektische Entdeckung bzw. Neuentdeckung der Verfremdung als eines universalen Kunstgesetzes im Rußland des ersten Weltkriegsjahres ankündigte, die sodann in der Zeit des Bürgerkrieges entwickelt und präzisiert wurde. Brecht machte eine gleiche oder jedenfalls sehr ähnliche Entdeckung etwas später, aber doch wohl unabhängig von seinen russischen Vorgängern. Mindestens besteht kein unmittelbarer Einfluß. Brecht zog seine Folgerungen aus ähnlichen geschichtlichen und ästhetischen Erfahrungen wie Majakowski, Meyerhold, Schklowski, Tynjanow und Wachtangow. Seine ironisch-kritische Einstellung zur Welt, seine verwegen dialektische Denkungsart waren der ihrigen verwandt; doch es war eine objektiv determinierte zeitgenössische Schicksalsverwandtschaft.

Seit frühester Jugend nahm Brecht viele fruchtbar sich auswirkende Einflüsse auf: die gewaltige Poesie der Bibel und der volkstümlichen Sagen, Balladen, Lieder und Possen, die Dramen von Shakespeare, Schiller, Goethe, Büchner, Shaw, Wedekind und Gorki, die Lyrik von Villon, Goethe, Heine, Rimbaud und Kipling, die Schauspielkunst Karl Valentins und Charlie Chaplins. Auch das literarische Schaffen mancher Landsleute – freundlich gesinnter wie Bronnen, Feuchtwanger oder Döblin und feindlich gesinnter wie Th. Mann, Toller und Johst spornte ihn zum Wettkampf oder zur Polemik an. Er lernte immer, lernte gern, ja genießerisch. »Lerne das Einfachste!« Dieser Aufruf aus der *Mutter* galt ihm auch für ihn selbst:

Als ich jung war, hoffte ich
Daß ich einen Alten fände, der sich belehren ließe.
Wenn ich alt sein werde, hoffe ich
Findet sich ein junger Mensch, und ich
Lasse mich belehren.

Brecht ließ sich auch von seinen russischen Zeitgenossen belehren, von Alten und Jungen, direkt und indirekt. Die Gastspiele der sowjetischen Theater in Deutschland, des Künstler-Theaters 1922, des Tairowschen Kammer-Theaters 1923 und 1925, der »lebenden Zeitung« Blaue Bluse 1927 blieben von ihm bestimmt nicht unbeachtet[34]. Asja Lacis, die aus den russischen Revolutions-

32 Siegfried Melchinger, Geschichte des politischen Theaters, Hannover 1971, S. 363.
33 Ibid., S. 433.
34 Joachim Fiebig, Sowjetskoje teatralnoje iskusstwo i proletarski rewoluzionnyj teatr Weimarskoj respubliki, in: Sapiski o teatre, Leningrad 1968, S. 276–279.

theatern[35] nach Deutschland kam, um mit Brecht zusammenzuarbeiten, sowie der sowjetrussische Architekt und Maler Wesnin, der 1931 das Bühnenbild für *Mann ist Mann* entwarf, müssen ihm vom Theateroktober als unmittelbare Augenzeugen und Teilnehmer erzählt haben. Im Frühling 1930 gastierte in Berlin das Meyerhold-Theater, das viele heftige Diskussionen erregte. Brecht schrieb damals: »Die Lektüre der deutschen Theaterkritiken über Meyerhold wirkt sehr niederdrückend.« Er bezichtigte die Liebhaber eines »Erlebnis«-Theaters der Gleichgültigkeit und Interesselosigkeit gegenüber der »historischen Stellung des Meyerholdschen Experiments innerhalb der Versuche zu einem großen rationelleren Theater«. (Im selben Jahr, wohlgemerkt, erschien das erste Heft der Brechtschen *Versuche.*) Brecht hob an Meyerholds Experimenten vor allem hervor, »wie großartig alle Begriffe [...] zurechtgerückt sind« und daß »über die gesellschaftliche Funktion des Theaters eine wirkliche Theorie besteht«. In der zweiten Notiz verteidigte er die offenkundige, scharf antikolonialistische Tendenz der Aufführung von *Brülle, China!* gegen den Vorwurf, daß die »eventuelle Nettigkeit der Engländer im privaten Umgang« übersehen werde[36]. Dieses militant revolutionäre Drama war freilich in Deutschland schon früher bekannt geworden. Es wurde im Frankfurter Schauspielhaus genau am 9. November 1929 erstaufgeführt und in der *Frankfurter Zeitung* sehr günstig besprochen[37]. Der Autor Sergej Tretjakow wurde bald darauf Brechts Freund und Übersetzer.

Es könnte recht verlockend sein, bestimmte Eigenarten einiger Meyerholdschen Aufführungen mit denen von Brecht zu vergleichen. Die Schaubuden- und Hanswurst-Tradition, auf die Meyerhold so oft und so gerne zurückgriff – auch im *Revisor*, im *Wald* und im *Hahnrei*, die in Berlin vorgeführt wurden – kamen den ähnlich grotesken Effekten in *Mann ist Mann* und in *Mahagonny* zuvor; die beschrifteten Transparente als Szenentitel oder Motto im *Trust D.E.* und im *Revisor* nahmen diejenigen der *Dreigroschenoper* vorweg. Die Rhetorik und Gestik, der militant kollektivistische Geist im *Mysterium buffo*, in *Erde bäumt sich* und *Brülle, China!* ist in vieler Hinsicht dem verwandt, was in Brechts Lehrstücken, in der *Heiligen Johanna der Schlachthöfe* und auch noch in späteren Stücken – man denke an die Karnevalsszenen im *Galilei*, die Massenszenen in *Tage der Kommune* – dramatisiert ist.

Manche Theaterhistoriker glauben, daß in Meyerholds künstlerischen Versuchen und ästhetischen Theorien die eigentlichen Quellen des modernen Theaters verborgen seien. Norris Houghton zum Beispiel behauptete unzweideutig: »Brecht and Piscator had, for example, learned from Meyerhold, and the

35 Asja Lacis, Revolutionär im Beruf. Berichte über proletarische Theater; über Meyerhold, Brecht, Benjamin und Piscator, München 1971.

36 B. Brecht, Werkausgabe, Bd. 15, Frankfurt 1967, S. 304–305, 991–993.

37 G. Rühle, Hrsg., Theater für die Republik, L. S. Fischer, 1967, S. 991–994.

rest of us had learned from Brecht.«[38] Auch John Willett meint, Meyerhold habe einen direkten Einfluß auf Brecht ausgeübt.[39] Marjorie L. Hoover, die sehr gründlich den gesamten Werdegang Meyerholds untersucht hat, erkennt bereits in dessen frühesten Versuchen die bedeutungsvollen Vorzeichen und Vorbedingungen der späteren internationalen Theaterreformen und -revolten.[40] Sie erinnert daran, daß Meyerhold es war, der 1906 in Poltawa zum erstenmal eine Aufführung ohne Vorhang (Ibsens *Gespenster*) auf die Bühne brachte[41] und im selben Jahr bei einer mißlungenen Aufführung der *Hedda Gabler* doch eine grundsätzlich neue Kunstmethodik entwickelte: »[He] used suggestive settings and a symbolic color for each character« und seine »basic pose assigned to each character presaged the ›Gestus‹ advocated in the Brechtian theater today«.[42] In der Art, wie der junge Meyerhold Bloks Einakter *Die kleine Schaubude* aufgeführt und kommentiert hat, erkennt Hoover eine prinzipiell neue Auffassung der aufs Puppentheater bezogenen Schauspielkunst: »[It] foreshadows the ›alienation‹ Brecht demands of his actors.«[43] Sie findet Zusammenhänge zwischen Meyerholds Aufführung von *Schluck und Jau* (1905) und Brechts dramatischem Problem in *Mann ist Mann*[44] und meint, die *Revisor*-Bearbeitung von 1926 zeige »at least the Meyerhold of the 1920s as very close to Brecht, who finds it necessary to rewrite the classics for our time«[45]. (Man darf dabei allerdings nicht vergessen, daß Brechts *Leben Eduards des Zweiten* und Piscators *Räuber*-Bearbeitung früher entstanden waren.) Einzelne konkrete Fälle könnte man wohl bestreiten; ja, selbst bei deutlicher Ähnlichkeit und Artverwandtschaft künstlerischer Ereignisse und Erscheinungen ist oft eine direkte Beeinflussung unbeweisbar. Und doch bleiben Brecht und Meyerhold in der internationalen Theatergeschichte für immer fest verbunden. Die heute noch ungelöste Aufgabe ist, die wirklichen Verhältnisse und Zusammenhänge dieser Verbindung zu erforschen.

Nach Jürgen Rühle erarbeitete Meyerhold »eine besondere Technik, wie man das, was man im Text zu sagen hat, durch Miene und Geste vorwegnehmen, ergänzen und kommentieren könne – also eine Keimform der späteren Brechtschen ›Verfremdung‹ (beide, Meyerhold wie Brecht, knüpften da u. a. an das ostasiatische Theater an)«[46]. Vor allem die letzte Bemerkung ist beachtenswert; denn manche Übereinstimmungen bei solchen Meistern sind oft auf ge-

38 Norris Houghton, in: Return Engagement, N. Y. 1962, S. 17.
39 John Willett, The Theatre of Bertolt Brecht, London 1957, S. 209.
40 Marjorie L. Hoover, V. E. Meyerhold, A Russian Predecessor of Avant-Garde Theater, in: Comparative Literature, vol. XVII, Summer 1965, Nr. 3, S. 234-250.
41 Ibid., S. 241.
42 Ibid., S. 242.
43 Ibid., S. 243.
44 Ibid., S. 241.
45 Ibid., S. 248.
46 Jürgen Rühle, Theater und Revolution, Köln 1963, S. 10.

meinsame Vorbilder und Traditionsquellen zurückzuführen. Es sollte dabei aber nicht unerwähnt bleiben, daß Brecht auch schon früher eine Vorstellung von ostasiatischer Bühnenkunst hatte – etwa von den No-Spielen und vom Kabuki-Theater. Ganz besonders beeindruckte ihn jedoch der klassische chinesische Mime Mei-lan-fang, den er 1935 in Moskau zusammen mit seinen russischen Kollegen und Freunden erlebte[47]. Brecht hielt in Stockholm 1939 einen Vortrag *Über experimentelles Theater*. Er nannte als die bedeutendsten Meister des Experiments »Antoine, Brahm, Stanislawski, Gordon Craig, Reinhardt, Jeßner, Meyerhold und Piscator, die [...] die Ausdrucksmöglichkeiten des Theaters ganz erstaunlich bereichert haben«. Dann hob er besonders hervor: »Wachtangow und Meyerhold entnahmen dem asiatischen Theater gewisse tänzerische Formen und schufen eine ganze Choreographie für das Drama. Meyerhold führte einen radikalen Konstruktivismus durch ...«[48]

Im selben Vortrag sprach er über den »Aufbau der Verfremdungstechnik und die Ausbildung eines neuen Darstellungsstils« durch die deutschen Schauspieler Weigel, Lorre, Homolka, Neher, Busch und betonte, daß ihre Versuche nicht »so methodisch durchgeführt« werden konnten »wie die (andersgearteten) der Stanislawski-, Meyerhold- und Wachtangowgruppe«[49]. Unmittelbar darauf bemerkte er, daß »die Entwicklung des neuen Theaters«, die er meint, »durchaus eine Fortführung der früheren Experimente besonders des Piscatortheaters« sei. Brecht war sich seiner Verwandtschaft mit den russischen Theaterrevolutionären endlich doch bewußt geworden, zugleich freilich auch ihrer Andersartigkeit. Rühle glaubt die Unterschiede darin zu erkennen, daß Meyerhold die Revolution als »einen großen Dammbruch der Befreiung« gestaltete und nie »als spezifisch bolschewistische Variante« wie später Brecht[50]. Diese Auffassung erscheint mir zu simplifiziert und schon deswegen falsch. Brechts revolutionäres Weltempfinden war ebensowenig – wenn nicht weniger – dogmatisch als das von Meyerhold und Majakowski. Er ist mit Meyerhold auch darin zu vergleichen, daß er eigentlich nie einen einzigen oder einheitlichen Stil dogmatisierte, sondern für jedes Stück immer neue Ausdrucksmöglichkeiten und Stilformen entfaltete.

Boris Singermann, der manche gemeinsamen Züge in Meyerholds und Brechts Aufführungen und theatertheoretischen Überlegungen scharfsinnig erkannte, faßt diese Beziehung ähnlich wie Willett, Hoover, Rühle und andere als unmittelbare Nachfolgerschaft auf. »Indem Brecht«, schreibt er, »der *ostranenije*-Methode eine universale Bedeutung verlieh, die sie bei Meyerhold nicht hatte, erarbeitete er ein System des epischen Theaters und gewann auf

47 Brecht, Werkausgabe, Bd. 15.
48 Ibid., S. 285-286.
49 Ibid., S. 303.
50 J. Rühle, S. 70.

diese Weise aus den Entdeckungen der revolutionären Kunst der zwanziger Jahre einen neuen Sinn. Die Kunst der politischen Propaganda und der sozialen Maske, die sich schon erschöpft zu haben und damit der Vergangenheit anzugehören schien, erhielt durch Brechts Schaffen vollkommen neue Impulse und wurde entsprechend der historischen Situation der dreißiger Jahre umfunktioniert[51].« Diese Verallgemeinerung ist meines Erachtens grundsätzlich richtig. Aber die Gleichsetzung der Methoden (d. h. die Verwendung des *ostranenije*-Begriffs für beide Künstler, was eben die ›Verfremdung‹ ungenannt läßt) sowie der von Singermann gesperrte Begriff ›System‹ widersprechen dem wirklichen Verhältnis der erkenntnistheoretischen und künstlerisch-praktischen Entwicklung bei Meyerhold und Brecht; und das gleiche gilt für die Behauptung, »alle Elemente von Brechts epischem Theater« seien »in den Aufführungen Meyerholds bereits vorhanden« gewesen. Vollends übertrieben erscheint mir die Schlußfolgerung, daß eine ganze Epoche der Ideen- und Kunstentwicklung Brecht von Meyerhold trenne. Es handelte sich doch wohl eher um verschiedene Künstlerschicksale, verschiedene Entwicklungsweisen und von Anfang an verschiedene Künstlerindividualitäten im Umkreis ein und derselben Epoche.

Je gründlicher und genauer die Merkmale dieser weltgeschichtlichen Künstler-Wahlverwandtschaft erkannt werden, desto deutlicher treten auch die Unterschiede und Gegensätze hervor. Sie sind in manchem – aber keineswegs ausschließlich – sozialpolitisch bedingt. Das Meyerhold-Theater und das Wachtangow-Theater wurden während und kurz nach einer siegreichen Revolution aufgebaut und mußten sich dann unter dem Druck einer konservativen Kulturpolitik ändern oder verkommen. Brechts Theater keimte zunächst aus einer mißratenen und aus dem illusionsvollen Streben zu einer nie vollbrachten proletarischen Revolution. Sein Werdegang nach 1949 in der »Frontstadt« des Kalten Krieges war einmalig. Das sind Eigenarten, die Brecht von allen sowjetischen Theatern schlechthin unterscheiden. Und wenn es um Kunst geht, muß man in jedem konkreten Fall zunächst die individuelle Eigenart ergründen. Meyerhold und Brecht strebten beide ein revolutionäres und »rationaleres« Theater an. Doch Meyerhold war auch als Theaterleiter vor allem Schauspieler, Bühnenbildner und Universal-Dirigent – *magister ludi*. Brecht kam ins Theater als Lyriker und Stückeschreiber, frühreif, sprachlich und geistig souverän. Bis zuletzt, mit den Gipfelleistungen seiner Regiekunst und den tiefschürfendsten Überlegungen seiner Theorie, blieb er Poet. Seine Bühnengestik war nicht nur unlösbar mit Idee, Wort und Fabel verbunden, sondern meist

51 B. Singermann, Korifeji sowjetskoi reshissury i mirowaja szena, in: Woprossy Teatrasborn WTO, Moskau, 1970, S. 100. Die gleiche Meinung vertritt John Fuegi: "Meyerhold's theater theory and practice ... anticipate that of Brecht in all essential particulars." Brecht Heute 2 (1972), S. 212.

ihnen untergeordnet, von ihnen bestimmt. Für Meyerhold war das Ziel der Aufführung vor allem eine schlagartige emotionale Einwirkung. Die »biomechanische« Vollkommenheit des Ensemblespieles, das konstruktive und farbig plastische Bühnenbild, Musik, Tanz und allerlei Arten von possenhaft akrobatisch oder rhetorisch hervorgehobenen Pointen sollten mittels der Sinne die Vernunft ansprechen, über das Unterbewußtsein auf das Bewußtsein wirken[52]. Brechts Methode war dazu der genaue Gegensatz; denn das, was für Meyerhold das Ziel des Theaters bedeutete, war für Brecht eher Mittel zum Zweck, sollte einer zielbewußten Verfremdung außer- bzw. ›überästhetischer‹ Ideen dienen. Brecht wollte zuallernächst die Vernunft ansprechen, das Denken selbst zum Genuß und zur Unterhaltung machen; über die Vernunft sollten die Emotionen angeregt werden, damit das Bewußtsein auf das Unterbewußtsein einwirken könne (vgl. *Kleines Organon*, S. 24, 34, 36). Doch unterschieden sich die beiden Methoden auch im umgekehrten Sinn. Meyerhold ordnete in jeder Aufführung alle Bühnenelemente einem rationalistisch-konstruktiven, einheitlichen Plan und dem zentralen, oft sogar despotischen Willen des Regisseurs unter. Brecht dagegen erstrebte in seinem »Theater des neuen wissenschaftlichen Zeitalters«, das ja zugleich auch ein Theater des Stückeschreibers war[53], eine ungezwungen »naive« Kunst, verlangte eine offenkundige »Autonomie« verschiedener Kunstgattungen[54] und entwickelte eine demokratisch-kollektivistische Arbeitsweise, die stets eine bewußt un- und antidogmatische Selbstkritik voraussetzte.

Brecht hat versucht, eine summarische Übersicht dessen zu geben, was er an den Methoden seiner russischen Vorgänger ›fortschrittlich‹ fand. (Leider vermerken die Herausgeber nicht, wann diese Liste entstanden ist.) Brecht sah die Fortschrittlichkeit der Stanislawski-Methode darin: 1) daß sie eine Methode ist; 2) intimere Kenntnis des Menschen, das Private; 3) die widersprüchliche Psyche darstellbar; 4) Einfluß des Milieus berücksichtigt; 5) Toleranz; 6) Natürlichkeit der Vorstellung. An der Wachtangow-Methode schienen ihm folgende Merkmale fortschrittlich zu sein: 1) Theater ist Theater; 2) das »Wie« statt des »Was«; 3) mehr Komposition; 4) mehr Erfindung und Phantasie. An der Meyerhold-Methode hingegen imponierten ihm Merkmale als fortschrittlich, die zum Teil den bei Stanislawski gerühmten direkt widersprechen: 1) Bekämpfung des Privaten; 2) Betonung des Artistischen; 3) die Bewegung in ihrer Mechanik; 4) das Milieu abstrakt. In derselben Notiz nennt er Wachtangow den »spielerischsten« der drei, der beide »als Gegensätze in sich hat«. Brecht verglich sie so: »Gegen ihn [Wachtangow] ist Meyerhold angestrengt, Stanislawski lässig, der eine eine Imitation, der andere eine Abstraktion des Lebens. [. . .] Wachtangow ist dialektisch gesehen eigentlich eher der

52 K. Rudnizkij, Regisseur Meyerhold (russ.), Moskau 1969, S. 374, 422, 465, 488-489.
53 Werkausgabe, Bd. 16, S. 598 f.
54 Ibid., S. 672 f.

Stanislawski-Meyerhold-Komplex vor der Sprengung als eine Synthese nach der Sprengung.«[55]

Das widersprüchliche und wechselvolle Verhältnis Brechts zu Stanislawski bedarf eingehender und ernsthafter Studien, wie sie in dem bereits erwähnten Buch von Käthe Rülicke-Weiler[56] erstmals begonnen wurden. Eine kurze Abhandlung muß sich demgegenüber notgedrungen auf wenige Einblicke beschränken. Brechts Auseinandersetzung mit dem »System« Stanislawskis war manchmal geradezu unnatürlich kompliziert und vernebelt, da die Vorschriften und Spekulationen von dessen Epigonen behördlich willkürlich zur einzig heilbringenden realistischen Theatertheorie erhoben worden waren. Stanislawski erschien Brecht bisweilen als ein Gipfel an der »Grenze der bürgerlichen Theaterkunst« und eigentlicher Antipode; ein andermal aber erkannte er in ihm einen großen revolutionären Künstler, von dem man sehr »viel lernen« könne[57]. Von den drei »fortschrittlichen Methoden«, die Brecht im russischen Theater vorfand, war ihm wohl diejenige Wachtangows am nächsten. Er konnte über dessen Aufführungen und theoretische Äußerungen zwar meist nur mittelbar etwas erfahren; doch sind Wachtangows Ironie und seine Vorstellungen vom Verhältnis Theater-Wirklichkeit der Brechtschen ›Verfremdung‹ viel näher als die ›Überaufgabe‹ Stanislawskis und selbst das *ostranenije* und die »Bedingtheit« (*usslownost*), wie sie von Meyerhold und Tairow geübt wurden. Sollte es bloßer Zufall sein, daß Brechts letztes unvollendetes Drama *Turandot* aus derselben Fabel entstand, die auch Wachtangow für seine letzte großartige Theaterarbeit umgestaltete? Nichts weniger als zufällig ist es jedenfalls, daß zum besten Brecht-Interpreten im heutigen russischen Theater ein Sproß der Wachtangow-Schule wurde: nämlich Juri Ljubimow, der das jüngste Theater in Moskau, das Taganka-Theater, leitet[58].

In der deutschnationalen Zeitung *Germania* vom 18. Januar 1932 wurde Brecht »ein literarischer Interpret des Bolschewismus in Deutschland« genannt. Es ging um die Aufführung der *Mutter*. Der gehässige Rezensent hat trotz mancher Übertreibungen letzten Endes doch richtig gesehen: Brecht war kein Schüler oder Nachahmer seiner russischen Zeitgenossen, sondern ihr Mitkämpfer, ihr freundschaftlicher Rivale. Er interpretierte den Geist der bolschewistischen Revolution auf seine eigene, deutsche, Brechtsche Art.

Das Verhältnis Brechts zu Majakowski, Meyerhold, Stanislawski, Tairow und Wachtangow war vieldeutig und vielschichtig, hauptsächlich indirekt und mittelbar oft zu polemischen Auseinandersetzungen anregend. Aber in bestimmten Fällen darf man wohl auch von unmittelbaren und vor allem positiv

55 Werkausgabe, Bd. 15, S. 439 f., 454, 472 f.
56 K. Rülicke-Weiler, S. 179-188.
57 Werkausgabe, Bd. 15, S. 285–286, 380–388; Bd. 16, S. 515–517, 522–523, 843–866.
58 Lew Kopelew, Ljubimow und die Tradition der Avantgarde, in: Jahressonderheft 1971, Theater heute, S. 114-118.

aufgenommenen Einwirkungen aus Rußland sprechen. Es waren die Filme Eisensteins und Pudowkins, die Freundschaft mit Tretjakow und die Werke von Gorki. Eisensteins *Panzerkreuzer Potemkin* fand in Deutschland 1926 seine erste Anerkennung. Die triumphale Aufnahme des revolutionären russischen Films im bürgerlichen Deutschland war auch für manche Landsleute Eisensteins höchst überraschend. Dieser »übertrug den Geist des Theateroktobers, Dynamik und Pathos der Massenfeste, auf die Leinwand und wurde der große Bahnbrecher des Monumentalfilms«[59]. Er verwirklichte in seinen Filmen (und begründete nachher theoretisch) die Kunst der Montage, diese von den Filmkünstlern entdeckte bzw. erst geschaffene Art der Verfremdung, die aus dem Gegenüberstellen, aus kontrapunktischem oder metaphorisch wirkendem Aneinanderreihen heterogener Elemente entsteht. Ein wichtiger Vorläufer war Brechts Freund John Heartfield, der 1916/17 in den Schützengräben die Fotomontage erfunden und 1920 als Dadaist die »proletarisch revolutionäre Kunst« des russischen Konstruktivisten Tatlin propagiert hatte. Melchinger erkennt ein Merkmal der ästhetischen Revolution von 1910 in der »Verschärfung der Destruktion bis zu dem Punkt, wo sie in Konstruktion umschlägt«[60]. Dieser Wendepunkt ist in Rußland am Übergang vom Futurismus zum LEF und Konstruktivismus, in Deutschland an der Entwicklung des Expressionismus über den Dadaismus zur Neuen Sachlichkeit und zur konstruktiven Bauhaus-Ästhetik deutlich ablesbar. Die Filme Eisensteins, Pudowkins, Dsiga Wertows und Dowshenkos ebenso wie das Theater Meyerholds waren Erscheinungen eines gewaltigen Dranges zur revolutionären Konstruktion, die aus der siegreichen Destruktion aller alten Werte neue Strukturen erschaffen wollte, aber nur als Gegensatz zu den spießerischen pseudo-revolutionären und eigentlich restaurativen Entartungen der staatlich geförderten Massengebrauchskunst sich entwickeln konnte. Die Kunst der Montage gehörte zu den Ausdrucksmitteln und -formen dieses Dranges zur neuen revolutionären Konstruktion. Die einfachsten Dinge und die gewöhnlichsten Abbildungen des Alltags wurden miteinander oder mit den kompliziertesten und ungewöhnlichsten Dingen und Bildern zusammengebracht, gruppiert und kontrastiert. Durchdrungen und durchglüht von revolutionären Ideen, verschmolzen sie zu politischen Verallgemeinerungen, zu metaphernreichen Kunstwerken. Brecht übernahm die Kunst der Montage sowohl mittelbar als auch unmittelbar aus Filmen, Zeitschriften und dem alltäglichen Straßenbild, von Heartfield und ganz besonders von Piscator, Eisenstein, Chaplin, Pudowkin, Dsiga Wertow und anderen. Das kann man gut am Aufbau mancher Stücke erkennen. Die *Mutter*, die *Heilige Johanna* oder *Furcht und Elend* sind so strukturiert, daß gerade die Montage einzelner Bilder wirken soll.

59 J. Rühle, Theater und Revolution, 1963, S. 79; siehe auch K. Rülicke-Weiler, S. 109-116.

60 S. Melchinger, Geschichte des politischen Theaters, S. 362.

Daß Brecht die Kunst der Montage in seinem Theater »eigenartig entwickelt und umgestaltet hat«, betont Singermann in seiner bereits zitierten Abhandlung. Ebenso wie früher Rudnizkij erkennt er mit Recht in der praktischen Gestaltung und theoretischen Erörterung der »Montage von Attraktionen« bei Eisenstein eine produktive Weiterentwicklung von dessen Erfahrungen als Schüler und Mitarbeiter Meyerholds. Singermann sieht also in Eisenstein ein Medium direkter, wenn auch mittelbarer Meyerholdscher Einflüsse auf Brecht. Das ist zwar wiederum ein logisch und rational sehr schön ausgebautes, aber doch eher abstraktes Schema solcher Beziehungen und Verhältnisse in einer Welt, wo durchaus konkrete Erscheinungen – verschiedene Künste, Ideen, Mythen, Bilder, weltanschauliche und ästhetische Vorstellungen – sich oft recht unlogisch, ja irrational miteinander verbinden, aufeinanderprallen und kontrapunktisch oder in Resonanz mitschwingen. So haben auch in Bezug auf die Montagekunst nicht allein Eisenstein und andere Filmkünstler (übrigens durchaus unabhängig von Meyerhold) auf Brecht eingewirkt, sondern früher schon John Heartfield sowie die Bilderreihen, die von Moritatensängern auf den Marktplätzen vorgeführt wurden – genau wie im Vorspiel zur *Dreigroschenoper.*

Im autobiographischen Essay *Der Lernende ist wichtiger als die Lehrer* versichert Brecht: »Nicht einmal die großen Filme Eisensteins, die eine ungeheure Wirkung ausübten [...] und die ersten theatralischen Vorstellungen Piscators, die ich nicht weniger bewunderte, [...] veranlaßten mich zum Studium des Marxismus«.[61] Diese Behauptung war bestimmt ehrlich gemeint. Brecht glaubte und wollte glauben, daß er durchaus rationalistisch und vernunftmäßig auf den Weg zum revolutionären Marxismus gelangt sei. Aber ausgerechnet dann, wenn er an die entscheidende Entwicklungsperiode seiner Weltanschauung zurückdenkt, fühlt er sich sonderbarerweise an Eisenstein und Piscator erinnert. Damit beweist er wohl eher das Gegenteil dessen, was er behauptet. Denn das große Erlebnis mit *Panzerkreuzer Potemkin* – auch Pudowkins Film *Die Mutter,* die Dokumentarmontagefilme von D. Wertow und Aufführungen Piscators wie die rebellisch anachronistischen *Räuber* oder *Nachtasyl, Rasputin* und *Schwejk,* an dem ja Brecht mitgearbeitet hat, gehören hierher – fällt in dieselben Jahre, als Brecht seine marxistischen Studien begann und sich schließlich offen zum proletarischen Sozialismus bekannte. Seine 1928 preisgekrönte Kurzgeschichte *Die Bestie* personifiziert und verfremdet ein ästhetisches Problem, indem sie Alltagserlebnisse aus einem sowjetischen Film-Studio schildert.

Die Freundschaft mit Tretjakow begann 1931. Im Laufe von etwa sieben Jahren trafen sich die beiden einige Male, u. a. 1932 und 1935, als Brecht in Moskau war. Der Briefwechsel scheint recht lebhaft gewesen zu sein. Brecht ließ sich von Tretjakow über Rußland und China (wo dieser eine Zeitlang

61 Werkausgabe, Bd. 20, S. 46.

gelebt hatte) sowie über Majakowski, Meyerhold und die literarischen Auseinandersetzungen unterrichten; man diskutierte über politische, historische und ästhetische Probleme, über Brechts Stücke, die Tretjakow übersetzte, und über die *Dreigroschenoper*-Aufführung in Tairows Kammer-Theater, die beiden mißfiel. Im lyrischen Nachruf auf Tretjakow, der 1939 von Stalin ermordet wurde, nannte Brecht ihn seinen »großen Lehrer«. Es ist anzunehmen, daß es Tretjakow war, der ihm die Traditionen und Erfahrungen des Theateroktobers vermittelt hat[62].

Gorkis Dramatik spielte in der Entwicklung des deutschen Theaters eine Rolle, die in vollem Ausmaß noch nicht erforscht ist. Das *Nachtasyl*, das Reinhardt kurz nach der russischen Uraufführung (1902) im Januar 1903 im Berliner *Kleinen Theater* brachte, wurde bis Oktober 1903 in Berlin und während zahlreicher Gastspiele in Dresden, Prag, Wien und Budapest zweihundertfünfzigmal aufgeführt; im Mai 1905 feierte es die fünfhundertste Aufführung. Heinz Kindermann bezeichnet diese Leistung Reinhardts als dessen »Hauptwagnis«, womit er »den Durchstoß durch die beengenden naturalistischen Umgrenzungen bewirkte«[63]. In der allerersten Periode seiner Entwicklung zum Großmeister der politischen Bühnenkunst führte Erwin Piscator 1919/1920 in seinem Berliner Proletarischen Theater zwei Stücke von Gorki auf, *Rußlands Tag* und *Die Feinde*; 1926 inszenierte er echt »piscatorisch modernisiert« das *Nachtasyl*.

Mit Brechts *Mutter*, die Gorkis Roman entsproß und von ihm nachträglich anstandslos autorisiert wurde[64], kam auf die deutsche Bühne erstmals »ein Stück antimetaphysischer, nichtaristotelischer Dramatik[65]«. Mit der *Mutter* setzte für Brecht die entscheidende Wendung ein, die ihn zu einer unmittelbar agitatorisch-propagandistischen Revolutionskunst führte. Ein amerikanischer Brechtforscher schrieb darüber: »Das war Brechts erstes Werk, das die marxistische Lehre, Belehrung und Vergnügen auf einfache, direkte, unprätentiöse, aber höchst künstlerische Weise verschmolz und Gedanken in eindeutigen Begriffen ausdrückte, so daß jeder sie verstehen und danach handeln konnte.«[66]

Die *Mutter*-Aufführung war aber für Brecht die letzte Aufführung seiner Stücke in Deutschland vor dem fünfzehnjährigen Exil. Seine Arbeit an der *Mutter* wurde wohl auch von dem Pudowkin-Film *Die Mutter* bestimmt; das nahm bereits damals Herbert Jhering (*Berliner Börsen-Courier* vom 18. Januar 1932) und ebenso später Günther Rühle an[67]. Ungeklärt ist noch, ob und wieweit Brecht über die Theaterpläne Gorkis unterrichtet war. 1919/1920 und

62 Werkausgabe, B. 2, S. 741-742; I. Fradkin, S. 133-134, 341-342, 991-992.
63 Heinz Kindermann, Theatergeschichte Europas, Salzburg 1968, Bd. 8, 299–301.
64 E. Wargaftik, Jelena Weigel w Roli Pelagei Wlassowoi, in: Sapiski o Teatre, Leningrad 1968, S. 239.
65 Werkausgabe, B. 17, S. 1036.
66 Frederic Ewen, Brecht, Hamburg 1970, S. 244.
67 Theater für die Republik, S. 1102. Treffliche Betrachtungen über die möglichen

dann wieder 1930/31 wollte dieser ein volkstümliches Improvisationstheater gründen und hoffte, Wachtangow dafür zu gewinnen[68]. Wenn man Mutter Courage mit Gorkis Wassa Shelesnowa im gleichnamigen Stück, das Brecht im Berliner Ensemble aufführte, vergleicht, so bemerkt man ähnliche Züge in Charakter, Weltempfindung, ja selbst in der tragischen Schuld der beiden Frauen, von der die eigentliche dramatische Handlung schicksalhaft bestimmt wird. Ist dies ein Zufall? Oder wiederum ein Beispiel zeit- und gesinnungsgenössischer »Kongenialität«? Oder vielleicht doch eine unmittelbare Einwirkung?

Diese Fragen bleiben vorläufig für mich offen, ebenso wie noch viele andere, die sich auf konkrete Zusammenhänge Brechts mit seinen russischen Vorgängern und Zeitgenossen beziehen.

Doch einige Schlußfolgerungen erscheinen schon jetzt als berechtigt. Die internationale künstlerische Avantgarde im zweiten und dritten Jahrzehnt unseres Jahrhunderts war besonders ausgeprägt und produktiv zur Zeit der ›goldenen zwanziger Jahre‹, der *roaring twenties.* Im vor- und nachrevolutionären Rußland erlebte die Avantgarde – sonst auch als ›linke Kunst‹ bekannt – einen geradezu universellen Triumph: sie wurde nicht nur zu einer ästhetisch, sondern auch sozialpolitisch überlegenen militanten Bewegung. Gleichzeitig traten in Deutschland die Expressionisten und Dadaisten als bewußte Vorkämpfer eines ›Kulturbolschewismus‹ auf. In anderen Ländern waren die ästhetischen Rebellen politisch weniger aktiv oder – falls sie es überhaupt waren – weniger deutlich ausgerichtet, obwohl etwa französische, polnische, tschechische und ungarische Surrealisten und Dadaisten zumeist ebenfalls als ›Rote‹ galten.

Das Abebben der avantgardistischen Revolten wurde in den dreißiger Jahren immer klarer erkennbar. Trotz einiger radikal willkürlicher Eingriffe von außen, wie sie zum Beispiel die nazistische Bekämpfung der ›entarteten Kunst‹ und die stalinistischen Säuberungen von Formalismus und ideologischen Abweichungen darstellten, vollzog sich dieser Vorgang gleichsam spontan nach einem Naturgesetz. Die naturalistischen ›Stürmer und Dränger‹ des ausgehenden 19. Jahrhunderts wurden von den Neuklassikern, Neuromantikern und Symbolisten abgelöst, denen die Expressionisten folgten. In den dreißiger Jahren wechselten die Expressionisten Becher und Friedrich Wolf, die Surrealisten Aragon und Éluard zu einem neuartigen Klassizismus über. Ähnliche Entwicklungstendenzen kann man bei Döblin, Heinrich Mann, Nezval, Pablo Neruda, Nazim Hikmet und anderen erkennen. Diese Evolution wurde in manchen Fällen als der Werdegang einer grundsätzlich neuen ›künstlerischen Me-

unmittelbaren Einflüsse des Pudowkin-Films in der Montage der Episoden und in allgemeiner Gestik und Stimmung auf das Brecht-Drama äußerte im Gespräch mit mir der Moskauer Literaturwissenschaftler Lew Osspowat.

68 Siehe J. Rühle, S. 94.

thode‹, nämlich des sozialistischen Realismus, bezeichnet. Zu dieser Auffassung bekannte sich auch Brecht; doch im Unterschied zu manchen seiner Gesinnungsgenossen trat er dabei als bewußter Nachfolger und Traditionsträger der linken Avantgardekunst der zwanziger Jahre auf. Zur Literatur und auf die Bühne kam er zunächst als ein ironischer, ja sarkastischer Gegner der Expressionisten, deren »Oh-Mensch«-Pathos und »der Mensch ist gut«-Illusionen er schonungslos verhöhnte. Aber bereits in der großen Expressionismusdebatte von 1937/38 polemisierte er heftig gegen Lukács und andere Dogmatiker, die den Expressionismus verteufelten. Ebenso verteidigte er 1951 Barlach. Auch im ersten Jahrzehnt nach 1945, als im Westen der Neorealismus florierte und im Osten der behördlich geförderte quasi-sozialistische Quasi-Realismus sein Monopol behauptete, ließ sich Brecht – schlau und tapfer, wie er immer war – von seinem eigenen Wege nicht abbringen. Er verleugnete weder die Werke noch die Lehrer seiner Jugend, sowenig wie seine Artverwandtschaft mit den bösen Formalisten. Deswegen wurde Brecht überall und insbesondere in der Sowjetunion als der legitime Erbe von LEF und Meyerhold sowie der revolutionären russischen Kunst in ihrer Gesamtheit empfunden und begriffen. Das hat vor allem Singermann geistreich und überzeugend dargestellt. Dabei sind Übertreibungen und Simplifizierungen so gut wie unvermeidlich. Aber eins ist doch für alle objektiven Beobachter klar: Die russischen Quellen und Einflüsse in Brechts künstlerischem und theoretischem Schaffen waren mindestens ebenso bedeutend wie die wichtigsten von denen, die er aus anderen Teilen der Welt bezogen hat; und sie wirkten entscheidend vor allem an den Wendepunkten seiner Entwicklung – so Ende der zwanziger Jahre, als er *Die Mutter* verfaßte, und dann in den dreißiger und vierziger Jahren, als er mit *Mutter Courage* und *Galilei* neuartig auf jene »alte Dramenform« zurückgriff, von der er noch ein Jahrzehnt zuvor wähnte, sie sei »kaputtgegangen«[69]. Dahingestellt bleibe, wie im letzten Lebensabschnitt seine Denk- und Lernlust, seine Fähigkeit, »die Dinge zu erkennen, indem man sie ändert«[70], und sein lyrisches, dramatisches und bühnenkünstlerisches Schaffen von verschiedenen Einwirkungen beeinflußt wurden.

Wenn es im Geahnten ist
Wenn es im Losen ist
Wird es gepriesen.

Wenn es im Großen ist
Wenn es im Geplanten ist
Wird es verwiesen.

Das sollte auch für ihn selbst gelten.

69 Werkausgabe, Bd. 25, S. 170; Bd. 15, S. 170.
70 Ibid., Bd. 20, S. 172.

Marjorie L. Hoover
[Oberlin, Ohio]

BRECHT'S SOVIET CONNECTION TRETIAKOV

As an article in volume II of *Brecht Heute / Brecht Today* rightly points out, Brecht's written references to his connections with the Soviet avant-garde were limited and necessarily guarded, especially during the time of his emigration. The article quotes Käthe Rülicke-Weiler to indicate the importance of Brecht's relationship with Sergei Tretiakov.[1] Brecht owed the rewarding

1 *Brecht heute*, Jg. II (Frankfurt 1972), 220, from Käthe Rülicke-Weiler, *Die Dramaturgie Brechts* (Berlin, 1966), 110.

To fill in the personal biography of Tretiakov, about whom most reference works still yield little information, the following sources were drawn upon: his own autobiography (*International Literature*, English edition, No. 1, 1933, 129-132) and the articles included in the two volumes of his work which have been republished since his rehabilitation, namely 1) three prose works in the volume entitled after the first, *Den Shi-khua* (Moscow, 1962), including an introduction by V. Pertsov, and 2) three plays in a volume entitled after the first, *Slyshish', Moskva?* (Moscow, 1966), including articles by A. V. Fevralskii and B. Rostotskii.

Sergei Mikhailovich Tretiakov (1892–1939) was born the son of a schoolteacher in the small town Kuldig near Riga; he attended the gymnasium in Riga, graduating as gold medalist. (His youth spent in a city with a German-speaking sector of the population doubtless explains his at least working knowledge of the German language.) After passing the first law examination at Moscow University, he turns up at the time of the Civil War as the author of fervent revolutionary poems published in Far Eastern newspapers. His first volume of poems was published in Vladivostok (1919), where he met the poet N. Aseev and collaborated with N. Chuzhak in editing a magazine. With the same two associates he then joined the editorial board of V. V. Mayakovsky's influential Moscow magazine *Lef* (1923–1925) and continued with the successor, *Novyi Lef* (1927–1928), becoming editor in its last year after Mayakovsky's resignation.

Simultaneously with his work for *Lef* he collaborated with Meyerhold both in the training of actors and as play adaptor and playwright. His best known productions at the Meyerhold Theater were *Earth Rampant* (1923), adapted from the French, and his own play, *Roar China!* (1926).

Equally significant was his collaboration with Sergei Eisenstein, then a student of theater direction in the Meyerhold Workshop. Together Eisenstein as director and Tretiakov as adaptor staged for the "proletkult" theater their "contemporization" known as *The Wise Man* after a play from the classic repertory by A. N. Ostrovsky. Thanks to a film strip they inserted in this play instead of the hero's reading his diary and thanks also to the confrontation with the real scene when they performed Tretiakov's play *Gas Masks* at the gas works (1924), Eisenstein found his true vocation for film, not theater.

nature of their friendship to many resources of Tretiakov's past and personality: his Marxist convictions and aesthetic theories, his rich experience of revolutionary theater both in the "proletkult"[2] and the Meyerhold Theater, his closeness to Eisenstein and, surely too, his total affirmation of the Communist cause and zeal in its service. However, Tretiakov disappeared from view almost completely during the period of Stalinist repression and only in the past decade were two single volumes of his works republished in the Soviet Union.[3] Only in recent years has material relative to him appeared in the West as well; for example *Revolutionär im Beruf* (Munich, 1971), an anthology of the memoirs collected by Hildegard Brenner and work of Anna Lacis, Brecht's earliest informant on Soviet theater. Lacis' husband and Brecht's close friend in the Soviet Union, Bernhard Reich, also recently published his memoirs, *Im Wettlauf mit der Zeit* (E. Berlin, 1970), and a Russian translation of them has appeared, *Vena. Berlin. Moskva. Berlin* (Moscow, 1972), from which, however, one significant passage is omitted. This and the nature of pertinent publications in the West shows that the politics of literature is a continuing process. Indeed, the most recent book relevant to Tretiakov, the collection of his own articles, *Die Arbeit des Schriftstellers* (Reinbek, 1972), devotes the major part of its space to his politico-aesthetic views on realism. The very word "realism," of course, looses echoes of the old debates, "socialist realism," "literature of fact," "production art." Today the problems of political literature, far from being solved, are at least being re-evaluated. Not all the materials necessary for an objective view are at hand,

For the next year and a half Tretiakov taught Russian at the University of Peking (1924–1925). From this firsthand knowledge of China he derived his best known prose work, the so-called "bio-interview" of the Chinese student Den Shi-khua. He also planned a film scenario for a film on China to be made with Eisenstein, a project unfortunately never realized.

Tretiakov now added representational duties to his many other activities and went at the invitation of the International Association of Proletarian Revolutionary Writers to lecture in Germany (1930–1931). In turn, he helped receive German writers who visited the USSR under the auspices of VOKS (Vsesoiuznoe obshchestvo kulturnoi sviazi s zagranitsei – All Soviet Association for Cultural Connections with Abroad). He also became editor (1933–1935) of "Internatsionalnaia litteratura," the Russian edition of the multi-lingual periodical *International Literature.* He made several field trips and worked in various enterprises about which he published journalistic accounts.

Prevented from attending the First International Writers' Congress in Defense of Culture (Paris, 21-29 June 1935), he came increasingly under a cloud. The interruption in his correspondence with Brecht indicates that he was at least exiled, if not arrested, simultaneously with the growing seriousness of the Far Eastern war (1935–1937). He was executed as a spy in 1939.

2 "proletarkaia kultura," an organization (1917–1932) furthering amateur activity in the arts.

3 See Note 1.

though some have been reprinted; for example, both *Lef* and *Novyi Lef* (4 vols., Munich, 1970). As part of the re-evaluation process, it is perhaps enough for the time being to deliver an interim report on Sergei Tretiakov, undoubtedly Brecht's most important Soviet connection.

To point out that Brecht had connections with the influential Soviet avant-garde of a half-century ago by no means implies that he imitated. Rather, even before his encounter with the new Soviet culture Brecht shared and even led in an avant-gardism which was everywhere in the air for the young generation, just back from the War. Brecht describes his own iconoclastic intent when with Lion Feuchtwanger he undertook to adapt Marlowe's *Edward II:* "We wanted to break with the Shakespearean tradition of the German theater, with the plaster-cast monumentality so dear to bourgeois taste."[4] The noise of his first attempt at a break of the sort had reached Reich in Berlin even before the two men met in Munich. As a neophyte in Berlin, Brecht had managed to become director of his friend Arnolt Bronnen's play *Vatermord* (1922) and had tried to breach the grand manner of those monumental stars of the German stage, Heinrich George and Agnes Straub. Meeting in Munich, when Reich was appointed chief director at the Kammerspiele (1923), Reich was agreeably surprised by the young man's seriousness. Reich and Lacis encountered Brecht and Marianne Zoff, then his wife, in the English Garden, and Brecht plied Lacis with questions about the Soviet theater. He then made her his assistant director for *Das Leben Eduards des Zweiten von England* (1924), on which he had then been working, so that he saw some of her Russian theories in practice. Was it Lacis, Brecht, Karl Valentin, or all three together who then invented the stylized staging of the soldier scenes which proved so effective in this, as in Brecht's later production of *Mann ist Mann* (1931)?

Lacis surely informed Brecht at this early time not only about styles of staging but also about directors and playwrights. She reports that she continued to keep Brecht up-to-date on all these during the longer time which the friends spent together in Berlin (1928–1930), where she served as Soviet representative for documentary and cultural films. "Brecht fragte mich wiederum genau aus, wie Meyerhold und Tairow inszenieren, über Majakowskij, über Tretjakow . . .," she writes about this period in Berlin.[5] Surely Lacis also discussed with Brecht the films with which she was then working. She claims to have introduced in Germany the camera eye films of Dziga Vertov and Esther Shub; certainly she arranged for these two film makers to come to Berlin for showings of their work. Thus Brecht had opportunities actually to see these films and hear their makers discuss them. His other Soviet

4 "Bei Durchsicht meiner ersten Stücke" (1954), *Werkausgabe* (Frankfurt, 1967), v. 17, 951.

5 Lacis, *Revolutionär im Beruf*, 58.

acquaintance, Tretiakov, whom Brecht was soon to meet in person, was surely not silent on the subject of Soviet films, so central to his own interest and enthusiasm.[6]

Before actually meeting Tretiakov, Brecht saw his most successful play, *Roar China!* (1926), which the Meyerhold Theater on its first tour to the West brought in its repertory to Berlin (1930). Unfortunately both the Theater and the play were shown abroad too late, the first almost a decade, the second almost a half-decade after their fame had preceded them. Thus even so well-disposed a critic as Herbert Jhering opted against them: "Das Stück von Tretjakow ist für Deutschland, in dieser Bearbeitung und Form unmöglich" (2. April 1930).[7] Brecht, however, notes two fragmentary remarks (also April 1930) defending both the Theater and *Roar China!*: "Die Lektüre der deutschen Theaterkritiken über Meyerhold wirkt sehr niederdrückend . . . [Für Eindruckssammler] ist es gleichgültig wie großartig alle Begriffe hier [im Meyerholdschen Experiment] zurechtgerückt sind, gleichgültig, daß hier über die gesellschaftliche Funktion des Theaters eine wirkliche Theorie besteht." And in defense of Tretiakov: "Die Russen zeigen in *Brülle China!* allzu wenig Interesse für die eventuelle Nettigkeit der Engländer im privaten Umgang! Als ob es nötig wäre, in einem Stück über die Bluttaten des Königs Attila seine Kinderliebheit besonders zu [zeigen]."[8] Both times Brecht argues on theoretical grounds in the Russians' defense, as if well-versed in theories of political theater as practiced by Meyerhold and Tretiakov.

Indeed, when Tretiakov came to Germany to lecture in 1930–1931, he immediately found himself in the midst of politico-socio-economico-literary discussions, at least to judge by the opening scene in his profile of Brecht, published several times over in the USSR.[9] He carried on the discussion during a tour of Germany when Brecht seems to have guided Tretiakov about his home town of Augsburg.

Tretiakov did the same for Brecht in Moscow on two of Brecht's four trips

6 See Tretiakov's articles on Shub, Vertov, Eisenstein in "Unser Kino", *Die Arbeit des Schriftstellers*, 57-73.

7 Herbert Jhering, *Von Reinhardt bis Brecht* (Reinbek, 1967), 312.

8 *Werkausgabe*, v. 15, 204-205.

9 As an introductory essay to the volume of Brecht's three plays in Russian translation by Tretiakov, published under the title *Epicheskie dramy* (Epic plays, called here *Epic Theater*; Moscow, 1934), including *Die Mutter, Die heilige Johanna der Schlachthöfe, Die Maßnahme*; further as a profile in *International Literature*, No. 8, 1935 (the English translation reprinted in *Brecht*, ed. Peter Demetz, "Twentieth Century Views", Englewood Cliffs, N. J., 1962, 16-29, with the note "from *International Literature*, English edition, No. 5, 1937, 60-70"); finally in Tretiakov's collected volume of profiles, *Liudi odnogo kostra* (People of the same bonfire–referring to those whose books or work were burned by Hitler; Moscow, 1936), including besides Brecht: John Heartfield, Piscator, Hanns Eisler, Friedrich Wolf, O. M. Graf, Johannes R. Becher, M. Anderson-Nexö.

there, when he was still alive to receive his friend. On Brecht's first trip of 1932 he came to see the Moscow premiere of his film *Kuhle Wampe,* which did not at first achieve permission to open at home. Illustration No. 18 in the Lacis anthology, *Revolutionär im Beruf,* shows the group gathered to meet Brecht: Slatan Dudow, co-director with Brecht of the film, Tretiakov, Lacis and her daughter Daja, Piscator, Brecht and Reich. Reich remembers Lacis' taking Brecht to see *Die Dreigroschenoper,* which under the title *The Beggars' Opera* had been in the repertory of Tairov's Kamerny Theater since 1930, thanks to the mediation of Lunacharsky.[10] Lacis, dissatisfied, called the production "culinary," "a dance musical," but Brecht soft-pedalled her indignation, saying: "Versteh' doch, Tairow hat die Aufführung durchgesetzt... Im Augenblick ist dies das Wichtigste."[11] Though the brief stay of about two weeks could not count for much, the correspondence between Brecht and Tretiakov began soon thereafter and lasted until a year and a half before Tretiakov's death.

Brecht's second visit of 1935 results in the changeover to the familiar du-form of address in the letters written thereafter. The letters of 1933 and 1934 between the two visits reveal the efforts Tretiakov made at this time on Brecht's behalf, the translation of serveral poems by Tretiakov and their publication in various periodicals[12] and, most important, publication of the volume of three plays translated by Tretiakov with his introductory essay under the title *Epicheskie dramy* (Epic plays, 1934), including *Die Mutter, Die heilige Johanna der Schlachthöfe* and *Die Maßnahme.* During this trip, pivotal in their relationship, Brecht and Helene Weigel evidently stayed with Tretiakov. Reich reports further: "So sehe ich mich aufs neue in eines der dunklen Zimmer Tretjakows in der Spiridonowka versetzt. Ich saß dort zusammen mit Tretjakow und Brecht, der hier logierte. Wir sprachen über eine ganz außergewöhnliche Theaterleistung – ob über Mei Fan-lan [sic] oder über eine Inszenierung Ochlopkows, kann ich heute nicht mehr sagen. Ich bezog

10 N. Lunacharskaia-Rozenel', wife of the Commissar for Culture A. Lunacharsky, tells in her memoirs, *Pamiat' serdtsa* (Moscow, 1962), of meetings with Brecht, mentioning (p. 153) an occasion after attendance at *Die Dreigroschenoper* (1928) when Lunacharsky promised Brecht a Russian production of his musical.

11 *Im Wettlauf mit der Zeit,* 369.

12 The bibliography by A. A. Volgina of Brecht, *Bertol't Brekht. Bibliograficheskii ukazatel',* "Kniga" (Moscow, 1969), lists S. M. Tretiakov's translations as follows:
584. *Epicheskie dramy* (see Note 9 above); also excerpts from this in periodicals.
712. "Inbesitznahme der großen Metro durch die Moskauer Arbeiterschaft am 27. April 1935", *Literaturnaia gazeta,* No. 28 (21 May 1935), 1.
766. "Die Teppichweber von Kujan-Bulak ehren Lenin" (1932), *International Literature,* No. 1, 1933, p. 1.
791. "Wiegenlieder proletarischer Mütter" (1932), *Literaturnaia gazeta* (1 May 1935). 894. "Dramaturg-didakt" (Der didaktische Dramatiker-about *Die Mutter*), *International Literature,* No. 2, 1933, 116-118.

mich auf ein Aufführungsdetail, als Tretjakow präzisierte: 'Ja, das ist eine Verfremdung,' und dabei warf er Brecht einen Verschwörerblick zu. Brecht nickte. Das war das erste Mal, daß ich die Vokabel 'Verfremdung' kennenlernte. Ich muß also annehmen, daß Tretjakow Brecht diese Terminologie zutrug . . ."[13] So Brecht found on this occasion the name for the thing, "Verfremdung," which he had already long practiced and which came, ever more definedly, to designate his kind of theater.

The omission of this whole passage from the Russian version of Reich's memoirs shows that in the Soviet Union the effort continues to disassociate Brecht's aesthetics from formalism, the early 20th-century movement in the arts whence Shklovskii came to point out what he called "ostranenie," the Russian original of "Verfremdung." Without entering the fray, let us report briefly that I. Fradkin as early as 1956 substituted for "ostranenie" the term "otchuzhdenie" (literally "Entfremdung"). Fradkin rightly argued that for an author to show his relationship to a character was nothing new in literature or in Russian literature; indeed, Shklovskii had taken his examples of "ostranenie" from the work of Lev Tolstoy. But, Fradkin insists, Brecht's "'priem otchuzhdeniia' (die Methode der Entfremdung) has nothing in common with the infamous formalist theory of 'ostranenie.'"[14] Fradkin and other Soviet critics – Lev Kliuev, who argues against Fradkin, for one – use further variants to translate "ostranenie"; for example, not "ot-" but "o-," "ochuzdenie." In his 1965 book on Brecht Fradkin counters the allusions of John Willett and Reinhold Grimm to "ostranenie" as the possible source of Brecht's term by quoting Shklovskii himself on the subject – true, from the hindsight of thirty years later and in an interview for the French periodical *Les lettres françaises* (No. 1061, 31 December 1964), so that translating back from French into Russian, Fradkin devises still another term "otdalenie" (literally "Entfernung"). Fradkin translates Shklovskii as admitting that he framed the basic tenets of formalism some fifty years before. "I conceived

13 *Im Wettlauf mit der Zeit*, 371-372. This passage is omitted from the Russian version of Reich's memoirs (see *Vena*, etc., p. 310 for the context in which it occurs in the German). However, the Russian version adds a fact lacking in the German about the 1935 stay of Brecht and Helene Weigel at Tretiakov's: "Helene Weigel became seriously ill. Tretiakov and his wife Olga Viktorovna took care of her in friendly fashion. When Helli was well again, Brecht and she left for home." (*Vena*, etc., 311)

14 "'priem otchuzhdeniia' ne imeet nichego obshchego s preslovutoi formalisticheskoi teoriei 'ostraneiia'" – thus I. M. Fradkin, p. 147, in his article "B. Brekht, khudozhnik mysli", *Teatr*, No. 1, 1956, 142-155. The passage cited represents the negative side of the coin, the wrong interpretation from which Fradkin attempted to divorce Brecht. The obverse side, the positive attempt to prove Brecht an orthodox "socialist realist", is found in Fradkin's essay (1952), translated into English in *Brecht* (see Note 9 above), 97-105; see also Demetz' comment in the introduction to this anthology, p. 6.

something which I called 'ostranenie': the need to show things as if they were seen for the first time," Shklovskii confirmed. "By way of Sergei Tretiakov – he was a fine man – the idea was transmitted to Brecht, who called it 'otdalenie.'"[15]

Still, a concept is not a fact, and proof of a personal encounter between the men sharing it has no significance unless the affinity of meaning is demonstrated. The most recent Soviet literary encyclopedia, still in process of publication, the *Kratkaia literaturnaia entsiklopediia* (v. 5, 1968), assigns to the term "ostranenie" the accepted prime meaning, a description of the familiar as if it were seen for the first time. Shklovskii introduced it in this meaning in his first presentation of it in *Voskreshenie slova* (Resurrection of the word, St. Petersburg, 1914). The aim of Shklovskii's essay was to restore the freshness of experience by "the creation of new forms". So the concept was formalist upon its introduction and it later led in the practice of one school of Russian writers to the use of language "beyond reason" (zaum) and to such theories as those developed in the Prague linguistic circle. Victor Erlich traces these developments in *Russian Formalism* (1955), which Brecht owned, as Reinhold Grimm attests,[16] though surely too late for it to be considered a factor in his work. Grimm calls attention not only to Erlich but also to John Willett, who in his book of 1959 connected Brecht's first use of the word "Verfremdung" with the 1935 Moscow trip. In pursuit of Willett's mention Grimm also quotes Shklovskii's definition of "ostranenie" from the Russian formalist's later essay *Iskusstvo kak priem* (Art as device, 1917), exclaiming: "Meint man hier nicht einen Satz von Brecht zu lesen?"[16a] Grimm mentions too Shklovskii's example of "Verfremdung," Tolstoy's story "Kholstomer" (Strider, the story of a horse); however, Grimm does not quote from the story, as does Shklovskii, to show how Tolstoy was using "Verfremdung" for political purposes, at least at the time of the story's conception in the early 1860's when the abolition of serfdom was the burning issue. By placing the narration in a horse's mouth, Tolstoy lends strangeness to a political argument, calling into question both ownership and, above all, the ownership of living beings: "Many of those who called me, for example, their horse never rode me . . . Nor did they feed me, but others did in their stead. Not the ones who owned me did a good part by me but rather the coachmen . . . Thus a man will say 'my house' and never live in it . . . There are people who call women their women or wives, but these women live with other men." The ideological thrust of "ostranenie" in this instance coincides with the Marxist claim of the workers' right to ownership of the means of production. Paraphrased in simple language, the

15 I. M. Fradkin, *Bertol't Brekht. Put' i metod*, "Nauka" (Moscow, 1965), 133.
16 See footnote (p. 212) in his article "Verfremdung. Beiträge zu Wesen und Ursprung eines Begriffs", *Revue de littérature comparée*, 35 (1961), 207-236.
16a Ibid.

idea that things and still more, living beings should belong to those who use them best is the same as that of *Der kaukasische Kreidekreis.* Despite the parallels Grimm still lacks proof of any direct connection with the Russian use of "ostranenie," about which evidence has come to light only now with the rehabilitation of those able to bear witness. So he concludes all too schematically in favor of Brecht's German heritage that Hegel and Marx provided Brecht with purely philosophical-sociological ideas, while the Russian formalists provided him with purely literary-aesthetic ideas: "Erst Brecht, der lehrhafte Dichter, hat beide Bereiche vereinigt und so die Verfremdung als ästhetisches Mittel zur philosophischen Erkenntnis geschaffen."[16b] Yet, as we have seen and Grimm rightly recognizes, "Verfremdung" had long since entered the German theater in the practice of Brecht and Piscator, even without the term. Only now the practice gained greater depth and broad theoretical foundation through Brecht's acquaintance with Russian theory and practice all focussed on a word.

Again later Shklovskii analyzed *War and Peace* for its use of »ostranenie,« in a series of six articles in *Novyi Lef,* which Tretiakov edited that year. Comparing Tolstoy's narrative with his French sources, Shklovskii observes: "The whole [character of] Napoleon and the whole French line is not told by Tolstoy but retold, retold after the principle of 'ostranenie', so that the stylistic structure of the passages in the French sources is quite different from the stylistic structure of the passages with the Russians[17]" (*Novyi Lef,* No. 4, 1928, 13). Further: "The whole part of the retreat is passed over lightly and the actions of Ney, etc., are retold by the method of 'ostranenie,' and there remains of the definite historic fact only its ironic unreliable memory" (*Novyi Lef,* No. 5, 1928, 12). Tolstoy's aim was political: by means of "Verfremdung" he showed the Russian people from a nationalistic, patriarchal point of view as patient and heroic in their patriotism. However, the French were equally so, Shklovskii points out, though Tolstoy from his political stand of opposition to Napoleon could not depict them so.

According to Reich, Brecht became acquainted not only with Shklovskii's theory, but simultaneously also with its practical application in the theater, that is applied to acting by Mei Lan-fang and to theater direction by N. Okhlopkov at the Realistic Theater. Mei Lan-fang's Moscow appearance of 14 April 1935 was sponsored by VOKS (Vsesoiuznoe obshchestvo kul'turnoi sviazi s zagranitsei – All-Soviet Society for Cultural Relations with Abroad), the same auspices under which Brecht and Piscator then found themselves in the USSR. The performance was attended by prominent artists and theater people, among them Meyerhold, who spoke on this occasion[18] and

16b Ibid. p. 213.

17 Quoted (p. 107) by Shklovskii, "Iskusstvo kak priem", *Poetika* II (Petrograd, 1919), 101-114.

18 V. E. Meierkhold, *Stat'i. Pis'ma. Rechi. Besedy* (Moscow, 1968), v. 2, 563.

also dedicated his production of that year, the revised version of A. S. Griboedov's *Woe from Wit*[19] to Mei Lan-fang.

Brecht then wrote his first exposition of the "Verfremdungseffekt" soon after this 1935 Moscow encounter with the art of Mei Lan-fang. At least the English translation of an article "Bemerkungen über die chinesische Schauspielkunst" is noted for the following year (though without complete bibliographical indication).[20] The first essay on the subject in the collected works, "Verfremdungseffekte in der chinesischen Schauspielkunst," written in 1937 evidently, first appeared in the single volume of *Schriften zum Theater* (1957); it is now included as the fourth essay of the third night in *Der Messingkauf*. Brecht's analysis might be said, on the one side, to develop further his own "epic theater" by restating it in new terms; on the other, it might be seen as a creative restatement of Meyerhold's principles and their exemplification in Mei Lan-fang's art. The antithetical tables, "dramatic form of the theater" and "epic form of the theater," from the notes to *Mahagonny*[21] are embodied here in the antithesis Stanislavsky-Mei, whereby Mei represents the principles for which Meyerhold stood. However, Brecht makes clear that no borrowing has taken place: "Die Experimente des neuen deutschen Theaters entwickelten den V-Effekt ganz und gar selbständig, es fand bisher keine Beeinflussung durch die asiatische Schauspielkunst statt."[22] Still, though not "bisher," doubtless "nachher," that is after 1937, it should be rewarding to examine Brecht's work for the application of Mei-Meyerholdian principles, of which thereafter he was sophisticatedly conscious. To this post-Mei period, Elisabeth Hauptmann implies, must be attributed also the essay "Über das Theater der Chinesen."[23] Here Brecht points out that Mei Lan-fang's actual status as father and banker is indicated by the tuxedo he wore for the demonstration, while his art consisted in acting the part of a woman. Each of the two figures, the actor and the part he played, underlines the "strangeness" of the other. That Brecht then used two similar figures, the banker and the woman in contrast to one another, yet one and the same, for his play *Der gute Mensch von Sezuan* is but another indication that the experience of Mei Lanfang was fruitful, having thus possibly contributed also a significant image to Brecht's later political art.

At the Realistic Theater Brecht evidently again experienced "Verfremdung" as practiced on Moscow stages that year, with Nikolai Okhlopkov's production, *Aristocrats* by Nikolai Pogodin (1935).[24] Okhlopkov, who had

19 See my forthcoming article on Meyerhold's *Woe to Wit* of 1935, *RLT* (Fall 1973).
20 *Life and Letters* (London, Winter 1936); see *Werkausgabe*, v. 16, Notes, p. 7*.
21 Brecht, *Gesammelte Werke*, v. 1, Malik-Verlag (London, 1938), 154.
22 *Werkausgabe*, v. 16, 627.
23 Ibid. 424–428.
24 *Aristocrats* impressed Brecht so favorably that when he returned to Moscow to

trained and acted with Meyerhold, based his direction of the Realistic Theater (1930–1937) on "Verfremdung." Two examples of the double view,[25] that is both showing the action and showing the showing, taken from Okhlopkov's *Aristocrats*, go radically beyond the practice at least of the later Brecht. For one, stage attendants, dressed in black body stockings covering also the face, supplied the actors with the necessary accessories or carried out stage effects in full view of the audience, for example causing snowflakes to fall–some of which fell on the audience too. For another, the fugitives from the work camp swam lying prone on canvas, which was agitated by persons beneath it to simulate the waves of the river they were crossing. So the "Verfremdung" of the Realistic Theater consisted in a childlike naiveté of effect which laid bare the illusory means employed, thus forcing the audience to complete in imagination the reality alluded to.

Though Okhlopkov's breaking of the illusion serves, in part, the banal purpose to "épater le bourgeois," as did the similar effect of naiveté when at the end of *Die Dreigroschenoper* the messenger of the king galloped down the aisle on a hobby horse to save the hero from the gallows, still it had a serious dramatic purpose as well, which also incorporated the play's political message. The positive socio-political import of *Aristocrats* is the rehabilitation of society's derelicts through confrontation with nature and a collective effort toward a goal.

Clearly "Verfremdung" was by the thirties no longer merely negative and cynical, as in the twenties, but truly dialectic. The later Meyerhold too no longer used the negative thrust of demolition against the established theater typical of his production, say *The Death of Tarelkin* (1922, in which Eisenstein was assistant director and Okhlopkov acted).[26] Brecht too by 1935 saw "Verfremdung" in the work of Mei Lan-fang and Okhlopkov as a synthesis of opposites, the rational and emotional, the organizing and realizing of intent in the actor's one person. Or as he viewed this period from hindsight in a remark made late in life to Käthe Rülicke: "Ich brauchte Einfühlung, aber ich brauchte Einfühlung in Widerspruch zu etwas anderem, wenn Sie wollen zur

receive the Lenin Prize (1955) he urged Okhlopkov to revive it. Okhlopkov did so, though only after a delay of still another decade (when this writer saw it).

25 (the actor) N= A^1–A^2 (A^1, the organizer; A^2 the material organized, that is the body of the actor and himself as the material as his disposal) – Meyerhold conceived this theory and taught it in his Studio even before the Revolution, though he first publicly formulated it in his pronouncements on "biomechanics," in the pamphlet *Amplua aktera* (The emploi of the actor, 1922); for an explanation in English see Edward Braun, *Meyerhold on Theatre* (London, N.Y., 1969), 197-204.

26 Viktor Shklovskii uses the word "demolition of a classic" of the production *The Wise Man* (1923) by Eisenstein and Tretiakov. He calls Meyerhold's production of Gogol's *Inspector General* (1926), in contrast to this, "reconstruction" in the article "Feksy" (1928), *Za sorok let* (Moscow, 1965), 92.

Ausfühlung, zur Kritik. Ich brauchte beides, als ich nicht mehr gegen bürgerliches Theater polemisierte."[27]

Actually, more than theory Brecht needed practical outlets for his work, which he unfortunately lacked during his emigration. Filling this need is a major concern in the correspondence between Tretiakov and Brecht (1933–1937). There are thirteen letters from Tretiakov and one from Brecht (which occurs between the first and second in the series), preserved in the Bertolt-Brecht-Archiv, East Berlin.[28]

In the first letter of the series, Tretiakov's of 27 February 1933, the apology at the start for the long delay in answering surely alludes to a preceding letter which Brecht doubtless wrote soon after his brief trip for the mid-May premiere of *Kuhle Wampe.* Clearly it had been agreed that Tretiakov would translate *Die heilige Johanna der Schlachthöfe,* for he now writes that he hopes to finish the first draft of the translation by March 3. He objects that he cannot follow Brecht's suggestions because a purely historical play without contemporary significance would have no audience appeal in the Soviet Union. He also feels that a Communist leader should emerge at least in embryonic promise from the workers' scenes; otherwise the dialectics of the conflict could not be made clear. He further mentions difficulty in differentiating individuals in the all too schematic mass, as if he were trying to make realistic differences among the crowd à la Stanislavsky! (This discussion of content in *Die heilige Johanna* elucidates a letter which Piscator wrote to Brecht on 27 August 1933 from the USSR, saying that Tretiakov had changed a great deal in Brecht's play.) Of course, Brecht could learn much from Tretiakov's discussion about the Sovietization of

27 Käthe Rülicke-Weiler, »Bemerkungen Brechts zur Kunst. Notate 1951–1955«, *Weimarer Beiträge. Brecht Sonderheft 1968,* 7.

28 The opportunity to examine both Tretiakov's play *Ich will ein Kind haben* and the letters listed below is gratefully acknowledged not only to the Brecht Archive, but also to Stefan Brecht, who kindly gave permission to use the microfilm at Houghton Library, Harvard University. Of the following letters, all post-Hitler, more than half were written with noticeable frequency in the four months after Brecht's 1935 visit to Moscow; the du-form of address begins with the asterisked letter, the first after the visit:

1) 27 February 1933, 2 pp.
(from Brecht to Tretiakov, 11 July 1933, 1 p.)
2) 15 July 1933, 2 pp.
3) 16 July 1933, 2 pp.
4) 27 May 1934, 2 pp.
5) 8 September 1934, 2 pp.
*6) 28 May 1935, 2 pp.
7) 1 June 1935, 3 pp.
8) 24 June 1935, 2 pp.
9) 2 July 1935, 2 pp.
10) 19 July 1935, 2 pp.
11) 25 August 1935, 4 pp.
12) 17 September 1935, 2 pp.
13) 3 May 1937, 1 p.

literature. Finally, Tretiakov gives 5–10 March as the deadline for No. 3 of the Russian number of *International Literature,* in which he would like to include an excerpt from *Die heilige Johanna,* as well as something by Ernst Ottwalt, Brecht's co-scenarist for *Kuhle Wampe,* and Bernard von Brentano.

Brecht's only letter to be preserved in this series, dated 11 July 1933 from Svendborg, is typewritten (whereas all of Tretiakov's are handwritten in fairly correct German). Brecht reports that Ottwalt is in Denmark, while Slatan Dudow, co-director of *Kuhle Wampe* and a Bulgarian national, is in prison, doubtless in Denmark, for Brecht anticipates his release and asks whether Tretiakov could arrange that he then go to the Soviet Union. Brecht speaks of himself as interested in going to the Soviet Union in the fall to collaborate with Hanns Eisler on an unspecified project (apparently a musical comedy, which is then mentioned three times in the correspondence, though not realized, evidently because Eisler never did his part). Brecht requests the return of a copy of *Mann ist Mann* (had he left it with Tretiakov for translation or for production if Tretiakov could find a stage?). When Brecht asks how it goes with *Die heilige Johanna,* he clearly means with the possibility of staging it, for he suggests that Tretiakov get in touch with Carola Neher through Piscator, as she would make a wonderful Johanna. In conclusion, he says that he is sending at Johannes R. Becher's request the manuscript of "Lieder proletarischer Mütter" to the German edition of *International Literature* with Eisler's music so that both will be published and the songs therefore actually sung.

Tretiakov's next letter, dated 15 July 1933 from the address at which Reich recalls Brecht and Helene Weigel staying then in 1935, again begins with an excuse for the long silence, this time because he has been working on his book on Germany (presumably the book of portraits, *People of the Same Bonfire,* 1936). He has taken over 250 pictures for his photo article. Possibly this will be on the same subject about which he would like to do with Ottwalt a double bio-interview on the manager of a poultry farm, who has restored a failing enterprise to health with the same ease with which Chaliapin sings; in their collaborative effort, to be entitled *The Director,* Tretiakov would do the Soviet manager and Ottwalt his German counterpart. Tretiakov further reports that he has made headway toward publishing with his introduction a volume of Brecht's plays in Russian, and he announces that one of them, *Die heilige Johanna,* will go into rehearsal in September. He regrets that fascism is not attacked in the plays, but sees no way of building it in. He begs Brecht to send more plays and his novel (*Dreigroschenroman,* Amsterdam, 1934?).

The day after the preceding letter on 16 July 1933 Tretiakov writes again, Brecht's letter of 11 July having crossed with his. He will get in touch with Ottwalt and arrange for Slatan Dudow to come to the USSR upon his release. From Piscator, who has just arrived from Leningrad, he has learned that Carola Neher is in Moscow; he will arrange for both to meet Okhlopkov to discuss *Die heilige Johanna.* The "Lieder proletarischer Mütter" will appear in *Internationale Literatur,* though probably without the music; Tretiakov would like to translate them.[29] He has just translated

29 More correctly "Wiegenlieder proletarischer Mütter" did appear without music in *Internationale Literatur,* No. 4 (August–September, 1933), 56-58; see also Volgina's No. 791, Note 12 above. The "Wiegenlieder," four in number, in *Werkausgabe,* v. 9, 430-433.

Becher's "Clara Zetkin"; he qualifies his satisfaction with the result by calling it somewhat too Biblical. He is sure he gave the copy of *Mann ist Mann* back to Brecht, though the latter may have passed it on to Lacis; he will ask Lacis.

By his fourth letter of 27 May 1934 Tretiakov has ceased to count on Brecht's coming; some day Brecht will surprise him like "an unexpected joy," to quote the title of a volume by the poet Alexander Blok. He has been waiting for a year now also for the appearance of Brecht's volume of plays. He is now preparing a volume of poems in translation to include Brecht, Becher, Erich Weinert and Weber – and Tretiakov lists the poems by Brecht which he has in mind: "Lenin," "Ins dritte Reich," "§ 218," "Lieder proletarischer Mütter" and – he is unsure of the title – "erlösche die Spuren" (doubtless "Die Teppichweber von Kujan-Bulak ehren Lenin," "Herr Doktor," possibly "Als das Dritte Reich . . .," "Wiegenlieder" and "Verwisch die Spuren"). For the *Kolonne links* Gustav Wangenheim wants *Rundköpfe Spitzköpfe* (Tretiakov refers to it as Brecht's adaptation of *Measure for Measure*) or *Die Dreigroschenoper*, but the copy of the latter is gone, so Brecht is pleased to send another. The writers' convention in June will be important for "fact literature"[30] – will Brecht attend?

Tretiakov's fifth letter of 8 September 1934 refers to one received meanwhile from Brecht. Alas, Tretiakov never got the Dimitrov poem from Brecht but saw it only by chance in a French periodical. Tretiakov tries to summarize the new literary theory propounded at the writers' convention, while asking pardon for the inadequacy of his German. Evidently Brecht has requested money for Grete Steffin, which Tretiakov has secured, though, he points out, she has not come for it. He mentions a review in *Izvestiia* of the volume of Brecht's plays, which, though very complimentary, warned that didacticism should not be allowed to outweigh the true poet in Brecht[31].

30 "Fact literature" is another term applicable to the new literature Tretiakov advocates, that is "reportage" or "bio-interview," not the "shaping of the material" or "the typical abstract" demanded by the proponents of "socialist realism." The doctrine of socialist realism was then formulated at the 1934 convention mentioned.

31 Brecht's *Epicheskie dramy*, tr. with introductory essay by S. M. Tretiakov, State Publishing House (Gosudarstvennoe izdatelstvo khudozhestvennoi literatury Moscow, 1934), 182 pp. 3 r. 75 k., edition 2,000 copies, was reviewed in *Izvestiia* (23 July 1934), p. 4, by F. Ivanov as follows:

Brecht calls his plays "instructive," "school plays," thus underlining the bare utilitarianism of his "epic plays."

The strength of Brecht's plays, their steadfast adherence to the Revolution, lies in the fact that serving the proletarian cause has become the organic task of this writer, penetrating all his intent. Passionate hatred of the capitalist world does constitute the strength of Brecht's plays. Brecht came to the Revolution from literature of petty bourgeois protest lacking roots. His dramatic experiments center in liberation of the artist from middle-class illusion. Brecht is one of the most important revolutionary writers of contemporary Germany and his talent, which has already been used in praiseworthy service of the proletarian revolution, will be further needed as a formidable weapon in the battles which now threaten.

That is why it is essential to credit him with praiseworthy enthusiasm directed toward the revolutionary goal, but also to mention the schematism of Brecht's "epic plays." Full of hatred for the bourgeois society with which he has completely broken, Brecht avoids the accumulated experience of the old culture. He sees

The sixth letter of 28 May 1935 has been called here the turning point letter because, the first after Brecht's second Moscow visit, it first employs the du-form of address, thus marking the closeness of friendship between the two men. Tretiakov says he only awaits Brecht's consent before pushing *Die Rundköpfe;* he deplores Brecht's oversight in taking with him the copy of *Die Mutter* and also the essay "Lehr- und Unterhaltungstheater," especially the latter which he had intended publishing in the magazine (*Internatsionalnaia literatura?*) He also urges Brecht to write an article on his travel impressions, which Tretiakov would then place in *Literaturnaia gazeta* or elsewhere. He mentions Emil Burri (? not legible), Hanns Eisler and Ernst Busch, and says Lacis requests a copy of *Die Rundköpfe.* He has not seen Okhlopkov. Brecht's poem on the subway[32] is much praised. He fears he developed the film Brecht left by mistake, as it turned out blank, promises to arrange for the newspapers, urges Comrade Steffin not to forget her Russian and good-humoredly cites Steffi's (Brecht's son) word that Goethe never let Schiller wait for an answer to a letter.

In the seventh letter of 1 June 1935 Tretiakov criticizes Brecht's *Der Jasager,* announces the completion of his book of portraits – Brecht's is but little changed by the omission of those passages which Brecht himself had cut and by the addition of Brecht's poem on the Moscow subway at the end. Okhlopkov is not in Moscow. The State Publishing House plans to publish *Die Rundköpfe.* Tretiakov reports on the progress of his own work and thanks Brecht for the invitation to Denmark. He mentions O. M. Graf and sends greetings to Comrade Steffin and Helli, but not to Steffi because he hasn't written.

In his eighth letter of 24 June 1935 Tretiakov acknowledges receipt of *Die Rundköpfe,* awaits Okhlopkov, who will be given a new theater, says pressure of work prevents his attending the congress (the international writers' convention in Paris, 21-29 June 1935, where Brecht spent 21-25 June). He has completed the book of Ger-

the idea content [ideinost'] of the theater as abstract didacticism, he prefers proof to representation and the creation of condensed, full, deep characters.

Brecht mistakenly considers this abstractness to be his particular innovative achievement. As one comes to know these epic plays, one keeps thinking this extremely gifted writer with time will remove the heavy armor of "edifying" asceticism and turn to writing plays in which the characters will not labor under the obligation to "instruct."

In the play under review, *St. Joan of the Stockyards,* the characters tend to come alive thanks to traits of truly Shakespearean passion, yet the author seems almost ashamed of them, striving to push to the fore a dry "edification." One need only compare the play *The Mother* with Gorky's novel to see how Brecht's didactic method causes the [play's] great intent to lose color and expressiveness. However gifted and fine his present style, this most promising writer of the German Revolution must make the transition from rhetoric to a Shakespearean theater of great passions, to a theater of live and rounded personalities who make history.

32 Brecht attended the ceremony in honor of the opening of the Moscow subway, and then Tretiakov and he rode the subway endlessly together, admiring the beautiful stations, each unique in its architecture. Tretiakov here refers to Brecht's poem "Inbesitznahme der großen Metro durch die Moskauer Arbeiterschaft am 7. April 1935."

man portraits and is hard at work to finish his book on China; he is also writing a play about a collective farm and reading the manuscript of Theodor Plivier's book, written in part with encouragement from Tretiakov. Though not free to go to Paris, he apparently finds no contradiction in his taking the next month off at a resort where it might be cooler than in Moscow. He awaits Brecht's impressions of Paris, especially since Brecht spoke at the convention.

In No. 9 of 2 July 1935 Tretiakov thanks Brecht for his report of the Paris convention, mentioning the telegrams he has received from writers there: André Gide, Lion Feuchtwanger, F. I. Panferov.

In the tenth letter of 19 July 1935 Tretiakov complains of not getting at his China book for having to do seven more German portraits commissioned by the paper (?) despite his weariness of things German. He wants to do only Egon Erwin Kisch further as a model reportage. Since the Soviet writers' return from Paris the future task of the writer begins to take shape. He has done nothing about *Die Rundköpfe,* as Okhlopkov is still not in Moscow. Tretiakov and Olga will go to Kislovodsk at the end of the month. Eisler is ill with a furuncle, yet his affairs prosper four times better than Brecht's. Tretiakov mentions negatives of Brecht's and the death of Sarchi (?), scenarist of Pudovkin's *Mutter.*

In the eleventh letter from Kislovodsk, 25 Aug. 1935, Tretiakov discusses Lion Feuchtwanger's *Success,* which he has been reading. He will get in touch with Okhlopkov. Lacis, who is also in Kislovodsk, talks of the "Tschuchen" (*Die Rundköpfe*).

In his twelfth letter of 17 September 1935 Tretiakov, just back from the south, describes a wild boar hunt and the climbing of Mt. Elbrus by over six hundred peasants and workers, in honor of which last achievement Tretiakov has written his first poem in eight years. Okhlopkov has signed a contract for a translation of *Die Rundköpfe,* which Tretiakov is to revise, evidently for production. (The next two paragraphs are not wholly comprehensible without the letters from Brecht which must have intervened; thus one paragraph concerns Brecht's advice about diaries and another repeats Brecht's mention of a 19th-century author – Malraux? – unfamiliar to Tretiakov.) Olga will look for a copy of *Turandot* for Brecht (in the version as produced by Vakhtangov, 1922?).

The thirteenth and last letter, written 3 May 1937 after a silence of over a year and a half, seems to come either from another person or, at least, a quite changed Tretiakov; even the handwriting seems different. Illness is the excuse given for the long silence, though now with partial recovery hope is held out of getting back to work on the previously mentioned book on China and the play about a collective farm. In conclusion Tretiakov begs Brecht to write to him.

Without Brecht's letters to Tretiakov much remains unclear. Not that having Brecht's letters for this period 1933–1937 would throw light on the date when Brecht reworked the German version of Tretiakov's play *I Want a Child* (Khochu rebenka).[33] Brecht must have done so earlier before Hitler, for one reason because as a practical man of the theater he would not have expended his

33 In German: *Ich will ein Kind haben,* ein Produktionsstück in 10 Szenen (5 Akten), autorisierte Übersetzung von Ernst Hube, bearbeitet von Bert Brecht, Max Reichard Verlag, Freiburg i. Br., Talstr. 16 (Maschinenschrift ohne Jahr).

labor later when in exile he no longer could find a stage for the play. For another, even in German the play carries the designation "a production play," alluding to the theory of "production art," no longer viable after "socialist realism" became official doctrine in 1934. Finally, the play itself belongs to the period at the end of the twenties when the Meyerhold Theater rehearsed it (1927–1930) with an interesting set by El Lissitzky, without, however, achieving permission to open it. Its controversial subject, the reason given for the Soviet refusal of permission, makes it akin to Eugene O'Neill's *Strange Interlude* (1928) of the same period.

A young woman, agronomist on a collective farm for the breeding of cattle, selects a mate by the eugenic principles applicable to her work with animals. She is not in love with the man by whom she has a child, does not intend to marry him–indeed, he is already married–and even returns the child later to the common stockpile of human resources. The play poses the question whether eugenics and the individual's obligation to society should be placed above traditional human and individual impulses. Tretiakov treats the question with a naive seriousness worthy of satire by Eugene Zamiatin, whose novel *We* (1922) ridicules the love life of a hero not named but only numbered among (fem.) numbers, all in a wholly rational world of the future. Meyerhold had hoped with the play to launch public discussion–did Brecht too regard it as a *Lehrstück?*

In his interesting biography of Brecht Lev Kopelev recreates the friendship with Tretiakov, imagining the two men during Brecht's Moscow visit of 1935 in endless debate about communism, with Brecht questioning and Tretiakov explaining and defending the party line. It is the Russian Kopelev who most feelingly describes the doubt Brecht endured in the silence not only of the purge year 1936, but then also of the post-Manchurian pre-World-War-II period, when no more was heard from Carola Neher, Reich and Tretiakov. Walter Benjamin wrote from Svendborg, where he was staying with Brecht, to Gretel Adorno (20 July 1938): "Was Brecht betrifft, so macht er sich die Gründe der russischen Kulturpolitik . . . klar so gut er kann. Aber das hindert ihn selbstverständlich nicht, die theoretische Linie als katastrophal für alles das zu erkennen, wofür wir uns seit zwanzig Jahren einsetzen. Sein Übersetzer und Freund war, wie Du weißt, Tretjakoff. Er ist höchstwahrscheinlich nicht mehr am Leben."[34] Kopelev offers almost the only published explanation for Tretiakov's execution (1939), continuing thus in his Brecht book to say how the silence was once broken by a chance conversation: "Only one young journalist, encountered by chance, uttered with conviction: 'Tretiakov proved to be an enemy of the people, a Japanese spy.'"[35] And Kopelev then reprints

34 Walter Benjamin, *Briefe,* ed. Gershom Scholem, Theodor W. Adorno, Bd. 2 (Frankfurt, 1966), Letter No. 302, 772.

35 Lev Kopelev, *Brekht* (Moscow, 1966), 257.

complete in Russian translation "Ist das Volk unfehlbar?", the poem Brecht wrote in 1939, beginning:

> Mein Lehrer
> Der große, freundliche
> Ist erschossen worden, verurteilt durch ein Volksgericht,
> Als ein Spion. Sein Name ist verdammt.
> Seine Bücher sind vernichtet.

Brecht then repeats seven times in the poem as stanza refrain the question: "Gesetzt, er ist unschuldig?"[36]

The post-Stalinist rehabilitation of Tretiakov publicly acknowledges his innocence. At least some of his work has been republished in the Soviet Union.[37] Shortly before his death in 1956 Brecht requested that Tretiakov's translations be used in the promised new edition of his work.[38] Bernhard Reich, while recognizing the superiority of Tretiakov's versions, yet approved others for publication after Brecht asked him to supervise the first post-war Soviet translation; he justified this by the urgency he felt to get Brecht in an at least acceptable form before the Russian public.[39] Thus, many of Tretiakov's writings have been forgotten, as Brecht predicted in his poem. Perhaps more than Tretiakov's own work, his teachings through Brecht's work remain his literary monument.

Brecht's and Tretiakov's works are tangential at the point of that dialectic theory of "Verfremdung" and the didacticism of their political purpose. Much as their agreement on the first point appears obvious, just as little do they seem to agree on the literary means of achieving the second. Tretiakov's theories of literature at the service of communism have just been sampled in the recent German anthology, Sergej Tretjakov, *Die Arbeit des Schriftstellers* (Reinbek, 1972). More than half the articles by Tretiakov reprinted here explicate "production art" and demand art for consumption. "Is not art one process of production among other branches of production?" (p. 9), Tretiakov asks. In order to play a constructive role in the Revolution, art must produce for all and its product be consumed by all, a principle realized by Brecht as early as the "Gebrauchslyrik" of *Die Hauspostille* and later enunciated abstractly at the time of his exchanges with Lukács.

Yet Tretiakov's notions not only agree at some points, but also differ

36 *Werkausgabe*, v. 9, 741-743. Another poem, "Rat an Tretjakow, gesund zu werden", appears among those of 1933–1938 in *Werkausgabe*, v. 9, 606; it may well have been written upon receipt of Tretiakov's last letter of 13 May 1937.

37 See Note 1 above.

38 Boris Rostotskii so states by reason of a letter Brecht wrote to Tretiakov's wife Olga (see Rostotskii's article "Dramaturg-agitator" in Tretiakov's *Slyshish' Moskva*, 239, Note 3).

39 *Im Wettlauf mit der Zeit*, 389-390.

radically from Brecht's. In advocating his goal of the "production scenario," Tretiakov deplores the practice of setting a fable in any milieu at will, and he cites as example a fable from medieval Chile: the public execution of a pregnant nun, offered for filming to the State Studio of Georgia, though such religious barbarism had never been customary on the marketplace of Tiflis. Instead of such a sensational fable, Tretiakov demands the dramatic conflict engendered by the material of life itself; the material should not be relegated to the background but should itself be the center of interest. Tretiakov's aim, subsumed under the slogan of "factography" or "literature of fact," has been much misunderstood. Tretiakov did not mean by calling this also "the biography of the thing" to write the epic of coal, glass, bread and the like; rather he urged expanding the subject of art from its former concentration on individual psychology to include processes, the problem Brecht confronted when in 1926 he considered how to put the fluctuations of the world wheat market upon a stage. Tretiakov's further mandate that the writer become the "operative" artist ("der operierende Schriftsteller," as Benjamin put it[40]) was never taken up by Brecht, though Tretiakov repeatedly volunteered on the work front.

Undoubtedly Tretiakov only partly represents the place occupied on Brecht's horizon by the Russian cultural revolution. Anna Lacis and Bernhard Reich took their places there long before Tretiakov. Undoubtedly, too, Brecht's own inclination predisposed him to turn in this direction. Thus Brecht is photographed by the mid-twenties wearing a proletarian jacket–workman's clothes or "production dress" (prozodezhda), as Meyerhold called the factory overalls in which he costumed his actors in 1922–and this long before he might have heard Tretiakov expound the theory of "production art." Also Brecht practiced the dual perspective of "Verfremdung" long before coming upon the term under Tretiakov's guidance in Moscow in 1935. Yet Tretiakov helped Brecht deepen his understanding of these interests, epitomizing so many of them, agitprop and film, political theater, Marxism and constructivism and "art in the age of the mass media"–to peraphrase Benjamin. Tretiakov's at least partial emergence now from the background of Brecht's work helps us to see that work more clearly. For example, the single significant object, the flower pot on the sill of the open window after the suicide in *Kuhle Wampe,* or "Die Requisiten der Weigel" in *Der Messingkauf* stand out when related to the theory of the great Russian film-makers, so close to *Lef* and Tretiakov. Now that voices are raised in opposition to Georg Lukács, Brechtian aesthetics may be re-assessed even from the Marxist standpoint. Especially in the West Tretiakov should now assume his rightful place in a context of Brecht's work, at last seen much larger than was once supposed.

40 Walter Benjamin, *Versuche über Brecht,* ed. Rolf Tiedemann, es 172 (Frankfurt, 1971), 98.

Emma Lewis Thomas
[Los Angeles]

THE STARK – WEISENBORN ADAPTATION OF GORKY'S *MUTTER*: ITS INFLUENCE ON BRECHT'S VERSION

The extent to which Bertolt Brecht relied on outside sources for his dramas has always intrigued the specialists. This influence is being more exactly defined as time permits careful examination of the texts and uncovers new facts surrounding the conception and development of individual works. *Die Mutter* is a case in point. The most sophisticated of the *Lehrstücke* of Brecht's middle period, it has long been recognized as a dramatization of Gorky's novel by that name. Indeed, it was singled out by the Russian novelist himself as the "authorized" dramatic version, and in the *Deutscher Bühnenspielplan* (36. Jahrgang, Heft 5, Jan. 1932, p. 73) announcing its premiere, the play is listed under Gorky's name in boldface type followed by a paler and parenthesized (Brecht). Less attention has been given to the influence of a dramatization made, one year earlier, by Günther Stark and Günther Weisenborn, even though Brecht acknowledged his debt to both sources in a note accompanying the *Versuche* version of the play.[1]

The relative significance of these two sources has been the subject of close scrutiny in my recent studies, and some conclusions can be shared here as an introduction to the hitherto unpublished manuscript. Contrary to earlier speculations, the Brecht version (hereafter referred to as BB) borrows lavishly from both sources. The Stark/Weisenborn play (S/W) is more influential in plot development, while the novel (G) provides factual material for developing individual epic situations. In BB, these incidents form a mosaic image of the liberated woman rather than the organically developed heroine of the preceding versions. In truth, the S/W and G versions are closer in spirit than either is to Brecht's, which substitutes an active twentieth-century reformer for a passive nineteenth-century model.

Bearing in mind that Brecht did not read Russian and therefore could have known the novel only in the widely circulated Adolph Hess translation,[2] the following two charts are offered for consideration:

1 »›Die Mutter‹ mit einer Musik von Eisler ist der 15. der ›Versuche‹, eine Dramatisierung des Romans von Maxim Gorki. Benutzt wurde außerdem eine Dramatisierung von G. Stark und G. Weisenborn.« Brecht, *Versuche 13-19*, Heft 5–8 (Berlin: Suhrkamp Verlag, 1959), p. 168.

2 Maxim Gorky wrote his novel in exile in America between 1905 and 1907. It was first serialized in *Appleton Magazine* in New York, beginning in the December, 1906, issue and completed the following year. The Adolph Hess trans-

Brecht's *Versuche* version compared with its two sources:

BB	*S/W*	*G*
Scenes:		
1. Pelagea's monologue & chorus (early morning)	Scene 1 – slight influence	I-Ch. 1-3
*2. House search & flyer distribution (5 a.m.)	Scene 1	I-Ch. 10 I-Ch. 14
*3. Factory court-yard (noon)	Scene 2	I-Ch. 12 I-Ch. 14 I-Ch. 15
4. Mother's economics lesson (evening)	no parallel	I-Ch. 4
*5. May 1, 1905 demonstration (next day)	Scene 4	I-Chs. 26-29
6. Mother moves to teacher's apartment (few days later)	no parallel	II-Ch. 2
praises communism (evening, soon after)	no parallel	no parallel
learns to read (evening, soon after)	Scene 2 – slight influence	I-Chs. 17-18
converts teacher (days or weeks later)	no parallel	no parallel
*7. Mother visits Pawel in prison (soon after)	Scene 5	I-Ch. 19 II-Chs. 14 & 22
8. Country road (the next week)	Scene 6 – slight influence	II-Chs. 4-6, 15-18
farm kitchen (same day)	no parallel	II-Ch. 17
9. Pawel's return (no time lapse given)	no parallel	I-Ch. 22
10. General store (no time lapse given)	no parallel	no parallel

BB	*S/W*	G
11. Mother's reaction to Pawel's death (soon after Scene 9)	no parallel	no parallel
12. World War I, beating of Mother (1914)	no parallel	II-Ch. 29
13. Mother's illness (same day)	no parallel	no parallel
14. Copper collection depot (weeks or years later)	no parallel	no parallel
15. Street demonstration 1917	no parallel	repetition of I-Chs. 26-29

S/W manuscript compared with its source and successor:

BB	*S/W*	G
Scenes:		
1. *Kleine Hütte* (evening)		
introductory scene	I-Chs. 1-3	Scene 1
house search	I-Ch. 10	Scene 2
flyer distribution	I-Ch. 14	Scene 2
*2. *Fabrikhof* (next day)		
swamp kopeck story	I-Ch. 12	Scene 3
flyer smuggling	I-Chs. 14 & 17	Scene 3
Mother's reading lesson	I-Ch. 17	Scene 6 (slight)
3. *Am Flußufer* (days or weeks later)	I-Chs. 20, 21 24, 25	no parallel
*4. *Offener Platz* May 1, 1902 demonstration	I-Chs. 26-29	Scene 5
*5. *Im Gefängnis* Mother visits Pawel (7 weeks later)	I-Ch. 19 II-Chs. 14 & 22	Scene 7
6. *Dorfstraße* (harvest time)	II-Chs. 4-6, 15-18	Scene 8 (slight)

BB	*S/W*	*G*
7. *Nächtliche Mauer* escape from prison (early fall)	II-Ch. 23	no parallel
8. *Gerichtssaal* trial scene (before May 1, 1903)	II-Chs. 24-27	no parallel

* = closely related

The charts demonstrate that three of the scenes in S/W deal with incidents not occurring in BB: the conspiratorial river bank meeting, the night escape, and Pawel's trial. Brecht's version, then, is strongly indebted to S/W in only four of the first eight scenes and shows slight influence in two additional ones. Moreover, there are direct references to the novel throughout. Therefore, it is apparent that most critics are wrong in categorically claiming that S/W influenced BB in the first half of the drama. It would seem more accurate to say that in scenes 2,3,5,7, BB shows marked similarities to S/W scenes 1,2,4,5.

Agreement in time and sequence is easy to establish. The action in both dramatizations begins at a later date than in the novel–namely, at a time when Pawel is an initiated party member–and proceeds in rapid succession through the house search, the flyer distribution, and the factory courtyard incidents. Thus, the first two scenes of S/W and the first three of BB cover events that occur during the initial fifteen chapters of G, with the dramatists telescoping time and combining motivational forces to focus on the mother's conversion.

Like Gorky's novel, S/W is divided into two parts: the first half (scenes 1-4) describes Pelagea's conversion, and the second half (scenes 5-8), her involvement in politics. Although S/W pedantically follows the novel's sequence, the time span is reduced to one year. BB extends fifteen years beyond this time span, indicating that Brecht was not concerned with Gorky's limitations. The intentions of the authors differed: Stark and Weisenborn wanted to condense the novel and put it on the stage, while Brecht was interested in developing the mother figure. His choice of material was governed by his interest in Pelagea. For example, BB omits the trial scene precisely because it does not enhance the stature of the mother as much as it martyrizes

lation appeared in Berlin in 1907, first as a serial in *Der Vorwärts,* the chief publication of the Social Democrats; then in book form, published by the Ladyschinikow Verlag which also brought out the first complete Russian version. Facts compiled from Yarmolinsky's foreword to Gorky's *Mother,* tr. Wettlin (New York: Macmillan, 1962), p. 5; and Hecht, ed., *Materialien zu Bertolt Brechts ›Die Mutter‹* (Frankfurt/Main: Suhrkamp Verlag, 1969), p. 117.

the son. S/W goes one step further than G by having the mother testify in court on her son's behalf (scene 8). Because sequence in BB is relative, it leans heavily on the earlier drama in the first half. Not vague oversight, but deliberate disregard of Gorky's format led to the adoption of the S/W plot sequence.

In spite of certain obvious shortcomings, the S/W version has its own merits, a major one being the creation of a decidedly German milieu in which the Gorky plot can transpire. By comparing the beginnings of each scene, one can see that the authors have carefully chosen a number of minor characters from the novel who, taken together, make up the society in which Pawel and Pelagea function. Thus, a good measure of information is exchanged which advances the plot and sets the atmosphere before the protagonists arrive. Stark and Weisenborn make us recognize and understand Wawilow and Prosorow, the two guards at the factory door who accost the mother in Scene 2, almost as well as we know Pelagea, her son, and the other revolutionaries. There is an element of caricature in the handling of such figures as Issai, the spy, who is spared by the revolutionaries (in Scene 3) and lives to testify against them (in Scene 8), his bowler hat before his belly and a cigar stub between thumb and forefinger. The same is true of the various prisoners and their pathetically predictable visiting relatives paraded before our eyes (in Scene 5); the unfeeling petit bourgeois strollers who discuss the threatening weather and uneasy social climate in the prison escape scene (7); and the simple, sweating farmers in Scene 6 who will later defend Rybin against the blows meted out by the hated Kommissar. The portraits are skillfully drawn, with as much dialogue as possible taken verbatim from the novel. (Also, Gorky's standard of absolute good on the part of the revolutionaries as contrasted with corresponding evil on the part of the members of the existing order is preserved.)

The ending of S/W differs from that of the other two versions. Because the authors were interested in new stage techniques as well as ending the work on an optimistic note, they relied on a rapid scene change by means of a revolving stage which would transform the final courtroom scene into the courthouse exterior. As the verdict "guilty" is pronounced, the mother exits toward the back of the set and reappears at the top of the steps outside the building. Smiling through her tears, she explains the verdict to the waiting crowd: "Der Prozeß ist mit diesem Urteil nicht zu Ende. . . . Eine Idee kann man nicht töten mit Gewalt." (p. 79) The crowd sings a stirring song as the curtain falls.[3] This spectacular finale relies on theatrical sleight-of-hand to a greater extent than Brecht's triumphal march or the heroine's lugubrious sobbing in Gorky's final chapter.

3 Efforts to locate the words and music of the five songs mentioned in the S/W text have been unsuccessful to date.

The role of Brecht's collaborators in his creative efforts, particularly those which bear the signatures of several members of a collective such as the one which produced *Die Mutter* (Brecht, Eisler, Weisenborn), is a second consideration being carefully weighed since Brecht's death. Because Stark withdrew from the project,[4] Weisenborn remained the only playwright on the list apart from Brecht; therefore, he had the opportunity to exert more influence on this version than he has perhaps been given credit for. Born in the Rhineland in 1902, he went through experiences similar to Brecht's in many ways. The conservative German school system which nourished him in his formative years, he later insisted, was more interested in preserving tradition than in coping with contemporary problems: "Man hat uns aufwachsen lassen wie Barbaren. . . . Immer die Augen rückwärts, ihr jungen Leute! Vorwärts? Bewahre, höchstens bis Goethe, bis zu den Klassikern, wer Glück hatte, bis Hebbel."[5] Convinced that he was being weaned on tarnished ideals, Weisenborn sought "Reality" first in the study of medicine as did Brecht, then in philosophy, and finally, in art and literary history as a student of Oskar Walzel. Throughout his subsequent career, which included short trips to South America and the United States as well as a long imprisonment for political conspiracy against the National Socialist regime, Weisenborn attempted to reconcile his innate idealism with the reality of his existence as it mirrored the experience of a whole generation. He is best known as a "Zeitdramatiker," whose honest confrontation of German social problems both before and after World War II brought him considerable popularity and a measure of success.

In his collected works, published shortly before his death in 1967, Weisenborn excludes the *Mutter* manuscript for the following reasons:

"Einige Texte wird man hier noch nicht vorfinden. Es handelt sich im wesentlichen um Arbeiten, die ich mit anderen Autoren zusammen schrieb. Das betrifft besonders »Die Mutter.« Zu diesem Stück liegt von mir eine erste Fassung vor, die später von Brecht, Eisler und mir in das erste epische Stück verändert wurde. Die langwierige und reizvolle Arbeit führte zu politischen und historischen Diskussionen, in denen wir alle nicht nur das Stück, sondern logischerweise uns selbst veränderten."[6]

Obviously, he did not consider the manuscript worthy of inclusion, nor did he lay further claim to the Brecht text. However, he mentions two other

4 The S/W version, written for the *Berliner Volksbühne* but unpublished and never performed, was available to Brecht as he formed his collaborator's group in 1931. At first, both adaptors agreed to work with Brecht, but Elisabeth Hauptmann reports that Stark soon dropped out because of pressing responsibilities at the Volksbühne. Mittenzwei, *Bertolt Brecht. Von der »Maßnahme« zu »Leben des Galilei«* (Berlin: Aufbau Verlag, 1962), p. 172.

5 Günther Weisenborn, *Die Furie* (Berlin: Henschel Verlag, 1961), p. 409.

6 Günther Weisenborn, *Gesammelte Werke*, Bd. 4 (Berlin: Henschel Verlag, 1967), p. 308.

abortive collaborative attempts with Brecht considered after World War II: the first concerned an elderly Eulenspiegel character conceived as a sequel to his own "Eulenspiegel-Ballade," and the second, an East-West correspondence between the two authors which presumably would have been published in book form. The explanation for the abandonment of these projects is given in three words: "Aber Brecht starb."[7]

Much remains to be said about the two dramas, but, at this time, further comparisons are left to the individual reader. In reading the following play, reproduced with the kind permission of Frau Joy Weisenborn, one must bear in mind that the manuscript retains the *Schönheitsfehler* of an unpolished work. Spelling and grammar have been corrected only where obviously erroneous; occasional inconsistencies (i.e., "Pawel" and "Pascha" are one, as are "Smyrnoff" and "Direktor"; "Petrokoff" in Scene 5 seems to be a different person from the "Petrokoff" in Scene 4; Ssamoilow, probably a worker, who speaks in Scene 8, has been omitted from the *Personenverzeichnis*) have been retained.

7 Weisenborn, G. W., p. 308.

DIE MUTTER

Nach dem gleichnamigen Roman von
Maxim Gorkij

dramatisiert von Günther Stark und Günther Weisenborn

Personen

Witwe Pelagéa Wlássowa
Páwel Wlássow, ihr Sohn
Andréj Nachódka, Kleinrusse } Revolutionäre
Rýbin } Revolutionäre
Wessówtschikow } Revolutionäre
Fédja Másin } Revolutionäre
Sáscha } Revolutionäre
Márja, Händlerin
Issái, Spitzel
Fabrikbesitzer Smyrnóff
Gastwirt Ssómow
Kommissar Popóff
Kommissar Nasárow
Gendarm Fedjákin
Búkin } Bürger
Blerów } Bürger
Petrokóff } Bürger
Schiwákin, ein Bauer
Márka, seine Frau
Ssíssow } Gießerei-Arbeiter
Gússow } Gießerei-Arbeiter
Wawílow } 2 Fabrikkontrolleure
Prósorow } 2 Fabrikkontrolleure

Ein Gerichtsvorsitzender, ein Staatsanwalt, ein Laternenanzünder, ein Gefängnisaufseher, ein Wachtmeister, ein Wächter, ein Bettler, eine Frau mit Reisetasche, Arbeiter, Bauern, Soldaten.

Rußland 1905

Szenen:
1. Kleine Hütte; 2. Fabrikhof; 3. Am Flußufer; 4. Offener Platz; 5. Im Gefängnis; 6. Dorfstraße; 7. Nächtliche Mauer; 8. Gerichtssaal.

I

(Kleine Hütte, die aus zwei Kammern besteht. Die linke Kammer stellt mehr einen Verschlag dar und ist als Küche eingerichtet. Wenn der Vorhang aufgeht, sitzt die Mutter allein und bewegungslos am Tisch vor dem Samowar in der Stube. In der Ferne ertönt eine Fabriksirene. Durch das geöffnete Fenster im Hintergrund sieht man Arbeiter vorübergehen, die zur Mutter hineinrufen. Zwei Arbeiter treten ans Fenster.)

1. Arbeiter: Ist Pawel schon da?

2. Arbeiter: Hast du schon gehört: Heute ist Ssidor verhaftet worden. Man hat Flugblätter bei ihm gefunden.

1. Arbeiter: Dem geht's bestimmt schlecht, Mütterchen.

2. Arbeiter: Du mußt mehr auf deinen Sohn achten, Mütterchen, auf den Pawel. Na, guten Abend!
(Sie gehen ab)

Marja: *(Ein Weib wie ein Pfannkuchen, weiß und rund, lehnt sich prächtig ins Fenster)*: Wlassowa, bist du drin? Guten Abend, Wlassowa! Wartest wohl auf Pawel, das Söhnchen, wie?
(Die Mutter löst sich aus ihrer Bewegungslosigkeit)

Mutter: Kommt er?

Marja: Wird schon kommen! *(tritt in die Tür)* Heute in der Mittagspause steckten sie wieder alle ihre Köpfe zusammen. Was die bloß zu bereden haben? Man macht sich Sorge, Wlassowa! Große Sorge macht man sich, wenn man sieht, mit welch finsteren Gesichtern sie da herumstehen.

Mutter: Große Sorge macht man sich, Marja!

Marja (*kommt in die Stube*): Ich steh auf dem Fabrikhof und rufe: Borscht! Borscht! Kohlsuppe, Nudeln, Tabak; aber keiner kauft. Kein Geld haben sie! Alles nimmt ihnen die Fabrik. Schlechte Zeiten, Wlassowa, schlechte Zeiten! Willst du nicht in die Fabrik gehen, Wlassowa, an meiner Stelle, morgen mittag? Dann versuche ich es in der Stadt auf meine alten Tage. Verkauf da mein Essen. Man muß doch leben. Aber auf Pawel, dein Söhnchen, mußt du mehr achten, kommt in schlechte Gesellschaft, das Hühnchen, in schlechte Gesellschaft.

Mutter: Was du sagst, Marja! Schlechte Gesellschaft? – Schlechte Gesellschaft – man muß sich Sorgen machen.

Marja: Wenn er tanzen wollte und mal ein bißchen trinken! Aber wozu diese Neuerungen? Er will sicher ein besserer Herr werden.

Mutter: Er trinkt wie ein Zeisig und geht nie tanzen. Und von einer Braut ist mir nichts bekannt.

Marja: Seltsam sind sie, die jungen Leute, heutzutage!

Mutter: Man muß wohl Sorge haben, Marja!

Marja: Du mußt ihn warnen, Pelagea! Vor seinen Freunden mußt du ihn warnen ... Da ist z. B. ein Kleinrusse, so ein großer, mächtiger Mensch, ein Mann mit Gotteskraft; aber er arbeitet nicht, er ist dumm und faul und bringt deinen Pawel noch auf schlechte Gedanken, dieser Tagedieb – der ... (*Der Kleinrusse tritt plötzlich ein*)

Kleinrusse: Guten Abend!

Mutter: Gott segne Ihren Eintritt!

Marja: Guten Abend! Dies ist der Freund von Pawel, Wlassowa! Von dem ich dir eben soviel Gutes erzählte.

Kleinrusse: Ist Pawel zu Hause?

Marja (*steht auf*): Dann will ich nicht länger stören!

Mutter (*antwortet dem Kleinrussen*): Nein.

Kleinrusse: Dann werde ich warten, wenn Sie erlauben.

Marja (*im Abgehen*): Bis morgen, also, Wlassowa!

Mutter: Bis morgen, Marja! Ich danke dir, Marja!
(*Marja ab*)

Der Kleinrusse (*zieht seine Pelzjacke aus, prüft einen Stuhl auf seine Tragfähigkeit, setzt sich endlich*): Ist das Ihr Haus oder wohnen Sie zur Miete?

Mutter: Wir wohnen zur Miete!

Kleinrusse: Na, eher ein Stall als ein Palast!

MUTTER: Auch unser Herr ist in einem Stall geboren. (*Pause*) Pawel kommt gleich.

KLEINRUSSE: Ich hab Zeit.
(*Pause*)
Wer hat Ihnen denn dieses Loch in den Kopf geschlagen, Mütterchen?

MUTTER: Wieso interessiert Sie das, mein Herr?

KLEINRUSSE: Sind Sie mir böse? Ich frage nur, weil meine Mutter auch eine Narbe auf dem Kopf hat, so wie Sie. Viele Mütter in Rußland haben Narben auf dem Kopf. Das kommt, weil es arme Leute sind.

MUTTER: Ich bin nicht böse. Aber Sie haben so gefragt! Meinem lieben Mann verdanke ich das.

KLEINRUSSE: Aber von lange her, was? (*Verlegenheitspause*) Ich heiße Andrej!

MUTTER: Sie sind doch kein Tartar?

KLEINRUSSE: Ach wo!

MUTTER: Aber Sie sprechen wie die aus dem Süden!

KLEINRUSSE: Ich bin ein Kleinrusse aus Kanew! Ich bin erst vor einem Monat in diese Gegend gekommen und arbeite in Eurer Fabrik. Habe hier gute Kollegen gefunden, Ihren Sohn und andere.

MUTTER: Vielleicht trinken Sie ein Gläschen Tee?

KLEINRUSSE: Natürlich. Aber erst wenn alle da sind!

MUTTER: Alle . . .? Kommen denn noch mehr hierher?

KLEINRUSSE: Nur einige Freunde von Pawel!

MUTTER (*mißtrauisch*): Sie gehören doch auch zu den Freunden von ihm, die auf dem Fabrikhof herumstehen? Was hat er bloß im Kopf? Ich verstehe ihn nicht! Er hat ein blasses Gesicht gekriegt, er lebt wie ein Mönch! Viel zu streng! Ich habe ja Angst um ihn. So lebt sonst niemand hier in der Vorstadt. Wenn ich es mir genau überlege, so fürchte ich manchmal, daß er unzufrieden ist.

KLEINRUSSE: Unzufrieden?

MUTTER: Ja, unzufrieden! Wie darf ein christlicher Mensch unzufrieden sein, man muß sich bescheiden . . .

KLEINRUSSE: Holla, Mütterchen, Sie regen sich ja ordentlich auf!

MUTTER: Nein, ich rege mich nicht auf, ich habe nur Sorge um Pascha, meinen Sohn. Wenn er unzufrieden ist, so wird ihm sein Leben nicht gut geraten.

KLEINRUSSE: Schauen Sie sich um, Mütterchen! Ist Ihnen das Leben gut geraten?

MUTTER: Mir?

KLEINRUSSE: Sie haben doch auch keinen Engel zum Mann gehabt! Weil der Ihnen die Stirne zerschlagen hat, und Sie wohnen in einer kalten Hütte, und Pawel muß für einen Hungerlohn in der Fabrik arbeiten. Heute haben sie uns wieder eine Kopeke abgezogen! Im ganzen großen Rußland arbeiten die Männer, aber nur wenige haben genug. Und die Mütter hocken müde unter der Petroleumlampe und flicken. Die Not ist groß geworden, Mutter!

MUTTER: Und darum macht Pawel ein so finsteres Gesicht?

KLEINRUSSE: In ganz Rußland gehen die Männer mit finsteren Gesichtern nach Haus. Und viele mit der Faust in der Tasche.

MUTTER: Beim Herzen Christi, sollte das gegen die Obrigkeit gehen, was Sie da sagen? Das ist doch wohl nicht möglich!

KLEINRUSSE: Auch der Frühling kämpft gegen den Winter!

MUTTER: Pawel sollte gegen die Obrigkeit kämpfen? Was reden Sie denn da? Das kann doch nicht wahr sein! Sie dürfen nicht so von Pawel sprechen! Wer sind Sie überhaupt?!

KLEINRUSSE: Ich bin Arbeiter.

MUTTER: Ja, Arbeiter ... Marja hat mir alles erzählt! Taugenichtse sind das alles, die er mitbringt.

KLEINRUSSE: Nein, Mutter! Es sind alles ehrenhafte Leute! Sie werden noch lachen, wenn Sie Fedja Masin, den Dichter hören, der ist noch so klein ... nein so. Er hat Augen, schwarz wie Käfer. Und eine Stimme hell wie Erzengel-Trompeten! Na, und Wessowtschikow! Das ist der Sohn vom alten Dieb Danilo. Der ist aus der Mutter mit dem falschen Ende zur Welt gekommen! Aber sonst ein ganz brauchbarer Junge. Und nun erst Rybin. Seine Gedanken sind dunkel wie Ölrauch, aber er gibt sein letztes Hemd weg. Na, und Sascha und Natascha werden Ihnen sicher gefallen. Sascha ist gesund und stark. Die könnte Kinder gebären wie andere Blumen pflanzen. Und Natascha ist weiß wie Schnee und gebildet wie ein Polizeikommissar.

MUTTER: Sie sind so fröhlich, und ich habe Schlechtes von Ihnen gedacht!

KLEINRUSSE: Sie werden schon noch das Richtige von mir denken, ich bin doch der Freund von Pawel! In der Jugend habe ich auf den Wiesen ein gutes Leben gehabt, aber erst als ich unter die Leute kam, wurde ich ein *notwendiger* Mensch.

MUTTER: Das sind Sie schon.

(Die Tür öffnet sich, Pawel, Rybin, Fedja Masin, Wessowtschikow, Sascha treten ein)

PAWEL: Guten Abend, Mutter. Ich habe hier einige Freunde mitgebracht. Wir wollen uns bei dir an den Tisch setzen und arbeiten.

ALLE: Guten Abend!

(Mutter sieht sie mißtrauisch an)

ANDREJ: Siehst du, das sind die Taugenichtse, Wlassowa, sieh sie dir nur genau an!

MUTTER (*freundlicher*): So hab ich das ja nicht gemeint. Ist das da nicht Fedja Masin, der Kleine da? Und dies muß Rybin sein.

KLEINRUSSE: Und der Heuwagen da?

MUTTER: Ist sicher Wessowtschikow, wie? (*zu allen*) Setzt euch und trinkt Tee. Ich kenne euch schon alle. Er hat mir schon alles ...

(Alle setzen sich nieder, sie sprechen alle lebhaft durcheinander. Die Mutter geht in die Küche nebenan und kocht Tee)

KLEINRUSSE (*geht ihr nach*): Na, dann will ich mal Holz klein machen.

PAWEL (*in der Stube*): Also kommt gleich an die Arbeit.

RYBIN: Ist das Rundschreiben fertig für die Bauern?

SASCHA: Nein!

(Man teilt die notwendige Arbeit, der eine schreibt Adressen, der andere setzt ein Plakat auf, man sieht in Büchern nach und spricht über die einzelnen Arbeiten)

PAWEL (*diktiert*): ... Mit der Unzufriedenheit müssen wir anfangen, Genossen. Wenn man nachdenkt, wird man unzufrieden. Und wir haben ein Recht zur Unzufriedenheit ... Aber mit der Feststellung allein ist uns nicht geholfen. Wir müssen uns wehren ...

MUTTER (*in der Küche, zum Kleinrussen*): Wie kann mein Sohn Pawel so denken, er ist doch mein Sohn.

KLEINRUSSE: So denkt *er* nicht allein, Mütterchen, so denken Tausende in allen Ländern.

MUTTER: Was sagst du? In allen Ländern? ... Genug Holz, Andrej! In allen Ländern? Das ist doch wohl nicht möglich.

WESSOWTSCHIKOW (*in der Stube*): 250 Flugblätter!

SASCHA: Habe ich notiert!

PAWEL (*diktiert weiter*): Aber wir stehen nicht allein! Die französischen Brüder, die deutschen Brüder, die schwedischen Brüder arbeiten still und entschlossen. Überall werden sie verfolgt von Haussuchungen und Verhören.

MUTTER *(geht hinüber in die Stube zu den Versammelten)*: Mein Gott! Sie werden dir doch nichts tun, Pawel?

PAWEL: Ich will dir nichts vormachen, Mutter, sie werden mir bestimmt etwas tun!

FEDJA *(singt)*: Und sie fahren uns in einem großen Wagen,
In das Kittchen, wo sie Männer schlagen!
(Alle lachen)

MUTTER *(zurück in die Küche)*: Wie kann man da lachen. Eines Tages, Andrej, werden sie ihn sehr kränken.

KLEINRUSSE: Sie können uns gar nicht kränken. Mich, z. B., hat man schon soviel gekränkt, daß ich es einfach müde geworden bin, mich gekränkt zu fühlen.

In der Stube

SASCHA: Und die Briefe an die Genossen auf dem Land?

RYBIN: Müssen wir siebenmal abschreiben, nicht wahr?

PAWEL: Gut, schreibt sie ab. Hier ist Papier und Feder.

In der Küche

MUTTER: Aber, das ist schwer . . .

KLEINRUSSE: Nein, Kränkungen hindern uns, unser Werk zu verrichten. Damit verlieren wir nur Zeit.

MUTTER: Wie Sie immer reden, Andrej, als wenn Ihnen nie jemand etwas zuleide getan hätte!

In der Stube

PAWEL: Ihr wißt, daß Ssidor heute verhaftet wurde. Ssidor hat unsere Flugblätter in der Fabrik verteilt. Wenn die Flugblätter nach seiner Verhaftung ausbleiben, weiß die Polizei, daß er sie verteilt hat. Also müssen die Flugblätter morgen in der Fabrik wieder verteilt werden.

In der Küche

MUTTER: Sind eure Flugblätter denn so wichtig?

KLEINRUSSE: Sie sind unsere wichtigste Waffe.

In der Stube

WESSOWTSCHIKOW: Man muß sie über die Mauer werfen!

PAWEL: Nein, das können Fremde sehen.

FEDJA: Wir selber können die Flugblätter nicht mitbringen. Wir werden ja alle am Eingang kontrolliert seit der Verhaftung.

SASCHA: So geht es nicht. Wir müssen einen anderen Weg finden.

In der Küche

MUTTER *(horcht ständig hinüber)*: Die Flugblätter müssen in die Fabrik gebracht werden?

KLEINRUSSE: Natürlich!

MUTTER: Ja aber . . . Das sind doch keine guten Flugblätter, Andrej?

KLEINRUSSE: Sieh deinen Sohn an, Mutter, wie der unter der Lampe schreibt. Kann er Schlechtes wollen? Sieht er so aus?

MUTTER: Ich verstehe das alles nicht.

In der Stube

FEDJA: Die Flugblätter muß ein Unbeteiligter in die Fabrik schmuggeln.

In der Küche

KLEINRUSSE: Der Tee ist fertig, Mutter. Soll ich das Feuer auseinanderziehen?

MUTTER: Ein Unbeteiligter, sagt Pawel . . .? Ach so . . . Ja, Andrej!

KLEINRUSSE: Deine Hände zittern, Mutter? Ist der Tee so heiß?

MUTTER: Was meinst du . . .? Ja . . . Ich trag den Tee in die Stube. (*Sie trägt den Tee in die Stube*)

SASCHA (*steht auf*): So kommen wir nicht weiter. Ist denn niemand da?

MUTTER: Hier ist Tee, Pawel! Trink, Fedja! Trinkt alle! Guter Tee . . . vielleicht, Pawel . . . wenn du es brauchst . . . vielleicht . . .

(*Plötzlich von außen hartes Klopfen am Fenster. Pawel öffnet. Ein Kopf taucht auf.*)

STIMME (*atemlos keuchend*): Achtung! Polizei! Haussuchung! Papiere verbrennen! (*Fenster knallt zu. Die Männer stürzen sich auf die Papiere und werfen sie ins Feuer. Kurzer Tumult.*)

MUTTER: Polizei? Mein Gott, warum denn?

(*Allmählich erzwungene Ruhe. Alle sitzen steinern. Fedja stimmt ein Lied an, die anderen fallen ein. Halblaut und atemlos.*)

(*Lied No. 1*)

(*Während des Liedes bewegen sich einige gespenstische Schatten vor dem Haus. Plötzlich schlagen sie die Tür auf, Kommissar und Gendarme stürzen mit erhobenen Revolvern in das Haus und schreien:*)

GENDARME: Halt! Wer sich rührt, wird erschossen!

KOMMISSAR (*elegant und liebenswürdig durch die Zähne*): Guten Abend, mein Gesangverein!

FEDJAKIN: Das ist seine Mutter, Euer Wohlgeboren! Und das ist er selbst! Und die anderen, das sind sie!

KOMMISSAR: Pawel Wlassow, ich muß bei dir Haussuchung halten! Was hast du denn da für einen schmierigen Verein versammelt! Geht, ihr Lieben! Geht rasch, ihr Lieben, geht noch rascher, ihr Lieben!! Raus, ihr Schweine! (*Pawel, Andrej und die Mutter bleiben allein mit den Gendarmen.*) Was sind das für Bücher? (*Wirft sie auf den Boden*)

PAWEL: Wozu ist es nötig, die Bücher auf die Erde zu werfen?

KLEINRUSSE: Gendarm, heb die Bücher auf!

KOMMISSAR (*sieht ihn jetzt erst*): Wer ist das?

FEDJAKIN: Das ist Andrej Nachotka, der Kleinrusse!

KOMMISSAR: Nachotka! Andrej Nachotka!? Du bist wegen politischer Vergehen schon in Haft gewesen?

ANDREJ: Ja! In Rostow und Saratow . . . aber die Gendarme haben mich da »Sie« genannt!

KOMMISSAR: Ist . . . Ihnen bekannt, welche Schurken in der Fabrik diese verbrecherischen Flugblätter verteilen?

PAWEL: Schurken sehen wir hier zum ersten Mal!

KOMMISSAR: Du, Wlassow, wirst noch ganz klein werden, ganz klein! Unterschreiben! (*wirft der Mutter eine Bescheinigung auf den Tisch*) Kannst du schreiben, Alte?

PAWEL: Nein!

KOMMISSAR: Du bist nicht gefragt! Alte, kannst du schreiben?

MUTTER: Schreien Sie nicht so! Sie sind noch ein junger Mensch . . . Sie haben noch kein Elend kennen gelernt!

KOMMISSAR (*zu Fedjakin, der mit den anderen Polizisten die Stube durchsucht hat*): Nichts gefunden, Fedjakin?

FEDJAKIN: Nein, Euer Wohlgeboren!

KOMMISSAR: Glück gehabt! Ihr seid gewarnt worden. Schlaue Füchse! Aber eines Tages wird euch die Schlauheit auch nicht mehr nützen.

(*Pawel und Andrej unterschreiben*)

KOMMISSAR: Sie heulen zu früh, Alte! Passen Sie gut auf, später werden die Tränen vielleicht nicht mehr reichen!

MUTTER: Bei einer Mutter reichen die Tränen für alles! ... für alles! ... Wenn Sie eine Mutter haben, die wird das wissen!

FEDJAKIN: Halt's Maul, Alte!

KOMMISSAR: Auf Wiedersehen, ihr Lieben! (*Ab mit Gendarmen*)

ANDREJ (*riesig, hebt ein schweres Buch*): Ganz richtig ... Auf Wiedersehen! (*Stille*)

MUTTER: Was wollen diese Leute denn von Euch? Sind denn das noch Menschen?

PAWEL: Sie werden dafür bezahlt, daß sie uns hetzen, das ist immer so gewesen.

KLEINRUSSE: Und wird auch immer so bleiben.

WESSOWTSCHIKOW (*flüstert durch das Fenster herein*): He ... na? ... Sind sie weg?

KLEINRUSSE: Wie du siehst.

WESSOWTSCHIKOW: Haben sie was gefunden?

KLEINRUSSE: Frag nicht so dumm!

WESSOWTSCHIKOW: Gott sei Dank.

SASCHA: Vorsicht.
(*Sie schleichen sich in die verwüstete Stube*)

FEDJA (*singt*).
Und sie haben uns das Mobiliar zerschlagen,
Denn sie können, was wir wollen, nicht vertragen.

RYBIN: Weiter!

PAWEL: Nein, geht jetzt unauffällig nach Hause ... bis morgen abend! ... Halt! Die Flugblätter! Wer verteilt denn nun die Flugblätter?

WESSWOTSCHIKOW: Ja, die Flugblätter!

FEDJA: Verdammt! Die Flugblätter!

SASCHA: Am besten eine Frau.

PAWEL: Aber keine Fabrikarbeiterin, die wird auch kontrolliert!

SASCHA: Richtig.

WESSOWTSCHIKOW: Aber eine andere Frau haben wir doch nicht ...

MUTTER: Eine andere Frau habt ihr nicht? Vielleicht habt ihr die Frau doch, Pawel. Und habt sie bloß noch nicht angesehen.

FEDJA: Meint sie die Flugblätter? (*Stille*)

MUTTER (*leise*): Marja sagt, ich soll morgen ... in der Mittagspause auf dem Fabrikhof ... Essen verkaufen. Ich könnte morgen ... auf dem Fabrikhof ... (*atemlose Stille*) die Flugblätter ... auch ... nämlich ... vielleicht ... mein ich ...

KLEINRUSSE: Was will sie?

FEDJA: *Sie* will die Flugblätter? ...

SASCHA: Das willst du tun, Mütterchen?

WESSOWTSCHIKOW: Für uns? (*Stille*)

MUTTER (*demütig*): Es muß doch Einer sein!
(*Alle starren die Mutter an*)

MUTTER: Nämlich, ich soll Marja vertreten!

PAWEL: Du willst Essen verkaufen? Hat sie mir dir gesprochen?

MUTTER: Ja.

PAWEL: Morgen mittag sollst du ...?

MUTTER: Ja!

RYBIN: Sie wird bestimmt nicht kontrolliert!

PAWEL: Die Flugblätter könntest du ja im Eßkorb verstecken!

FEDJA: Die Direktoren werden staunen, wenn es morgen wieder Flugblätter schneit! Trotz Spitzel und Kontrolle!

Sascha: Sie sind eine wunderbare Frau!

Pawel (*gibt der Mutter die Hand*): Ich danke dir, Mutter! Also du schaffst die Flugblätter morgen in die Fabrik.

Mutter: Ja. Aber jetzt trinkt doch, ihr Lieben, trinkt, der Tee wird ja ganz kalt. Ein warmer Tee mit auf den Weg, und ihr seid fröhlicher als ein Wind im Feld.

(*Vorhang*)

II

(*Das Innere eines Fabrikhofes. Links eine Maschinenhalle. Im Hintergrund Mitte das Fabriktor. Zwei Wächter kontrollieren alle Passierenden. Ein Arbeiter kommt, wird angehalten und untersucht.*)

Wawilow: Halt, mein Söhnchen!

Prosorow: Was hast du in der linken Rocktasche?

Wawilow: Lies, Prosorow!

Prosorow (*liest das Buch, das er ihm aus der Rocktasche gezogen hat*): »Die heilige Schrift«.

Arbeiter (*lacht*): Hättet ihr nicht gedacht, was? Solltet lieber nicht die Taschen untersuchen, solltet den Kopf untersuchen! Aber das könnt ihr nicht!

Wawilow: Im Kopf hast du ja doch nur Läuse!

Arbeiter: Ist ja Euer Geschäft, Läuse zu fangen und nicht Bibeln! Morgen hat jeder Arbeiter eine Bibel in der Tasche. (*Geht lachend ab*)

Prosorow: Unverschämter Hund!

(*Die Mutter ist hinter ihm erschienen*)

Mutter: Weiter, laßt mich doch durch mit meiner Last. Der Rücken bricht mir ja entzwei!

Wawilow: Was willst du denn, Alte?

Mutter: Ich trage Essen in die Fabrik. Gleich ist doch Mittagpause. Ich vertrete Marja Korssunowa!

Posorow: So, du vertrittst die Korssunowa! Dann stell mal die Töpfe auf die Erde.

Mutter: Da wird mir ja das Essen kalt! (*Die Wächter untersuchen*)

Wawilow: Kannst es ja vom Direktor wieder aufwärmen lassen! (*Zu Prosorow*) Nu?

Prosorow: Nichts, Wawilow!

Mutter: Was sucht ihr denn eigentlich in meinen Töpfen?

Wawilow: Still, Alte!

Prosorow: Knüpf ihr die Bluse auf!

(*Plötzlich furchtbarer Schrei aus der Maschinenhalle. Alle sehen sich um.*)

Mutter: Um Christi willen!

Wawilow: Da ist doch was passiert?

Prosorow: Ein Unglück!

Ein Arbeiter (*stürzt links aus der Maschinenhalle heraus*): He, Wawilow! Jegor ist verunglückt, lauf nach dem Arzt!

Wawilow: Lauf nach dem Arzt, Prosorow! (*Prosorow ab*) Was stehst du hier noch herum, Alte?

(*Die Mutter rechts über den Fabrikhof ab*)

(*Einige Arbeiter laufen über den Fabrikhof. Kleine Ansammlung vor der Maschinenhalle*)

Wawilow: Wie ist das passiert?

Arbeiter: Jegor lief über die Walzenstraße, da schlug ihm ein glühendes Bandeisen an die Ferse. Er schrie und sprang davon und stürzte über ein glühendes Blockeisen. Wird nicht mehr viel los sein mit ihm.

WAWILOW: Seine eigene Schuld. Was läuft er über die Walzenstraße.

ARBEITER: Wollte Zeit sparen! Die verdammte Akkordarbeit!

WAWILOW: Ach was, wo gehobelt wird, da fallen Späne.

(*Das Tor der Maschinenhalle öffnet sich, der verunglückte Arbeiter wird auf einer Bahre über den Hof getragen. Er jammert und stöhnt. Die kleine Gruppe der Arbeiter starrt hinterher. Schweigen.*)

1. ARBEITER: Der vierte diesen Winter!

2. ARBEITER: Die Fabrik muß nicht gut eingerichtet sein, wenn so viele verunglücken.

3. ARBEITER: Eine Kopeke haben sie gestern auch wieder abgezogen.

1. ARBEITER: Immer mehr Arbeit und immer weniger Verdienst. Der Teufel soll's holen.

2. ARBEITER: Und wenn die Ochsen genug gezogen haben, dann werden sie geschlachtet.

3. ARBEITER: Schade um Jegor!

(*Die Fabriksirene ertönt tief und dumpf. Maschinenlärm. Zischen des Dampfes, Schwirren der Treibriemen hört allmählich auf. Der Fabrikhof belebt sich. Die Mutter erscheint mit ihrem Brett voll Essen und ruft:*)

MUTTER: Kohlsuppe, heiße Nudeln, Borscht!

GUSSOW (*tritt zu ihr*): Hast du Pasteten!

MUTTER: Pasteten? Vielleicht habe ich sie! (*Sie zieht aus ihrer Bluse ein Flugblatt und schiebt es ihm in die Hand*)

GUSSOW: Mütterchen, du verstehst's!

MUTTER: Glaubst du?

(*Andere Arbeiter drängen sich heran*)

Kauft Kohlsuppe, kauft Nudeln!

(*Sie schmuggelt ihnen die Flugblätter in die Hand. Geflüster einzelner Arbeiter.*)

ARBEITER (*durcheinander*):

... Die Flugblätter sind wieder da!

... Die Alte hat die Flugblätter!

... Wer ist das?

... Kommt in die Kesselschmiede!

... Hol dir auch ein Flugblatt!

... Aber ins Spind einschließen!

... Das ist die Mutter von Pawel!

... Eine tapfere Frau!

MUTTER: Kohlsuppe! Heiße Nudeln! Tabak! Bei der Wlassowa kriegt ihr alles, was ihr braucht!

(*Gedämpfte Erregung auf dem Fabrikhof. Die Arbeiter stehen in drei Gruppen, flüstern, schieben sich die Flugblätter zu.*)

EIN ARBEITER DER ERSTEN GRUPPE (*liest*): Eine Kopeke in der Stunde sind zehn Kopeken am Tage! Bei 400 Arbeitern 40 Rubel, sind 12 000 Rubel im Jahr! Diese 12 000 Rubel gehörten bis gestern den Arbeitern. Von heute ab sollen sie dem Direktor gehören! Das ist Raub! Wollt ihr euch das gefallen lassen?

EINZELNE ARBEITER DER GRUPPE: Nein! Zum Teufel, nein!

... das Flugblatt sagt die Wahrheit!

... man muß es sich nur richtig klar machen!

EIN ARBEITER (*zur Mutter*): Komm, Wlassowa, gib mir reichlich! (*Er steckt einen Pack Schriften in seine Stiefel*) Iwan, wir wollen bei ihr essen, wir müssen die neue Händlerin unterstützen!

JUNGER ARBEITER (*lächelnd*): Natürlich, natürlich unterstützen wir sie ... gib her, Mütterchen!

MUTTER: Kohlsuppe! Heiße Nudeln!

GUSSOW: Wie geschickt sie das macht, die Wlassowa!

JUNGER ARBEITER: Gib mir für drei Kopeken Nudeln. Eine tüchtige Köchin bist du!

MUTTER: Danke für das gute Wort!

JUNGER ARBEITER: Gute Worte sind bei mir nicht teuer! Die Kopeken um so mehr.

3. GRUPPE (*im Gespräch nach vorn*):

... Sie werden nicht aufhören mit der Kopeke!

... Sie werden uns immer mehr Kopeken abziehen!

2. GRUPPE:

... Wir brauchen jede Kopeke!

... Wir können keine Kopeke verschenken!

... Eine Arbeiterfamilie ist nicht darauf eingerichtet! ...

... am nächsten Tag zehn Kopeken weniger zu haben!

EIN ARBEITER DER 1. GRUPPE: Es dreht sich nicht um die Kopeke allein, Kollegen! Das hat eine Bedeutung! Das werden wir uns nicht gefallen lassen!

MUTTER: Kohlsuppe! Heiße Nudeln!

ISSAI (*der sich unter die Arbeiter gemischt hat*): Ruhe! (*Die Arbeiter schweigen und starren ihn an*) Was schreit ihr wie Kinder? Seid ihr Männer, dann handelt! Auch der Direktor ist ein Mensch! Schlagt ihn tot! Er hat einen weichen Rücken und einen dünnen Schädel! Und sein Büro hat nur Fenster aus Glas! (*Schweigen*) Wollt ihr euch ewig mit Flugblättern begnügen?

PAWEL (*steht plötzlich neben Issai*): Mach daß du wegkommst, Issai! Der will provozieren, Kollegen! Glaubt ihm nicht! Kollegen! Uns ist nicht die Kopeke wertvoll! Aber es klebt mehr Blut daran als an den Rubeln des Direktors! Wir rufen nicht nach der Kopeke, sondern nach unserem Blut und nach der Wahrheit!

RUFE AUS DER MENGE: ... Das stimmt ... hast recht, Gießer ... Wlassow ist da!

PAWEL: Kollegen! Wir sind die Männer, die Fabriken bauen, Kirchen und Eisenbahnen! Die Geld und Ketten herstellen! Wir allein sind die lebendige Kraft, die alle ernährt!

RUFE: ... Er hat recht! ... Das ist wahr!

PAWEL: Wir sind überall die Ersten bei der Arbeit und haben den letzten Platz im Leben. Wer sieht Menschen in uns? Niemand!

RUFE: Niemand ...

PAWEL: Uns wird es niemals besser gehen, solange wir nicht eine einzige Gemeinde sind! Jeder für alle! Alle für jeden!

RUFE (*durcheinander*):

... Zur Sache! ...

... Wo bleibt die Kopeke! ...

... Stör ihn nicht!

... Ruhe!

... Der riskiert aber allerhand!

... Der Mann hat recht, Leute!

PAWEL: Eben stand hier ein Mann, ihr kennt ihn, und schrie »Schlagt den Direktor tot!« Damit ist uns nicht geholfen, Kollegen! Wir arbeiten auf lange Sicht! Es geht uns nicht um einen Direktor, sondern um alle!

RUFE: Zur Sache! Zur Sache!

MUTTER: Laßt ihn doch sprechen! Es ist mein Sohn!

RUFE: Ruhe! ... Ruhe!

PAWEL: Was die Kopeke angeht, so wollen wir dem Direktor eine Abordnung schicken!

RUFE:
... die soll das Schwein verprügeln!
... den Geldschrank aufbrechen!
... verhandeln!
... verhandeln!
... wir wollen nur die Kopeke!

PAWEL: Wählt eine Abordnung!

EINZELNE RUFE: Ssissow!
... Gussow!
... Pawel Wlassow!
... Macht endlich Schluß mit der Quälerei!
... Schluß mit der Akkordarbeit!

PAWEL: Ssissow, Rybin, und ich sind durch Zuruf gewählt! Wir werden mit dem Direktor verhandeln!

RUFE: ... da kommt er selbst!
... Der Direktor!
... Der Direktor!
... Macht ihm Platz!
... Nun gibts dicke Luft, Pawel!
(*Die Menge läßt dem Direktor, der mit Wawilow kommt, eine breite Bahn. Der Direktor, lang und mager, den Hut in die Stirn geschoben, die Hände auf dem Rücken, kommt näher. Er springt gewandt auf die Lore, auf der Pawel steht. Stille.*)

SMYRNOFF: Geben Sie mal Feuer, Wlassow!
(*Pawel bleibt unbewegt. Der Direktor pfeift kurz vor sich hin, steckt sich selbst eine Zigarre an.*)

SMYRNOFF: Was ist das für eine Versammlung? Warum habt ihr die Arbeit niedergelegt? (*Schweigen, Verwirrung und Angst*) Ich habe euch etwas gefragt!

PAWEL: Die Belegschaft hat uns gewählt! Wir wollen mit Ihnen sprechen! Wir müssen die Kopeke wieder haben!

SMYRNOFF: Warum?

PAWEL: Weil wir Hunger haben!

SMYRNOFF: Arbeitet fleißiger! Die Akkordsätze sind so ausgerechnet, daß jeder satt werden kann!

PAWEL: Die Akkordsätze sind so ausgerechnet, daß jeder verunglücken kann.

RUFE: Ja! Jegor ist verunglückt!

SMYRNOFF: Was geht das euch an?

RUFE: Jegor ist unser Kollege!

SMYRNOFF: Bist du Jegor, Wassilij? (*Stille*) Jeder soll für sich selbst sorgen!

PAWEL: Nein! Jeder soll für alle sorgen.

SMYRNOFF: Ihr haltet also den Lohnabzug für ungerecht?

PAWEL: Ja!

EINIGE ARBEITER: Ja!

ALLE ARBEITER: Ja! Ja!

SMYRNOFF: Aber ich brauche die Kopeke von euch! Wollt ihr noch länger die Sümpfe vor der Fabrik dulden mit ihrer faulen Luft und ihren Wolken von Mücken? Wir werden noch alle krank davon! Darum mein ich: Jeder bezahlt eine Kopeke, damit die Sümpfe ausgetrocknet werden. Auf dem neu gewonnenen Gelände kann ich dann die Fabrik vergrößern. Wenn es der Fabrik gut geht, geht es auch euch gut!

PAWEL: Wir haben kein Geld, um deine Sümpfe auszutrocknen, wir haben noch nicht einmal Geld für unsere Suppe! ... Vor vier Jahren hat die Fabrik 3800 Rubel für ein Bad gesammelt. Wo sind sie hin? Ein Bad haben wir nicht bekommen!

SMYRNOFF: Das ist ja Lüge! Ihr seht doch, daß ich auf eurer Seite stehe! Habt ihr nicht Augen im Kopf? Sehn Sie denn, Wlassow, in meiner Absicht, den Sumpf trocken zu legen, nur den Wunsch, die Arbeiter auszubeuten? Erkennen Sie nicht meine Sorge, Ihre Lage zu verbessern?

PAWEL: Nein!

SMYRNOFF: Sie scheinen ein ziemlich intelligenter Mann zu sein. Begreifen Sie wirklich nicht den Nutzen der Maßnahme?

PAWEL: Wenn die Fabrik den Sumpf auf ihre eigenen Kosten trocknen läßt, so werden das alle begreifen!

SMYRNOFF (*erbittert*): Die Fabrik beschäftigt sich nicht mit philanthropischen Maßnahmen. Schluß! Wem das nicht paßt, der kann gehn. Hört zu: Ich befehle allen, sofort an die Arbeit zu gehen! Die Mittagspause ist zu Ende!

RUFE: ... Räuber!
... Blutsauger!
... Jegor!
... Jegor ist verunglückt!
... er raubt uns jede Kopeke einzeln!

SMYRNOFF (*steht allein der Masse gegenüber*): Was ist los? (*Plötzliche Stille. Smyrnoff tritt drei Schritte auf die Masse zu, die drei Schritte zurückweicht.*) Wer nicht sofort an die Arbeit geht, ist entlassen!
(*Er geht nach rechts ab in den Schuppen, in dem Jegor liegt. Die Menge zerstreut sich.*)

GESPRÄCHE:
... Der läßt nicht mit sich reden!
... Das nennt sich Recht!
... Ihr habt euch benommen wie Idioten!
... Ein Streik wegen einer Kopeke?
(*Einige bleiben vor Pawel stehen*)
... Du bist ein schöner Führer, redest wunderbar. Nur wenn der Direktor kommt, hat er die Macht.
... Was wird jetzt?
... Was wollen wir jetzt anfangen?
(*Allmählich ab*)

PAWEL: Wir müssen streiken, Kollegen! Solange, bis er auf die Kopeke verzichtet!

ARBEITER: ... den Streik bringst du nicht zustande!

RYBIN: Ihr seid schon keine Menschen mehr! Ihr seid nur Kitt, mit dem man Ritzen verschmiert!

ARBEITER:
... wir sind nicht einig, Pawel!
... das ist ein toter Streik!
... Einen Haufen Mist kriegt man nicht auf eine Gabel!

SSISSOW (*zur Mutter*): Für uns, Alte, ist es Zeit für den Kirchhof! Wie haben wir gelebt? Wie haben wir uns bis zur Erde verbeugt? Jetzt aber sind die Menschen anders geworden. Die jungen Leute reden mit dem Direktor wie mit ihresgleichen. Pawel hat ihm nicht einmal Feuer gegeben.

MUTTER: Sie haben nicht auf ihn gehört! Sie haben nicht getan, was Pawel sagte.

SSISSOW: Dem nackten Wort glauben die Leute nicht. Man muß erst leiden. Das Wort in Blut tauchen! Aber ich muß gehen! (*Im Abgehen begegnet er Pawel*) Du trittst brav für die Leute ein, Pawel. Wenn du nur die richtigen Wege findest! (*ab*)

PAWEL (*vor der Mutter, leise*): Ich bin noch zu schwach, das ist es. Sie haben mir nicht geglaubt, der Direktor hat gewonnen. Ich habe nicht verstanden, ihnen alles klar zu machen. Ich muß es besser machen! Sie haben mich nicht verstanden.

MUTTER: Haben sie dich heute nicht verstanden, werden sie es morgen tun.

PAWEL: Ja, sie werden mich verstehen! Ich danke dir, Mutter ... für die Flugblätter. (*Gibt der Mutter die Hand*)
(*Ab. Die Mutter sieht ihm nach.*)

KLEINRUSSE (*verölt, in Arbeiterkluft*): Hallo, Mütterchen, was ist ihm?

MUTTER: Ich kenne ihn gar nicht so! Ich habe ja nicht gewußt, daß seine ganze Seele dieser Sache gehört.

KLEINRUSSE: Wer nicht seine ganze Seele hingibt für seine Idee, bleibt unterwegs liegen.

MUTTER: Wie er mich erschreckt hat. Es scheint, Andrej, daß man mitmachen muß, von ganz innen an. Ihr lebt ja fast wie die Rechtgläubigen! Was muß das für ein großer Glaube sein!

KLEINRUSSE: Das ist der Glaube an eine neue Welt, Mutter, den keine Gewalt der Erde brechen wird. Kein Geld, kein Gewehr und kein Gott!
(*Der Schuppen rechts öffnet sich, der Direktor und Wawilow überqueren den Fabrikhof*)

DIREKTOR: Diese ewigen Leichen hängen mir zum Halse heraus! Wozu habe ich Kontrolleure in jeder Ecke! Das geht doch nicht so weiter! Was kann ich dazu, daß diese Esel so ungeschickt sind. Aber die Schuld fällt auf mich! Ich bin der Blutsauger! Ich bin der Schuft!

WAWILOW: Aber nicht doch, Euer Wohlgeboren! Sie sind doch kein Schuft. Euer Wohlgeboren, nein, bitte ...

DIREKTOR: Ich habe die Fabrik so gut eingerichtet, wie ich konnte. Wer bei mir hungert, hungert aus Politik. Das hat bei mir keiner nötig. Die Leute sind unzufrieden geworden. Ich verlange von Euch Kontrolleuren, daß sie zufrieden sind. Jedes Hungergeschrei hat aufzuhören. Wer bei mir hungert, hungert aus Politik!

WAWILOW: Selbstverständlich, Euer Wohlgeboren, selbstverständlich!
(*Beide ab. Mutter und Kleinrusse sehen ihnen nach.*)

KLEINRUSSE: Die Gedanken richten sich nach dem Geld in der Tasche.

MUTTER: Wie kann ich Euch verstehen? ...

KLEINRUSSE: Wir können nur durch das Wort wirken und überzeugen. Unsere Bewegung geht um die ganze Erde. In allen Ländern werden unsere Fahnen schon unsichtbar über die Straßen getragen!

MUTTER: Eure Bewegung ist groß gedacht!

KLEINRUSSE: Sie ist auch für die ganze Welt gedacht! Du mußt die Sprache der ganzen Welt verstehen, Pelagea! Du mußt lesen lernen, dann verstehst du uns.

MUTTER: Lesen ... lesen, sagst du?

KLEINRUSSE: Ja!

MUTTER: Du hast recht, Andrej. Als Kind habe ich etwas lesen gekonnt, aber wie soll ich es wieder lernen?

KLEINRUSSE: Soll ich es dir beibringen?

MUTTER: Ja, bring es mir bei. Ich will Pawel eine Freude machen! Ich will die Sprache der ganzen Welt verstehen können, ich will euch helfen.
(*Kleinrusse deutet auf ein Schild, auf dem in großen Buchstaben steht:*)

> »*LEBENSGEFAHR!*
> Aufenthalt und Arbeit auf der Walzenstraße sind lebensgefährlich! Jeder handelt auf eigene Gefahr!

Die Direktion.«

KLEINRUSSE: Da stehen Buchstaben! Kannst du das große Wort lesen?
MUTTER: Nein!
KLEINRUSSE: Warte! Das erste ist ein »L«.
MUTTER (*buchstabiert in rührender Bemühung*): »L«.
KLEINRUSSE: Dann kommt ein »E«.
MUTTER: Ja, ein »E«.
KLEINRUSSE: Dann ein »B«.
MUTTER: . . . und wieder ein »E«.
KLEINRUSSE: »N«.
MUTTER: »N«.
KLEINRUSSE: »Leben«.
MUTTER: »Leben«.

(*Pause. Sämtliche Maschinen fangen an zu arbeiten. Sie sehn sich an.*)

KLEINRUSSE: Aber was kommt jetzt?
MUTTER: ge . . .
KLEINRUSSE: f
MUTTER: f . . . a . . .
KLEINRUSSE: Weiter . . .
MUTTER: h . . . r . . .
KLEINRUSSE: ge . . .?
MUTTER: . . . fahr . . . Lebensgefahr!
KLEINRUSSE: Ja, Lebensgefahr.

(Vorhang)

III

(Offenes Feld, eine Scheune, Dämmerung)
(Pawel, Rybin, Wessowtschikow, Sascha, Kleinrusse sitzen um ein Feuer und singen)

Lied No. 2

RYBIN: Wir müssen anfangen.
SASCHA: Hast du die Briefe an das Zentralbüro, Pawel?
PAWEL: Meine Mutter wird sie gleich bringen.
RYBIN: Fang an, Pawel, Sascha hat noch den weiten Weg in die Stadt vor sich.
PAWEL: Hoffentlich findet uns hier keine Polizei . . .
WESSOWTSCHIKOW: Meine Sohlen zerschnitten!! Zerschnitten, um Flugblätter zu suchen . . . einfach die Schuhe zerschnitten!
SASCHA: Bei der zweiten Haussuchung waren sie viel schärfer als bei der ersten.
WESSOWTSCHIKOW: Alles zerschlagen, und meine Schuhe . . .
SASCHA: Du solltest vorsichtiger werden, Pawel. Beim nächsten Mal fassen sie dich.
PAWEL: Sind wir nicht vorsichtig? Versammeln wir uns nicht hier draußen, wo wir jeden Menschen sehn können, der zu uns will? Hier sind wir sicher!
WESSOWTSCHIKOW: Besieh dir die Schuhe, Sascha, besieh sie dir genau . . . da!
RYBIN: Fangt an . . . es ist gut.
PAWEL: Genossen, wir müssen heute die Vorbereitungen zum 1. Mai besprechen. Außerdem hat Rybin euch etwas zu sagen. Kommt in die Scheune, und du, Wessowtschikow, paß auf, daß uns niemand hört.
WESSOWTSCHIKOW: Eher hören euch die Stichlinge im Fluß drüben als die Polizei, dafür sorgt Wessowtschikow.
RYBIN: Hier ist ein Schemel zum Schreiben.
PAWEL: Die Polizei ist hinter uns her. Sie wird bald zugreifen, wenn wir nicht glatt wie Aale handeln. Die zwei Haussuchungen beweisen es. Es geht hier nicht um

Recht, sondern um Intelligenz gegen Intelligenz! Gerade bei der Vorarbeit zum 1. Mai müssen wir zeigen, daß wir einige Polizistenköpfe glatt in den Schatten stellen. Das Zentralbüro schreibt, daß ein großer Aufmarsch in der Stadt geplant ist, zu dem wir unsere ganze Belegschaft mobilisieren sollen. Sascha wird heute abend unsere Beschlüsse hinüberbringen.

FEDJA: Wir werden zum 1. Mai die rote Fahne erheben und die Internationale singen ...

ANDREJ: Das Richtigste ist, unsere Fabrik zu revolutionieren. Wie können wir die ganze Belegschaft auf die Straße bringen?

WESSOWTSCHIKOW: Achtung! Da kommt jemand über das Feld ...

FEDJA: Das ist die alte Wlassowa ... deine Mutter, Pawel ...

WESSOWTSCHIKOW: Pst ... Mutter ... pst ... es darf uns niemand hören.

MUTTER (*leise*): ... Da seid ihr? ...

PAWEL: Hat dich jemand gesehn?

MUTTER: Niemand, nein.

SASCHA: War der Weg nicht zu lang für dich?

MUTTER: Nein, nur die Füße tun ein bißchen weh ...

FEDJA: Die Bewegung geht auf tausend müden Füßen heimlich durchs Land.

PAWEL: Hat dich niemand gesehn?

MUTTER: Nein, niemand. Doch, Issai hab ich gesehn!

ANDREJ: Verdammt!

MUTTER: Hab ihn gesehn. Stand auf einer grünen Wiese, pflückte eine Primel und pfiff dazu, sah mich nicht an. Warum pflückt Issai Primeln dort drüben?

PAWEL: Du mußt scharf aufpassen, Wessowtschikow. Kennst du ihn?

WESSOWTSCHIKOW: Wen?

MUTTER: Den Herrn Issai ...

WESSOWTSCHIKOW: Wie sieht er denn aus?

ANDREJ: Oben ein Kneifer und unten krumme Beine und wenn er vor dir steht, siehst du ihn: das ist Issai.

WESSOWTSCHIKOW: Dann werd ich ihn erkennen.

PAWEL: Wo hast du den Brief, Mutter?

MUTTER: Hier, Pawel.

PAWEL: Hört zu, Genossen. Man erwartet von uns, daß wir am 1. Mai die Arbeit niederlegen und feiern. Beim Aufmarsch in der Stadt drüben geht jeder ohne Mütze und ohne Waffen. Wir versammeln uns mittags um 12 Uhr am Fabriktor und ziehen dann zusammen in die Stadt. Jeder von uns muß heimlich in seiner Kolonne für den 1. Mai werben. Wir kleben nachts heimlich Plakate an und verteilen beim Aufmarsch Flugblätter.

ANDREJ: Und wenn die Polizei blank zieht ...

MUTTER: Nein, ihr dürft nicht ...

PAWEL: Dann wehren wir uns nicht, aber wir weigern uns, auseinanderzugehen.

SASCHA: Aber wenn sie schießen!

MUTTER: Pawel ...

PAWEL: Wer Angst hat, kann gehn. Es handelt sich hier nicht um unser kleines Leben, sondern um das Schicksal der großen Revolution.

ANDREJ: Du hast recht. Wir werden offen und sauber handeln. Wir sind es den Gefallenen schuldig. Denkt an Jegor ...

FEDJA: Der Akkord hat ihn getötet! Wieviele Menschen sollen noch einem wahnwitzigen System geopfert werden, wieviel Blut noch?

SASCHA: Man sollte meinen, für Blut kann man alles kaufen auf Erden, aber unsereiner kriegt höchstens ein Armengrab dafür ...

FEDJA: . . . und der Besitzer verdient an unserm Blut . . .

RYBIN: Ich muß euch etwas sagen, Genossen, denn ich glaube . . . daß unsere Bewegung nicht bei der Arbeiterschaft stehn bleiben darf. Sie muß weitergehn. Sie muß das ganze Land erfassen, die Bauern. Wenn einst der Tag kommt, dann darf er nicht nur in den Städten aufleuchten! Dann muß das ganze Land wie ein Mann marschieren und die Ausbeuter vertreiben. Ich habe es mit meinem Kopf lange überlegt. Ich will zu den Bauern gehn, Genossen. Pawel hat auf meinen Wunsch an das Zentralbüro geschrieben. Es ist einverstanden, und ich will morgen abfahren mit Jefims Wagen, denn es ist gut, daß das Wort zu den Bauern wandert, damit unsere Bewegung groß wird im ganzen Land und das Volk sich seiner Kraft bewußt wird. Ich habe viele Schriften gelesen von Plechanoff und Lassalle, und ich habe alles genau vorbereitet, und mein Bündel liegt bereit, und Mutter Wlassowa will mir die neuen Blätter hinausbringen . . .

FEDJA: Ich halte den Plan von Rybin für falsch! Gerade jetzt brauchen wir jeden Mann. Die Bauern müssen warten, bis . . .

RYBIN: Die Bauern dürfen nicht warten!

FEDJA: Zuerst müssen wir unsere Arbeit beenden, eh wir weitergehn können!

RYBIN: Die Bewegung muß gleichzeitig überall aufstehen!

FEDJA: Das schwächt uns!

RYBIN: Aber es stärkt die Bauern!

PAWEL: Fedja, es ist alles überlegt. Rybin hat recht. Wir dürfen nicht in der Fabrik stehn bleiben. Wenn Rybin gegangen ist, müssen wir ihn durch verstärkte Agitation ersetzen!

SASCHA: Andrej will seine Arbeit mitübernehmen.

ANDREJ: Natürlich, ich langweile mich den ganzen Tag, so wenig gebt ihr mir zu tun. Nächstens geh ich noch angeln!

PAWEL: Nein, Andrej, du arbeitest schon wie ein Pferd. Sascha und ich werden uns in Rybins Arbeit teilen. Rybin geht zu den Bauern, und du, Mutter, bringst ihm das Material. Ja, Mutter?

MUTTER: Ja, aber hoffentlich ist es nicht so schlimm wie das mit den Flugblättern. So etwas werde ich nie wieder tun. Ich will Euch ja nichts in den Weg legen, Pawel, aber ich, zum Beispiel, ich bin doch keine Revolutionärin. Ich wollte dir doch nur ein bißchen helfen, Pawel, aber ich bin eine ehrliche Frau.

PAWEL: So. Und was wir tun, ist unehrlich?

MUTTER: Bewahre, nein . . . aber es ist doch verboten und scheut das Licht.

ANDREJ: Und alles was das Licht scheut, scheut das Recht?

MUTTER: Du weißt nicht, Pascha, wieviele Nächte ich nicht geschlafen habe.

PAWEL: Wenn Recht und Macht dasselbe wären, Mutter, so würden wir schweigen. Da aber die Macht das Recht mißbraucht, so wehren wir uns. Wir sind schwach, darum müssen wir illegal vorgehen.

ANDREJ: Wenn wir offen vorgingen, würde man uns Patronen in die Rippen schießen, Mütterchen. Dann wären wir erledigt und unsere Arbeit auch.

MUTTER: Mein Gott . . .

PAWEL: Na, begreifst du nun, Mutter, daß man nicht so einfach sagen kann: Was das Licht scheut, ist unrecht.

FEDJA: Es gibt viel ehrliche Arbeit, die scheut das Licht . . .

MUTTER: Dann hätte die Polizei nicht recht?

ANDREJ: Nicht immer, Mütterchen.

MUTTER: Und ihr? . . . Dann wärt ihr keine Verbrecher?

ANDREJ: Ach, das ist bloß unser Vorname. Man nennt uns bei Hofe so, das ist alles.

PAWEL: Na, Mutter, bringst du ihm das Material?

RYBIN: Sie hat es doch schon gesagt.

MUTTER: Das Material? ... Ach so ... das Material ... ja, nehmt es mir nicht übel ... aber gut ... ich bring ihm das Material.

PAWEL: Das ist schön von dir.

FEDJA: Bravo, Mütterchen.

PAWEL: Gut, ich bitte um einen Beschluß.

(*Sie sprechen leiser*)

(*Draußen tritt Issai zu Wessowtschikow.*)

WESSOWTSCHIKOW: Was wollen Sie?

ISSAI: Ich muß hier doch mein Taschentuch verloren haben ...

WESSOWTSCHIKOW (*besieht die Beine Issais*): Besitzen Sie einen Kneifer?

ISSAI: Wieso? Wieso soll ich einen Kneifer besitzen?

WESSOWTSCHIKOW: Dann ist es gut, sonst nämlich ...

ISSAI: Was seh ich? Was haben Sie bloß für Schuhe?

WESSOWTSCHIKOW: Nicht wahr? Es sind zerschnittene Schuhe! Das kommt von dieser verdammten, verfluchten ... hm ... Straße. Glas liegt da herum, und ich stolperte. Sie sehen, die Schnitte kommen vom Stolpern!

ISSAI: Ja, beim Stolpern kann man sich wirklich schneiden ...

WESSOWTSCHIKOW: Nun müssen Sie gehen.

ISSAI: So. Muß ich gehn. Was ich sagen wollte ... eine schöne Frühlingssaat, die da steht, wie?

WESSOWTSCHIKOW: Ja, aber so dicht brauchen Sie deswegen nicht an der Scheune zu stehen! Gehen Sie doch.

ISSAI: Eine erstklassige Scheune, hält dicht. Was ist darin?

WESSOWTSCHIKOW: In der Scheune? Einige Pflüge oder so. Ich weiß es nicht ...

ISSAI: So. Einige Pflüge. Aber wer spricht denn hier?

WESSOWTSCHIKOW: Teufel, das war drüben am Fluß ...

ISSAI: Aber ...

WESSOWTSCHIKOW: Gehn Sie doch! Sie sollen gehn! Weg! (*Drinnen*)

ANDREJ: He, Wessowtschikow! Mit wem sprichst du da?

FEDJA (*springt auf und steht Issai gegenüber*): Wessowtschikow ... ach so, Andrej! Rasch! (*winkt ihm*)

(*Andrej und die Revolutionäre nach vorn*)

ANDREJ: Guten Tag, Issai!

FEDJA: Jetzt haben wir dich endlich.

WESSOWTSCHIKOW: Das ist Issai? Er hat doch keinen Kneifer? ...

PAWEL (*geht auf Issai zu*): Was suchst du hier?

WESSOWTSCHIKOW: Er sucht sein Taschentuch ...

ISSAI: Du wirst stehn bleiben, Brüderchen. Ich habe meine rechte Hand in der Rocktasche ... siehst du ... und in der Hand einen Revolver ... siehst du ... und mit diesem Revolver ziele ich augenblicklich auf dein linkes Auge ...

MUTTER: Pawel, um Gottes willen! ...

ISSAI: Ich wäre in solchem Fall auch für mein linkes Auge ... Ich bin sehr erstaunt ... sehr erstaunt, auch dich in dieser Gesellschaft zu sehn, Wlassowa. Ich denke, es sind alles verhetzte Burschen. Aber sieh da: alte Leute ... Jedenfalls weiß ich jetzt genug! ... und wenn ich genug weiß, dann hilft kein Gott mehr und kein Zar ... dann ...

WESSOWTSCHIKOW: Verfluchter Hund! ... (*Springt ihn von der Seite an, ebenso Pawel und Rybin. Kurzer Tumult. Issai stürzt davon, dem Flußufer zu.*)

RYBIN: Schlagt ihn tot!

ANDREJ: Der Revolver ... der Revolver!

MUTTER: Pawel!
SASCHA: Nicht schießen!
(Rybin will schießen, Pawel schlägt ihm die Waffe aus der Hand)
ISSAI: Hilfe . . . Hilfe . . . Hilfe! *(springt in den Fluß)*
RYBIN: Ich hätte ihn doch niederschießen sollen!
SASCHA: Dann wäre ein Neuer gekommen. Diesen hier kennen wir einmal . . .
ANDREJ: He, Wessowtschikow, dich hätte man als Säugling . . .
WESSOWTSCHIKOW: Ich weiß . . . aber was hättet ihr davon? Jetzt ist er naß und holt sich einen Husten. Hab ich das nicht gut gemacht?
RYBIN: So ein Spitzel, so ein verfluchter!
PAWEL: Wirf die Pistole in den Fluß, Rybin.
(Es geschieht)
Unsere Beschlüsse sind gefaßt. Geht alle nach Hause, eh er mit dem Gendarm wiederkommt. Du, Sascha, bringst also unsere Beschlüsse in die Stadt?
SASCHA: Ja, Pawel, gerne.
RYBIN: Lebt wohl, Genossen! . . . Ich gehe heute abend, mein Bündel liegt schon bereit, und Jefim hat die Pferde angespannt.
FEDJA: Leb wohl, Rybin.
ADREJ: Paß auf, daß dich kein Pferd tritt. Mit einem kleinen Kommissar würdest du wohl fertig werden.
PAWEL: Alle acht Tage bringt dir meine Mutter die neuesten Schriften.
RYBIN: Vielleicht schick ich euch schon ein paar Bauern zum 1. Mai. Lebt wohl!
ALLE: Leb wohl, Rybin!
PAWEL: Und jetzt, Genossen, an die Arbeit für den 1. Mai.
(Sie gehn auseinander)

(Vorhang)

IV

(Vor Ssomows Gasthaus. Offener Platz von Häusern eingeschlossen. Einige Passanten gehen vorbei. Man hört von innen Gelächter und Xylofon-Musik. Marja und Ssomow stehen vor der Tür.)
MARJA: Mit der Unzufriedenheit hat es angefangen. Nun ist der Tumult da. Großer Tumult, Ssomow! Wie ich am Fabriktor vorbeikomme, stehen da die Aufrührer und haben fast die ganze Belegschaft herausgeholt. Pawel Wlassow ist der Rädelsführer! Der Sohn der alten Wlassowa. Die arme Frau! Pawel werden sie ja wohl erschießen. Sie wollen ja alle erschießen . . . ja, ja!
SSOMOW: Was Sie sagen, Korssunowa! Wahrhaftig? Das kommt von bösen Gedanken. Ich, z. B., ich habe nie böse Gedanken gehabt.
MARJA: Ja, man kann es sehen, Ssomow!
SSOMOW: Wenn in meinem Lokal jemand böse Gedanken hat, so werfe ich ihn immer raus. Man kann es riechen.
MARJA: Sie hätten die Aufregung sehen sollen! Die roten Gesichter! Die Flüche! Ich will nach Hause gehen, die Türen und Fenster verschließen.
SSOMOW: Das sind die jungen Leute! Wir Alten haben kein Glück mit unserem Nachwuchs.
MARJA: Das ist es! Warum kein Tänzchen riskieren, kein Gläschen Wodka bei Väterchen Ssomow? Keine Braut . . . aber nein: nichts wie Aufruhr! Die reinen Teufel!
SSOMOW: Wie die Teufel sagst du? Und ich habe alle Fenster nach vorne raus!
(Beide ab)
1. EINWOHNER: Was ist am Fabriktor los, Korssunowa?

MARJA (*im Abgehen*): Aufruhr! Offener Aufruhr! Die Arbeiter sind wild wie die Teufel. (*ab*)

1. EINWOHNER: Die Arbeiter sind wild wie die Teufel!

2. EINWOHNER: Da hilft nur beten!

1. EINWOHNER: Was soll das geben?

3. EINWOHNER (*geht vorbei*)

1. EINWOHNER: Hast du gehört? Sie stürmen die Fabrik!

3. EINWOHNER: Gott der Barmherzige!

1. EINWOHNER: Wahrscheinlich werden sie auch die ganze Stadt in Brand stecken.

2. EINWOHNER: Da hilft nur beten!

3. EINWOHNER: Werde mir eine Pistole kaufen.

(*Die beiden ersten Einwohner ab, der dritte begegnet einer Frau*)

3. EINWOHNER: Die Arbeiter wollen die Fabrik abbrennen!

FRAU: Gott im Himmel, die Fabrik abbrennen? Wo kriege ich dann meine Holzabfälle her?

3. EINWOHNER: Ja, ja! . . . Um uns kümmert sich keine Katze!

(*Einige Einwohner dazu. Gendarm Fedjakin bummelt väterlich vorbei.*)

FRAU: Väterchen Gendarm, Gott mit dir! Ist sie schon verbrannt?

FEDJAKIN: Wer, mein Täubchen? Meine Zigarre?

FRAU: Die Fabrik draußen.

FEDJAKIN: Die Fabrik?

FRAU: Die Arbeiter haben sie doch angesteckt!

3. EINWOHNER: Und sie kommen gleich hierher in die Stadt und sie wollen alles niederbrennen.

FEDJAKIN: Ha-ha-habt keine Angst, Ihr Leute! Wer steht hier? Hier steht Fedjakin! Was hat er an der Seite? Einen langen Säbel! Was hat er in der Tasche? Eine geladene Pistole! Habt keine Angst, ihr Leute, Fedjakin wird euch schützen.

FRAU: Ja, ja, Väterchen, du wirst uns schützen. Wir sind friedliche Einwohner und brauchen deinen Säbel und deine Pistole, Väterchen.

3. EINWOHNER: Sie werden wohl alle erschossen werden, was?

FEDJAKIN: Dienstgeheimnis!

FRAU: Die armen Menschen! Wenn sie doch zufrieden sein wollten. Ich bin es doch auch.

(*Es haben sich immer mehr Arbeiter und Einwohner angesammelt. Wessowtschikow mit einigen Arbeitern heran. Er schwingt ein rotes Plakat.*)

ANDREJ: Arbeiter! Am Fabriktor sammelt sich die gesamte Belegschaft. Sie wird hierher in die Stadt marschieren! Sie wird demonstrieren für alle armen Leute! Für besseren Lohn! Gegen die Ausnutzung der Menschenkraft! Gegen Akkordarbeit!

ZURUFE: Ihr habt ja die Fabrik angesteckt . . . Ihr wollt ja den Aufruhr . . . Ihr seid ja Rebellen!

ANDREJ: Wir haben keine Fabrik angesteckt. In der Fabrik ist jede Schraube auf ihrem Platz. Wir haben den Direktor nicht erschlagen; aber die Arbeiter haben heut die Arbeit niedergelegt. Heut ist der 1. Mai. Heut ist Feiertag in allen Ländern. Hört Ihr die Musik? Die Arbeiter kommen von der Fabrik, sie marschieren.

RUFE: Da kommen sie . . . die Arbeiter kommen!

FEDJAKIN: Was treibst du da, Nachodka?

ANDREJ: Ich kleb ein Plakat an, Fedjakin!

FEDJAKIN: Hat dir das die Behörde erlaubt?

ANDREJ: Wir pfeifen auf die Behörde.

FEDJAKIN: Runter das Plakat!

(*Einige Arbeiter nähern sich Fedjakin.*)

ANDREJ: Versuchs, Gendarm!

FEDJAKIN: Hör mal, Wessowtschikow: du leistest ja Widerstand!

ANDREJ: Meinst du, Gendarm?

FEDJAKIN: Ist das Absicht? Was soll das heißen?

ANDREJ: Das heißt: Mach dich dünn!

ARBEITER: Zum Teufel mit dir, Gendarm!

FEDJAKIN: Ihr werdet ja erleben, was ihr da anrichtet! Auf Wiedersehen!

(*Die Arbeiter wenden sich ab und gehen der Musik entgegen*)

RUFE: Da kommen sie von der Fabrik ... die Belegschaft kommt ... da kommt der Festzug!

Im Vordergrund

(*Spitzel Issai in falscher Eleganz trifft den abgehenden Fedjakin*)

ISSAI: He, Fedjakin!

FEDJAKIN: Sind die Soldaten da?

ISSAI: Eine Kompagnie am Bahnhof, eine Kompagnie rund um den Marktplatz. Wenn die Arbeiter hier sind, werden sie auf den Marktplatz zurückgedrängt und dann haben wir sie in der Falle.

FEDJAKIN: Dann nieder mit ihnen!

ISSAI: Pst, Fedjakin, wie falsch ... zuerst muß man den Feind ins Unrecht setzen, dann darf man energisch werden, Lieber.

FEDJAKIN: Hast recht. (*Beide ab*)

(*Gesang der Arbeiter: Es klirren die Ketten ... (Lied No. 3) Erregung, Jubel. Die Spitze des Zuges betritt die Bühne. Pawel voraus.*)

PAWEL: Genossen, halt! (*Allmähliche Stille*) Es lebe der internationale Feiertag der Arbeiterschaft. Kein Gewehr, kein Knüppel, kein Gesetz können die Arbeiterbewegung aufhalten. Eines Tages wird sie in der ganzen Welt siegen! Es lebe die Arbeiterschaft in allen Ländern der Erde!

(*Ruf, der sich hinter der Szene brausend fortsetzt*)

DIE ARBEITER: Es lebe die Arbeiterschaft!

(*In den offenen Fenstern der Häuser liegen Zuschauer und schimpfen*)

AUSRUFE: ... Das sind ja Aufrührer ... sie hetzen das Volk gegeneinander ... Mischa sagt, der Gouverneur ist angekommen ... Militär ist da ... Militär, Militär!

(*Unterdessen tritt eine Patrouille von Soldaten den Arbeitern entgegen*)

KOMMISSAR: Zurückgehen, zurückgehen! Der Zug wird hier nicht durchgelassen! Der Zug soll über den Marktplatz marschieren! Kehren Sie um, nehmen Sie Vernunft an! Hier steht überall Militär!

RUFE (*aus den Fenstern*): Militär! Militär!

(*Im selben Moment aus allen Richtungen hinter der Szene ein Pfeifensignal, dann Trommelwirbel nah und fern, Kommandos, Marschschritt*)

DIE ARBEITER: Laßt uns durch hier ... das geht nicht ... seid vernünftig ... umkehren ... umkehren ... über den Marktplatz ... hier steht Militär!

PAWEL: Genossen! Wir sind unbewaffnet! Wir wollen nichts als friedlich demonstrieren! Wir wollen kein Blutvergießen! Kehrt um, Genossen, wir versammeln uns auf dem Marktplatz!

RUFE: Vorwärts, auf den Marktplatz.

(*Sie singen das Lied: »Es klirren die Ketten ...« weiter und verlassen den Platz*)

KOMMISSAR: Gendarm! Sie sorgen dafür, daß hier kein einziger Arbeiter durchkommt. An der Straßenecke drüben steht eine halbe Sotnie Kosaken! Bei Gefahr werden sie pfeifen!

FEDJAKIN: Zu Befehl, Euer Wohlgeboren!

KOMMISSAR: Wo hast du deine Signalpfeife?

FEDJAKIN: Hier, Euer Wohlgeboren!

KOMMISSAR (*zu seiner Patrouille*): Ihr steht Posten vor Dudiakows Schuhmacherei! Zwanzig Schritt geradeaus!

1. SOLDAT: Zu Befehl!

KOMMISSAR: Vorwärts, marsch! (*Ab mit den Soldaten*)

FEDJAKIN: He, Issai!

ISSAI: Ja?

FEDJAKIN: Es gibt Zunder, Issai!

ISSAI: Winseln wird nicht viel nützen!

FEDJAKIN: Der Kommissar hat ein Gesicht gemacht, wie das jüngste Gericht!

ISSAI: Sie sind zum Marktplatz marschiert! Jetzt sitzen sie in der Falle, Gendarm!

FEDJAKIN: Es riecht nach Blut! Vielleicht verlier ich heute meine Stelle!

ISSAI: Nicht doch . . . nicht doch, Fedjakin. Die Arbeiter erhalten bloß eine Abreibung!

FEDJAKIN: Schön, aber als Gendarm weißt du nie, wie sehr du mitreiben sollst. Reibst du zu stark, sterben sie und du verlierst deine Stelle, reibst du zu schwach, schimpft der Kommissar und du verlierst auch deine Stelle. Ganz krank machen sie einen, deine Arbeiter.

(*Man hört die Arbeiter in der Ferne singen.*)

ISSAI: Hörst du sie singen?

FEDJAKIN: Immer von Sonne und Morgenrot und Blut und Wunden, keinen Humor haben sie, das ist es.

ISSAI: Um die Ecke am Rathaus kann man sie noch sehen. Muß eine Riesenmenge sein!

PETROKOFF (*alt und vornehm, nähert sich*): Ist heute denn der Teufel los, Gendarm. Was fällt dem Mob denn ein? Und das duldet die Polizei? Schöne Zustände! Ausgezeichnete Zustände!

FEDJAKIN: Was will man machen, Euer Gnaden? Es ist nicht meine Schuld!

PETROKOFF: Der ganze Marktplatz ist voll von Aufrührern, und ein Dutzend Straßenredner schreit durcheinander, Schaum vor dem Mund! Ja, sagen Sie, was bedeutet das? Und Sie als Gendarm stehen hier faul herum! Vorwärts, räumen Sie den Marktplatz!

FEDJAKIN: Sie sollen mich nicht so anschreien, Euer Gnaden, denn ich bin hier im Dienst!

(*Man hört verschiedene Redner durcheinander sprechen*)

PETROKOFF: Ach was . . . ach was . . . und hinten erhebt sich die rote Fahne des Aufruhrs. Das ist ja schändlich, daß man das duldet!

ISSAI: Entschuldigung! Aber es ist überall Militär vorhanden! Es wird Ihnen nichts geschehen!

PETROKOFF: Um mich habe ich keine Angst, aber um unser . . . heiliges Rußland! Um Rußland . . . mein Gott! . . . habe ich Angst . . . verstehen Sie das? Ach, das versteht ihr ja alle nicht! (*ab*)

(*Man hört im Hintergrund Rufe und Lärm*)

RUFE: Auseinandergehen, auseinandergehen, weitergehen!

FEDJAKIN: Jetzt geht's los!

PAWELS STIMME: Genossen! Wir wollen heute offen erklären, daß wir die Sache der internationalen Arbeiterschaft zu unserer eigenen machen. Wir erheben heute die rote Fahne der Zukunft!

RUFE: Auseinandergehen . . . auseinandergehen!

ISSAI: . . . es klingt bedrohlich, wie Fedjakin?

ANDREJS STIMME: Wer nicht an unsere Sache glaubt, wer nicht den Mut hat bis zum

Tode für sie einzutreten ... der entferne sich von uns, damit man einen Abstand sieht!

STIMME DES KOMMISSARS: Auseinandergehen, auseinandergehen, sag ich!

(Ein Trompetensignal, Stille)

STIMME DES KOMMISSARS (*scharf*): Leutnant, nehmen Sie die Fahne weg! Geben Sie die Fahne her! Weg da, weg da, sag ich! Her mit dem Fetzen, zum Teufel!

(Erregung und Lärm hinter der Szene)

PAWELS STIMME: Hände weg! Hände weg!

STIMME DES KOMMISSARS: Nehmt die Leute fest!

STIMME WESSOWTSCHIKOWS: Er raubt uns die Fahne! Genossen, schützt die Fahne!

GESCHREI: Unsere Fahne! ... Unsere Fahne! (*Es erhebt sich ein Tumult*)

FEDJAKIN: Da hörst du's, Issai!

ISSAI: Es wird ernst!

(Eine Gruppe von Soldaten läuft über die Bühne)

UNTEROFFIZIER: Halt! Achtung ...! Scharf laden! ... Fällt das Gewehr! ... Marsch ... marsch ... ! (*Soldaten ab*)

(Der Tumult geht weiter, im Hintergrund rühren sich überall nah und fern Trommeln)

ISSAI: Die ganze Stadt wird lebendig!

FEDJAKIN: Die ganze Stadt ist voll Militär!

(Im Hintergrund erhebt sich mächtiger Gesang)

SSOMOW (*öffnet ein wenig seine Haustür*). Um Gottes willen, Väterchen Gendarm! Sie werden doch nicht schießen? Sie ruinieren uns ja die Häuser und die Fenster ... mein Gott!

FEDJAKIN: Mach, daß du wegkommst.

SSOMOW: Mein Gott!

(Im Hintergrund laute Stimme des Kommissars: Zum letzten Male auseinander! ... auseinander!)

HORNSIGNAL: Achtung ... legt an ...

PAWELS STIMME: Schießt nicht, Soldaten! Es ist euer Blut, das hier steht! Es ist das Volk, das hier steht!

KOMMISSAR: Straße frei!

EINIGE STIMMEN: Straße frei!

ALLE ARBEITER SCHREIEN: Straße frei!

KOMMISSAR: Feuer! (*Einige Salven krachen. Trommeln rollen. Dann Totenstille. Allmählich erhebt sich Gewinsel.*)

STIMMEN: Mutter ... Mutter! O, mein Arm! ... Ich kann ja nichts mehr sehen ... Ihr Schufte! ... Ihr Henker! ... Wo bist du, Danilo? Moirow ist auch tot! ... Mutter ... Mutter ... Mutter!

KOMMISSAR: Vorwärts marsch! den Marktplatz räumen! Verhaftet die Rädelsführer! *(Lärm)*

ARBEITER (*flüchten über die Bühne*): Hilfe, zu den Waffen ... zu den Waffen ... sie haben geschossen, rettet euch, sie haben alle verhaftet!

FEDJAKIN (*tritt ihnen entgegen*): Zurückbleiben! Hier darf keiner vorbeigehen, der Kommissar hat es gesagt! Geht auf den Marktplatz! He ... stehen bleiben ... stehen bleiben! Halt! ... (*Er läuft hinter einem Arbeiter her, bleibt stehen, schießt*)

ISSAI: Linkes Schulterblatt, Fedjakin!

FEDJAKIN: Ich hab ihm doch gesagt, hier darf keiner durch! Zurück, zurück hier!

(Einige Arbeiter, von Soldaten verfolgt, rennen vorbei)

ARBEITER: Hilfe, Hilfe!

(Im Hintergrund hört man Schüsse, Trommeln, Kommandos, Signale, Gesänge, die sich allmählich in der Ferne verlieren. Die Bühne ist leer.)

(Die Mutter kommt langsam auf die zerbrochene Fahnenstange gestützt, steinern und bleich, näher. Vor Ssomows Gasthaus bleibt sie stehen. Ein Trupp Soldaten führt Pawel, Andrej, Wessowtschikow und andere vorbei.)

PAWEL: Auf Wiedersehen, Mütterchen! Auf Wiedersehen!

(Die Mutter hebt langsam die Hand)

ANDREJ: Es ist nicht schlimm. Bis morgen, Mütterchen! Dann machen wir's besser!

SOLDAT: Vorwärts!

(Die Mutter starrt ihnen nach, bleibt allein zurück. Es ist totenstill. Es ist dunkel geworden. Die Fenster leuchten nacheinander von innen auf. Die Einwohner öffnen sie und schauen auf die Straße. Die Mutter steht bewegungslos.)

SSOMOW *(öffnet die Tür)*: Es ist alles friedlich. Auch die Fenster sind heil geblieben! . . .

DIE EINWOHNER *(in den Fenstern, mit zähem Geflüster)*:
. . . Ruhe und Ordnung sind wieder hergestellt!
. . . Was ist in die Arbeiter gefahren? . . .
. . . Gehen aufrecht auf die Soldaten los!
. . . Aus bloßer Skandalsucht läuft man nicht in die Bajonette!
. . . Ach was, das ist Pöbel!
. . . Geschieht ihnen recht!
. . . Müssen alle an die Wand!
. . . Da steht ja die Wlassowa!
. . . Sieh mal, mit der zerbrochenen Fahnenstange in der Hand!
. . . Die Alte ist verrückt!

MUTTER *(wendet sich sehr langsam gegen die erleuchteten Fenster und hebt die Arme)*: Was ist geschehen? Mein Sohn, mein Blut geht in die Welt, der Wahrheit nach, für Alle! Für uns alle haben sie schweres Leid auf sich geladen. Laßt sie nicht allein!

RUFE *(flüsternd und leise)*:
. . . verflucht sollen sie sein!
. . . zum Teufel mit dir!
. . . Die Alte ist verrückt!

(Leises Kichern, das allmählich stärker wird, dann abschwächt)

MUTTER: Ihr lieben Freunde! Unser Herr Christus wäre nicht, wenn nicht Menschen zu seinem Ruhm gestorben wären! . . .

(Das Kichern hört allmählich auf, die Fenster schließen sich, es wird still)

(Die Mutter steht allein auf dem leeren, dunklen Platz. Sie hebt beide Arme gegen die dunklen Fronten, wendet sich trostlos um und macht einige müde Schritte nach vorne. Sie weint lautlos vor sich hin.)

(Dunkel)

V

(Gefängnis: Besucherzimmer. Auf Tafel mit Kreide ungelenk geschrieben: »Besuche bei den Gefangenen sind nur eine halbe Stunde gestattet«. Eine Bank, einige Wartende, darunter die Mutter und Sascha.)

EINE ALTE FRAU MIT REISETASCHE: Rindfleisch zweite Sorte kostet 14 Kopeken das Pfund! Brot wieder $2^1/_2$! Das Leben wird immer teurer. Davon werden auch die Menschen schlechter!

PETROKOFF *(ein Glatzkopf, kreischend)*: Ja! Ja! Die Geduld reißt . . . Alle sind verärgert, alle schreien und alles steigt im Preis. Die Menschen werden entsprechend billiger ... versöhnende Stimmen hört man gar nicht mehr.

BUKIN: Sehr richtig! Ein Skandal! Da muß mal durchgegriffen werden! Da muß ein eiserner Besen her! Das brauchen wir! Einen Besen!

(Der Aufseher mit einem blauen, weißhaarigen Gesicht, führt einen Sträfling herein und ruft auf:)

AUFSEHER: Wladimir Petrokoff.

PETROKOFF: Hier! Hier! *(Er geht auf den Sträfling zu)*: Christus mit dir, Fedor, da bist du ja ...

AUFSEHER *(während er in den Zähnen stochert)*: Komm, Wladimir, komm! Sprich mit Fedor, deinem Söhnchen! Kommt in das Zimmerchen 14!

(Alle drei ab)

MUTTER *(zur Frau mit Reisetasche)*: Wen haben Sie denn hier sitzen?

FRAU MIT REISETASCHE: Meinen Sohn, er ist Student! ... Und Sie?

MUTTER: Auch einen Sohn. Arbeiter.

FRAU MIT REISETASCHE: Wie heißt er denn?

MUTTER: Pawel ... Pawel Wlassow.

FRAU MIT REISETASCHE: Wlassow? Den Namen hab ich noch nicht gehört. Sitzt er schon lange?

MUTTER: Die siebente Woche ...

FRAU MIT REISETASCHE: Aber meiner schon den achten Monat! Bedenken Sie, was das heißt!

MUTTER: Wohl auch politisch, wie?

FRAU MIT REISETASCHE: Gott sei's geklagt! ... Diese furchtbare Politik! Frißt uns die Söhne ... und warum? Und nun ...

(Der Aufseher erscheint mit Dimitrij)

SASCHA: Sie sitzen, damit es uns besser gehn soll ...

FRAU MIT REISETASCHE: Besser gehn! Besser gehn! Uns soll es besser gehen, wenn sie sitzen?! Das verstehe ich nicht!

AUFSEHER: Hier ist dein Dimitrij.

FRAU MIT REISETASCHE: Ach Gott, Dimitrij, mein Dimitrij ... *(schluchzt)*

AUFSEHER: Sagt euch nur guten Tag! Aber Abstand, mein Täubchen, Abstand! Na, kommt mit, Zimmerchen 14 ist frei, kommt! *(Alle drei ab)*

BUKIN *(vor sich hinschimpfend, grimmig)*: Zucht muß sein! Und wenn sie Tote kostet! Ich hab hier meine Tochter, müssen Sie wissen, meine Tochter! Ich hatte sie verstoßen von meiner Tür, denn Zucht muß sein! Aber jetzt schreibt sie mir aus dem Gefängnis *(liest höhnend vor)* »Immer hab ich dein Bild vor Augen gehabt, wenn ich« ... haha ... mein Bild! Ist das nicht zum Lachen? ... »lieber Vater« ... hahaha ... aber sagen werd ich ihr ... sagen werd ich ihr, daß sie ihr Schicksal verdient hat. Nicht eine einzige Fliege fange ich für sie ... jawohl ... denn Zucht muß sein! Ich hab sie verstoßen.

AUFSEHER *(erscheint)*: Und wen bringen wir unserm Väterchen Bukin? Seine Anjuscha, sein Turteltäubchen, bringen wir ihm!

ANJUSCHA *(aufschluchzend, fliegt Bukin um den Hals)*: Vater!

BUKIN: Nein! Zucht muß ... Zucht muß ... ach Anjuscha! ... meine Anjuscha! *(Umarmt sie schnaufend)*

AUFSEHER: Übrigens treten Sie etwas auseinander! He? Auseinander mein ich, so. Kommen Sie, Zimmerchen 8 ist frei! *(Alle drei ab)*

MUTTER *(ruft dem Aufseher nach)*: Und Pawel Wlassow?

AUFSEHER: Kommt, Mütterchen! Kommt bald! *(ab)*

MUTTER: Der ist freundlich! Der lächelt immer!

SASCHA: Ja, ja! Die Leute hier sind freundlich! Sagt man ihnen: Seht her, hier ist ein rechtschaffener Mann, aber er wird uns gefährlich, hängt ihn auf! so lächeln sie ... und hängen ihn auf ... und lächeln immer noch!

MUTTER: Aber der bei der Haussuchung ... der war mehr geradezu. Man sah sofort, daß er ein Hund war.

SASCHA: Das sind alles gar keine Menschen, sondern wie Hämmer, die die Leute dumm schlagen, damit sie fügsam werden! Sie sind schon passend erzogen worden für die Hand, die sie bezahlt. Sie können alles tun, ohne viel zu denken. Sie können immer lächeln.

MUTTER: Jetzt ist Pawel dran! Ich bete nachts zu dem Heiligenbild! Wenn sie doch nur alle entfliehen könnten! Wenn sie frei wären und Pawel lacht am Tisch ... ach, du lieber ...

SASCHA: Pst! Still, Mütterchen!

MUTTER: Kann uns denn hier jemand hören?

SASCHA: In Gefängnissen weiß man das nie.

MUTTER: Wenn sie nur alle glücklich befreit würden!

SASCHA: Und Pawel? Will er überhaupt befreit werden?

MUTTER: Ja, Pascha, mein Söhnchen, sobald er frei ist, wird er an die gefährlichste Stelle treten ... Ach, Sascha! Siehst du, manchmal hebt sich Pascha vor meinen Augen und wächst vor uns allen auf wie ein goldener Erzengel. Dann denke ich, er ist so stark! Alles wird gut! Alles! Aber dann fällt mir ein, daß ich ja seine Mutter bin und ich werde ganz traurig und denke: er geht zugrunde! Sieh, was soll eine Mutter sagen, wenn ihr Sohn wohl sich mächtig erhebt, aber dann zugrundegeht? Könnte er nicht lieber ein zufriedener Arbeiter sein?

SASCHA: Jede neue Bewegung fordert Opfer. Warum soll Pawel verschont bleiben?

MUTTER: Ach Sascha! Du kannst es wohl nicht verstehen. Du bist keine Mutter!

SASCHA: Hier ist ein Zettel ...

MUTTER: Für ihn?

SASCHA: Wenn mich der Aufseher fortschickt, dann gib du ihm den Zettel in die Hand!

MUTTER: Ich tu's gerne, Sascha!

SASCHA: Kannst ihn lesen, Mutter!

MUTTER (*liest sehr langsam*): »Sascha bittet Pawel Wlassow, auf die geplante Befreiung zu warten und mit den andern zu flüchten, wenn ... wenn ...« Sascha, was mag wohl dieses Wort heißen?

SASCHA: Das heißt »Zeit«, Mütterchen!

MUTTER (*liest weiter*): »Wenn die Zeit da ist!«

SASCHA: Ja, wenn die Zeit da ist ... (*sie rollt ihn zu einer Kugel zusammen und gibt ihn der Mutter in die Hand*)

MUTTER: Glaubst du denn, daß er nicht mit fliehen wird?

SASCHA: Er heißt doch Pawel Wlassow!

MUTTER: Meinst du wirklich, daß Pawel im Gefängnis bleiben wird?

SASCHA: Ich weiß nicht ...

MUTTER: Um Gotteswillen. Das darf nicht sein. Der Mensch ist frei! Hat er das Sitzen satt, kann er gehen, ist er müde, kann er sitzen, gibt es Prügel ... Aushalten. Und meinen Pascha bringe ich heraus: Das weiß ich!

SASCHA: Das weißt du. Aber ich weiß, wie seine Antwort lauten wird: Er wird so schreiben: (*als ob sie aus der Luft läse mit seinem Tonfall*) Wir fliehen nicht, Genossen! Wir können nicht ... Wir müssen den Prozeß auf uns nehmen, um aller Welt zu zeigen, daß wir recht haben. Tröstet meine Mutter und seid freundlich zu ihr. Erzählt ihr! Sie wird alles begreifen!

MUTTER: Nein, Sascha. Er muß befreit werden! Er muß befreit werden!

SASCHA: Still! Der Aufseher kommt!

AUFSEHER (*tritt ein, liebenswürdig*): Ihr wollt ihn sprechen? Unseren Wlassow? Unser Tigerchen? Unser Sorgenkind? Er kommt! Er wartet nebenan, aber nur einer von Euch darf ihn besuchen, nun? Wer? (*Mutter und Sascha sehen sich an. Sascha steht auf.*)

SASCHA: Ich warte auf dem Flur. Grüß ihn von mir. (*ab*)

MUTTER (*aufgeregt*): Er wartet nebenan, sagen Sie? Nebenan sagen Sie? Warum lassen Sie ihn nicht zu mir? Warum ...

AUFSEHER: Nur Geduld! –

(*Der Aufseher öffnet die Tür, Pawel tritt ein*)

MUTTER: Pascha, mein Sohn!

AUFSEHER (*setzt sich in eine Ecke, entfaltet eine Zeitung*): Ich muß leider dabei bleiben und ihr müßt etwas auseinander bleiben!

PAWEL: Guten Tag, Mutter!

MUTTER: Ach Pawel ... Pawel ...

PAWEL: Na, beruhige dich, Mütterchen!

MUTTER: Ich lerne jetzt lesen, Pawel, damit ich alles verstehen kann. Und Sascha läßt dich grüßen. Sie wartet auf dem Flur.

PAWEL: Sascha ... sie wartet ... ja, Sascha ...

MUTTER (*unterbricht ihn eifrig*): Sie werden dich doch bald freilassen. Die Flugblätter sind ja nun wieder erschienen!

PAWEL: Wirklich?

AUFSEHER: Über solche Sachen dürfen Sie nicht reden! Nur über Familienangelegenheiten!

MUTTER: Ist das denn keine Familienangelegenheit?

AUFSEHER (*gähnend*): Das weiß ich nicht. Ich sage nur: es ist verboten!

PAWEL: Also sprich von zu Hause, Mutter! Was machst du denn?

MUTTER: Ich bringe jetzt alles in die Fabrik: Kohlsuppe, Grütze, alles Essen von Marja und andere Kost!

PAWEL: Da hast du ja eine schöne Arbeit. Hast keine Langeweile!

MUTTER: Seitdem die Schriften wieder erscheinen ...

AUFSEHER: Sie sollen doch nicht ...

MUTTER: Man weiß gar nicht, worüber man reden soll!

AUFSEHER: Dann sind Ihre Besuche ja überflüssig! Zu reden haben Sie nichts, aber dabei kommen Sie hierher gelaufen und stören uns! Ich trage doch die Verantwortung!

MUTTER: Rybin ist jetzt auf dem Lande bei den Bauern! Er hat viel zu tun. Die anderen Männer sind ja fast alle hier im Gefängnis. Sie haben ja am 1. Mai fast alle verhaftet. Nun muß ich mich eben allein durchschlagen und Essen in der Fabrik verkaufen.

AUFSEHER (*fängt hinter der Zeitung an zu lachen*): Das ist schön! Haha!

MUTTER: Ach, und dann brauchte ich noch die Adresse von den Bauern, die Interesse hätten! Rybin klagte, daß die Arbeit sehr anstrengend wäre, weil er die ADRESSEN nicht hätte. Überall kommen Klagen und Wünsche und wir können es gar nicht alles schaffen. Willst du mir wohl die Adressen sagen?

PAWEL: Da ist der Bauer Smernow in Ursk.

AUFSEHER: Hört mal, was redet ihr denn da? Was soll das denn heißen?! (*Steht auf*) Was fällt euch ein?!

MUTTER: Was wollen Sie denn? Wir reden von meinem Geschäft! Ich handele mit Samen, weil ihr meinen Verdiener eingesperrt habt. Ich brauche doch die Adressen für mein Geschäft!

AUFSEHER: Ja, ich weiß doch nicht ... (*liest gähnend weiter*)

PAWEL: Dann ist der Bauer Bogun in Kanew. Weiter der Bauer Schiwakin in ... Wenn du bei diesen Bauern vorsprichst, so werden sie dich schon zu anderen schicken!

AUFSEHER: Hört mal, das kann ich wahrscheinlich nicht gestatten! Ich trage doch die Verantwortung! Das hört sich wahrhaftig so an, als ob ...

MUTTER: So, hört es sich so an, als ob ... als ob was? Was wollen Sie? Ach, schweigen Sie!

PAWEL: Dann ist da noch der Bauer ...

(*Die Tür öffnet sich. Der Kommissar tritt ein.*)

KOMMISSAR: Guten Tag, meine Lieben! Nun? Trautes Glück? Mutter und Sohn friedlich vereint? Sind wir nicht nobel?

MUTTER: Ich bitte Sie, wann ist die Gerichtsverhandlung?

KOMMISSAR: Die Gerichtsverhandlung? Bald! Viel zu früh für euch, Alte! (*zum Aufseher*) Paß gut auf, du Tartarenbalg! Laß dich nicht überlisten! (*ab*)

AUFSEHER: Da habt ihr es selbst, daß ich aufpassen soll! Ich hab doch die Verantwortung ... (*verschwindet gähnend hinter seiner Zeitung*)

PAWEL: Der letzte Bauer heißt Dragonow und wohnt in Njemetze.

MUTTER: Ich danke dir, Pawel. Ich will Rybin besuchen und ihm die Adressen bringen. Ja, ich arbeite jetzt schon fast selbständig. Wenn ich mit den Leuten spreche, so haben sie oft ganz nachdenkliche Gesichter. Glaubst du, daß ich es gut mache? Ich meine ...

PAWEL: Ja, besuche Rybin und handle für mich!

MUTTER: Ich tue, was eine alte Frau kann, aber ist es erst gemahlen, so wird es schon Korn sein.

PAWEL: Du säst eine schwere Saat!

MUTTER: Wie kann es Brot geben aus ungesätem Weizen?

AUFSEHER: Sprecht ihr schon wieder von was anderem?

MUTTER: Nur von meinem Geschäft. (*zu Pawel*) Wenn du noch was zu erledigen hast, sag es ... sags ... Schieb's auf den Schimmel! Der Schimmel schleppt alles!

PAWEL: Du wirst es schon gut machen, Mutter!

MUTTER (*eifrig*): Meinst du wirklich, Pawel? Ach, ich bin froh!

PAWEL: Ich aber denke immer darüber nach, ob ich richtig gehandelt habe. Ich überlege unsere Aussagen für die Gerichtsverhandlung, aber ...

AUFSEHER: Hahaha! Das ist köstlich! Das müßt ihr hören! Hört mal zu, was in der Zeitung steht! (*liest vor*) »... und da sagte der Offizier: Gnädigste, Sie irren sich, ich bin nur Leutnant. Sie aber schürzte ... schürzte ihre Oberlippe und tanzte unterm Lichterglanz davon« ... hach, fein, feine Leute! ... »Der Leutnant stand mit sprühendem Auge unter dem Kristall-Leuchter auf dem spiegelnden Parkettboden neben der Gräfin vor dem reichbeladenen Büffett und aß Hummer ... sie aber weinte« ... wer? ... Ach so ... »sie aber meinte« ...

MUTTER (*rasch flüsternd*): Lies den Brief!

(*Pawel liest heimlich den Brief, den ihm die Mutter zugesteckt hat. Als er fertig ist, stampft er plötzlich mit dem Fuß auf. Der Aufseher hört auf zu lesen, glotzt über die Zeitung.*)

AUFSEHER: Was ist los? Was fällt dir ein? Er stampft mit dem Fuß, wenn ich etwas Schönes vorlese! Du bist ein seltsames Kerlchen, Wlassow! Ein seltsames Kerlchen ...

Mutter: Lassen Sie ihn! Sie würden auch mit dem Fuß stampfen, wenn Sie nicht hier heraus könnten!

(Eine Glocke schrillt im Gefängnis. Der Aufseher faltet die Zeitung zusammen.)

Aufseher: Nun ist Schluß mit dem Besuch. Nun mußt du gehen, Alte! Nun bringen wir unser Tigerchen, unser Sorgenkind wieder hinter das Gitterchen. Komm, Wlassow!

Mutter: Schon Schluß ... schon Schluß? ... Warten Sie! Warten Sie! Was soll ich Sascha sagen?

Pawel: Sascha?

Aufseher: Gleich kommt der Kommissar! Es wird Zeit! Komm, Wlassow!

Pawel: Sascha ... sag ihr: Nein!

Mutter: Um Christi willen! Und die anderen Genossen?

Aufseher: Komm!

Pawel: Versucht es! Ich weiß es nicht!

Mutter (*aufgeregt*): Auf Wiedersehen! Auf Wiedersehen, Pascha, mein Sohn!

Aufseher: Aber Abstand halten!

Pawel: Auf Wiedersehen, Mütterchen! Du kommst mit Liebe und du gehst mit Liebe!

Aufseher: Aber nun vorwärts, Wlassow! Sie geht mit Liebe und du gehst mit dem Aufseher!

(Pawel und Aufseher ab)

(Die Flurtür öffnet sich. Die anderen Gefangenen werden durch das Besuchszimmer geführt. Aufseher hinterher. In der Tür bleiben abschiednehmend stehen: Petrokoff, die Frau mit Reisetasche, Anjuscha und Bukin. Anjuscha und die Frau mit Reisetasche schluchzen.)

Rufe: Auf Wiedersehen! ... Auf Wiedersehen!

(Die Tür schließt sich, Mutter allein)

Mutter: Sag ihr: Nein ... sag ihr: Nein ...

(Die Tür öffnet sich leise. Sascha herein.)

Sascha: Nun? (*Mutter zuckt die Achseln*) Er will nicht?

Mutter: Nein.

Sascha: Ich hab es gewußt!

Mutter: Ich glaube, ich habe mir einen Schnupfen geholt. Es ist so kalt überall!

Sascha: Ja, es ist kalt! Es ist ziemlich kalt ...

(Vorhang)

VI

Offener Dorfplatz in Nikolskoje

(Bauernhütte, ein Ziehbrunnen. Ausblick auf weite Kornfelder. Im offenen Fenster einer Hütte sitzen zwei Mädchen und singen.)

(Lied No. 4)

(Zwei Bauern in Hemdärmeln gehn mit Sensen auf der Schulter vorbei)

1. Bauer: Verdammte Hitze! ...

2. Bauer: Sei froh, daß wir keinen Regen haben, sonst ist unsere schöne Ernte hin.

1. Bauer: Was nützt eine schöne Ernte schon, wenn man nichts an ihr verdient.

2. Bauer: Du redst dich noch um deinen Hals, Mischa.

1. Bauer: Arbeite ich mir aus Wonne das letzte Schmalz aus den Rippen? Wer verdient daran? Ich nicht, aber ...

2. Bauer: Pst! Du hast recht, es ist eine widerliche Hitze. Ganz wild macht sie einen.

1. Bauer: Wo ist jetzt wieder mein Nagel für die Pfeife? Jetzt hab ich ihn draußen im Felde liegen lassen.

2. BAUER: Laß ihn liegen. Komm essen.

1. BAUER: Ich muß doch meinen Nagel für die Pfeife haben.

2. BAUER: Willst du denn nochmal in die Hitze hinaus?

1. BAUER: Du hast recht, es ist eine verdammte Hitze, aber den Nagel brauch ich nun mal. (*ab*)

2. BAUER (*ruft ihm nach*): Er liegt auf dem Stein neben der Scheune. Ich geh essen.
(*Eine Frau erscheint in einer Tür und klatscht in die Hände.*)

FRAU: Aljoscha! Tatjana! Kommt zum Essen! Wo sind sie denn? (*ab*)
(*Die Mutter kommt sehr langsam und müde von ihrer Wanderung mit einer bestaubten Reisetasche und setzt sich auf die Bank, die Reisetasche auf dem Schoß. Schiwakin schlendert zum Brunnen, trinkt nachlässig daraus, bleibt dann neben der Mutter stehen und glotzt sie, in den Zähnen stochernd, an.*)

MUTTER: Ja, ja, es ist nicht mehr wie bei den Jungen! Die Füße werden zuerst alt. (*Pause*) Sieben Werst bin ich heute gegangen ... Sind Sie hier aus Nikolskoje? ... Ich möchte hier jemand besuchen ... Vielleicht kennen Sie ihn! Kennen Sie einen gewissen Rybin? ... Er ist Teerbrenner und muß hier wohnen ... Er ist noch nicht lange hier.

SCHIWAKIN (*schüttelt den Kopf*)

2 KINDER (*kommen über den Dorfplatz gelaufen*): Ein Räuber!! Sie haben einen gefangen! ... Sie haben einen Räuber gefangen! ... Der Wachtmeister bringt ihn her! Sie haben einen Räuber gefangen! ... Sie haben einen gefangen! (*ab*)
(*Einige Bauern erscheinen in den Türen. Einer zieht sich den Rock an, ein anderer löffelt noch aus einem Eßnapf.*)

1. BAUER: Einen Räuber?

2. BAUER: Der Wachtmeister wird ihn schon herbringen.

3. BAUER: Wird bloß wieder ein Vagabund sein. Läuft viel arbeitsscheues Volk über die Landstraßen!

1. BAUER: Hinten kommen sie bei Makow um die Ecke!
(*Einige Neugierige sammeln sich. Die Mutter steht auf. Es erscheint ein Wachtmeister mit dem gefesselten Rybin. Die Bauern warten schweigend. Die Mutter schwankt. Schiwakin starrt sie an.*)

RYBIN: Bauern! Ihr habt von den Schriften gehört, in denen die Wahrheit über unser Bauernleben geschrieben steht. Für diese Schriften muß ich leiden. Ich bin es, der sie unter das Volk verteilt hat. Bauern! Glaubt diesen Schriften! Man hat mich geschlagen! Man wollte wissen, wo ich sie herhabe und wird mich weiter schlagen. Ich werde alles aushalten, weil in diesen Schriften die Wahrheit dargestellt wird!

WACHTMEISTER: Was redst du hier, du Hundesohn?

1. BAUER: Hörst du?

2. BAUER: Warum sagt er das?

3. BAUER: Jetzt ist ihm alles gleich ... Einmal kann der Mensch nur sterben, und das bleibt ihm jetzt nicht erspart.

RYBIN: Hört zu, ihr Leute!

WACHTMEISTER: Halt's Maul! Geht auseinander, Leute! Er muß mit aufs Bezirksamt. Ich habe den Kommissar rufen lassen.

SCHIWAKIN: Laßt es nicht zu! Bringen sie ihn aufs Bezirksamt, dann schlagen sie ihn zu Tode und sagen dann von uns, wir hätten ihn totgeschlagen. Laßt es nicht zu!

WACHTMEISTER: Du gehörst wohl auch zu den Rebellen? Nimm dich in acht.

RYBIN: Bauern! Begreift ihr denn nicht, wie sie euch ausplündern, euch betrügen, euer Blut trinken? Nur durch euch hat alles Halt. Ihr seid die erste Macht auf Erden, ihre ganze Kraft. Welche Rechte habt ihr? Vor Hunger zu verrecken! Ihr sät das Brot und müßt selbst hungern.

BAUERN (*durcheinander*):
... Er hat recht!
... Ruft den Kommissar!
... Der ist ja betrunken!
... Es ist nicht unsere Sache, die Obrigkeit zu holen!
(*Wachsender Lärm*)
... Rede weiter! Wir lassen dich nicht schlagen!
... Bindet ihm die Hände los!
... Gebt acht, daß wir nichts Verbotenes tun!

RYBIN: Die Hände tun mir weh. Ich laufe nicht fort, Bauern! Ich verstecke mich nicht vor meiner Wahrheit!
(*Er hebt die Arme*)

WACHTMEISTER: Laßt die Hände von ihm! Ich trage die Verantwortung!

SCHIWAKIN: Warum soll er gefesselt sein? Er läuft nicht weg! Nehmt ihm die Fesseln ab!
(*Man nimmt Rybin die Fesseln ab.*)

WACHTMEISTER: Das werdet ihr büßen!

RYBIN: Ich danke euch, Leute! Danke euch! Wir müssen uns selbst gegenseitig die Hände frei machen ... ja! Wer hilft uns armen Leuten denn sonst?

BAUERN: Er hat recht!

WACHTMEISTER: Was wird der Kommissar sagen?

RYBIN: Bauern! Lest die Schriften, die ich verteilt habe!

BAUERN:
... Hört, Rechtgläubige!
... Bruder, du redst dir den Tod auf den Hals!

SCHIWAKIN: Wer hat dich angezeigt?

WACHTMEISTER: Der Pope! Der Pope hat ihn angezeigt!

SCHIWAKIN: Der Pope? ... Ist der Pope nicht für die Wahrheit? ... Ist die Kirche nicht für die Wahrheit?

BAUER: Aufgepaßt! Ruhe! –
(*Alle sehen dem Kommissar entgegen, der den Platz betritt: ein schwerer Mann mit schiefem Grinsen. Die Bauern weichen auseinander. Ihre Haltung wird unterwürfiger. Der Lärm verstummt. Einige nehmen die Mütze ab. Die Mutter bleibt unbeweglich stehn.*)

KOMMISSAR: Was ist das? Warum sind die Hände nicht gebunden, Wachtmeister?

WACHTMEISTER: Sie waren gebunden, aber das Volk hat sie losgebunden!

KOMMISSAR: Wer? ... Das Volk? ... Welches Volk? ... Welches Volk? ... Wer ist das, das Volk ... (*Er stößt einen Bauern mit dem Degengriff leicht auf die Brust.*) Bist du das Volk, Tschumakow? Bist du das Volk, Mischin? ... Nun? ... Wer noch? ... Du etwa, Jefim? (*zupft ihn am Bart*) Volk seid ihr ... Schert euch fort! Swolotsch! Marsch! Sonst werde ich euch zeigen, was ihr seid! (*Er stößt sie zurück, die Bauern weichen zurück, wenden sich trotzig zur Seite.*) Nun? Wird's bald Wachtmeister? Binde ihm die Hände! (*zu Rybin*) Hände nach vorn halten, du Schwein!

RYBIN: Ich will nicht gebunden werden!

KOMMISSAR (*sehr erstaunt*): Was?

RYBIN: Ihr habt das Volk genug gequält!

KOMMISSAR: Ach ... du Hundesohn, was sagst du da?
(*Schlägt Rybin plötzlich schwer ins Gesicht.*)

RYBIN: Mit der Faust schlägst du die Wahrheit nicht tot. Du hast kein Recht, mich zu schlagen.

KOMMISSAR: Was habe ich nicht? Kein Recht? (*Schlägt Rybin wieder. Die Bauern schließen schweigend und finster um den Kommissar einen Ring.*)

RYBIN (*wischt sich das Blut aus dem Gesicht*): Das ist mein Blut, das fließt für die Wahrheit!

KOMMISSAR: Waganow! Waganow! (*Ein riesiger Bauer tritt vor*) Schlag ihn ins Gesicht! (*Der Bauer zögert*) Vorwärts! (*Der Bauer zuckt die Schultern, wendet sich zu Rybin*)

RYBIN: Da seht, Leute! Wie diese Teufel euch mit euren eigenen Händen erwürgen! ... Seht zu und denkt nach!

KOMMISSAR: Vorwärts! ...

(*Der Bauer hebt langsam seine Hand und läßt sie wieder sinken*)

KOMMISSAR: Vorwärts, du Schwein!

BAUER AUS DER MENGE: Laß es sein, Waganow!

KOMMISSAR: Schlag zu, sag ich!

WAGANOW (*mürrisch*): Ich will nicht.

KOMMISSAR: Was?! Du willst ihn schonen, diesen gottlosen Aufwiegler? Man muß ihn totschlagen wie eine Wanze ... wie eine Wanze totschlagen.

(*Die Menge murrt feindselig, bewegt sich auf den Kommissar zu, der Kommissar springt zurück, zieht den Säbel. Stille.*)

KOMMISSAR (*mit zitternder Stimme, sehr leise*): Ach so ... ach so ... so seid ihr ... Ihr wollt rebellieren, he? ... Aufruhr, he? ... Gut! Nehmt ihn! ... Aber wißt ihr denn, verfluchtes Pack, daß er ein politischer Verbrecher ist? Gegen die Obrigkeit angehn? Wißt ihr das ... Und ihr wollt ihn verteidigen, wie? Ihr wollt auch rebellieren, was? (*Stille*) Aha! ... (*Totenstille*) Wißt ihr, daß dann heute abend Kavallerie hier ist, he? Ihr wollt auch rebellieren! Aha!

STIMMEN AUS DER MENGE (*sehr leise, fast flüsternd*): Begnadigt ihn, Euer Wohlgeboren! ... Bringt ihn vor's Gericht, aber schlagt ihn nicht!

(*Rybin erhebt sich langsam. Wachtmeister will den Knienden fesseln.*)

SCHIWAKIN: So warte doch!

(*Rybin sieht plötzlich die Mutter, die erzittert und ihm unwillkürlich zuwinkt. Rybin schließt die Augen.*)

MUTTER (*leise*): Er hat mich gesehen! (*Schiwakin starrt sie an*)

RYBIN (*laut*): Ich aber sage euch: Die Wahrheit geht über Rußland wie ein altes, graues Weib. Sie geht mit Liebe und sie kommt mit Liebe!

KOMMISSAR: Holt einen Wagen für den Gefangenen!

BAUERN:

... Seien Sie nicht böse, Euer Wohlgeboren!

... Der Mensch ist nicht bei Sinnen!

... Streite nicht, Brüderchen! Er ist nun einmal die Obrigkeit, da darf er schlagen!

(*Eine Frau zieht Wasser aus dem Brunnen und wäscht Rybins Gesicht*)

KOMMISSAR: Ihr seid Schafsköpfe! Ihr mischt euch in Staatsangelegenheiten! Ihr müßt mir zu Füßen fallen wegen meiner Gutmütigkeit! Wenn ich will, marschiert ihr alle ins Zuchthaus!

EIN BAUER: Der Wagen ist angespannt.

RYBIN: Lebt wohl, Brüder! Sucht die Wahrheit! Glaubt dem Menschen, der nach mir kommt! Schont euch nicht, wenn es die Freiheit gilt!

KOMMISSAR: Halt's Maul, du Hund! Wachtmeister, führ ihn ab! Dem Hund ein Hundetod!

RYBIN: Kämpft um die Freiheit! Geballte Fäuste füttern euch nicht!

KOMMISSAR: Und Fabeln füttern die Katze nicht!

(*Wachtmeister mit Rybin und dem Kommissar ab. Die Bauern treten zusammen, gehen allmählich ab.*)

BAUERN: . . . Wie der Kommissar ihn geschlagen hat!

. . . Aber es ist schon gut, daß man ihn nicht totgeschlagen hat!

. . . Er hat Blut gespuckt!

MÄDCHEN: Über seine Augen ist auch Blut gelaufen!

BAUERN: . . . Er ist Teerbrenner.

. . . Der Wachtmeister sagt, solche gäb's in jedem Dorf! In ganz Rußland! Sie hingen alle zusammen!

. . . Sie glauben nicht an Gott und überreden andere, daß sie alle Kirchen plündern! Solche Leute sind das!

. . . Was Ihr da zusammenredet: auf drei Fudern schafft man es nicht hinaus! Ist er nicht ein Mann wie wir? Haben wir kein Mitgefühl mit ihm gehabt?

. . . Der Kommissar ist ein Schwein! Er war sicher betrunken noch von gestern her, ohne Hinterbeine!

MÄDCHEN: Das kommt alles daher, daß nichts wächst. Unsere Felder bringen schon zwei Jahre nichts ein. Davon sind die Bauern so böse . . . ja!

BAUERN: . . . Es ist endlich an der Zeit, euch zu wehren gegen die Weißhändchen, die anderer Arbeit lieben!

. . . Neulich, als bei Wassjukow wegen Steuerschulden eine Stute verkauft werden sollte, wie hat er da den Amtsmann ins Gesicht geschlagen! »Da hast du meine Steuern!« hat er gesagt.

. . . Sie haben schon viele gefangen! In der Stadt haben sie am 1. Mai eine rote Fahne getragen. Aber die Polizei hat sie gefangen. Ihnen wird der Prozeß gemacht!

. . . Die Unruhe im Land wird immer größer!

(*Bauern ab*)

SCHIWAKIN (*bleibt vor der Mutter stehen und glotzt sie, in den Zähnen stochernd, an. Leise*): Den kanntest du doch. Mach mir nichts vor!

MUTTER (*steht auf*): Ja!

SCHIWAKIN: Was willst du hier?

MUTTER: Ich kaufe Leinsamen bei den Bauernfrauen.

SCHIWAKIN (*sieht sich langsam um*): Das findest du bei uns nicht. Aber du kannst bei uns übernachten! Komm! (*Er nimmt die Reisetasche, wiegt sie in der Hand*) Aha! Es stimmt!

MUTTER (*hart*): Was willst du mit meinem Koffer?

SCHIWAKIN: Der geht nicht verloren. Ich habe gesehen, wie du ihm ein Zeichen gegeben hast und er dir. Der Mann hat viel Kraft, ist verwegen, sagt alles ganz offen! Sie haben ihn gebunden und geschlagen, aber er läßt sich nicht irre machen!

MUTTER (*in erbitterter Not, laut*): Räuber! Teufel! Teufel!

SCHIWAKIN: Die Obrigkeit macht sich immer mehr Freunde. Im Koffer sind Zeitungen, stimmt das?

MUTTER: Ja. Ich habe sie für ihn mitgebracht. Er sollte sie hier verteilen.

SCHIWAKIN: Er hat mir auch welche gegeben und allerhand Bücher. (*Nachdenklich*) Was wollen Sie denn jetzt damit machen, mit dem Koffer?

MARKA (*erscheint auf dem Dorfplatz*): Wo bleibst du, Schiwakin? Komm essen! Ich habe die Grütze auf dem Tisch stehen!

SCHIWAKIN: Komm her, Marka! Ich bin also Jegorof Schiwakin. Was der Gefangene konnte, kann ich auch! Kann lesen und schreiben und bin kein Dummkopf sozusagen . . . Das ist Marka, meine Frau! . . . Sieh, Marka! Das ist keine Sache für junge Burschen, denn hier sitzt eine Frau in einem ernsthaften Alter. Ist sicher nicht von Herrenblut! Oder doch?

MUTTER: Nein ... Guten Tag, Marka!

MARKA: Ich habe ihm immer gesagt: das Volk muß eigenhändig anfangen!

MUTTER: Das ist ein guter Zufall! An der einen Stelle ist der Faden gerissen, an der andren wird er angeknüpft!

SCHIWAKIN: Die Zeitung ist gut, Mütterchen!

MARKA: Sag mir doch: War dieser Mensch dein Verwandter?

MUTTER: Nein, er ist mir fremd.

MARKA: Ist er verheiratet?

MUTTER: Nein.

MARKA: Deswegen ist er auch so verwegen. Ein Ehemann geht solch mutigen Weg nicht! Der fürchtet sich!

SCHIWAKIN: Hör auf, Marka!

MARKA: Warum heiraten die Bauern? Sie brauchen eine Arbeiterin, sagen sie! Zu welcher Arbeit denn?

SCHIWAKIN: Ist es dir noch nicht genug?

MARKA: Die Arbeit, von der du sprichst, hat gar keinen Zweck! Hunger leidest du trotzdem Tag für Tag. Wenn Kinder kommen, hat man keine Zeit, nach ihnen zu sehen. Ich hatte zwei Kinder. Einer, ein Zweijähriger, hat sich mit heißem Wasser verbrüht! Den anderen habe ich nicht ausgetragen. Er ist tot geboren wegen dieser verfluchten Arbeit! Macht einem das Freude? Ich sage: die Bauern heiraten ganz unnütz! Sie binden sich nur die Hände! Wenn sie ledig blieben, könnten sie eine vernünftige Ordnung der Dinge durchsetzen!

MUTTER: Richtig! Anders kann man die Obrigkeit nicht besiegen!

MARKA: Hast du denn einen Mann?

MUTTER: Ich habe einen Sohn!

MARKA: Und wo ist der? Lebt ihr zusammen?

MUTTER: Er sitzt im Gefängnis! Schon zum zweitenmal! Aber die Bewegung wächst und wird wachsen bis zum Sieg!

SCHIWAKIN: Das ist gut! Wir müssen erst den Kopf und dann die Hände bewaffnen!

MARKA: Dies Leben ist wie ein Feld voll Unkraut! Es wird Zeit, es umzupflügen! ... Ohne Gnade!

SCHIWAKIN: Gib mir deinen Koffer mit den Schriften! Ich will an Rybins Stelle treten!

MUTTER: Ich werde dir auch noch Adressen geben.

SCHIWAKIN: Um was handelt es sich jetzt? Den Bauern langsam die Augen öffnen?

MARKA: Langsam ... langsam ... Er überlegt immer und fängt nicht an. Siehst du, Schiwakin, was für Leute sich damit abgeben! Schon bejahrte, die den Kummer gründlich kennengelernt haben.

SCHIWAKIN: Sie ist immer hinter mir her und hetzt mich! Ist sie nicht wie eine Wölfin, die ihre verlorenen Kinder rächen will?

MUTTER: Aber ich freue mich, daß ich sie kennengelernt habe, und dich, Schiwakin!

SCHIWAKIN: Wie ist das wunderbar zugegangen!

MUTTER: Was?

SCHIWAKIN: Nun, diese Bekanntschaft! So einfach!

MUTTER (*steht auf*): In dieser Sache herrscht überall eine wunderbare Einfachheit.

(Vorhang)

VII

Nächtliche Straße. Laterne, Wind.

BETTLER: Streichhölzer ... Streichhölzer ...

(Bukin und Blerow langsam heran)

BUKIN: Ein Schandwetter, ein Schandwetter sozusagen ... Schade, schade. Wollte dir das Städtchen zeigen, den Dom und das Rathaus zeigen. Gott aber sendet Finsternis ...

BLEROW: Ich andererseits liebe die Natur auch bei Finsternis ... (*hustet*)

BUKIN: Lästere nicht, Blerow. Bei Finsternis ist jede Natur eine Hölle. Auch unser Städtchen, Blerow, eine Hölle. Pfui, wie es regnet.

BLEROW: Es wird meinem Hut schaden, aber gehen wir weiter, zeige mir das Städtchen. Vielleicht finden wir ein iberisches Winkelchen, eh ich abfahre, eine Sehenswürdigkeit.

BUKIN: Hier hast du schon eine, Blerow, das Gefängnis des Zaren. Steht es nicht da wie ein Palast?

BLEROW: ... ein schönes Gefängnis.

BUKIN: Ja, wir lieben Kultur, wir lieben schöne Bauten, bloß innen ist es nicht besonders schön ... wie ein Mensch, Blerow. Wir haben hier im Städtchen 4 Kirchen und 2 Gefängnisse. Das ist ein gesundes Verhältnis.

BLEROW: Ein ausgezeichnetes Verhältnis.

BUKIN: Dieses Gefängnis ist voll von Verbrechern, von Revolutionären und Mördern, alles Abfall, ein menschlicher Dunghaufen.

BLEROW: Gott schütze uns, zeige mir einen edleren Ort, Bukin, wo man beten kann.

BUKIN: Da gäbe es unser Katharina-Kapellchen.

BLEROW: Ach, gehn wir in das Katharina-Kapellchen. Ich brauche ein bißchen Erhebung, Bukin, ein bißchen Ergriffenheit! Es ist mir zum Weinen.

BUKIN: Sagte ich es nicht? Es ist ein Schandwetter!

BETTLER: Streichhölzer ... Streichhölzer ...

BUKIN: Geh' weiter, iß deine Streichhölzer auf ... (*im Abgehen*) Geflickter Abschaum ist das. Der Deubel soll sie holen!

BLEROW: So etwas gehört geprügelt. Bukin, komm, gehn wir ein bißchen beten.

(Beide ab)

BETTLER: Kaufen Sie doch, liebe Herren, Streichhölzer, Streichhölzer, kaufen Sie doch! ...

MUTTER (*nähert sich sehr langsam mit Mänteln unterm Arm*)

(Ein Laternenanzünder tritt auf, legt eine Leiter an die Laterne, zündet Licht an, steigt herunter)

MUTTER: Sie ... Sie ...

LATERNENANZÜNDER (*erschrickt*): Gottes Donner! ... Ist da jemand?

MUTTER: Vor Didiakows Schuhmacherladen steht ein Mädchen ...

LATERNENANZ.: ... ein Mädchen?

MUTTER: ... und fragte nach Ihnen.

LATERNENANZ.: Nach mir hat es gefragt?

MUTTER: Soeben.

LATERNENANZ.: Da muß ich doch mal sehen, was es will ... Ich komme gleich zurück. Passen Sie doch bitte auf die Leiter auf. (*ab*)

MUTTER: Herzlich gern! (*Nimmt die Leiter und lehnt sie an die Mauer.*) St ... St ... St ...!

SASCHA: Am Postamt steht Jefim mit dem Wagen. Es ist alles bereit ... Ich pass an der Straßenecke auf. Ruf sie ... (*ab*)

EIN STRASSENJUNGE (*geht pfeifend vorbei, singt:*)
Anjuscha . . . Anjuscha!
Im Korn liegt sie und weint
Es wird nicht lange dauern mehr
Bis der Mond, bis der Mond auf sie scheint.

MUTTER: . . . Ja . . . St . . . St . . .
(*Über der dunklen Mauer erscheint ein dunkler Kopf. Ein Schatten schwingt sich herüber.*)

SASCHA: Vorsicht! . . . Zurück. Drüben kommt ein Dragoner.

MUTTER: Zu spät, Sascha! Lauf, Wessowtschikow!

SASCHA: Drüben kommt ein Dragoner.

WESSOWTSCHIKOW: Gib mir einen Mantel, Mütterchen. Danke, ich lauf . . .

SASCHA: Am Postamt, Wessowtschikow!
(*Ein zweiter Schatten steigt über die Mauer*)

ANDREJ: Danke, Pelagea . . .

SASCHA: Am Postamt wartet Jefim mit seinem Wagen.

ANDREJ: Gut! Auf Wiedersehen. (*ab*)

MUTTER: Wo ist Pawel?
(*Über die Mauer steigt Rybin*)

MUTTER: Pawel?

RYBIN: Nein, hier ist Rybin.

MUTTER: Dort läuft Andrej, lauf hinterher!

RYBIN: Es glückt! Es geht gut! Ach, Mütterchen! . . . (*ab*)

MUTTER: Rybin, wo ist Pawel?

SASCHA: Bleib hier, ich spreche den Dragoner an.

MUTTER (*sieht die Mauer an*): Pawel? . . . Pawel?
(*Ein dunkler Kopf erscheint. Zurufe, Lärm.*)

FEDJAS STIMME: Hilfe, rettet Fedja Masin!
(*Stimmenlärm, Lichter, hinter der Mauer*)

FEDJA: Hilfe! Hilfe!
(*Der Kopf verschwindet, der Hilferuf geht über in Schmerzensschreie. Die Mutter lehnt die Leiter wieder an die Laterne.*)

LATERNENANZÜNDER (*erscheint, fluchend*): Solch eine Gans: bestellt mich an die Ecke und ist weg. Kann sie nicht warten? Kann sie mich nicht besser behandeln? Was heißt das?
(*Lärm vom Gefängnis her*)

LATERNENANZ.: Da, Alte, hören Sie! Im Gefängnis sorgt man für Ordnung! Ordnung muß sein. Gott sei Dank! Daran ist bei uns nichts auszusetzen . . .
(*Im Gefängnis erhebt sich immer stärkerer Lärm. Lichter flammen auf. Geschrei. Ein Wächter erscheint mit dem Kopf über der Mauer.*)

WÄCHTER (*zum Laternenanzünder*): Hast du sie gesehn, du Hundesohn?

LATERNENANZ.: Wen?

WÄCHTER: Wo sie hin sind, du Schuft!

LATERNENANZ.: Ich wüßte nicht, wen Sie meinen . . .

WÄCHTER: Warte, du Hurenbalg! (*Verschwindet*)

LATERNENANZ.: Was hat er gemeint?

MUTTER: Vielleicht das Mädchen?

LATERNENANZ.: Das Mädchen! Ist denn hier alles verrückt?
(*Zwei Wächter rennen herbei*)

1. WÄCHTER: Wo sind sie hin?

2. WÄCHTER: . . . die Verbrecher!

MUTTER: Er hat mich angestoßen.

LATERNENANZ.: Wer, ich?

MUTTER: Da fiel mein Wirsing aus dem Korb. Haben Sie meinen Wirsing gesehen?

LATERNENANZ.: Was für ein Wirsing? Wen habe ich angestoßen?

MUTTER: Sie haben mich angestoßen!

LATERNENANZ. (*lacht laut*)

1. WÄCHTER: Wo die Verbrecher hin sind?

MUTTER: Ach, die Herren, die liefen, die meinen Sie?

2. WÄCHTER: Los, los!

MUTTER: Die liefen ... warten Sie ... was wollte ich noch sagen ... ach so, die liefen dahinunter, dem Fluß zu ...

1. WÄCHTER: Aha!

2. WÄCHTER: Hinterher. (*ab*)

LATERNENANZ.: Was ist denn eigentlich los hier?

KOMMISSAR (*mit zwei anderen*): Hier ist es gewesen? Halt. Den Mann da verhaften!

LATERNENANZ. (*wird gefaßt*): Bitte?

KOMMISSAR: Das ist er? He, Alte, war er das hier? Hast du ihn gesehn?

MUTTER: Helfen Sie mir, mein Wirsing ist auf die Erde gefallen. (*sie weint*)

KOMMISSAR: Hat der Mann hier den Flüchtlingen geholfen?

LATERNENANZ.: Ich hab sie angestoßen, sagt sie, da ist ihr der Wirsing hingefallen.

MUTTER: Nun ist er weg. Ich hab ihn nicht einmal gesehen. Wissen Sie, wie einer Mutter zumute ist!

KOMMISSAR: Zum Teufel! Gerbt ihr das Fell, der Hexe! Will sie nicht sprechen, soll sie schreien!

(*Die Wächter schlagen sie. Sie kriecht unter Knutenschlägen davon.*)

MUTTER: Ich hab ihn nicht gesehn ...

LATERNENANZ.: Darf ich Sie ergebenst fragen – was hier eigentlich vor sich geht?

KOMMISSAR: Halt dein Maul, Mensch.

(*Im Gefängnis höllischer Lärm. Die ganze Hausfront leuchtet auf. Sirenen, Fackeln, Geschrei.*)

DIE WÄCHTER (*bringen Rybin, Andrej und Wessowtschikow*): Wir haben sie! Alle drei! (*werfen sie nieder*)

KOMMISSAR: Gebt ihnen die neun Schwänze zu schmecken! Das kostet Blut, meine Lieben. Das ist so üblich, dem Hunde ein Hundetod!

(*Im Gefängnis tausendstimmiges Geschrei*)

KOMMISSAR: Ah, Aufruhr! Beleuchtet die Front mit Scheinwerfern! Jeder Mann, der an der Mauer zu sehen ist, wird abgeschossen! Alarm!

STIMME: Alarm!

STIMME: Alarm!

VIELE STIMMEN: Alarm!

(*Lichtkegel fallen auf die Gefängnisfront, die näherzurücken scheint. Hinter allen vergitterten Fenstern erkennt man Gesichter und Hände, die herunterstarren! Schüsse fallen. Pfiffe, Sirene.*)

KOMMISSAR: Vorwärts, schlagt die Hunde tot! Das wollen wir sehen, wer in Rußland die Macht behält!

(*Vorhang*)

VIII

Vornehmer Gerichtssaal: Hohe Fenster, schwere rote Vorhänge. Mit grünem Tuch bedeckter Richtertisch. Gitter für die Angeklagten. Gerichtsdiener in würdigen Uniformen mit grünem Kragen. Wenn der Vorhang aufgeht, schließen sich die Türen hinter den abgehenden Richtern. Die Zeugen starren hinterher. Kurze Stille. Dann stehen sie auf und treten in Gruppen zusammen.

GUSSOW: Weg sind sie!
SSISSOW: Was sagte er, wie lange die Pause dauert?
GUSSOW: Nicht lange, gleich gehts weiter!
SSISSOW: Geht ihr mit ins Wirtshaus Tee trinken?
GUSSOW: Hab keine Lust.
SSISSOW: Dann geh ich auch nicht!
MARJA: Nein, wie die Burschen sich gehalten haben.
SSISSOW: Sieht man sie an, so denkt man plötzlich: Vielleicht haben sie doch recht. In der Fabrik werden ihrer immer mehr, und immer wieder werden welche verhaftet. Macht nichts, sie werden nie alle, wie Fische im Wasser.
GUSSOW: Du, Wlassowa, sei nicht böse. Ich hab dich früher mal angefahren, dein Sohn hätte die Schuld; aber das mag der Teufel wissen, wer die meiste Schuld hat, wenn es um die Wahrheit geht.
SSISSOW: Das Gericht ist nicht gut zusammengesetzt.
GUSSOW: Das ist wahr! Bei Diebstahl und Mord urteilen Geschworene und einfache Leute, Bauern und Lehrer. Wer aber gegen die Obrigkeit geht, der wird von ihr selbst verurteilt, wie darf das sein?
MARJA: Ja, das sollte nicht sein.
MUTTER (*leise*): Warum wird das Volk nicht zur Verhandlung zugelassen?
GUSSOW: Ja, sie sollten vor aller Welt richten, aber . . .
MUTTER: Warum wird das Volk nicht zur Verhandlung zugelassen?
SSISSOW: Nur Zeugen und Verwandte. Das ist kein gerechtes Gericht. Soviel ist sicher. Draußen auf der Straße stehen Hunderte und warten auf das Urteil.
MUTTER: Warum wird das Volk nicht zur Verhandlung zugelassen?
GERICHTSDIENER (*in der Saaltür, spricht nach außen*): Eintritt nur für Zeugen und Verwandte. Einlaßkarten vorzeigen.
SSISSOW: Grad wie im Zirkus, Einlaßkarten für den Löwenkäfig. (*Gelächter*)
GUSSOW: Nun, Alte, was sagst du zu deinem Sohn?
MUTTER: Ich denke, die Richter fragen ihn aufmerksam über sein ganzes Herzensleben und sehen alle seine Taten mit scharfen Augen an. Aber sie wissen nichts von ihm und hören kaum hin.
FRAU MIT REISETASCHE (*weinend*): Sie werden sicher verurteilt werden. Sibirien. Ich weiß es. Der Gendarm hat es erzählt.
MUTTER: Ich dachte, die Richter wären böse auf ihn, aber sie sind ja gar nicht böse auf ihn. Sie hören bloß nicht zu.
MARJA: Warum weinen Sie denn, aus Kummer?
FRAU MIT REISETASCHE: Ich weiß nicht . . . mehr aus Gewohnheit.
GUSSOW: Die jungen Kerle sind zu vorlaut. Sie haben reichlich gegessen, aber schlecht gekaut, da sind ihnen die Bissen im Hals stecken geblieben.
GERICHTSDIENER (*schwingt eine Glocke*): Platz nehmen, Platz nehmen, Ruhe! Ruhe! Die Verhandlung wird fortgesetzt.
(*Eine hohe Tür öffnet sich im Hintergrund. Der Vorsitzende tritt ein. Gebrechlich, mager, weißer Backenbart, grüne Uniform, goldgestickt. Ihm folgen drei Unifor-*

men und drei Zivilisten. Die Richter setzen sich, flüstern miteinander, rücken mit den Stühlen. Dann tritt der Staatsanwalt ein: fleischiger, behender Glatzkopf mit Brille.)

VORSITZENDER (*erhebt sich mühsam und stöhnend*): Ich eröffne ... (*Gemurmel*) Man führe ... (*Gemurmel*)

(*Durch eine Tapetentür treten ein: Pawel, Andrej, Fedja Masin und Wessowtschikow. Von Gendarmen geführt. Die Angeklagten winken lächelnd den Zuhörern zu. Die Zuhörer flüstern miteinander.*)

SSISSOW: Die sind nicht bange, was?

VORSITZENDER: ... den Zeugen Issai! ...

(*Gerichtsdiener führt Issai herein. Issai hält seine Melone ehrfürchtig vor dem Bauch und in gespreizten Fingern den kalten Zigarrenstummel von sich ab.*)

VORSITZENDER: Was haben Sie auszusagen?

ISSAI (*wie ein Automat, langsam*): Ich habe in langwieriger Arbeit festgestellt, daß in der Fabrik die Verbrecher ...

PAWEL (*laut*): Hier gibt es keine Verbrecher und keine Richter! Hier gibt es nur Sieger und Besiegte!

VORSITZENDER: Schweigen Sie, Angeklagter!

ISSAI: ... die Verbrecher ...

VORSITZENDER (*gequält*): Lassen Sie doch den Ausdruck »Verbrecher«, es ist doch gleich.

ISSAI: ... daß in der Fabrik die Anstifter der Unruhen die Angeklagten waren und immer gehetzt haben und auch zum Streik aufgewiegelt und am 1. Mai auch ... während ich sie immer freundschaftlich gewarnt habe und ihnen gesagt, welchen gefährlichen Weg sie gehen, worauf sie aber nie gehört haben. Und sie haben mich verachtet, aber jetzt ereilt sie die Strafe, so Gott will ...

(*Bewegung bei den Zuhörern. Die Richter flüstern untereinander.*)

ISSAI: ... und Pawel Wlassow war immer der Rädelsführer.

VORSITZENDER: Und Nachodka?

ISSAI (*wendet sich ihm zu*): Der auch!

VORSITZENDER: Und Fedja Masin?

ISSAI (*ebenso*): Der auch!

VORSITZENDER: Und Wessowtschikow?

ISSAI: Der auch!

ZUHÖRER: Dieser Spitzel ... der verrät sie alle ... pfui! ... er liefert sie alle aus ...

VORSITZENDER: ... darauf aufmerksam, daß absolute Ruhe hier ... (*Gemurmel*) Sie können gehen!

(*Issai ab*)

VORSITZENDER: Zeugin Sascha Nikolajewna!

(*Sascha wird hereingeführt*)

VORSITZENDER: Sie sind Sascha Nikolajewna?

SASCHA: Ja!

VORSITZENDER: ... Sie kennen die Angeklagten?

SASCHA: Ja!

VORSITZENDER: Sie waren am Abend vor dem 1. Mai mit ihnen zusammen?

(*Sascha schweigt*)

VORSITZENDER: Was hat Ihnen der Angeklagte Wlassow da erzählt?

SASCHA: Ich werde nichts sagen!

VORSITZENDER: ... werde Sie zwingen!

SASCHA: Ich werde nie etwas sagen.

VORSITZENDER: ... sind zur Aussage verpflichtet!

SASCHA: Nicht gegen meine Genossen!

VORSITZENDER: ... im Interesse des Staates!

SASCHA: Trotzdem! Ich werde fortsetzen, was meine Freunde begonnen haben!

VORSITZENDER: So. Sie werden fortsetzen, was Ihre Freunde ... dann werden wir uns ja hier bald wiedersehen!

SASCHA: Ja! Wenn es wieder 1. Mai gewesen ist. Aber an jedem 1. Mai werden wir mehr geworden sein, bis eines Tages Sie hier unten stehen und auf Ihrem Platz das Volk sitzt und richtet!

VORSITZENDER: Sie können gehen!

PAWEL: Wir danken dir, Sascha!

SASCHA: Wir sehen uns wieder, Pawel!

VORSITZENDER: Ruhe! – Die Zeugin Pelagea Wlassowa!

(*Mutter wird zum Richtertisch geführt und bleibt stehen. Es tritt Stille ein.*)

VORSITZENDER: Sie sind die Mutter des Angeklagten?

MUTTER: Ja!

VORSITZENDER: Hat Ihr Sohn mit Ihnen über den 1. Mai gesprochen? (*Mutter weint*) Sie wissen, daß er geheimen Organisationen angehört hat, die den Umsturz des Staates erstrebten? (*Mutter nickt*) Hat Ihr Sohn mit Ihnen öfter darüber gesprochen? Oder der Angeklagte Nachodka?

MUTTER (*leise*): Herr Richter! Sie sind ein mächtiger Mann, und ich bin eine arme Frau, darum ist es sehr schwer, Ihnen zu sagen, was ich mit Pascha, meinem Sohn, gesprochen habe. Seine Ideen sind so lebendig und so klar, daß auch ich über sie nachdenken mußte. Ich bin eine alte Frau, Herr Richter! Werde bald sterben, und ich hab keine Zeit mehr, an was Falsches zu glauben. Ich glaube an den Aufstieg des Volkes. Sehen Sie, Herr Richter, ich muß daran glauben. Immer mehr glauben schon daran. Fedjakin glaubt auch schon daran. Das schreitet fort, von einem zum andern. Die Würde des Menschen ist entdeckt. Pawel wird sicher schimpfen, weil ich Ihnen hier solche Reden halte, aber ich mußte Ihnen das einmal sagen. Ich wollte Ihnen ja zuerst sagen: lassen Sie meinen Sohn frei, dann wollte ich Ihnen sagen: lassen Sie alle frei. Aber jetzt kann ich nur noch sagen: verurteilen Sie sie nur. Ich hab keinen Sohn mehr. Auch ich, seine Mutter, bin nicht mehr da. Wir sind nur noch wir, wir sind nur noch alle – Verurteilen Sie meine Genossen, dann werde ich an ihre Stelle treten. (*sie wendet sich ab*) ... Ja, das wollte ich noch sagen ... weil ich ... nämlich ...

VORSITZENDER: Setzen Sie sich! Sind noch Zeugen oder Sachverständige zu vernehmen? ... Nein ... auf einen Verteidiger haben die Angeklagten verzichtet. Der Herr Staatsanwalt hat das Wort.

STAATSANWALT (*erhebt sich*): Meine Herren! Es häufen sich in letzter Zeit die Unruhen im Lande, und es ist endlich an der Zeit, gegen das Theater, das die armen Leute auf den Straßen demonstrieren, energisch einzugreifen. Ich brauche Sie nicht an den blutigen Streik der Putilow-Werke zu erinnern. Die hiesigen Tumulte des 1. Mai sind uns allen bekannt. Die Angeklagten haben sämtlich ihre Verbrechen eingestanden und werden die Strafe der Gerechtigkeit in ihrer ganzen Härte tragen müssen. Es sind nicht viele Worte zu machen. Aus Gründen der Selbsterhaltung hat der Staat die Pflicht, gegen alle Versuche seine Autorität zu untergraben mit allen Machtmitteln einzuschreiten. In Nikolskoje wurde gestern Rybin, der Spießgeselle der Angeklagten, zum Tode verurteilt. Für die Angeklagten hier, die sich einer Reihe ebenso schwerer Verbrechen schuldig gemacht haben, beantrage ich wegen Zusammenrottung, gemeinsamen Hochverrats und Aufruhrs ebenfalls die gesetzlich vorgeschriebene Todesstrafe für Pawel Wlassow, für Andrej Nachodka, für Wessowtschikow und für Fedja Masin.

VORSITZENDER: Ich danke Ihnen!

WESSOWTSCHIKOW: Ha, ha, ha, ha . . .
VORSITZENDER: Ruhe auf der Anklagebank!
WESSOWTSCHIKOW: Ha, ha, ha, ha . . .
VORSITZENDER: . . . fordere Sie auf, ruhig zu sein!
WESSOWTSCHIKOW: Ha, ha, ha, ha . . .
VORSITZENDER: Wenn Sie nicht sofort ruhig sind, werden Sie abgeführt.
(Erregung bei den Zuhörern)
SSISSOW: Das ist furchtbar!
GUSSOW: Er lacht aus Wut, was?
SSAMOILOW: Ich glaube, er lacht, weil er wehrlos ist.
WESSOWTSCHIKOW: Ha, ha, ha, ha . . .
GENDARM: Soll ich Ihnen Wasser geben?
VORSITZENDER: Aber draußen . . . draußen . . . führen Sie ihn doch ab. Beeilen Sie sich doch! Das ist ja widerlich!
WESSOWTSCHIKOW: Ha, ha, ha, ha! *(wird abgeführt)*
VORSITZENDER: Haben Sie noch etwas zur Sache zu sagen?
KLEINRUSSE: Zur Sache? Wozu soll ich denn mit Ihnen zur Sache sprechen? Alles Vorige werden wir Ihnen später klar machen, denn eines Tages . . .
VORSITZENDER: . . . entziehe Ihnen das Wort!
EIN ZUHÖRER: Natürlich sind sie schuldig, aber laßt sie sich doch erklären! Gegen was haben sie sich eigentlich vergangen? Ich möchte das verstehen! Ich bin auch interessiert!
VORSITZENDER: Ich fordere Sie auf zu schweigen! Ich nehme Sie in Polizeistrafe! Sie haben zu schweigen!
(Gendarmen nähern sich den Angeklagten.)
ZUHÖRER: Entschuldigung, ich wußte ja nicht . . .
(Von draußen hört man erregtes Geschrei und Lärm einer Menge.)
VORSITZENDER: Was ist draußen los?
GENDARM: Das Volk schreit.
MUTTER *(zu Gussow)*: Jetzt spricht Pawel!
SSISSOW: Dann ist alles zu Ende! Dann wird nur noch das Urteil verkündet!
MUTTER: Weiter nichts?
SSISSOW: Nein.
GUSSOW: Warum dürfen sie nicht reden? Ein Staatsanwalt kann reden soviel er will!
GENDARM: Pst! Ruhe im Zuhörerraum!
VORSITZENDER: Pawel Wlassow!
PAWEL: Ich will nicht zu meiner Verteidigung sprechen. Aber auf Wunsch meiner Genossen, die ebenfalls auf eine Verteidigung verzichtet haben, will ich versuchen, Ihnen zu erklären, was Sie nicht verstanden haben. Der Staatsanwalt hat unser Auftreten eine Auflehnung gegen die Staatsgewalt genannt und uns die ganze Zeit als Aufrührer gegen die Regierung betrachtet. Wir sind Feinde des Privateigentums, das die Menschen entzweit, sie gegeneinander rüstet und unversöhnliche Interessengegensätze schafft. Wir sagen: eine Gesellschaft, die den Menschen nur als Mittel zur gegenseitigen Bereicherung betrachtet, ist menschenwidrig; wir, die Arbeiter, sind diejenigen, durch deren Arbeit alles geschaffen wird, von riesigen Maschinen bis zum Kinderspielzeug, aber wir sind diejenigen, die man des Rechts beraubt hat, für ihre Menschenwürde zu kämpfen, uns will und kann jeder in ein bloßes Werkzeug verwandeln, um seine Zwecke zu erreichen. Und darum: Unsere Losung ist einfach: Fort mit dem Privateigentum, alle Macht – dem Volke! Die Arbeit – eine Pflicht für alle! Sie sehen – wir sind keine Rebellen!
VORSITZENDER: Ich bitte Sie, nur zur Sache zu sprechen!

PAWEL: Das Eigentum erfordert zu seinem Schutz allzu große Anstrengungen, und im Grunde genommen sind Sie alle, unsere Gebieter, mehr Sklaven als wir. Sie haben schon keine Leute mehr, die mit Ideen für Ihre Macht kämpfen könnten, Sie haben alle Argumente gänzlich verausgabt, die Sie vor dem Ansturm der historischen Gerechtigkeit schützen können. Sie sind geistig unfruchtbar und erstarrt. Wir werden solange kämpfen, wie die einen nur kommandieren, deren Interessen Sie verteidigen! Und eine Aussöhnung zwischen uns ist so lange nicht möglich, bis wir siegen. Wir werden siegen! Unsere Ideen wachsen, flammen immer heller auf, sie haben die Massen ergriffen: Das Bewußtsein der großen Rolle des Proletariats vereinigt alle Völker der ganzen Welt. Sie können diesen Prozeß der Erneuerung des Lebens durch nichts aufhalten, außer durch Heimtücke und Brutalität. Aber die Brutalität fällt sofort ins Auge, die Heimtücke erbittert! Und die Hände, die uns heute schlagen, werden bald brüderlich die unseren drücken. Wir werden die von Ihnen zerstörte Welt zu einem großen, einzigen Ganzen aufbauen, in dem jeder Brot und Arbeit finden wird. Ja, wir wollen die Revolution! Und die muß kommen! ... die wird kommen!

VORSITZENDER: Das Gericht zieht sich zur Urteilsberatung zurück.
(*Gerichtshof ab*)
(*Die Gendarmen stellen sich um die Angeklagten*)

ANGEKLAGTE: Wir kämpfen für die Revolution! Es lebe die Revolution! Es lebe das werktätige Volk!

ZUHÖRER: Das wird ihm den Hals kosten! ... Warum ist er nicht bescheiden? ... Das ist ein prächtiger Junge ... Er hat recht ... Phrasen ... Er hat für alle gesprochen ... Was wird das für ein Urteil werden? ... Jedenfalls gibt es jetzt keine Gnade für ihn ... Er hat alles verdorben, wie? ...

SSISSOW: Jetzt kommt das Urteil!

SSAMOILOW: Man weiß nicht, auf welcher Seite die Wahrheit ist!

GUSSOW: Hoho! Sieh einer, was der alles verlangt! Wird hier etwa um die Wahrheit prozessiert?
(*Der Gerichtshof betritt wieder den Saal. Ein Gendarm läutet.*)

VORSITZENDER (*erhebt sich*): (*Alles steht auf*) Die Arbeiter Wlassow, Nachodka, Wessowtschikow, Gussow, Gukin, Masin und Ssagarow sind angeklagt des gemeinschaftlichen Aufruhrs und Hochverrats. Sie haben alle ihre Verbrechen eingestanden. Die Untersuchung des Gerichts hat ergeben, daß sie schuldig sind! – (*Gericht weiter*)
(*Während der Rede des Vorsitzenden dreht sich die Bühne. Der Gerichtssaal verschwindet. Die Mutter geht hinaus, geht schweigend über einen langen Gang. Es erscheint eine Freitreppe vor dem Gerichtsgebäude. Unten wartet eine Menge von Menschen auf das Urteil. Die Mutter tritt durch das Gerichtsportal auf die Treppe. Man hört im Hintergrund den Vorsitzenden eintönig weitersprechen. Die Menge der Wartenden wird still.*)

STIMME DES VORSITZENDEN: ... für alle Angeklagten lebenslängliche Zwangsarbeit in Sibirien.

MÄDCHEN: Wie ist das Urteil?

ANDERE: Wie ist das Urteil?

DIE MENGE (*flüsternd*): Wie ist das Urteil?

MUTTER (*lächelnd*): Lebenslängliche Zwangsarbeit in Sibirien!
(*Bewegung in der Menge*)

STIMMEN: Lebenslängliche Zwangsarbeit! Lebenslängliche Zwangsarbeit! ...
... Das ist furchtbar!
... Das müssen doch Verbrecher gewesen sein!
... Sieh die Wlassowa! Sie lächelt!

(*Alle sehen die Mutter an*)
. . . Sie lächelt! Wahrhaftig!

MÄDCHEN: Warum lächelst du? Ist das so lustig, was du erzählt hast? Wie kannst du dabei lächeln?

MUTTER: Der Prozeß ist mit diesem Urteil nicht zu Ende. Der Prozeß geht weiter. Es geschieht nur, was das Schicksal des Volkes ist. Dagegen hilft kein Sibirien und kein Urteil. Eine Idee kann man nicht töten mit Gewalt.
(*Es wird dunkler. Aus dem Hintergrund dringt Gesang.*)
Lebenslänglich Sibirien . . . Was tuts? Laßt uns lächeln, liebe Freunde (*sie weint*) seid fröhlich, liebe Freunde.
(*Der Gesang wird lauter. Alle Herumstehenden beginnen zu singen. Im Gerichtsgebäude leuchten die Fenster auf.*)

(*Lied No. 5*)

(*Dunkel – Vorhang*)

Keith A. Dickson
[Exeter]

BRECHT'S DOCTRINE OF NATURE

Scarcely any theme offers such a consistent clue to Brecht's changing philosophy as that of nature, particularly in his poetry. It dominates the early verse, plays a significantly subdued but still audible role in the work of the Marxist neophyte, provides the poetry of exile with a ground-bass in a minor key, and reemerges in a confident major tonality in the post-war lyrics. During each phase it is much more than a convenient source of imagery. In a sense nature constitutes the unifying theme of Brecht's entire *oeuvre.*

The preoccupation with a desacralized natural order *post mortem Dei* is so striking in Brecht's early poetry as to suggest that it is the principal cause of his pre-Marxist nihilism. The first of the prose psalms from the *Hauspostille* states calmly, and apparently without rancour: "Über der Welt sind die Wolken, sie gehören zur Welt. Über den Wolken ist nichts." The sky, also one of *Baal's* most persistent leitmotifs, strictly demarcates a material cosmos, which makes no transcendental sense to the pragmatist who claimed that metaphysical concepts were "spanische Dörfer" to him,[1] and who maintained to the end of his life that the truth is concrete. The death of God has created for Brecht a "metaphysical void,"[2] and Nature, no longer "der Gottheit lebendiges Kleid", emerges as a fundamentally hostile environment, coldly indifferent to human suffering.

Brecht's injunction to the reader of his devil's breviary (as Karl Thieme dubbed the *Hauspostille*[3]) to make use of its third section "in den Zeiten der rohen Naturgewalten" is relevant to most of his poetry before 1926. The intrepid pioneers of Fort Donald, the reckless Vikings, pirates and adventurers, Cortez' hapless conquistadores, even–significantly enough–the Soviet revolutionaries[4]: all succumb to the ruthless savagery of nature, despite their show

1 *Gesammelte Werke* (1967), *Schriften zum Theater, p.* 252. All quotations and titles are taken from this edition, the variants being unimportant in all instances cited in support of the present argument. The relevant sections will be referred to as *Gedichte, Stücke, SzT* and *Prosa.*

2 W. A. J. Steer, »*Baal,* a key to Brecht's communism«, German Life and Letters, 1965, p. 45 f. Cf. also Bernhard Blume, »Motive der frühen Lyrik Bertolt Brechts«, *Monatshefte,* 1965, p. 275.

3 »Des Teufels Gebetbuch«, *Hochland,* 1931, pp. 397–413.

4 Brecht denied he had the Soviet army in mind when he wrote »*Gesang des Soldaten der roten Armee*« (tactfully omitted from the *Hauspostille* after 1927), but

of bravado and the temporary solace of opium and alcohol[5]. The storm, the shark and the vulture tyrannize the chaotic world of Brecht's early poetry. There is a good deal more than adolescent affectation in "Das Lied vom Geierbaum," (1912), in which birds-of-prey systematically destroy a tree: it creates an archetypal image of despair over nature's senseless destructiveness. The sky has been interpreted as a protective womb in the context of *Baal*[6] but it is equally unpredictable; it can be a treacherous "Haifischhimmel," "bös und gefräßig,"[7] and it may even cave in at any moment:

Auch der Himmel bricht manchmal ein
Indem Sterne auf die Erde fallen.
Sie zerschlagen sie mit uns allen.
Das kann morgen sein.[8]

The corollary to this is the recurrent shipwreck motif, which indicates that even the boldest of us, "schlendernd durch Höllen und gepeitscht durch Paradiese,"[9] are no match for nature's indiscriminate malice.

Even more desolate than the imagery of open hostility is that of indifference. The forests in which the Fort Donald railway-gang meets its doom are "ewig und seelenlos."[10] The most characteristic epithet for the sky is "kalt," but it is also applied to the night, the wind and the forest[11], and seems to symbolize what is elsewhere explicitly called "die Kälte der Welt"[12]: even the birth of Christ falls "in die kalte Zeit."[13] The most striking image of all, however, is found in the little known but splendidly comic anti-sonnet, "Kuh beim Fressen"–perhaps a parody of Victor Hugo's "La Vache" in which the cow represents indulgent nature in its rôle as a provident all-mother: "abri de toute créature." Brecht's cow, though more amenable than most of the creatures in his early poetry–it is giving milk–demonstrates the sovereign indifference of nature towards the human race with an unmistakable gesture:

the latest Marxist interpreter of his poetry, Klaus Schuhmann, still refuses to take the denial seriously: see *Der Lyriker Bertolt Brecht 1913–1933* (Berlin, 1964), p. 53.

5 Some forty of Brecht's early poems treat this theme. Its underlying pessimism is most obvious in »*Ich sage ja nichts gegen Alexander*«, which contains the line »Mit etwas Schnaps vergißt man die Erde.«

6 Steer. p. 40.

7 »*Vom Schwimmen in Seen und Flüssen.*«

8 »*Auch der Himmel.*«

9 »*Ballade von den Abenteurern.*« Cf. esp. »*Romantik*«, »*Nordlandsage*«, »*Bericht des Schiffbrüchigen*«, »*Das Schiff*«, »*Ballade auf vielen Schiffen*«, »*Ballade von den Seeräubern.*«

10 »*Das Lied der Eisenbahntruppe von Fort Donald.*«

11 See *Gedichte*, pp. 55, 72, 90, 208; 64; 205; 261.

12 »*Ein pessimistischer Mensch.*«

13 »*Die gute Nacht.*«

Sie kennt die Hand, sie schaut nicht einmal um
Sie will nicht wissen, was mit ihr geschieht
Und nützt die Abendstimmung aus und scheißt.

In this relatively late poem (1925) nature still has the last word, which significantly rhymes with "reißt," the rough action of the farmer's hand on the cow's udder. The context suggests a new theme: man exploiting nature for his own ends, but Brecht has little interest in it as yet. In the slightly later "Von der Willfährigkeit der Natur" the moral neutrality of nature appears in a more serious light: elms bow to a furtive pederast, dust covers up a murderer's tracks, the wind muffles the shrieks of the drowning and rouses a syphilitic lecher by lifting a young girl's skirt.

In the face of this combined hostility and indifference, the poet experiences a sense of disillusionment and alienation. Like the ship on which Brecht's pirates go singing to their doom. "Ihr Schiff, das keine Heimat hat,"[14] man has no home, no natural refuge from the destructive forces of nature. A fragmentary poem of 1920[15] observes with envy how the trees shelter animals, despite the cruel wind which strips their branches: "Wir sind sehr einsam, und es macht auch nichts." Despite the show of retaliatory indifference, the alienation is keenly sensed and anticipates the later dream-poem in which the poet roams a nightmare world where no one needs the tables he makes, the fish merchants speak Chinese, and someone else is wearing his clothes.[16]

As a direct consequence of this alienation, much of Brecht's early poetry is concerned with the attempt to effect some kind of reconciliation with nature, however temporary. Two of his finest *Hauspostille* poems[17] offer a partial reunification and refuge, complete with instructions for general use ("Wenn ihr . . ." "Natürlich man . . ."). Literally stripped of all connections with human society, the nocturnal climber can become part of the tree and indulge the illusion of timelessness:

Ihr sollt dem Baum so wie sein Wipfel sein:
Seit hundert Jahren abends: er wiegt ihn.

Similarly, the "swimmer"–actually a drifter– can escape the normally hostile attentions of the wind: "Weil er ihn wohl für braunes Astwerk hält." Pikes, the freshwater counterpart of the predatory sharks that infest Brecht's sea-poetry, swim through his limbs and make him feel "ganz geeint":

Man muß nicht schwimmen, nein, nur so tun, als
Gehöre man einfach zu Schottermassen.

14 »*Ballade von den Seeräubern.*«
15 »*Ihr großen Bäume in den Niederungen.*«
16 »*Oft in der Nacht träume ich*« (c. 1926).
17 »*Vom Klettern in Bäumen*« and »*Vom Schwimmen in Seen und Flüssen*« (1919).

But the hypothetical subjunctive underscores the illusoriness of this self-identification with nature. Again, in the prose-poem "Vom Schiffschaukeln" the ecstatic vocatives "Schwester Luft, Schwester! Bruder Wind!" are the merest romantic aberration, the temporary result of a mechanically induced vertigo, the cessation of which can be accurately predicted: "Nachts um 11 Uhr," i.e., the moment the fairground closes. Despite Brecht's avowed fondness for fairgrounds, the Freudian analyst would doubtless have no hesitation in identifying the swingboat as a thinly disguised chiffre for sexual intercourse, and we are reminded that this was in fact Baal's favourite means of creating the illusion of security. It is moreover Baal who provides the clearest link between this theme and the nature-imagery, when in a moment of articulate indignation (the stage direction reads *Bös*) he exclaims: "Warum kann man nicht mit den Pflanzen schlafen?"[18] The commonly assumed identification of Baal with Brecht is justified in this instance by the poems "Von dem Gras und Pfefferminzkraut" and "Die Geburt im Baum", both of the following year, where the poet claims to have committed incest (implying incidentally a relationship) with such improbable partners as stones and seaweed. This recurrent motif is clearly not a sign of sexual abnormality but of the frustrated desire for oneness with nature. Steer has rightly stressed that the underlying purpose of Baal's diverse sexual activity is to achieve "a quasi-vegetative state of consciousness."[19]

Linking this notion with the idea of alienation one might say that the only hope of union with nature lies in a return to the prenatal oblivion, warmth and security of the womb. In "Ballade von den Abenteurern" the poet affects surprise that his homicidal adventurers ever left it for their treacherous seas of absinth:

Warum seid ihr nicht im Schoß eurer Mütter geblieben
Wo es stille war und man schlief und war da?

The reader of Brecht's early poetry needs no prompting from the psychoanalyst in order to interpret the ship as a surrogate for the womb, water as birth and travelling as a sublimated death-wish, for the three images constantly rub shoulders in contexts where birth and death are thematically interlinked in a back-to-the-womb fantasy. One is advised in "Vom Schwimmen" to let oneself go and "so tun / Als ob einen ein Weib trägt." Such an umblilical relationship with nature is however only a fleeting illusion in normal human experience, finally attained only in death. Mazeppa, wildly out of control on his ghoulish ride strapped to a bolting horse, finds release only in death, when he is at last

18 *Stücke* I, p.29. The line is not found in the first two versions, but can probably still be dated late 1919. See Dieter Schmidt's well-documented account of the play's genesis in *»Baal« und der junge Brecht* (Stuttgart, 1966), p. 60 ff.
19 *loc. cit.*, p. 47.

"gerettet ins große Geborgen." After life's fitful fever Ophelia too sleeps well in Baal's Rimbaud-inspired elegy "Vom ertrunkenen Mädchen." Commentators have perhaps paid too much attention to the theme of decay in this poem[20] and too little to the amazing serenity of its rhythm and to the fundamental ambiguity of the last line, in which Ophelia-Johanna undergoes her final metamorphosis: "Dann ward sie Aas in Flüssen mit vielem Aas." Certainly carrion is hardly a notion we associate with Shakespeare's "melodious lay," nor with the countless imitations it has inspired, including Rimbaud's "Ophélie" ("comme un grand lys"!). But Brecht actually praises carrion in his parody of Joachim Neander's famous hymn on the grounds that nature thrives on it.[21] Is the drowned girl's final condition, then, not also enviable in its tranquility? The prepositional phrase with which the poem closes indicates further that man's alienation from nature is at least overcome in death. She is, to quote Schuhmann's comment on another poem, "einbezogen in den Stoffwechsel der Natur."[23]

That Brecht's preoccupation with the search for union with nature constitutes a fundamental problem is indicated by its persistence after his conversion to Marxism. Brecht based his remarkable "Gleichnis des Buddha vom brennenden Haus" on a passage in Karl Gjellerup's novel *Der Pilger Kamanita* (1906), but the setting and phraseology have nothing in common with it, nor with the canonical "Majjhima Nikaya," which contains two similar parables. Brecht's Buddha, somewhat incongruously yoked with Lenin as a political propagandist in the Svendborg chronicles, is asked by his disciples whether Nirvana is comparable to "dies Einssein mit allem Geschaffenen":

Wenn man im Wasser liegt, leichten Körpers, im Mittag
Ohne Gedanken fast, faul im Wasser liegt oder in Schlaf fällt.

In the event, the question is dismissed as a theological abstraction, but the reappearance of the lazy bather establishes a thematic link between the "anarchical exuberance"[23] of the *Hauspostille* and the political activism of the *Svendborger Gedichte*. It indicates that Brecht found in Marxism more than a political canalization of his antibourgeois sentiments, his pacifism and his sympathy with the underdog. He found also an intellectually satisfying solu-

20 Cf. S. Steffensen, who says of Brecht in connection with this poem: »Es symbolisiert die großzügige, wilde und schöne aber grausame, sinnlose und vernichtende Natur, die den Menschen bezaubert, verführt und foppt, um ihn dann ins Verderben und Untergang auszustoßen.« »Brecht und Rimbaud«, Zeitschrift für deutsche Philologie, 1965 (Sonderheft), p. 85 f. See also Blume, p. 97 ff.
21 »*Großer Dankchoral*« (»Lobet das Aas/Lobet den Baum, der es fraß«)
22 *op. cit.*, p. 42, with ref. to »*Das Schiff*«.
23 Martin Esslin, *Bertolt Brecht*, New York, p. 8.

tion to his metaphysical dilemma. It offered him a rational explanation of the alienation he had intuited, and simultaneously a method of overcoming it.

"Die Nachtlager" provides a pivotal image. Written five years after the decisive reading of *Das Kapital,* it challenges the reader to express solidarity with New York's down-and-outs, "den Obdachlosen," whose temporarily effective shelter from the wind and the snow leaves the more fundamental social problem untouched:

Die Beziehungen zwischen den Menschen bessern sich nicht
Das Zeitalter der Ausbeutung wird dadurch nicht verkürzt.[24]

In other words, until human relationships are put on another footing, nature remains potentially hostile.

Thus nature itself is no longer for Brecht the real menace, but society, which fails to provide adequate and permanent refuge. Human society is, as the central metaphor of the pre-Marxist *Im Dickicht der Städte* had already indicated, a jungle just as treacherous as that which destroyed the conquistadores. Man in his unredeemed state is as predatory as the shark, and more hypocritical –witness the celebrated opening lines of the *Dreigroschenoper* and Keuner's amusing parable "Wenn die Haifische Menschen wären." Engels wrote in 1877:

Die gesellschaftlich wirksamen Kräfte wirken ganz wie die Naturkräfte: blindlings, gewaltsam, zerstörend, solange wir sie nicht erkennen und nicht mit ihnen rechnen.[25]

The notion appeared momentarily in Brecht's earlier poetry in such lines as:

Hurrikane über Florida sind nicht
Was von euch *ein* Hauch![26]

which anticipates the consciously political application of the same motif in *Mahagonny:*

Schlimm ist der Hurrikan
Schlimm ist der Taifun
Doch am schlimmsten ist der Mensch.[27]

The image recurs in "Der Taifun" (1941), in which German "Piratenschiffe" make the typhoon seem the lesser evil. By the same token, the children in

24 Cf. also »*Ballade vom Tropfen auf den heißen Stein*«, of the same period, in which the bather image again appears, but with a social comment superimposed: »Die im Wasser liegen / Haben nicht gegessen!«
25 *Anti-Dühring*, Marx-Engels, *Werke* (Berlin, 1962), XX, p. 260.
26 »*Song zur Beruhigung mehrerer Männer.*«
27 *Stücke*, p. 526.

"Kinderkreuzzug" (1941) perish in the bleak winter of 1939 only because Hitler's armies have invaded Poland.

The later plays draw freely upon the same theme. When Grusche is crossing the dangerous ravine a horrified bystander shouts to her above the wind that it is 2,000 feet deep. She replies: "Aber diese Menschen sind schlimmer," referring to the pursuing soldiers.[28] The rain in Sezuan suggests to Wang, the water-bearer, the image of a "Wolkeneuter,"[29] which recalls the obliging cow in the sonnet, but in his case it ruins his business since poverty forces him to exploit the scarcity of water. These two contexts reveal the full scope of the theme in Brecht's later work. Social chaos, which encourages man to exploit his fellowmen, exposes him in turn to the hostility of nature, instead of enabling him to bring it under control. Furthermore, nature's potential benefits not only remain unexploited but are actually perverted into threats. Brecht's savage pun in his first "Mahagonnygesang" indicates that the city, natural habitat of political animals, is diseased:

Auf nach Mahagonny
Das Schiff wird losgeseilt
Die Zi-zi-zi-zi-zivilis
Die wird uns dort geheilt.

But there is no cure for it in Mahagonny, nor in Berlin, Chicago, London, or in any of Anna's seven cities in *Die sieben Todsünden*, nor in Sezuan. Small wonder that Brecht's early apolitical adventurers perished in search of "das Land, wo es besser zu leben ist."[30]

It is easy to imagine the intellectual excitement Brecht must have felt during the honeymoon period of his espousal of Marxism, when he learned from the "Classics" that man and nature are not mutually inimical components of the universe, but dialectically related partners in a common evolutionary process. As early as 1844 Marx had claimed that in this sense communism represented "die wahrhafte Auflösung des Widerstreites zwischen dem Menschen mit der Natur und mit dem Menschen."[31]

Marxist philosophy owes this conception of nature more specifically to Engels, who expounded it at length in his unfinished masterpiece *Dialektik der Natur*. In his more influential polemic, *Anti-Dühring*, he stated triumphantly:

Der Umkreis der die Menschen umgebenden Lebensbedingungen, der die Menschen bis jetzt beherrschte, tritt jetzt unter die Herrschaft und Kontrolle der Natur, weil und indem sie Herren ihrer eigenen Vergesellschaftung werden.[32]

28 *Stücke*, p. 2043.
29 *Stücke*, p. 1527.
30 *»Ballade von den Abenteurern.«*
31 Marx-Engels, *Gesamtausgabe*, I, 3, p. 114.
32 *Werke*, XX, p. 264. The passage was repeated in the popular tract, *Die Entwick-*

Lenin, during the long gestation period of the Revolution, cited this very passage and reassured his disciples that a dialectical understanding of the universe made them *gospoda prirody* (Lords of Nature).[33] Even the renegade Trotsky, in an argument about ends and means which recalls *Die Maßnahme*, said that the end is justified "if it leads to the increasing of the power of man over nature and to the abolition of the power of man over man," and he equated this process with "the liberation of mankind."[34]

There is no need to document the emphasis Communism has consequently always laid on the role of science and technology in the achievement of this end. Suffice it to quote from the most recent Party Manifesto, issued by the U.S.S.R. in 1961:

> Communism insures the continuous development of social production and high labor productivity through rapid scientific and technological progress; it equips man with the best and most powerful machines, greatly increases his power over nature and enables him to control its elemental forces to an ever greater extent.[35]

It is thus not a coincidence that Brecht's interest in science and technology dates more or less exclusively from his conversion.[36] Lindbergh's heroic struggle "gegen das Primitive," the ill-fated pioneer's defiance of the Establishment in *Der Schneider von Ulm*, and the revolutionary empiricism of Bacon and Galilei can all be seen in this light. It is no use simply waiting in pious hope for Isaiah's age of gold "when the wolf and lamb shall feed together."[37] It is man's historic mission to create it with the aid of reason and its tools. In the first of the *Messingkauf* poems Brecht joyfully hails the New Age as a "Zeit des Umbruchs und der großen Meisterung / Aller Natur."

In the late twenties this mood led Brecht to share Neue Sachlichkeit's worship of the machine in such poems as *Sang der Maschinen*, in which the sound of machinery ("die Muttersprache der Welt") replaces the wind in the maples; in *Über das Frühjahr* spring is observed from a respectful distance, through the window of a railway carriage. There is in this latter poem a trace of nostalgia for "die Zeit der unaufhaltsam und heftig grünenden Bäume,"

lung des Sozialismus von der Utopie zur Wissenschaft, for which a grandiloquent coda was added, culminating in the words: »Die Menschen, endlich Herren ihrer eigenen Art der Vergesellschaftung, werden damit zugleich Herren der Natur, Herren ihrer selbst – frei« (XIX, p. 228).

33 *Sochineniya* (1928), XIII, p. 156.

34 From his essay »Their Morals and Ours,« quoted from *The Basic Writings* (ed. I. Howe), Mercury Books, 1964, p. 395.

35 Quoted from *Essential Works of Marxism* (ed. A. P. Mendel), Bantam Books, 1961, p. 420.

36 Brecht's activity as a student of science in Munich (cf. *SzT*, 945) is now recognized as a carefully nurtured myth. See Schmidt, p. 25 f.

37 Cf. the poem *Die Hoffenden*, which begins with the question »Worauf wartet ihr?« and recalls the biblical imagery (*Is.* II, 6).

before the unseemly rush for oil, iron, and ammonia began. But there is no putting the clocks back. It is through industry that science and technology bring nature under control.

Brecht was, of course, fully aware that it is not sufficient merely to improve and extend industrial technology since this would not of itself solve the basic antagonism between man and man, which is dialectically related to the antagonism between man and nature. He already satirizes such utopianism in the poem *700 Intellektuelle beten einen Öltank an* (1929), and the highly developed technology of the Third Reich provided ample confirmation of his scepticism.

Having accepted that Marxism offers the only genuinely scientific insight into the natural laws of motion of society, it follows that the most urgent task is to restructure society in accordance with them. To support the Revolution and the Party that engineers it is to achieve, in anticipation of ultimate mastery over nature, a dialectical oneness with it, of a kind entirely unknown to the early poetry, but rendered a good deal more intelligible in the light of it. One of my own students, in a spontaneous attempt to interpret *Vom Schwimmen* under examination conditions, recently committed the following unforgivable, but instructive anachronism:

> Brecht infers the complete submission of the individual to a greater force outside himself, namely the Communist Party. He does this by describing someone lying in the stream, at one with the natural world around, where the separate limbs of the body are united, conveying the idea of solidarity within the Party, whilst being at the same time at one with and ruled by the water, i. e. the Party.

Brecht was not of course inferring any such thing in 1919, but with a little hindsight a pure nature poem is turned effortlessly into a political cryptogram. This is why Johannes Klein seems to me to miss the point of Brecht's poetry entirely when he argues that Brecht's feeling for nature is strangely at odds with his sociopolitical interests and somehow incongruous for a tough-minded Marxist.[38] This ignores the fact that from the "Classics" Brecht learned to include society dialectically in his doctrine of nature. From an ideologically opposite standpoint Schuhmann also seems to fall just short of the full truth when he says: "Der Kampf gegen die entfesselten Gewalten der Natur war ein Scheinkampf, ein Surrogat für den historisch bedingten Kampf gegen die Ausbeuterklasse."[39] The activism of Brecht's middle period can be seen more meaningfully as a preoccupation with the problem of nature in a wider sense.

To be sure, this side of the Revolution, nature in its old guise is out of bounds for the propagandist who has more urgent tasks in hand. Of the 46 poems from the *Hauspostille*, 29 deal with nature to a greater or lesser extent; of the 161

38 *Geschichte der deutschen Lyrik* (Wiesbaden, 1957), p. 855.
39 *op. cit.*, p. 189.

poems published in the *Gesammelte Werke* from the period 1926–33, only eleven draw their themes and imagery from the world of nature, and of these only one fails to relate it to a social context (as in *Ballade vom Tropfen auf den heißen Stein)* or make a political metaphor out of it (as in the first of the *Hitler-Choräle* where the *Anstreicher* is praised for seeing that the rain does not wet anyone), or dismiss it out of hand as a subject too freely abused by traditional poetry (as in *Lied der preiswerten Lyriker*). The exception is *Das Frühjahr*, but even there, though "das Neue" refers to the seasonal replenishment of nature, it tends to take on the political color of its anthological surroundings.

The Nazi crisis served only to justify Brecht's temporary abandonment of nature as theme, though it is nature which furnishes the poems of exile with their most poignant imagery. It was, as one of the most famous of them declares, a bad time for lyric poetry:

In mir streiten sich
Die Begeisterung über den blühenden Apfelbaum
Und das Entsetzen über die Reden des Anstreichers.
Aber nur das zweite
Drängt mich zum Schreibtisch.[40]

and again:

Was sind das für Zeiten, wo
Ein Gespräch über Bäume fast ein Verbrechen ist
Weil es ein Schweigen über so viele Untaten einschließt![41]

The poet refuses to be distracted by the deceptive serenity of Svendborg and can still hear the cries of the Nazis' victims;[42] spring in 1938 brought a freak snowstorm which exactly reflected the political climate,[43] and in 1940 it meant the breaking of the ice-floes and the threat of an invasion by sea.[44] He sees the lakes and woods of Finland and their rich harvest: "doch derer auch, die Korn und Milch nicht nährt."[45] Similarly, when Puntila, in a fine alcoholic frenzy, waxes lyrical about the (profitable) beauty of Tavastland, Matti comments icily: "Das Herz geht mir auf, wenn ich Ihre Wälder seh, Herr Puntila!"[46] The barely audible stress on the possessive adjective explains why

40 *Schlechte Zeit für Lyrik.*
41 *An die Nachgeborenen.*
42 *Über die Bezeichnung Emigranten.*
43 *Frühling 1938.*
44 In two poems, both entitled *1940.*
45 *Finnische Landschaft.*
46 *Stücke*, p. 1707. See E. Speidel's persuasive analysis in »*Puntila*, a Marxist comedy«, *Modern Language Review*, 1970, pp. 319–332.

Brecht and Matti refuse to indulge in gratuitous lyricism. Until nature is freely available to all, the poet is not free to extol it.

Come the Revolution, man and nature can at last enter into the fruitful partnership predicted by Engels' dithyrambic apocalypse. The finest expression of Brecht's faith in it is his poem in the Svendborg cycle describing the transformation of the environment by a poor weaving community in post-revolutionary Turkestan.[47] Instead of a bust of Lenin they buy petrol, on the suggestion of a soldier in the Red Army, to clear the malarial swamps which threaten their already precarious existence:

So nützten sie sich, indem sie Lenin ehrten und
Ehrten ihn, indem sie sich nützten, und hatten ihn
Also verstanden.

It is easy to deride Brecht's idealized picture of Soviet life,[48] but it is only fair to point out that Brecht based his poem on an ostensibly authentic account published in the *Frankfurter Zeitung* on October 10, 1929. Brecht needed, and thought he had found, concrete evidence of the practicability of the new dialectical relationship between man and nature, and perhaps he took care not to look too closely at life in Soviet Russia precisely lest it should shatter the illusion. If reality did not justify the faith, so much the worse for reality!

Brecht found similar second-hand confirmation in a minor documentary novel of Socialist Realism describing work on the Volga-Don Dam project.[49] Inspired by it, his Buckow elegy *Bei der Lektüre eines sowjetischen Buches* (1953) records enthusiastically the taming of the river, which is described anthropomorphically in the style of the early poetry as "zornerfüllt," "erfinderisch," and "teuflisch"; but the verb "bezwingen" has a line to itself, which ushers in the concluding description of the irrigation of the barren Caspian plains and the bread it will provide. One of Nikolai Pogodin's "aristocrats," working on a similar socialist project, exclaims: "We laugh a fearful element to scorn, we lay our hand upon wild nature and say: You have sucked our blood long enough, you viper!"[50] Such was the heavy optimism of the Socialist Realists as they responded in 1934 to the urgent call from Stalin and Zhdanov for a more constructive and positive *partinost*, and indirectly Brecht too responded. But Pogodin's rehabilitated criminal was addressing a post-revo-

47 *Die Teppichweber von Kujan-Bulak ehren Lenin.*

48 In my edition of the *Kalendergeschichten* (Methuen, 1971) I have quoted and discussed Clara Menck's parody, in which the weavers are liquidated for failing to comply with regulations! (Introduction, XXIX)

49 *Utro Velikoi Stroiki* (»The Dawn of a Great Project«), by Anatoly Agranovsky and Vasily Galaktionov (Moscow, 1952). The German translation was entitled *Ein Strom wird zum Meer.*

50 *Aristokraty* (1934), Act III, sc. 5. The project was Stalin's White Sea Canal, which was finished in 1932 and inspired no less than 200 Soviet dramas.

lutionary audience, for whom such defiance of nature is only meaningful within the context of total revolution. Only when the jungle of society has been tamed can the conquest of nature truly begin. In the same spirit Brecht wrote of another river, in one of his last poems[51]:

Wenn seine Herren verschwunden sind
Zähmen wir ihn.

It is social inequality which makes Old Man Mississippi into a permanent threat. When the slaves are their own masters, it will be transformed into their servant.

The emphasis here, as in the drama, which has recently been called "das Drama der Veränderung,"[52] is on change. In a projected extension of *Dialektik der Natur* Engels wrote:

Aber gerade *die Veränderung der Natur durch die Menschen,* nicht die Natur als solche allein, ist die wesentlichste und nächste Grundlage des menschlichen Denkens. (Engels' italics)[53]

The transience and mutability of things gave rise to a mixture of cynicism and regret in Brecht's early poetry – one recalls he evocative images of the cloud in *Erinnerung an die Marie A.* and the passing cranes in *Die Liebenden,* – but now it is precisely nature's capacity for change which solves the dilemma:

Während so der Dinge Natur ihren Schrecken verloren
Als die den Ruf der Unänderbarkeit verlor . . .[54]

This is all of a piece with Brecht's dramatic theory, which aims above all to facilitate a "critical attitude" in Brecht's special sense of the term. One of the *Messingkauf* poems, entitled *Über die kritische Haltung,* offers examples of it:

Die Regulierung eines Flusses
Die Veredelung eines Obstbaumes
Die Erziehung eines Menschen
Das sind Beispiele fruchtbarer Kritik

The same imagery reappears in the *Organon* (§ 22). Elsewhere Brecht describes the role of the spectator in Epic Theater in commensurate terms:

51 *Lied der Ströme* (1954).
52 H. Jendreiek, *Bertolt Brecht: Das Drama der Veränderung* (Düsseldorf, 1969).
53 *Werke,* XX, p. 498.
54 From a paralipomenon of the projected *Lehrgedicht von der Natur der Menschen,* which was to have included a hexametrical translation of the Communist Manifesto.

Er wird auch im Theater empfangen als der große Änderer, der in die Naturprozesse und die gesellschaftlichen Prozesse einzugreifen vermag, der die Welt nicht mehr nur hinnimmt, sondern sie meistert.[55]

Moreover, once the possibility of intervention is accepted, the contemplation even of potentially destructive nature (including human nature) becomes a legitimate source of pleasure. Of Brecht's delight in Puntila as a dangerous social animal, *estatium possessor*, Speidel writes:

It is not the unspoilt beauty of nature or of human temperament, it is the possibility of control over so much strength that enables us to derive pleasure even from destruction.[56]

The similarly misdirected energies of Mauler, Lukullus, Mutter Courage, Galilei, Don Juan and Coriolan, ultimately even Baal's, fall into this category: "denn Natur war's, nur nicht verstanden," as Brecht put it in his poem *Widersprüche.* Once understood, it becomes a worthy object of our admiration. This notion is again traceable to Engels:

Es ist der Unterschied zwischen der zerstörenden Elektrizität im Blitze des Gewitters und der gebändigten Elektrizität des Telegraphen und des Lichtbogens; der Unterschied der Feuersbrunst und des im Dienst des Menschen wirkenden Feuers.[57]

Nature is domesticated and exploited by the Revolution, collaborating with man in »das Werk der Verbesserung / Dieses Planeten für die gesamte lebende Menschheit," as Brecht wrote in a poem significantly entitled *Keinen Gedanken verschwendet an das Unänderbare.* In a later poem which expressly revokes the cynicism of the *Hauspostille,* we are challenged "die Welt uns endlich häuslich einzurichten."[58] The adverb here explains Brecht's insistence on the house with its smoking chimney in the famous idyll *Der Rauch.* Nature on its own would be "trostlos." A passage from Henri Lefèbvre's famous essay on Dialectical Materialism, written in 1938, reads like a commentary on this very poem:

Une forêt tropicale ou une tempête en pleine mer sont du cosmique pur; l'homme en proie à ces forces est l'homme impuissant et isolé, en dehors de la nature parce qu'il est en proie à la nature. Mais un paysage humanisé – une maison dans ce paysage, avec un style approprié –montrent l'homme dans la nature, réconcilié avec elle précisément en se l'appropriant.[59]

55 *SzT*, p. 302.
56 *op. cit.*, p. 321.
57 *Werke* XX, p. 261.
58 *Gegenlied zu ›Von der Freundlichkeit der Welt.‹*
59 *Le Matérialisme Dialectique* (Paris, 1940). Quoted from the revised ed. of 1949, p. 115.

It is the fruitful intervention of *homo faber* which gives nature its true dialectical significance and draws its teeth.

Hence the frequent occurrence of the garden, which in the later poetry replaces the jungle as a symbolic milieu in Brecht's private mythology. Here all is "weise angelegt,"[60] and methodically watered, pruned and trimmed. Far from regarding nature as an inveterate enemy man develops a protective attitude towards it – a theme rare in the early verse, though it appeared momentarily in such poems as *Morgendliche Rede an den Baum Griehn.* During the period of exile Brecht describes how he rushed out into the garden with his son one morning and covered a fruit tree with a sack to protect it from a sudden snowstorm[61]–a symbolic act of faith in a future which will survive the Nazis' barbarous millennium. As Schuhmann rightly observes of another poem: "Die menschenbedrohende Elementargewalt ist zum hilfebedürftigen Zögling des Menschen geworden."[62]

The exploitation of the potentially fruitful earth is a theme which has its roots in Brecht's earliest attempts at lyric form. Whilst still at school he wrote *Deutsches Frühlingsgebet,* in which a peasent ignores both the beauty of the lark and the trees ("fröhlich und unnütz") and the background threat of war, and sees only the young corn on which his livelihood depends: the participial adjective "grünend" occurs four times as leitmotif. On the other hand the senile opiumsmoker in *Der Gesang aus der Opiumhöhle* asks:

Wozu ewig Hirse säen in den
Steinigen Boden, der sich niemals bessert
Wenn doch keiner mehr den Tamarinden-
baum, wenn ich gestorben, weiter wässert?

Like Baal, he is 'asozial in einer asozialen Gesellschaft'. His dialectical counterpart is Tschaganek Bersijew in the dull but revelatory poem *Die Erziehung der Hirse,* who teaches the nomads of Kazakhstan to grow maize: "So wie die Erde ist / Muß die Erde nicht bleiben." The simultaneous expulsion of the weeds and the Nazis from their land is seen as an integral response to the call to master their environment: "Tod den Faschisten! / Jätet das Unkraut aus!"

Der große Oktober, written to celebrate the twentieth anniversary of the Bolshevik Revolution, represents a secularized thanksgiving hymn, since the Revolution has at last facilitated the just exploitation of nature:

Noch die Ernte
Ging in die Scheuern der Herren. Aber der Oktober
Sah das Brot schon in den richtigen Händen!

60 *Der Blumengarten* (1953). Cf. *Vom Sprengen des Gartens, Frühling 1938, Der Kirschdieb, Gedanken über die Dauer des Exils, Garden in Progress.*

61 *Frühling 1938* (I). The same motif occurs in *Augsburg.*

62 *op. cit.,* p. 96.

In the same way *Mailied*, perhaps an "Umfunktionierung" of Goethe's poem with the same title, secularizes the traditional May Day rites. It is now Labour Day and anticipates the fair distribution of the harvest, the symbolic first fruits of post–war socialist endeavor:

Grün sind die Fluren
Die Fahne ist rot.
Unser die Arbeit
Unser das Brot!

The prayer of the anxious peasant in "Deutsches Frühlingsgebet" has been answered three decades later in a way not dreamed of in his philosophy. Geared to the machinery of social revolution, nature has reverted to the provident Demeter of Arcadian myth:

Auf, ihr Völker dieser Erde!
Einigt euch in diesem Sinn:
Daß sie jetzt die eure werde
Und die große Nährerin.[63]

This in turn explains why the fruit tree becomes a dominant image of the later poetry. The cherry tree in *Svendborg* is akin to that which constitutes Lukullus' only mitigating circumstance before the just tribunal of the Underworld. The peach trees in *Augsburg*, the apricot trees in *Frühling 1938*, the raspberry bushes in *Glückliche Begegnung*, even the luckless plum tree in *Der Pflaumenbaum*, all betoken Brecht's philosophically orientated interest in what Walter Jens termed "das menschlich Domestizierte."[64] It can scarcely come as a surprise that Brecht's fruit-growing *kolkhoz* "Rosa Luxemburg" wins its dispute against the dairymen in the controversial prologue of his *Kreidekreis*, though the latter will also get the land that makes for the best cheese in this socialized Soviet Eden.[65]

The sense of liberation in Brecht's later poetry, despite the manifold problems still facing world socialism, and despite periodic setbacks, is unmistakable. In the *Organon* (§ 56) Brecht declares that the transformation of nature, like the transformation of society with which it is dialectically linked, is a "Befreiungsakt," and that his form of theatre communicates "die Freuden der Befreiung." This is equally true of his poetry. Brecht can now return to the task of all great

63 *Solidaritätslied* (1931).
64 In his *Nachwort* to the *Ausgewählte Gedichte* (edition suhrkamp 86), p. 85.
65 The Keuner-anecdote *Herr K. und die Natur (Prosa*, p. 381 f.) seems to contradict Brecht's enthusiasm for the exploitation of nature, but it will be recalled that his *alter ego* is addressing a pre-revolutionary society, within which the word »exploitation« has other terms of social reference. Furthermore Herr K., too, liked to see trees near his house, not in the open.

lyric poetry: what Rilke called "Rühmen." After two world wars he can at last admire again the coppery glow of fir trees in the early morning sun *(Tannen)* and hear with pleasure the crows in the poplars, though when they are gone he is content to hear only human voices *(Laute)*.

There is no attempt to rescind the anti-metaphysical materialism of the early work. There is still nothing beyond the clouds, but there is a new will to civilize the refuge that remains to us:

Außer diesem Stern, dachte ich, ist nichts und er
Ist so verwüstet.
Er allein ist unsere Zuflucht und die
Sieht so aus.[66]

Nothing is more indicative of the fundamental change in Brecht's attitude to nature than the transmutation of the ship image. In the *Hauspostille*, prematurely hailed as "der ganze und eigentliche Brecht,"[67] it signified the doomed nonconformist and outcast. In *Lied vom Glück* (c. 1951) it has become the communist ship of state, safely piloted across charted waters, whatever contrary winds may blow:

Bewacht die Feuer im Kessel
Steuert und rechnet gut
Daß ihr durch alle die Stürme
Kommt über alle die Flut!

Whatever difficulties Brecht may have had in reconciling his own vision of Utopia with the Stalinist realities around him, he could persuade himself that Ulbricht's ship of state was at least sailing in the right direction.

In complete contrast to his former sense of alienation and reckless abandonment in the face of a hostile natural and social environment, in his last years Brecht can describe himself, despite everything, lying back in comfort – "bequem" has a line to itself – and hearing his own voice in the autumnal winds:

Die Stimme des Oktobersturms
Um das kleine Haus am Schilf
Kommt mir ganz vor wie meine Stimme.
Bequem
Liege ich auf der Bettstatt und höre
Über dem See und der Stadt
Meine Stimme.[68]

That quasi-Buddhistic "Einssein mit allem Geschaffenen" which in the early poetry was the consummation devoutly to be wished, is now an accomplished fact.

66 *Außer diesem Stern.*
67 Karl Thieme, p. 401.
68 *Die Stimme des Oktobersturms.*

Fred Fischbach
[Paris , France]

L'EVOLUTION POLITIQUE DE BERTOLT BRECHT: LES ANNEES DU GRAND »RETOURNEMENT« (1926–1929)

»... die vielschichtige und komplizierte Übergangsphase ...«[1]

Le tournant décisif

Le texte le plus important concernant le changement d'orientation de Brecht se trouve dans les *Schriften zur Politik und Gesellschaft*. Il a été rédigé pendant la période d'émigration:

Als ich schon jahrelang ein namhafter Schriftsteller war, wußte ich noch nichts von Politik und hatte ich noch kein Buch und keinen Aufsatz von Marx oder über Marx zu Gesicht bekommen. Ich hatte schon vier Dramen und eine Oper geschrieben, die an vielen Theatern aufgeführt wurden, ich hatte Literaturpreise erhalten, und bei Rundfragen nach der Meinung fortschrittlicher Geister konnte man häufig auch meine Meinung lesen. Aber ich verstand noch nicht das Abc der Politik und hatte von der Regelung öffentlicher Angelegenheiten in meinem Lande nicht mehr Ahnung als irgendein kleiner Bauer auf einem Einödshof. [...] 1918 war ich Soldatenrat und in der USPD gewesen. Aber dann, in die Literatur eintretend, kam ich über eine ziemlich nihilistische Kritik der bürgerlichen Gesellschaft nicht hinaus. Nicht einmal die großen Filme Eisensteins, die eine ungeheuere Wirkung ausübten, und die ersten theatralischen Veranstaltungen Piscators, die ich nicht weniger bewunderte, veranlaßten mich zum Studium des Marxismus. Vielleicht lag das an meiner naturwissenschaftlichen Vorbildung (ich hatte mehrere Jahre Medizin studiert), die mich gegen eine Beeinflussung von der emotionellen Seite sehr stark immunisierte. Dann half mir eine Art Betriebsunfall weiter. Für ein bestimmtes Theaterstück brauchte ich als Hintergrund die Weizenbörse Chicagos. Ich dachte, durch einige Umfragen bei Spezialisten und Praktikern mir rasch die nötigen Kenntnisse verschaffen zu können. Die Sache kam anders. Niemand, weder einige bekannte Wirtschaftsschriftsteller noch Geschäftsleute – einem Makler, der an der Chicagoer Börse sein Leben lang gearbeitet hatte, reiste ich von Berlin bis nach Wien nach –, niemand konnte mir die Vorgänge an der Weizenbörse hinreichend erklären. Ich gewann den Eindruck, daß diese Vorgänge schlechthin unerklärlich, das heißt von der Vernunft nicht erfaßbar, und das heißt wieder einfach unvernünftig waren. Die Art, wie das Getreide der Welt verteilt wurde, war schlechthin unbegreiflich. Von jedem Standpunkt aus außer demjenigen einer Handvoll Spekulanten war dieser Getreidemarkt ein einziger Sumpf. Das geplante Drama wurde nicht geschrieben, statt dessen begann ich Marx zu lesen, und da, jetzt erst, las ich Marx. Jetzt erst wurden meine eigenen zerstreuten praktischen Erfahrungen und Eindrücke richtig lebendig[2].

1 Klaus Schuhmann, *Der Lyriker Bertolt Brecht 1913–1933*, Berlin 1964, S. 159.
2 SzPuG 1, S. 79-80.

Elisabeth Hauptmann fournit quelques précisions supplémentaires dans le Journal qu'elle a tenu en 1926. Elle note à la date du 26 juillet qu'après *Mann ist Mann* Brecht a entrepris d'écrire une nouvelle pièce: *Joe Fleischhacker.* Mais comme il ne trouve nulle part d'explication satisfaisante aux crises de surproduction et aux phénomènes boursiers, il se lance dans l'étude de l'économie politique. Puis, en octobre, elle note encore:

Nach der Aufführung von »Mann ist Mann« beschafft sich Brecht Arbeiten über den Sozialismus und Marxismus und läßt sich aufschreiben, welche Grundwerke er davon zuerst studieren soll. Aus dem Urlaub schreibt er in einem Brief, kurze Zeit später: »Ich stecke acht Schuh tief im ›Kapital‹. Ich muß das jetzt genau wissen . . .«[3]

A partir de maintenant, il va lire, étudier tous les textes de Marx, d'Engels et de Lénine qui lui tombent sous la main.[4]

Ainsi donc Brecht avait cru pouvoir refuser la politique, se détourner de son temps pour se consacrer entièrement à son œuvre.[5] Or c'est justement son œuvre, son théâtre (»un accident du travail«) qui le ramène au monde. Tant il est vrai que l'artiste ne vit pas hors du monde, même s'il se veut seul. Le monde l'interpelle.

Il faut ensuite insister sur le côté raisonnable de la démarche brechtienne. Brecht l'a lui-même noté:

Im Gegensatz zu vielen meiner heutigen Kampfgenossen bin ich sozusagen auf kaltem Wege zu meiner marxistischen Einstellung gekommen. Wahrscheinlich hängt das damit zusammen, daß ich ursprünglich Naturwissenschaften studiert habe. Argumente wirkten auf mich begeisternder als Appelle an mein Gefühlsleben, und Experimente beschwingten mich mehr als Erlebnisse[6].

Ailleurs il note encore, parlant du type de l'intellectuel révolutionnaire:

Keineswegs unter einem unerträglichen Druck stehend, sondern gleichsam frei entscheidend und das Bessere wählend, entscheidet er sich für Revolution[7].

Ceci explique sans doute que Brecht soit venu au marxisme, non en période de crise (1918–1919, ou 1923, ou 1929), mais en un temps où la fragile

3 SuF, S. 243.

4 Quels textes? Renseignements pris au Bertolt Brecht-Archiv, la bibliothèque de Brecht a été dispersée en 1933 et n'a pu être reconstituée. Toutefois, en se référant à la *Geschichte der deutschen Arbeiterbewegung* (tome 2, éd. Dietz, Berlin 1966), il est assez aisé de dresser la liste des titres parus entre 1918 et 1933.

5 Cf. Brecht à Bronnen (1923): »Was geht es dich an, wenn die Leute hungern . . . Machst du sie satt, wenn du über den Hunger Stücke schreibst? Hinaufkommen muß man, sich durchsetzen muß man, ein Theater haben muß man, seine eigenen Stücke aufführen muß man. Dann wird man weiter sehen, weiter schaffen.« (Arnolt Bronnen, *Tage mit Bertolt Brecht*, München 1960, S. 154).

6 SzPuG 1, S. 147. Le texte a été écrit au début de l'époque fasciste.

7 SzPuG 1, S. 104.

République de Weimar, avec l'aide des Etats-Unis, entreprend de restaurer l'économie capitaliste, en une période de relative stabilisation. La démarche de Brecht est celle d'un intellectuel qui veut *comprendre* la société dans laquelle il vit et qui ne trouve d'explication cohérente que du côté du marxisme. Brecht est venu au marxisme par la théorie plus que par la vie.

L'œuvre lyrique

Les poèmes »*Aus einem Lesebuch für Städtebewohner*«.[8] L'époque de Baal est maintenant révolue. Il n'y a plus de destinée exceptionelle, plus de héros. C'est de l'homme des villes qu'il s'agit, de l'homme anonyme, sans visage. Garga vient en ville avec des millions d'autres, pour y être broyé.

Dans ces villes, il n'y a pas encore de place pour la lutte des classes. Chacun combat seul, contre tous les autres, avec le seul espoir de survivre un peu plus longtemps; la ville est le lieu d'un affrontement sans merci, d'une solitude infinie, le lieu d'une déshumanisation absolue.

Ceux qui viennent en ville sont pleins d'espoir. Ils rêvent d'un paradis sur terre. Mais il faut d'abord qu'ils apprennent le B.A.BA:

> Das ABC heißt:
> Man wird mit euch fertig werden.[9]

Ils ne savent pas ce qui les attend. Le »on« impersonel prouve qu'ils ne savent même pas distinguer leurs amis de leurs ennemis. Pour être anonyme, la menace qui pèse sur eux n'en est que plus pressante. Ils peuvent seulement prendre conscience de leur faiblesse, et leur défaite est irrémédiable.

Cependant, pour la première fois, Brecht ne mentionne pas que les victimes. Il y a les bourreaux. Les postes de commande sont occupés. Les »mangeurs«, les exploiteurs cherchent leurs victimes, »la chair à pâté«.

Le ton de ces poèmes est objectif, impersonnel et froid. Brecht veut donner à voir:

> So rede ich doch nur
> Wie die Wirklichkeit selber.[10]

Ce qu'il donne à voir, c'est l'univers capitaliste décrit par Marx, un univers où ne subsiste plus d'autre lien »entre l'homme et l'homme que le froid intérêt,

8 Bertolt Brecht, *Gedichte* 1, Suhrkamp Verlag 1960, S. 159–195. Les poèmes »Aus einem Lesebuch« ont été publiés pour la première fois dans le Cahier 2 des *Versuche*, Berlin 1930. La chronologie des textes a été établie par K. Schuhmann, à partir du Journal d'Elisabeth Hauptmann. Les textes 2, 3, 7, 8 et 9 datent des années 1926–27. Cf. Schuhmann, op. cit., S. 159.

9 *Gedichte* 1, S. 170.

10 Ibid. S. 171.

les dures exigences du paiement au comptant.«[11] Tel texte du »Lesebuch« se présente comme un commentaire de telle phrase du *Manifeste du Parti Communiste* ou des *Manuscrits de 1844*.[12]

»La bourgeoisie«, est-il dit chez Marx, »a déchiré le voile de sentimentalité qui recouvrait les relations de famille et les a réduites à n'être que de simples rapports d'argent.«[13] De même, le texte 3 du »Lesebuch« invite le père à laisser le champ libre à ses enfants:

> Und du sollst verschwinden wie der Rauch im Himmel
> Den niemand zurückhält.
>
> Wenn du dich an uns halten willst, werden wir weggehen
> Wenn deine Frau weint, werden wir unsere Hüte ins Gesicht ziehen.
>
> ... dich wollen wir töten
> Du mußt nicht leben.[14]

Il reste que les hommes que Brecht donne a voir dans son »Lesebuch« sont d'abord des victimes. Brecht montre les hommes victimes d'un état de choses, d'un déterminisme économique, il ne montre pas encore les hommes transformant cet état de choses. Pour parler comme Marx, il montre des hommes qui sont des »produits des circonstances«, il ne montre pas encore »que ce sont précisément les hommes qui transforment les circonstances«[15]. Brecht donne ainsi, à ce stade, dans un »matérialisme économique« (l'expression est d'Engels) que Marx a toujours violemment critiqué. Il oublie le »côté actif«, la pratique humaine. Marx n'a jamais vu dans l'homme un simple produit des conditions objectives, mais en même temps leur créateur: dans l'activité révolutionnaire, l'homme se transforme lui-même en transformant ses conditions sociales.

»*Vom Geld*«.[16] L'ordre social est fondé sur une seule valeur: l'argent.

11 Karl Marx, Friedrich Engels, *Manifeste du Parti Communiste*, Editions Sociales, Paris 1954, p. 31.

12 Le *Manifeste* avait été publié en 1923 par H. Duncker dans la série *Elementarbücher des Kommunismus* (Cf. *Geschichte der deutschen Arbeiterbewegung, Chronik – Teil II, von 1917 bis 1945*, Berlin 1966, S. 158-159).
1927 marque le début en Allemagne de la publication des Œuvres Complètes de Marx et Engels: *Marx-Engels-Gesamtausgabe* (MEGA). Le premier volume de la MEGA contient des œuvres de Marx, des lettres et des documents de la période allant jusqu'en 1844. Il contient entre autres »La critique de la philosophie du droit de Hegel« (*Chronik*, p. 215).

13 Marx, Engels, op. cit. p. 31.

14 Brecht, op. cit. S. 164.

15 Marx, Engels, *L'Idéologie allemande*, Editions Sociales, Paris 1968, Thèses sur Feuerbach, Thèse III, p. 32.

16 *Gedichte* 2 (1960), S. 136-137. Le poème a été publié dans le *Simplizissimus*, à la date du 28 mars 1927. Cf. Schuhmann, op. cit. S. 164.

Commentant un passage du *Faust* de Goethe, et puis Shakespeare dans *Timon d'Athènes*, Marx écrit:

Ce qui grâce à *l'argent* existe pour moi, ce que je peux payer, c'est-à-dire que l'argent peut acheter, je le *suis* moi-même, moi le possesseur de l'argent. Ma force est tout aussi grande qu'est la force de l'argent ... Ce que je *suis* ... n'est donc nullement déterminé par mon individualité. Je *suis* laid, mais je peux m'acheter la plus belle femme. Donc je ne suis pas *laid*, car l'effet de la *laideur*, sa force repoussante, est anéanti par l'argent ... Je suis un homme mauvais, malhonnête, sans conscience, sans esprit, mais l'argent est vénéré, donc aussi son possesseur ... Moi qui par l'argent peux *tout* ce à quoi aspire un cœur humain, est-ce que je ne possède pas tous les pouvoirs humains? Donc mon argent ne transforme-t-il pas toutes mes impuissances en leur contraire?[17]

Comme Marx, Brecht montre la puissance de perversion de l'argent:

Hast du Geld, hängen alle an dir wie Zecken ...
Hast du Geld, mußt du dich nicht beugen ...
Das Geld stellt dir die großen Zeugen.
Geld ist Wahrheit. Geld ist Heldentum.[18]

L'argent transforme le mensonge en vérité, le vice en vertu, les pleutres en héros. L'argent, dit Marx, possède »la qualité de tout acheter ... la qualité de s'approprier tous les objets ...«[19] Il transforme tout en marchandise, l'amour aussi.

»*Aus den ›Augsburger Sonetten‹*.«[20] Révolue l'époque de Baal et de ses aventures amoureuses. Les filles ne viennent plus de leur plein gré dans la mansarde de l'asocial. L'amour est devenu marchandise. A la place du libre choix il y a déterminisme économique. »Indessen sind wir nicht die Herrn der Dinge« dit le Sixième Sonnet[21], et plus clairement le Cinquième:

... Sie sollte zeigen
Daß sie nicht mehr die Wahl hat. Und gewählt ist[22].

C'est la loi de l'offre et de la demande qui règle les prix sur le marché capitaliste. L'amour aussi obéit à cette loi, et les filles font bien de s'y soumettre:

So wie man Preise hochtreibt auf dem Markt
Indem man auf die vielen Käufer weist
Zeigt manches Weib, wie man sich um sie reißt.[23]

17 Marx, *Manuscrits de 1844*, Editions Sociales, Paris 1962, p. 121.
18 *Gedichte* 2, S. 136.
19 Marx, *Manuscrits de 1844*, p. 119.
20 *Gedichte* 2, S. 149–155. A l'état actuel de nos connaissances, il n'est pas possible d'établir le texte de façon définitive (Cf. Schuhmann, S. 177-178, et les notes 54 et 55, S. 321).
21 *Gedichte* 2, S. 152.
22 Ibid. S. 151.
23 Ibid., Cinquième Sonnet.

Il n'est pas établi dans quelle mesure ces Sonnets ont pu être inspirés des »Sonetti lussuriosi« de l'Aretino[24]. Toujours est-il que Brecht prend le contrepied de l'Aretino. Les filles de l'Aretino sont maîtresses de leur destin. Elles règnent sans partage sur les hommes. La perfection de Nanna so joue de tous les obstacles. Mais, de l'Aretino à Brecht, les conditions objectives existant sur le marché se sont transformées fondamentalement. Les filles de l'Aretino s'adonnent à leur métier pour s'enrichir. Les prostituées de Brecht luttent pour leur existence. Au début de l'ère capitaliste, l'Aretino enseignait un art d'aimer, à son déclin Brecht ne peut plus enseigner qu'un art de vivre, un art de survivre. Ce qui est décisif, ce n'est plus l'habileté, l'expérience de la fille, mais les lois objectives sur le marché de l'amour, ces lois dont Brecht dit qu'elles fonctionnent

... nach dem Gesetz der Märkte
Das vorschreibt, den Geschlechtsteil auszunützen[25].

Brecht donne à voir un ordre social où l'amour est impossible. Comme dans les poèmes »Aus einem Lesebuch für Städtebewohner« il montre l'homme, la femme à l'état d'objets, sans aucune chance d'être sujets.[26]

»Über das Frühjahr«.[27] Les rapports de l'homme à la nature sont, eux aussi, transformés. Le temps n'est plus où la nature servait de refuge aux asociaux, à ceux qui fuyaient la société et refusaient l'histoire. La nature est devenue elle-même un morceau de l'histoire. Elle a perdu ses prestiges romantiques, elle est tout entière domestiquée, transformée par le travail de l'homme.

A peine l'homme se rappelle-t-il cette époque légendaire:

Die Zeit der unaufhaltsam und heftig grünenden Bäume,[28]

24 Les *Ragionamenti* ont été publiés en 1924 par le Georg Müller Verlag, München, que Brecht connaissait, puisqu'il avait confié le manuscrit de *Baal* à cette maison (Cf. Schuhmann, S. 178-179).

25 *Gedichte* 2, Septième Sonnet, S. 153.

26 Quelques années plus tard, Brecht montrera clairement que la fille, la prostituée est l'exemple le plus parfait de l'aliénation, de la réification par le système capitaliste. Nanna Callas a été dépouillée de toute dignité humaine. Elle vend non seulement sa force de travail, mais son corps. Elle est devenue marchandise parmi d'autres marchandises (Cf. »Nannas Lied«, in *Gedichte* 3 (1961), S. 231-232).

Le thème de l'amour marchandise, Brecht n'était pas le seul à l'aborder en ce temps-là. En 1930, Kästner fait dire à un de ces personnages: »Früher verschenkte man sich und wurde wie ein Geschenk bewahrt. Heute wird man bezahlt und eines Tages, wie jede bezahlte und benutzte Ware, weggetan« (Cf. Erich Kästner, *Fabian – Die Geschichte eines Moralisten*, Ullstein Bücher, Berlin 1959, S. 71).

27 *Gedichte* 2, S. 168. Le poème a été publié dans *Uhu*, à la date du 6 mars 1928 (Cf. Schuhmann, S. 322).

28 Ibid.

ce temps

Des gewiß kommenden Frühjahrs.[29]

L'homme maintenant n'a plus de contracts avec la nature qu'à travers ses réalisations techniques:

Am ehesten noch sitzend in Eisenbahnen
Fällt dem Volk das Frühjahr auf.

Et les tempêtes qui se déchaînent très haut dans le ciel

Sie berühren nur mehr
Unsere Antennen.[30]

Là aussi Brecht s'attache maintenant à appréhender le monde tel qu'il est, le monde réel. Il observe, il enregistre un changement. Il dit ce qu'il voit.

Les poèmes politiques[31]

»Kohlen für Mike«.[32] A la date du 8 juin 1926, Elisabeth Hauptmann note dans son Journal: »Um Ostern herum hatte Brecht eine neue Leihbibliothek entdeckt. *Der arme Weiße* von Sherwood Anderson macht einen großen Eindruck auf ihn; er schreibt danach das Gedicht ›Kohlen für Mike‹.«[33]

L'histoire racontée est un exemple de solidarité du prolétariat américain. Chaque nuit, les serre-freins de la Wheeling Railroad jettent en passant du charbon dans le jardin de la veuve du garde-voie Mike McCoy.

L'époque des grands asociaux est révolue. Les nouveaux héros ne fuient pas hors de la société dans le monde naturel, les camarades du garde-voie ne luttent plus les uns contre les autres comme les habitants des villes dans le »Manuel«. Ils luttent ensemble contre la pauvreté et la misère.

Sans doute Brecht ne montre-t-il pas encore que cette auto-défense ne peut résoudre les contradictions d'une société de classes. Toujours est-il que les cheminots de l'Ohio ne sont plus simplement des victimes des conditions

29 Ibid.

30 Ibid.

31 La chronologie a été établie par K. Schuhmann: »Kohlen für Mike«, paru dans la *Vossische Zeitung*, 23. 5. 1926; »Achttausend arme Leute kommen vor die Stadt«, dans *Der Knüppel*, 6.1926; »Dreihundert ermordete Kulis berichten an eine Internationale«, ibid. 1.1927 (janvier); »Ballade vom Stahlhelm«, ibid. 4.1927 (juin); »Zu Potsdam unter den Eichen«, ibid. 5.1927 (août); »Die Teppichweber von Kujan-Bulak ehren Lenin«, écrit en 1929.

32 Le poème date de 1926, mais n'a été publié que dans les »Svendborger Gedichte«, *Gedichte* 4 (1961), S. 63-64.

33 SuF, S. 242.

économiques. En devenant acteurs, ils s'élèvent au-dessus de ces conditions qu'ils contribuent à changer.

»Achttausend arme Leute kommen vor die Stadt«[34]; *»Dreihundert ermordete Kulis berichten an eine Internationale«*.[35] Brecht conquiert de nouveaux domaines du réel. Il montre le prolétariat dans des actions de masse: huit mille malheureux s'avancent vers la ville pour réclamer du travail et du pain, trois cents coolies luttent désespérément pour ne pas mourir de faim. Certes, ces actions ne débouchent pas sur des victoires.

Mais l'horizon de Brecht s'est élargi aux dimensions du monde. Quelque soit l'endroit où ils se produisent et nous invite à ne plus les tolérer. La »Ballade vom Stahlhelm«[36] va plus loin. Des Journées du Stahlhelm devaient avoir lieu à Berlin les 7 et 8 mai 1927.

Au XIe Congrès du Parti Communiste Allemand, qui s'est réunit à Essen du 2 au 7 mars 1927, Ernst Thälmann avait déclaré: »Die faschistischen Verbände reorganisieren und stärken sich ... Wenn der Stahlhelm nach Berlin kommt, werden die roten Massen Berlins den Faschisten zeigen, daß sie verstehen, sich zu schlagen.«[37] Le poème de Brecht est sa contribution à la lutte contre le Stahlhelm. Il a la valeur d'un engagement personnel de Brecht aux côtés de la classe ouvrière.

Le poème est écrit sur le modèle: »Prinz Eugenius, der edle Ritter«.[38] La chanson populaire qui racontait l'assaut victorieux contre la forteresse de Belgrade devient la ballade qui raconte l'assaut malheureux des Blances contre la forteresse de Léningrad. La chanson à la gloire du héros populaire est transformée en une satire contre les »blancs bataillons«, les combattants malheureux de la réaction. Les troupes ont échoué devant Léningrad; de même échoueront tous les assauts contemporains de la réaction contre le prolétariat. De l'événement, Brecht dégage la loi de l'histoire:

> Nie hält Stahlhelm und Kanone
> Halten weiße Bataillone
> Auf der Weltgeschichte Rad.[39]

Nous voici donc en présence d'une conception tout à fait nouvelle de l'histoire: longtemps, Brecht n'avait pas vu de sens à l'histoire. »Es gibt keine Geschichte«, avait-il fait dire à un de ses personnages en 1919.[40] En 1925

34 *Gedichte* 2, S. 165-166.
35 Ibid., S. 167.
36 *Gedichte* 8 (1965), S. 76-77.
37 Ernst Thälmann, *Reden und Aufsätze zur Geschichte der deutschen Arbeiterbewegung*, Band I, S. 461; cité par Schuhmann, S. 200.
38 Cf. la note en exergue, de la main de Brecht (*Gedichte* 8, S. 76).
39 Ibid., S. 77. Cf. cette phrase de Lénine: »Impossible de faire tourner à rebours ni d'arrêter la roue de l'histoire« (*Œuvres*, Editions de Moscou, tome 21, p. 256).
40 *Stücke* XIII, Suhrkamp Verlag 1966, *Der Bettler oder Der tote Hund*, S. 63.

encore, l'histoire est vue traditionnellement, comme l'histoire des grands hommes[41]. Elle est répétition à l'infini, qui exclut tout progrès. Nous sommes loin alors d'une interprétation hégélienne de l'histoire, d'une histoire qui serait mouvement, dépassement de contradictions. La question n'est pas posée non plus, à ce stade, d'une évolution fondée sur des lois économiques. L'histoire est rythmée par la montée et la chute des grands hommes, et la venue de nouveaux grands hommes, qui perpétue sans fin la relation oppresseurs-opprimés. Et voici que maintenant l'histoire n'est plus répétition, l'histoire avance, elle a un sens. Brecht le dit clairement: c'est la lutte des classes qui fait avancer l'histoire; face aux forces déclinantes de la réaction, l'avenir appartient au prolétariat.

»Zu Potsdam unter den Eichen«.[42] Le Congrès d'Essen s'était fixé comme première tâche la lutte contre le danger de guerre.

Le numéro d'août 1927 de la revue *Der Knüppel*[43] paraît sous le mot d'ordre: »Guerre à la guerre impérialiste!«. La contribution de Brecht est la ballade: »Zu Potsdam unter den Eichen«.

Le poème rappelle la promesse faite aux soldats de la première guerre mondiale: »A chaque soldat son chez-soi«. Mais le seul salaire de la patrie, c'est le cercueil, semblable à celui que les six hommes promènent à travers Potsdam, portant l'inscription: »Jedem Krieger sein Heim!«

Au-delà du contenu antimilitariste, Brecht appelle les simples gens à ne pas se fier aux promesses des possédants.[44]

41 Cf. le groupe de 4 poèmes: »Ich sage ja nichts gegen Alexander« (*Gedichte* 2, S. 128), »Von den großen Männern« (ibid., S. 126–127), »Der gordische Knoten« (Ibid., S. 129-130), »Der Aus-nichts-wird-nichts-Song« (Ibid., S. 191-193).

42 *Gedichte* 3, S. 19.

43 *Der Knüppel*, périodique du KPD, paraissant depuis 1923.

44 Tous ces poèmes, à l'exception du premier (»Kohlen für Mike«) sont parus dans la revue *Der Knüppel*, à laquelle collaboraient des écrivains et des poètes comme Erich Weinert, Friedrich Wolf, Kurt Tucholsky et des artistes comme George Grosz.

Brecht a donc pris rang parmi ces intellectuels qui font cause commune avec le KPD ou du moins sont très proches de lui.

Tucholsky, par exemple, collabore aussi à la *Arbeiter-Illustrierte-Zeitung* (AIZ). Non seulement il élève une critique acerbe contre la République de Weimar, mais il pourchasse les nationalistes et les traineurs de sabre, se pose en allié du prolétariat combattant.

Dans le même temps, Kästner, sans quitter les sphères bourgeoises, publie des poèmes satiriques comme »Kennst du das Land, wo die Kanonen blühn?« (1928) et »Stimmen aus dem Massengrab« (1928).

Autre prise de position publique de Brecht, à propos d'une enquête »sur l'avenir de l'Allemagne«, 1928. Réponse de Brecht: »Pour son avenir, l'Allemagne n'a besoin de rien d'autre que d'autres pays: de l'application la plus habile possible des principes marxistes à la société et à l'économie. Alors elle aurait

»*Die Teppichweber von Kujan-Bulak ehren Lenin*«.[45] Ce poème doit être considéré comme le couronnement de la série. Les tisserands honorent Lénine à leur manière: l'argent de la collecte pour le buste de Lénine, ils l'emploient à acheter du pétrole qu'ils répandent sur le marécage infesté de moustiques porteurs de fièvre.

On mesure le chemin parcouru depuis »Kohlen für Mike«. Les cheminots de l'Ohio agissaient spontanément. Les tisserands du Turkestan se comportent en »hommes nouveaux«: ils savent qu'il ne suffit pas d'une bonne action, mais qu'il s'agit de transformer le monde. Ils se comportent ainsi en véritables disciples de Lénine:

> So nützten sie sich, indem sie Lenin ehrten, und
> Ehrten ihn, indem sie sich nützten, und hatten ihn
> Also verstanden.[46]

On voit combien hommes nouveaux sont loin des habitants des villes du »Lesebuch«. Ils ne sont plus victimes d'aucune aliénation. Ils ne sont plus les simples produits des conditions objectives, mais en même temps créateurs d'un monde nouveau. Brecht a découvert la *pratique* humaine, il a découvert la dialectique.

Ainsi l'évolution de la pensée politique de Brecht est-elle plus évidente dans son œuvre lyrique que dans son théâtre.

Les pièces de la même époque (dv. plus loin, les Opéras) restent oeuvre de dénonciation, refus d'un monde, d'un ordre social où la vie est impossible.

Dans l'œuvre lyrique, cette période de transition apparaît dans toute sa complexité.

Les premiers textes du »Lesebuch« sont de 1926, mais aussi »Kohlen für Mike«, et »Achttausend arme Leute kommen vor die Stadt«. Brecht avance pas à pas dans la découverte d'une réalité nouvelle. C'est pourquoi il n'y a pas jusqu'à »Die Teppichweber von Kujan-Bulak ehren Lenin« de poème exprimant une vision du monde globale. Cette poésie est poésie de circonstance au sens où l'entendait Eluard, tel événement politique amenant Brecht à prendre conscience, à prendre position sur tel problème précis, la circonstance étant comme appelée, correspondant à une nécessité intérieure[47].

évidemment comme d'autres pays la possibilité de sortir de son marasme culturel« (SzPuG 1, S. 44).

45 *Gedichte* 1, S. 201-203.

46 Ibid., S. 202.

47 Il nous a été impossible de retrouver la citation d'Eluard, le n° 35 de *La Nouvelle Critique* étant épuisé. Hans Mayer cite le passage: »Die äußere Gelegenheit muß mit der inneren Gelegenheit zusammenfallen, als ob der Dichter selber sie erzeugt hätte« (*Anmerkungen zu Brecht*, edition suhrkamp 143, Frankfurt 1965, S. 24).

Les Opéras

Die Dreigroschenoper[48] est la première grande machine de guerre montée par Brecht contre la société bourgeoise. En écrivant la pièce, son dessein était d'abord *politique.* Il s'agissait de montrer que la société de profit est assimilable aux combinaisons d'un exploiteur de mendiants, d'un truand et de son ancien compagnon d'armes devenu chef de la police. Brecht le dit explicitement dans ses Observations sur *Die Dreigroschenoper:* »*Die Dreigroschenoper* gibt eine Darstellung der bürgerlichen Gesellschaft (und nicht nur »lumpenproletarischer Elemente«).«[49]

Cette société est fondée uniquement sur des rapports d'argent. Dans une telle société – avait écrit Marx – les relations de famille sont »réduites à n'être plus que de simples rapports d'argent.« Les sentiments, les relations humaines sombrent »dans les eaux glacées du calcul egoïste«.[50]

Dans une telle société, l'homme est un loup pour l'homme. Peachum est le type parfait de cet homme–loup, qui exploite avec beaucoup de méthode et en toute conscience la mauvaise conscience des gens devant la misère. Peachum considère la pauvreté »als Ware«.[51] Il est l'exploiteur des mendiants, le grand bourgeois parvenu à un degré d'organisation, de rationalisation qui lui permet de ne plus se salir les mains. Sa fille même n'est rien d'autre pour lui: »nichts als eine Hilfsquelle«.[52] Tout en prêchant la morale pour les autres, il est lui-même un personnage parfaitement amoral. Les crimes mêmes de Mackie »sind ihm nur insofern interessant, als sie ihm eine Handhabe für seine Erledigung bieten«.[53]

De même, Macheath n'est pas un quelconque bandit de légende dans la tradition de la ballade populaire. C'est un bourgeois. Aussi doit-il être présenté par l'acteur qui joue le rôle, écrit Brecht, »als bürgerliche Erscheinung. Die Vorliebe des Bürgertums für Räuber erklärt sich aus dem Irrtum: ein Räuber sei kein Bürger. Dieser Irrtum hat als Vater einen anderen Irrtum: ein Bürger sei kein Räuber«.[54] Bourgeois, Macheath l'est par le souci qu'il prend de sa réputation, par ses visites régulières à la maison close (le bourgeois a ses habitudes), par les relations qu'il entretient avec le chef de la police, représentant de l'ordre. Bourgeois, il l'est encore par sa conception du

48 *Stücke* III, Suhrkamp Verlag 1955, S. 5-140. Cf. *Bertolt Brechts Dreigroschenbuch. Texte, Materialien, Dokumente,* Suhrkamp Verlag 1960. La pièce a été écrite en 1928. Création le 31 août 1928 au théâtre du Schiffbauerdamm, Berlin. Publication à la Universal-Edition, Vienne 1929.

49 SzTh 2, S. 105.

50 *Manifeste du Parti Communiste,* p. 31.

51 SzTh 2, S. 92.

52 Ibid., S. 93.

53 Ibid. S. 93.

54 Ibid., S. 94.

mariage: il voit dans son mariage avant tout »eine Sicherung seines Geschäftes«,[55] puisque son métier l'oblige à s'absenter fréquemment, et qu'il ne peut pas compter sur ses employés. Bourgeois, il l'est enfin par sa conception de l'art: au banquet de noces, il invite ses bandits à chanter une chanson: »Also, ihr wollt kein Lied singen, nichts, was den Tag verschönt. Es soll wieder ein so trauriger, gewöhnlicher, verdammter Drecktag sein wie immer?«[56] Macheath le bourgeois a besoin de l'art pour masquer la dure réalité. L'art est évasion hors du monde réel, grâce à l'art il se paie quelques instants d'humanité.

Si la société bourgeoise suscite des hommes-loups, elle suscite aussi des hommes doubles. Aragon l'a montré de façon saisissante: Grésandage (cf. *Les beaux quartiers*) a conscience d'être un homme double. Haut fonctionnaire au ministère des Finances, sa vie réelle est entièrement soumise aux lois de fer du monde aliéné, avec sa jungle d'appétits concurrents et affrontés. Mais – passionné de Rimbaud – en marge de cette vie, il s'est créé la fiction d'une oasis de rêve, d'une autre vie purement intérieure. Le monde de l'»avoir«, le monde de l'aliénation occupe tout le monde réel. L'»être« ne se manifeste plus que sous la forme dérisoire d'une évasion mythique hors du monde réel. »L'homme«, écrit Marx, »est chassé de lui-même.« Dans *Die Dreigroschenoper* Brown, le préfet de police, est un homme double, »eine sehr moderne Erscheinung«[57], déchiré, divisé en lui-même. Brown cache en lui, écrit Brecht, »zwei Persönlichkeiten: als Privatmann ist er ganz anders als als Beamter. Und dies ist nicht ein Zwiespalt, trotz dem er lebt, sondern einer, durch den er lebt«.[58]

La leçon qui doit se dégager de l'œuvre, c'est dans les Finales qu'il nous faut la chercher. En effet, dans une oeuvre construite en dents de scie où paroles, déclamation et chant se réfutent sans cesse, le dernier mot reste au chant, véhicule du »message«. Ces Finales concentrent en eux toute l'agressivitée de l'œuvre. Dans un univers où tout est faux, ils sont comme l'irruption du monde réel, des cris, des appels qui doivent détruire l'illusion et confronter le spectateur au monde réel.

Or ces Finales le disent clairement: au-delà des personnages, ce qui est mis en cause, c'est un ordre social fondé sur le crime, et qui en engendre sans cesse de nouveaux:

> Denn wovon lebt der Mensch? Indem er stündlich
> Den Menschen peinigt, auszieht, anfällt, abwürgt und frißt.
> Nur dadurch lebt der Mensch, daß er so gründlich
> Vergessen kann, daß er ein Mensch doch ist.[59]

55 Ibid., S. 96.
56 *Stücke* III, S. 34.
57 Ibid., S. 149.
58 Ibid. S. 149.
59 Ibid., S. 100. Le deuxième Finale de quat'sous.

Certes, Peachum est un »gredin«. Mais quand il considère la pauvreté comme une denrée monnayable, il ne fait que se conformer au »Zug der Zeit«.[60] Ce que nous devons juger, ce n'est pas Peachum, qui traite la misère comme une marchandise, mais un monde, un ordre social qui produisent des hommes comme Peachum et dont Brecht dénonce le caractère meurtrier. Ce que nous devons juger, ce sont les »circonstances«, entendez la société de classes, qui ne laissent aucune chance à l'homme. Ce n'est pas Peachum qu'il faut changer, mais le monde.[61]

Cependant le livret a beau mettre en cause l'exploitation capitaliste, la musique a beau dénigrer précisément les suavités de l'opéra, cela est fait avec tant d'art et d'humour, si loin apparemment des réalités, que l'œuvre risque à tout moment d'être »récupérée« en divertissement bourgeois. En effet, l'œuvre est parée de tant de prestiges que les bourgeois ont pu ne pas se reconnaître dans cette splendide histoire de gangsters. Ils firent un triomphe à la *Dreigroschenoper*. Sans doute la réalité est-elle plus complexe qu'il n'y paraît. A force de simplifier (les bourgeois sont des gangsters, leurs femmes et leurs filles sont des putains), on risque d'être mal entendu ou de ne pas être pris tout à fait au sérieux. *Die Dreigroschenoper* est du théâtre distancié, du théâtre épique, ce n'est pas encore du théâtre dialectique.

Il est vrai que manque à l'Opéra ce côté contemporain, concret qu'avait le *Beggar's Opera* de Gay. Dans l'Angleterre post-cromwellienne qui en était au stade de l'expansion du capitalisme mercantile, il était clair que Gay montrait les rapports marchands sous le jour le plus crû. Derrière Peachum, les Anglais pouvaient aisément reconnaître Walpole, et l'organisation des mendiants et le banditisme étaient la réalité du Londres des années 1720–1730[62].

Brecht se rendit compte de ces lacunes et décida de s'exprimer plus clairement dans le scénario du film qu'il écrivit pour la Société Nero.[63]

Il actualise la pièce: le chef de bande, Macheath, devient chef de banque. La prise de possession de la »National Deposit Bank« est ainsi montrée dans le scénario: »Aussteigend aus ihren gestohlenen Autos (während sie in vier bis fünf Autos anfahren, singen sie den ›Gründungssong der National Deposit

60 SzTh 2, S. 92.

61 Il ne faut pas châtier le crime dans l'individu, mais détruire les foyers antisociaux du crime ... Si l'homme est formé par les circonstances, il faut former les circonstances humainement, (Marx, Engels, *La Sainte Famille*, Editions Sociales, Paris 1969, p. 158).

62 Ces insuffisances ont été ressenties par Giorgio Strehler qui, dans sa mise en scène du Piccolo Teatro de Milan, en 1955, a – avec l'assentiment de Brecht – actualisé la pièce: il a remplacé l'Angleterre victorienne par les Etats-Unis à la veille de la guerre de 1914 et a situé l'action dans le milieu des gangsters de Chicago (les »Nuits de Chicago« de Sternberg sont de 1927).

63 Cf. le scénario *Die Beule*, *Versuche* Heft 3, Suhrkamp 1959, S. 229-241. Le texte a été repris dans *Texte für Filme*, Aufbau-Verlag Berlin und Weimar 1971, Band 2, S. 29-46.

Bank‹[64]), zugehend auf das Vertrauen erweckende bescheidene Tor dieses altrenommierten Hauses, überschreiten etwa 40 Herren eine illusionäre Linie auf dem Bürgersteig. Vor dem seinem Auge nicht trauenden Beschauer verwandeln sie sich im Moment des Überschreitens aus den bärtigen Räubern einer versunkenen Epoche in die kultivierten Beherrscher des modernen Geldmarktes«.[65]

Lorsque le préfet de police Brown fait arrêter Macheath, il a affaire maintenant à une délégation de banquiers et d'avocats. Il les met en garde contre l'agitation organisée par Peachum dans les quartiers pauvres, en prévision de la venue de la reine: »Die Polizei, meine Herren, ist zu schwach gegen das Elend, das zu groß ist.« – »Mein Herr, dann ist es unsre Pflicht, etwas gegen das Elend zu unternehmen.« – »Nun?« – »Wir werden die Polizei verstärken.«[66]

Le préfet de police fait alors un rêve: le cortège que Peachum renonce à organiser, le préfet de police le voit en rêve. Il voit les masses sortir de sous les ponts, inonder les rues, forcer tous les barrages de police. Des milliers de miséraux, transparents et sans visage, en une marche silencieuse envahissent les palais, les musées, le palais de justice, le Parlement, la Résidence[67]. La misère, qui ne pouvait être montrée à l'Opéra vient donc s'étaler ici par le truchement d'un rêve[68].

Enfin, il est montré clairement que, si Macheath et Peachum mènent une lutte sans merci, ils savent pourtant reconnaître qu'ils ont un ennemi commun et, quand l'intérêt l'exige, ils savent se réconcilier à temps. Macheath est donc remis en liberté tandis que le »pauvre Sam« – symbole des opprimés (il porte à la tête une bosse qui lui vient de la bande de Macheath, bosse que Peachum a artificiellement agrandie) – est jeté en prison. »Einigkeit nämlich macht stark: eine nach erbittertem Kampf geeinigte Gesellschaft begrüßt in ihrer Mitte den Bankier Macheath und erwartet mit ihm die Königin.«[69]

Ce scénario fut refusé par la Société Nero, sous prétexte que Brecht voulait introduire »eine politische Kampftendenz« dans le film.[70] Le procès qui en découla fut pour Brecht ce qu'il appela »ein soziologisches Experiment«:[71] »Für den Manuskriptentwurf wurde uns Geld angeboten ... Er war

64 *Gedichte* 9 (1965), S. 18.
65 Cf. *Die Beule*, op. cit. S. 236.
66 Cf. *Die Beule*, S. 237-238.
67 Ibid., S. 240.
68 L'idée a été reprise dans *Die heilige Johanna der Schlachthöfe*. Jeanne rêve de prendre la tête d'un tel cortège: »Zeigend unseres Elends ganzen Umfang auf offenen Plätzen / Alles anrufend ...« (*Stücke IV*, S. 125).
69 Cf. *Die Beule*, S. 241.
70 Ernst Schumacher, *Die dramatischen Versuche Bertolt Brechts 1918–1933*, Berlin 1955, S. 234.
71 Cf. le dossier du procès in SzLuK 1, S. 143-234. L'étude de Jean-Pierre Lefebvre,

eine Ware. Für den Vertrag, der überhaupt nicht beachtet wurde, bot man uns noch vor Gericht 25 000 Mark ... Der Vertrag war nämlich eine Ware. Der Prozeß, den wir, da unsere Zeugen nicht vernommen wurden, zum Teil verloren, muß durch alle Instanzen geführt werden, was sehr teuer ist, so daß wir ihn uns also zu einem unerschwinglichen Preise kaufen müssen. Der Prozeß – auch eine Ware ...«[72]

A l'occasion de ce procès, Brecht fait ainsi personellement l'expérience que dans une société fondée sur l'argent tout est marchandise.

Aufstieg und Fall der Stadt Mahagonny[73]

Mahagonny, la ville-bordel, est l'image fidèle, selon Brecht, de l'»ordre« bourgeois et capitaliste. Dans cette jungle d'appétits affrontés, une seule valeur reconnue par tous: l'argent. Un seul crime: ne pas en avoir. Paul Ackermann a tué, violé, trahi. Qu'importe. Mais il n'a pas assez d'argent pour payer »drei Flaschen Whisky« et »eine Storestange«.[74] Voilà ce qui est le crime. Condamné à mort, il sera exécuté.

L'âge d'or bourgeois est l'âge de l'or. L'argent est la seule valeur reconnue. L'argent transforme tout en marchandise:

> ... alles käuflich ist
> Und weil es nichts gibt, was man nicht kaufen kann.[75]

L'argent donne tous les pouvoirs:

> Für Geld gibt's alles
> Und ohne Geld nichts
> Drum ist's das Geld nur, woran man sich halten kann.[76]

Dès lors c'est la loi de la jungle, la lutte de tous contre tous, de chacun pour les intérêts de chacun:

> Denn wie man sich bettet, so liegt man
> Es deckt einen keiner da zu

»Brecht et le cinéma« (*La Nouvelle Critique*, n° 46, septembre 1971, pp. 40-47) propose une *analyse* du texte de Brecht.

72 SzTh 2, 222-223.

73 *Stücke* III, Suhrkamp Verlag 1955, S. 167-258. La pièce a été écrite de 1927 à 1929. Publication à Vienne, Universal-Edition 1929. Création le 9 mars 1930 au Neues Theater, Leipzig.

74 Ibid., S. 244.

75 Ibid., S. 255.

76 Ibid., S. 256.

Und wenn einer tritt, dann bin ich es
Und wird einer getreten, dann bist's du[77].

La vie dans une telle société est proprement infernale. Aussi la menace de les envoyer en enfer n'impressionne-t-elle nullement les »hommes de Mahagonny«:

Rühre keiner den Fuß jetzt!
Jedermann streikt! An den Haaren
Kannst du uns nicht in die Hölle ziehen
Weil wir immer in der Hölle waren.[78]

»Die Anarchie der bürgerlichen Gesellschaft ist eine infernalische. Für die Menschen, die in sie hineingeraten sind, kann es etwas, was ihnen größeren Schrekken als diese einflößt, einfach nicht geben.«[79] Dans un tel univers, les hommes vivent positivement comme des bêtes. Dans une société où le produit domine les producteurs, l'homme, écrit Engels, n'est pas encore »définitivement sorti du règne animal«, il connaît encore »des conditions animales d'existence«.[80] Et ailleurs: »Le vaincu est éliminé sans ménagement. C'est la lutte darwinienne pour l'existence de l'individu, transposée de la nature dans la société avec une rage décuplée.«[81] Aussi la pièce se termine-t-elle – alors que les cortèges manifestent avec une confusion croissante – par ce constat absolu de faillite: »können uns und euch und niemand helfen.«[82]

Il est impossible de soutenir – comme fait Schumacher – que la pièce, telle qu'elle se présente, achevée en 1929, exprime la vision du monde de Brecht à cette date.[83] Brecht n'est nullement, en 1929, »Wortführer eines resignierten, skeptischen Kleinbürgertums«[84], ni »der Vollender des Pessimismus«, comme dit encore Schumacher.[85]

D'abord parce que *Mahagonny* est un amalgame fait de pièces et de morceaux: sa genèse s'étend sur presque dix ans. *Mahagonny* a pour point de départ des poèmes écrits en 1920–1921 (par exemple »das Spiel von Gott in Mahagonny«[86]; le »Alabama-Song« est de 1925[87]).

77 Ibid., S. 233.
78 Ibid., S. 253.
79 Walter Benjamin, *Versuche über Brecht*, edition suhrkamp 172, Frankfurt 1966, S. 56.
80 Friedrich Engels, *Anti-Dühring*, Editions Sociales, Paris 1956, S. 322.
81 Ibid., p. 313.
82 *Stücke* III, S. 258.
83 Der »Pessimismus, der in *Mahagonny* aus verschiedenen Figuren spricht« sei »tatsächlich Ausdruck der eigenen Weltauffassung des damaligen Brecht«, in Schumacher, *Die drastischen Versuche Bertolt Brechts 1918–1933*, S. 279.
84 *Linkskurve*, cité par Schumacher, op. cit., S. 279.
85 Schumacher, S. 279.
86 *Stücke* III, S. 250-253.
87 Cf. la note dans les *Gedichte* 2, S. 256-257.

Ensuite et surtout parce que nous savons maintenant qu'en 1929 Brecht a déjà écrit et publié ses poèmes politiques: »Kohlen für Mike« est de 1926; 1929, l'année où il achève *Mahagonny*, est aussi l'année oú il écrit »Die Teppichweber von Kujan-Bulak«. Prendre le pessimisme de ses personnages de *Mahagonny* pour le pessimisme de Brecht, c'est faire peu de cas de l'écriture distanciée. *Mahagonny* donne à voir des personnages qui sont les victimes consentantes d'un ordre social donné; il donne à voir un aveuglement. Les personnages de *Mahagonny* ne sont nullement les porte-parole de Brecht. *Mahagonny* montre aux bourgeois leur monde, mais n'exprime nullement la vision du monde de Brecht. *Mahagonny* est, comme *Die Dreigroschenoper*, une machine de guerre, une énorme provocation adressée à la bourgeoisie, et qui a été ressentie comme telle.[88] Comme *Die Dreigroschenoper*, *Mahagonny* est un constat, appelé à provoquer et à faire réfléchir.

Mais *Mahagonny* n'est pas non plus une simple répétition de la *Dreigroschenoper*. C'est une radicalisation. Giorgio Strehler l'a bien compris, qui a monté *Mahagonny* à la Scala de Milan. »Dans son interprétation«, écrit Bernard Dort, »le texte et la musique, loin de se confondre, se contredisent et se commentent avec le plus féroce des humours ...« Et plus loin: »C'est une leçon qu'il nous propose, non une vision ...«[89] Dans *Mahagonny*, la dénonciation l'emporte, sans malentendu possible, sur la séduction. *Mahagonny* se révèle ainsi moins proche de la *Dreigroschenoper* que des »pièces didactiques«. Une bonne interprétation doit montrer que, plus qu'un aboutissement, *Mahagonny* est un nouveau commencement. Avec *Mahagonny*, Brecht est allé jusqu'au bout des possibilités que lui offrait l'opéra traditionnel. La société bourgeoise, il ne peut plus maintenant l'attaquer de l'intérieur, il est obligé de se placer en dehors.

88 La nature de cette provocation a été expliquée par Brecht lui-même: »Wenn zum Beispiel im dreizehnten Abschnitt der Vielfraß sich zu Tode frißt, so tut er dies, weil Hunger herrscht. [La pièce a été crée en 1930, donc en pleine crise économique.]. Obgleich wir nicht einmal andeuten, daß andere hungern, während dieser fraß, war die Wirkung dennoch provozierend. Denn wenn nicht jeder am Fressen stirbt, der zu fressen hat, so gibt es doch viele, die am Hunger sterben, weil er am Fressen stirbt. [Il s'agit, bien entendu, d'une métaphore, qui renvoie à une mauvaise organisation des rapports de production.] Sein Genuß provoziert, weil er so vieles enthält. In ähnlichen Zusammenhängen wirkt heute Oper als Genußmittel überhaupt provokatorisch ... Im Provokatorischen [de l'opéra] sehen wir die Realität wiederhergestellt« (SzTh 2, S. 114-115).

89 »Les Lettres Françaises«, Paris, semaine du 12 au 18. III. 1964.

L'esthétique, catégorie de la politique

En écrivant *Die Dreigroschenoper*, Brecht avait voulu composer avec le système bourgeois de production théâtrale pour le »retourner«. Mais le système, à cette occasion, a fait preuve de ses grandes capacités d'adaption et de digestion. La tentative de dynamitage de l'intérieur de l'art bourgeois s'est soldée par un échec.

Brecht sait maintenant qu'il n'y a plus rien à attendre du théâtre bourgeois, il sait qu'il faut rompre avec les institutions existantes qui sont des institutions de classe.

Il développe sa critique à partir de *Mahagonny*, surtout dans ses »Anmerkungen zur Oper *Aufstieg und Fall der Stadt Mahagonny*«.[90] L'echo de ses lectures marxistes se répercute dans ces critiques: les compositeurs, écrivains, critiques croient encore qu'ils disposent d'un appareil au service de ce qu'ils inventent librement. Ils sont convaincus de posséder ce qui en réalité les possède. Ils défendent un instrument qui n'est plus, comme ils le croient encore, au service des créateurs, mais qui au contraire s'est retourné contre eux. »Ihre Produktion gewinnt Lieferantencharakter. Es entsteht ein Wertbegriff, der die Verwertung zur Grundlage hat . . .«[91] La raison en est que les appareils n'appartiennent pas à la communauté, les moyens de production ne sont pas la propriété de ceux qui produisent, de sorte que le travail a le caractère d'une véritable marchandise, soumise aux lois du marché. L'art est une marchandise. (Brecht en fera l'expérience, comme nous l'avons vu, avec le scénario du film »Die Beule«.) Au théâtre comme ailleurs: »Der Besitzende erhält vor den Produzierenden das Wort.«[92]

Brecht dénonce donc cet état de fait: l'inéluctable dépendance dans laquelle se trouvent les artistes par rapport à l'appareil. C'est ce qu'il appelle »das Primat des Apparates«.[93] Comment en sortir?

Ce ne sont pas des hommes isolés – directeurs de théâtre, metteurs en scène, aussi doués soient-ils – qui pourront amener un changement véritable. »Der Schrei nach einem neuen Theater ist der Schrei nach einer neuen Gesellschaftsordnung.«[94] La critique du théâtre en tant qu'appareil est donc fondamentalement politique. La révolution dans le domaine du théâtre ne peut être l'œuvre d'hommes isolés. Pour venir à bout de l'ancien appareil, il faut un nouvel ordre social. Refus de l'appareil – refus aussi des formes héritées.

Avant même qu'il ait entrepris ses études sur le marxisme, le problème

90 SzTh 2, 109-112.
91 Ibid., S. 110.
92 SzTh 1, S. 193.
93 Ibid., S. 190.
94 Ibid. S. 201 (1928).

auquel Brecht achoppe, c'est que le monde moderne ne peut plus être rendu par les formes héritées. E. Hauptmann le note dès le 26 juillet 1926 (après *Mann ist Mann*, Brecht a entrepris d'écrire une nouvelle pièce: *Joe Fleischhacker*), et Brecht ne cessera de le répéter: »Die alte Form des Dramas ermöglicht es nicht, die Welt so darzustellen, wie wir sie heute sehen.«[95] Il proclame donc la mort du théâtre classique: ». . . die alte Dramenform ist kaputtgegangen . . . die alte Dramenform ist tot . . .«[96]

Il ne fait pas de doute que Brecht a connu alors une période où il a catégoriquement refusé le théâtre classique, où il a rêvé de faire table rase de tout l'héritage culturel. »Dies Drama sei nie mehr zu bessern«, disait-il, »es sei zu liquidieren.«[97]

A. Gisselbrecht parle d'un »refus quasi proletkultiste« et Schuhmann d'un »radicalisme de gauche«. A ce stade, Brecht rejette l'héritage du passé parce qu'il ne veut pas voir que les œuvres du passé sont le reflet de la réalité d'une période historique donnée et qu'elles ont à leur tour contribué à donner son visage à cette période. Sans doute son radicalisme vient-il du fait que la rébellion littéraire a précédé l'étude, la prise de conscience politique.

Très vite cependant, Brecht s'est attaché à fonder sociologiquement son refus des formes héritées. Il appelle à la rescousse le sociologue Fritz Sternberg. Il a besoin de Sternberg, dit-il, »so geschah es, weil ich von der Soziologie erwartete, daß sie das heutige Drama liquidiert«.[98] Et encore: »Der Soziologe weiß, daß es Situationen gibt, wo Verbesserungen nichts mehr helfen.«[99] Et Sternberg montre en effet qu'il n'y a pas en art de valeurs éternelles. L'époque qui a vu naître et s'épanouir le drame classique est à son déclin, et elle entraînera le drame classique dans sa chute. On voit que le jugement porté par Brecht sur le drame classique n'est pas d'abord un jugement esthétique. Le drame classique est condamné au nom de la science. En dernière analyse, la critique et le rejet des formes héritées sont une entreprise *politique:* un monde nouveau est en train de naître. A ce monde nouveau il faut un théâtre nouveau. Refus de l'appareil, refus des formes héritées. A partir de ce double refus, que faire?

Il y avait l'exemple de Piscator. Brecht et Piscator présentent un certain nombre de points communs. Ils veulent tous les deux montrer sur la scène le monde contemporain, mêler l'histoire de tous et la vie de chacun, élargir l'action au plan de l'histoire. Conséquence pour la mise en scène: nécessité de dépasser la dramaturgie traditionnelle, nécessité du style épique.

95 Ibid., S. 202.
96 Ibid., S. 198.
97 Ibid., S. 95-99; »Sollten wir nicht die Ästhetik liquidieren?« demande-t-il à Sternberg.
98 Ibid., S. 95.
99 Ibid., S. 97.

Piscator voit dans *Fahnen* (1924) »la première tentative dramatique conséquente en vue de briser le schéma de l'action dramatique et de le remplacer par le déroulement épique de l'événement... *Drapeaux* est le premier drame consciemment épique...«[100]

De cette mise en scène, un élément nouveau se dégage: la pédagogie. »Le théâtre«, écrit Piscator, »ne se contentera plus de »communiquer l'élan, l'enthousiasme, le ravissement, mais aussi les lumières, le savoir, la connaissance...«[101] A partir de là, Piscator assigne un rôle privilégié à l'intellectuel, à l'homme de théâtre, qui a pour mission de politiser les masses.[102]

Piscator conçoit les pièces de théâtre comme »autant de manifestes grâce auxquels nous voulions intervenir dans l'actualité et ›faire de la politique‹. Nous bannîmes radicalement le mot ›art‹ de notre programme... Subordination de toute intention artistique au but révolutionnaire; l'accent sera mis délibérément sur la lutte des classes et la manière de propager cette lutte...«[103] Il s'agissait pour Piscator de rejeter la culture traditionelle (»l'art bourgeois et la manière bourgeoise ›de jouir de l'art‹ ne peuvent être conservés«[104]), de faire non seulement assister passivement les masses, mais de les faire participer activement, de faire du théâtre le lieu d'une »action directe«.[105] A propos de la représentation de *Trotz alledem* (1925), la *Rote Fahne* constate: »La masse se mit à participer... le théâtre était devenu pour elle une réalité, et très vite il n'y eut plus la scène d'une part et les spectateurs d'autre part, mais une seule grande salle de spectacle, un seul grand champ de bataille, une seule et unique démonstration.«[106] Le théâtre devient ainsi le lieu d'une éducation politique. L'intellectuel, l'homme de théâtre s'assignent la mission de politiser les masses, de les former à la lutte des classes.[107]

Brecht note clairement son désaccord avec Piscator sur ce point. Certes, il apprécie les innovations techniques apportées par Piscator, mais il note aussitôt: »Man neigt gegenwärtig dazu, den Piscatorschen Versuch der Thea-

100 Erwin Piscator, *Le théâtre politique*, L'Arche, Paris 1962, p. 59.
101 Ibid., p. 42.
102 Cf. le programme du »Théâtre prolétarien«, ibid., pp. 38-41.
103 Ibid., p. 38.
104 Ibid., p. 40.
105 Ibid., p. 62.
106 *Die Rote Fahne* du 6. IX. 1925, citée par Schumacher, op. cit. S. 128.
107 Pendant des années, le théâtre de Piscator a effectivement pu passer pour le type même du »théâtre prolétarien«. L'activité de Piscator était approuvée par le Parti Communiste Allemand – ce qui prouve que les tendances radicales de gauche y étaient restées vivaces. Quant à la droite, elle faisait passer Piscator pour un »Kulturbolschewist«: »ce mouvement bolchévique qui est au milieu de nous... C'est à la ›Volksbühne‹ que se forment les troupes d'assaut du bolchévisme«, écrit un journal de droite en 1927 (cité par Piscator, p. 117).

tererneuerung als einen revolutionären zu betrachten. Er ist es aber weder in bezug auf die Produktion noch in bezug auf die Politik, sondern lediglich in bezug auf das Theater.«[108]

Brecht rejette cette vue non dialectique des choses: la révolution ne viendra pas du théâtre; la conscience de classe ne s'acquiert pas au théâtre, mais sur le champ de bataille économique et politique de la lutte des classes. Ou bien alors on retombe dans l'illusion qu'il dénonçait à propos du théâtre bourgeois: la scène devient un *Ersatz* de la réalité, le lieu où le manque ressenti dans la réalité est compensé symboliquement par sa représentation sur la scène.

Si l'homme de théâtre ne peut être l'animateur direct de la lutte des classes, il peut cependant aider la classe ouvrière dans sa lutte. C'est le philosophe Karl Korsch qui a aidé Brecht à faire le pas décisif.[109]

Korsch part d'une critique – fondée ou non – de la théorie léniniste du reflet. Il reproche à Lénine d'avoir déplacé l'accent de la dialectique sur le matérialisme. Or les »conditions économiques« n'épuisent pas la réalité. Korsch met l'accent sur l'unité indissociable de l'infrastructure économique et de la superstructure.

Les rapports de production de l'ère capitaliste ne sont ce qu'ils sont que liés aux formes de conscience dans lesquelles ils se reflètent et ne pourraient pas subsister sans elles. L'action intellectuelle (»die geistige Aktion«) – par le moyen de l'art, de la poésie, de la philosophie – n'est donc pas rendue superflue par la lutte sociale et politique. C'est à ce niveau que peut avoir lieu la transformation de la conscience. De là le fondement de toute la dramaturgie brechtienne: l'œuvre met en branle la pensée critique, et la conscience transformée du créateur peut à son tour transformer la conscience du spectateur. Le théâtre doit être le lieu d'une prise de conscience, le drame devient lui-même un moment du processus dialectique. Il peut être un acte révolutionnaire en ce sens que transformer la conscience, c'est déjà transformer le monde. Théâtre et politique font partie l'un et l'autre du même mouvement de transformation du réel par l'homme. Le théâtre s'empare du monde et, par la vision qu'il en donne, participe à sa transformation: »Wirklichkeit – Theater – Wirklichkeit«, écrit M. Wekwerth, »verbindet sich wie These – Antithese – Synthese zu jenem produktiven Dreischritt, mit dem Hegel seinen Weltgeist tanzen ließ.«[110] Brecht a trouvé le terrain de sa praxis, qui est à la fois compréhension et action.

108 SzTh 1, S. 195.

109 Karl Korsch, *Marxismus und Philosophie.* La première édition est de 1923. Plus intéressante est la deuxième édition (Leipzig 1930), augmentée d'une préface violemment antisoviétique. Cf. aussi l'étude de Wolfdietrich Rasch, »Bertolt Brechts marxistischer Lehrer«, in *Merkur*, Heft 10, Oktober 1963, S. 988-1003.

110 Manfred Wekwerth, *Notate über die Arbeit des Berliner Ensembles 1956 bis 1966*, edition suhrkamp 219, Frankfurt 1967, S. 22.

L'américanisme – Un mythe s'écroule

Le mythe anglo-saxon est né et s'est développé après la première guerre mondiale. Paraphrasant Marx, il n'est sans doute pas faux de dire que les idées dominantes sont les idées du pays dominant.

»Nous suivions l'exemple de l'Amérique«, dit l'écrivain Hans A. Joachim. »L'Amérique était une bonne idée, était le pays de l'avenir ... Nous étions trop jeunes pour la connaître; cependant nous l'aimions. Trop longtemps la glorieuse discipline de la technique ne nous était apparue que sous la forme de tanks, de mines, de gaz asphyxiants, en vue de la destruction de vies humaines. En Amérique elle était au service de l'humanité. La sympathie qu'on manifestait pour les ascenseurs, les postes émetteurs, le jazz avait une valeur démonstrative. Elle était profession de foi. Elle était une façon de transformer l'épée en soc de charrue. Elle était contre la cavalerie, pour les chevaux-vapeur ... Elle considérait qu'il était temps que la civilisation devienne l'affaire des civils. Notre attitude à l'égard de l'Amérique était une prise de position.«[111]

Rien d'étonnant que les écrivains, les poètes aient été sensibles à ce mythe. John Willett cite un poème de Mehring, qui est de 1921:

> I want to be home in Dixi
> And cowboys rings
> Bei echten drinks
> My darling girl schenk ein und mix sie.[112]

On pourrait aussi citer Cocteau, Lorca, Maïakovski. Des poètes ont été jusqua' à changer de nom: Walter Mehring s'est fait appeler Walt Merin, Georg Grosz: George Grosz, Bertolt Brecht: Bert Brecht.

De Brecht on peut dire qu'il a transporté le mythe dans son œuvre et jusque dans sa vie. L'intérêt pour l'Amérique est né chez lui pendant les années de désespoir et de quête:

> O Aasland, Kümmernisloch!
> Scham würgt die Erinnerung
> Und in den Jungen, die du
> Nicht verdorben hast
> Erwacht Amerika![113]

Plus tard, en 1929, il se rappellera:

111 Cf. Schumacher, op. cit., S. 141-142.

112 Walter Mehring, *Das Ketzerbrevier,* München 1921, cité par John Willett, *Das Theater Bertolt Brechts. Eine Betrachtung,* Rowohlt 1964, S. 62.

113 »Deutschland, du Blondes, Bleiches« (1920), in *Gedichte* 2, S. 62-63.

Auch wir versuchten, unsere Bewegungen zu bremsen
Die Hände langsam in die Taschen zu stecken und uns aus den Stühlen
In denen wir (wie für alle Ewigkeit) gelegen hatten, langsam
herauszuarbeiten ...
So eiferten wir diesem berühmten Menschenschlag nach, welcher
bestimmt schien
Die Erde zu beherrschen, indem er sie vorwärts brachte[114].

Cette civilisation est fondée sur le jazz, le sport et la technique:

Ach, diese Stimmen ihrer Frauen aus den Schalldosen! ...
... Ihre Boxer die stärksten!
Ihre Erfinder die praktischsten! Ihre Züge die schnellsten! ...
Und das alles schien 1000 Jahre zu dauern.[115]

Dans l'œuvre de Brecht, l'américanisme décrit une courbe d'abord ascendante. Le sommet est atteint avec le projet de pièce »Dan Drew« (1924), puis l'attitude deviendra de plus en plus critique. *Mann ist Mann* fait déjà le procès de la société technique moderne. Ce procès deviendra celui de la société américaine, capitaliste, par personne interposée d'abord avec *Happy End*, puis directement avec les Opéras, *Die heilige Johanna der Schlachthöfe*, »Verschollener Ruhm der Riesenstadt New York«.

Le sommet, »Dan Drew«, nous paraît assez important pour que nous nous y arrêtions. »Dan Drew«[116] est une pièce sur le capitalisme – mais d'avant les études marxistes. La pièce est restée à l'état d'ébauche – et pour cause. L'œuvre est cependant assez élaborée pour qu'on puisse en deviner la trame.

Se trouvent face à face deux constructeurs de voies ferrées, deux capitalistes. Dan Drew est le chevalier d'industrie, le capitaliste »malhonnête«. Il ne voit que son intérêt personnel, inmmédiat, non l'intérêt de la Compagnie. Il n'a pas confiance dans le système, ne croit pas en l'avenir de l'Amérique. »Sehen Sie, diese Stadt wächst, aber sie ist gottlos und ich glaube, sie wird eine Hölle, der Boden ist fruchtbar für Steine und Elend ...«[117] Et son neveu lui fait le reproche: »Ich sage es schon lange, warum glaubst du nicht an die Zukunft, du hättest leicht die Erie noch behalten können und schönes Geld damit verdienen können ...«[118]

Vanderbilt, au contraire, est le capitaliste »honnête«, qui a foi dans le système: »Er glaubt an Amerikas Zukunft ... Er sagt auf der Börse immer,

114 »Verschollener Ruhm der Riesenstadt New York«, in *Gedichte* 3, S. 88.
115 Ibid., S. 86, 90.
116 Dossier 194 au Bertolt-Brecht-Archiv.
117 BBA, Dossier 194/37. Pour la première fois paraît dans l'oeuvre de Brecht le thème de l'homme double: Dan Drew est un chevalier d'industrie, mais il est aussi, dans la vie privée, un protestant austère.
118 Dossier 194/17.

nichts verkaufen, alles ist wertvoll was ihr habt, in Amerika ...«[119] Tripatouillages, malversations et autres manœuvres, Dan Drew ne parvient pas à ruiner la Compagnie. C'est lui qui sera ruiné, non la Compagnie. Le système est le plus fort.

A ce stade, ce que Brecht montre, c'est la lutte au niveau des individus, au sein d'un ordre social donné, lutte située au plan moral entre le bien et le mal (Vanderbilt et Dan Drew s'opposent comme le blanc et le noir). Mais l'ordre social lui-même n'est nulle part analysé, n'est aucunement mis en question. La pièce est même – contradictoirement – une apologie du système.

Cet »américanisme« aura la vie dure. Dans un poème se rattachant aux »Zum Lesebuch für Städtebewohner gehörige Gedichte«, il est encore dit:

> Und das Beste an Amerika ist:
> Daß wir es verstehen.

et:

> Diese Leute verstehen, was sie tun
> Darum versteht man sie.[120]

Et en 1926 – ou 1927 – encore, Brecht parle de cette »Organisationswut«, de cette »öffentliche Besitzgier« qui sont le propre des »großen Amerikaner des 19. Jahrhunderts«. Ces passions, ajoute-t-il, portées à la »kollektive Steigerung« sont »im Grund revolutionäre Leidenschaften«.[121]

1929, l'année de la crise mondiale, est aussi l'année de la rupture avec l'américanisme. Avec la crise, le mythe anglo-saxon s'écroule. Le poème »Verschollener Ruhm der Riesenstadt New York«[122] retrace le chemin que Brecht a parcouru, de l'admiration et de la fascination à la dénonciation et à l'analyse marxiste.

Ce pays – »God's own country!« – qu'on ne designait: »Nur mit den Anfangsbuchstaben seiner Vornamen genannt: / USA / Wie unser jedermann bekannter, unverwechselbarer Jugendfreund!«[123] a fait faillite:

> Heute wo es sich herumgesprochen hat
> Daß diese Leute bankrott sind

et:

> Sehen wir auf den anderen Kontinenten ...
> Allerhand anders, wie es uns vorkommt, schärfer.[124]

119 Dossier 194/15
120 *Gedichte* 1, S. 186.
121 SzPuG 1, S. 83-84.
122 *Gedichte* 3, S. 85-94.
123 Ibid., S. 85.
124 Ibid., S. 91.

En un mouvement dialectique, Brecht reprend alors toute la première partie du poème (strophes 1-12), pour montrer que ce »système de vie collective« qui paraissait incomparable et indestructible s'est écroulé et retourné en son contraire.

Les gratte-ciel maintenant sont des »misérables hangars«, les trains »pareils à des hôtels roulants«, plus personne ne les habite, les ponts ne relient plus que des tas de décombres.

Quant aux hommes, »ils continuent, dit-on, à se farder«. Hier un luxe pervers, c'est maintenant une nécessité »pour arracher un emploi«. Et Brecht dénonce l'inhumanité d'un système que

> Den Weizen in ganzen Zugladungen in das Meer schüttet, welches
> Das pazifische genannt wird.[125]

alors que des millions d'hommes sont affamés et sans travail.[126]

Ainsi les cataclysmes que Brecht pressentait en 1921 (»Vom armen B. B.«[127]) se sont vraiment abattus sur le monde.

A l'époque, il est vrai, Brecht se sentait solidaire de ce monde déclinant:

> Wir wissen, daß wir Vorläufige sind
> Und nach uns wird kommen: nichts Nennenswertes.[128]

Maintenant, en 1929, il n'est plus solidaire de ce monde. Son étude du marxisme a fait de lui un survivant. Ce système de vie collective n'est plus un absolu. Il le juge de l'extérieur et le condamne. A ce monde qui a fait faillite, il en oppose un autre, celui des tisserands de Kujan-Bulak qui agissent en dialecticiens et édifient un monde nouveau, fondé sur la raison.

Les premières pièces didactiques[129]

La critique de la religion. Au premier abord, la démarche de Brecht peut encore paraître idéaliste: il s'attaque à la religion, c'est-à-dire à la superstructure, aux idées produites par la société, et non à la base économique et sociale. En fait il n'en est rien.

Brecht répète la démarche du jeune Marx. Pour le jeune Marx, en effet,

125 Ibid., S. 93.
126 Dans le même ordre d'idées, il faut aussi citer ici le poème extrait des *Keunergeschichten:* »Über die Auswahl der Bestien« (Cf. *Geschichten vom Herrn Keuner*, Aufbau-Verlag, Berlin 1958, S. 23-25).
127 *Gedichte* 1, S. 147-149.
128 Ibid., S. 149.
129 *Der Flug der Lindberghs:* création au Festival de musique de chambre de Baden-Baden, juillet 1929. Publication dans le Cahier 1 des *Versuche* (1930). En

»l'homme n'est pas un être abstrait, blotti quelque part hors du monde. L'homme, c'est le monde de l'homme, l'Etat, la société. Cet Etat, cette société produisent la religion, conscience inversée du monde, parce qu'ils sont eux-mêmes un monde à l'envers ...«[130] Donc, la religion est un phénomène social. Si la religion est vraiment un reflet déformé, illusoire, ayant pour origine les contradictions de la société, alors la lutte contre la religion, pour être vraiment efficace, doit tendre à faire disparaître les racines sociales de celle-ci, c'est-à-dire qu'elle doit être subordonnée à la lutte économique et sociale, à la lutte révolutionnaire pour transformer la société. Si l'homme, pour se réaliser pleinement, doit se libérer de l'oppression spirituelle, il lui faut d'abord se libérer de l'oppression sociale et politique qui est la racine de ces préjugés. »La critique du ciel«, écrit Marx, »se transforme par là en critique de la terre.«[131] Et encore: »Lutter contre la religion, c'est donc indirectement lutter contre ce monde-là, dont la religion est l'arôme spirituel.«[132] Donc: la critique bien comprise de la religion mène à la critique de la société, à la lutte révolutionnaire.

Brecht ne dit rien d'autre, même si, à première vue, il semble mettre l'accent, un peu naïvement, sur le progrès:

> Unter den schärferen Mikroskopen
> Fällt er.
> Es vertreiben ihn
> Die verbesserten Apparate aus der Luft.[133]

décembre 1949, la station de Stuttgart, le Süddeutscher Rundfunk, sollicite de Brecht l'autorisation de diffuser *Der Flug der Lindberghs.* Brecht répond par une lettre à la date du 3. 1. 1950. Indisposé par le comportement pro-fasciste de Lindbergh, il exige que la pièce soit précédée d'un prologue, que le titre soit modifié: *Der Flug der Lindberghs* devient *Der Ozeanflug* et que le terme »Die Lindbergh« soit partout remplacé par »Die Flieger«. La réédition des *Versuche,* chez Suhrkamp (1959), donne les deux versions de l'œuvre.

Das Badener Lehrstück vom Einverständnis: création à Baden-Baden, le 28 juillet 1929. Publication dans le Cahier 2 des *Versuche.* Réédition des *Versuche* chez Suhrkamp en 1959.

Der Jasager und Der Neinsager: création le 23 juin 1930 au Zentralinstitut für Erziehung und Unterricht, Berlin. Publication dans le Cahier 4 des *Versuche* (1931). Ile existe une édition critique de la pièce: *Der Jasager und Der Neinsager. Vorlagen, Fassungen und Materialien,* edition suhrkamp 171, Frankfurt 1966. Cette édition donne les deux versions.

130 Karl Marx, »Introduction à la Contribution à la critique de le philosophie du droit de Hegel« (1843–1844), in *Sur la religion,* Editions sociales, Paris 1960, p. 41.

131 *Sur la religion,* p. 42.

132 Ibid.

133 *Der Ozeanflug,* Versuche 1, S. 15.

Mais il n'est dit nulle part que le progrès seul aura raison de Dieu. Au contraire, Brecht épouse de très près la critique marxiste de la religion quand il fait dire aux Lindbergh:

In den Städten wurde er [Gott] erzeugt von der Unordnung
Der Menschenklassen, . . .
. . . aber
Die Revolution liquidiert ihn.[134]

La religion est bien un phénomène social, et pour la supprimer il faut supprimer la société de classes. La religion, qui est superstructure, disparaîtra en même temps que la société de classes.

Et en définitive Brecht met l'accent sur l'action conjuguée des travailleurs et du progrès, action conjuguée qui fera disparaître la religion:

So auch herrscht immer noch
In den verbesserten Städten die Unordnung
Welche kommt von der Unwissenheit und Gott gleicht.
Aber die Maschinen und die Arbeiter
Werden sie bekämpfen, . . .[135]

Brecht pense donc comme Marx que »la critique de la religion est la condition préliminaire de toute critique«.[136] »La critique de la religion«, écrit le jeune Marx, »détruit les illusions de l'homme pour qu'il pense, agisse, façonne sa réalité comme un homme sans illusions parvenu à l'âge de raison . . .«[137] Ainsi, la critique de la religion est, chez Brecht comme chez le jeune Marx, glorification du comportement rationnel. Il s'agit d'éliminer l'ignorance, qui est ignorance scientifique et ignorance des véritables rapports de classes. Il s'agit d'éliminer le désordre, qui a son origine dans la société de classes et qui permet la naissance des dieux.

Changer le monde – changer l'homme. Brecht sait maintenant que pour changer la vie il faut d'abord changer le monde. Après la critique du ciel, la critique de la terre: après la critique de la religion, la critique de la société. A la question: l'homme est-il une aide pour l'homme, Brecht répond par trois enquêtes qui prouvent qu'il n'en est rien.[138] Dans une société fondée sur

134 Ibid.
135 Ibid.
136 *Sur la religion*, p. 41.
137 Ibid., p. 42.
138 De ces enquêtes, nous ne retiendrons la dernière: deux clowns s'affairent autour d'un géant et, sous prétexte de guérir ses douleurs, ils le découpent membre par membre. Nous y voyons un symbole: le géant – la classe ouvrière – ne doit espérer d'aide que de lui-même. Ceux qui feignent de l'aider ne font que l'affaiblir davantage. C'est ici la première attaque de Brecht dirigée contre le réformisme.

la lutte de l'homme contre l'homme, l'homme n'aide pas l'homme. Le progrès seul n'apporte pas la solution (»Das Brot wurde dadurch nicht billiger«[139]). A la question posée, Brecht répond par une dialectique serrée de la violence et de l'assistance:

> Wenn keine Gewalt mehr herrscht, ist keine Hilfe mehr nötig.
> Also sollt ihr nicht Hilfe verlangen, sondern die Gewalt abschaffen.
> Hilfe und Gewalt geben ein Ganzes
> Und das Ganze muß verändert werden.[140]

Non pas le réformisme, mais la révolution. Ceux-là seuls aident l'homme, qui sont révolutionnaires.

Cette nécessaire transformation du monde ne peut être l'œuvre d'individus isolés; elle ne peut résulter que de l'action collective.

Alors se pose la question de l'accession de l'individu à la collectivité.

> Ändernd die Welt, verändert euch!
> Gebt euch auf![141]

dit le chœur. Pour accéder à la collectivité, il faut que les hommes s'anéantissent en tant qu'individus. Qu'ils rejoignent »leur plus petite dimension«, démontrant ainsi qu'ils ne sont plus captifs de rien, ni de leur vol, ni de leur gloire, ni de leur nom, ni des hommes qui les attendent, ni même de leur vie. »L'accession au domaine de la raison et de l'histoire est à ce prix«, écrit Bernard Dort.[142]

Certes, nous savons que, dans l'optique marxiste, l'homme n'est rien en dehors de la collectivité. L'être de l'homme est un être collectif. »Einer ist keiner, es muß ihn einer anrufen«, avait déjà constaté Galy Gay.[143] Maintenant il est dit pus clairement:

> Indem man ihn anruft, entsteht er.
> Wenn man ihn verändert, gibt es ihn.
> Wer ihn braucht, der kennt ihn.
> Wem er nützlich ist, der vergrößert ihn.[144]

Mais Brecht érige ce collectif en absolu, où l'individu doit totalement se perdre (»Wir sind niemand«, constatent les trois mecaniciens[145]). Or – selon Marx – si l'individu ne peut trouver son accomplissement que dans la col-

139 *Das Badener Lehrstück vom Einverständnis. Versuche* 2 (1959), S. 120.
140 Ibid., S. 128.
141 Ibid., S. 140.
142 Bernard Dort, *Lecture de Brecht*, Editions du Seuil, 2e édition, Paris 1960, p. 81.
143 *Stücke* 2, S. 270.
144 *Das Badener Lehrstück*, S. 137.
145 Ibid., S. 133.

lectivité, dialectiquement l'individu, de son côté, agit sur la communauté et trouve son épanouissement dans la collectivité transformée.[146]

Le problème de Brecht est ici le problème de l'intellectuel bourgeois. Son ami, le romancier Feuchtwanger, écrit de lui: »Sa personnalité le faisait souffrir. Il voulait en sortir... Toujours quelque chose de lui dépassait les autres. C'est de cela qu'il voulait se défaire...«[147] En réaction contre l'individualisme de ses premières années, Brecht aspire maintenant à trouver sa place au sein d'une communauté fraternelle, et il est prêt à faire de cette démarche un holocauste, à se sacrifier lui-même, son œuvre, et même une partie de son talent d'écrivain.

L'aviateur est ce héros bourgeois, individualiste, qui se sert du collectif et qui, à cause de cela, n'a plus sa place dans la société.

La méditation sur la mort. Cette méditation ne peut être comprise que comme une dialectique du devenir. Elle rappelle le »Meurs et deviens« de Goethe repris par Nietzsche: la vie ne progresse que par la mort, c'est-à-dire la négation constante de ce qui est. S'attacher à ce qui est, c'est s'exclure de la vie. Etre en accord avec la mort, c'est au contraire »entrer dans la rivière«, épouser le devenir.

Cette même dialectique doit être appliquée au monde des hommes, à l'histoire:

Habt ihr die Welt verbessert, so
Verbessert die verbesserte Welt.
Gebt sie auf![148]

C'est le thème de l'expropriation:

Der Tisch ist fertig, Tischler
Gestatte, daß wir ihn wegnehmen,[149]

dit un fragment de la même époque. Et encore:

Du bist fertig, Staatsmann
Der Staat ist nicht ferig...
Laß dir die Ordnung gefallen, Ordner.

146 Marx a toujours affirmé que »c'est seulement dans la communauté avec d'autres que chaque individu a les moyens de développer ses facultés dans tous les sens; c'est seulement dans la communauté que la liberté personnelle est donc possible« (*L'Idéologie allemande*, Editions sociales, Paris 1968, p. 94). Cf. aussi, dans le même ouvrage, les »Thèses sur Feuerbach«, pp. 31-34.

147 Lion Feuchtwanger, *Erfolg*, cité par John Willett, *Das Theater Bertolt Brechts. Eine Betrachtung*, Rowohlt 1964, S. 176.

148 *Das Badener Lehrstück*, S. 140.

149 *Gedichte* 2, S. 195. (Aus: »Der Untergang des Egoisten Johann Fatzer«-Fragment.)

Der Staat braucht dich nicht mehr
Gib ihn heraus.[150]

Il importe de rejeter toute conquête pour la dépasser. Renoncement productif, puisqu'on n'abandonne une valeur que pour en fonder une plus haute.

Ce qui caractérise les trois pièces didactiques, c'est que nous y trouvons un éloge de plus en plus assuré, de plus en plus approfondi de la raison.[151]

150 Ibid., S. 196.

151 A côté de Marx et de Engels, il y a eu, sans aucun doute, influence de Hegel. Mais Brecht, qui parle volontiers de ses lectures, ne parle guère de Hegel avant 1933, alors qu'il en parle abondamment plus tard. C'est pourquoi il est difficile de déterminer avec précision, en l'état actuel de nos connaissances, quelles œuvres de Hegel Brecht a pu lire à cette époque.

Pourtant il nous paraît certain que Brecht a connu Hegel avant 1933, ne serait-ce que de seconde main – par l'intermédiaire de Marx par exemple. L'»Introduction à la Contribution à la critique de la philosophie du droit de Hegel« a été publiée en 1927 dans la *Marx-Engels-Gesamtausgabe* (MEGA), tome I. D'autre part, il existe dans les SzPuG I un ensemble de notes (»Über Dialektik«, S. 243-258), qui date au plus tôt de 1929. A travers ces notes aussi il apparaît clairement que Brecht a lu l'»Introduction à la Contribution . . .«. Voici ce qu'il écrit:

Die Bourgeoisie produziert . . . eine Dialektik. Diese ist eine Betrachtungsweise, welche in einheitlich auftretenden Formationen wachsende Gegensätze aufspürt, eine auf Veränderungen, Umwälzungen, Entwicklung das Interesse lenkende Betrachtungsweise. Diese Dialektik, diese Revolutionsphilosophie erfährt ihren großartigsten Ausbau (durch Hegel) in einer Zeit, wo die Bourgeoisie eine Revolution *mehr oder weniger* hinter sich hat und bereits mit der Schlichtung der Interessengegensätze beschäftigt ist, dem Abstoppen der Entwicklung, während sie noch immer gezwungen ist, ihre Revolution zu vervollständigen . . . Aber das eben angelangte Bürgertum, die Klasse, die, um ihre Revolution zu machen, eine andere Klasse, das Proletariat, benötigte und die, um ihre Herrschaft auszubauen, mehr und mehr diese andere Klasse verstärken muß, das Bürgertum ist ein schlechter, ein gehemmter Referent der Dialektik. Der bessere Referent, durch seine Lage, ist das Proletariat. Das Bürgertum, die Geschichte betrachtend, schreibt eine Geschichte von Wandlungen. Aber dieser Schreiber ist nicht in der Lage, die Prinzipien, die er in der Vergangenheit feststellte, in der Gegenwart oder gar für die Zukunft für wirksam zu erklären. Es hat eine Geschichte gegeben, es gibt jetzt keine mehr. Nun, ein anderer Schreiber schreibt weiter (S. 248-250).

Mais il apparaît aussi, à travers ces notes, qu'à cette date Brecht n'a pas encore véritablement assimilé la dialectique hégélienne: »Die Anwendung wirklicher Dialektik wird in dieser unserer Gesellschaftsordnung sofort und unmittelbar zu direkt revolutionären Aktionen und Organisationen führen müssen . . .« (S. 243). Ce qui est une interprétation pré-dialectique, mécaniste de la pensée hégélienne. Il ne s'agit pas *d'appliquer* la dialectique dans le cadre d'un système social – la dialectique est *dans, à l'intérieur* de tous les systèmes sociaux.

L'influence de l'hégélianisme sur la pensée de Marx a été longtemps méconnue. Sans doute faudra-t-il du temps, aussi, pour mesurer l'influence

Ainsi de *Der Jasager und Der Neinsager*. Les deux pièces ne se contredisent pas, elles se complètent: l'enfant dit oui (deuxième version) quand la mort lui paraît la seule issue raisonnable qui permette de sauver la cité ravagée par une épidémie. Raisonnablement, il est prêt à sacrifier sa propre vie pour le bien de tous. Mais il dit non quand la mort est imposée par un grand usage auquel il ne voit pas le moindre bon sens. Et ce non ne signifie pas seulement refus de se soumettre à la loi, mais refus de la loi elle-même. A laquelle il propose aussitôt d'en substituer une autre: celle »de réfléchir à neuf dans chaque situation nouvelle«.[152] L'exigence formulée est celle d'un nouvel ordre fondé sur la raison. La nouvelle grande coutume consistera à tout soumettre à l'examen de la raison. Il s'agit, en toutes circonstances, de dénoncer la règle communément admise pour briser un système meurtrier.

* * *

Ich teile – das muß gesagt werden – nicht die Ansicht . . ., daß Brechts Talent unter der Politik Schaden nahm; eher neige ich dazu, im politischen Dogma die Rettung aus der Anarchie und dem zynischen Nihilismus seiner frühen Zeit zu erblicken. (Peter Suhrkamp: *Bertolt Brechts Gedichte und Lieder*, Bibliothek Suhrkamp, Frankfurt 1969, S. 5-6.)

Au commencement il y avait Rimbaud: le mythe de Rimbaud, de celui qui part et qui, comme Kragler, revient.

Après l'écrasement de la révolution, l'intellectuel bourgeois en rupture de classe, ne voyant pas d'issue révolutionnaire à long terme, est nécessairement rejeté vers l'anarchisme et le nihilisme. Jeune homme à l'orée d'une longue marche, Brecht aborde alors une période où ses mutations sont à l'image de celles de l'Allemagne, profondes et complexes.

Avec *Baal*, Brecht célèbre son »Sacre du Printemps«. Baal est ce héros asocial qui ne veut être rien d'autre qu'un morceau de la nature, qui refuse la société, refuse l'histoire. Baal est l'homme-Dieu qui ne vit que pour satisfaire ses besoins les plus élémentaires. Projection dans la littérature d'un mode de vie à la fois magnifié et moqué, dont Brecht sait qu'il est, en fait, irréalisable.

Ses premières pièces sont exaltations du Moi. Ses héros sont de fortes personnalités qui cherchent leur épanouissement dans l'acte solitaire, anarchiste, sans toutefois toucher à l'ordre du monde. Il s'agit de changer la vie, non de changer le monde. Cependant, au fil des années, leurs chances de succès vont s'amenuisant. Pour finir, Galy Gay est absorbé par le collectif, il perd sa personnalité comme Schlemihl son ombre.

que Hegel a pu exercer sur Brecht. Il est certain qu'il reste là un vaste champ à explorer.

152 *Der Jasager und Der Neinsager. Vorlagen, Fassungen und Materialien*, S. 49.

C'est que la réalité de la société capitaliste s'impose à Brecht avec une force et une précision de plus en plus grandes. Cette société, il est encore incapable de l'analyser. Mais il en enregistre les tremblements. Il donne à voir.

Dieu est mort. L'histoire pourrait donner un sens à l'aventure humaine. Mais l'histoire est elle-même dénuée de sens, répétition à l'infini qui exclut tout progrès.

L'homme se trouve alors jeté dans l'univers des villes qui est un univers atomisé, le lieu d'un affrontement sans merci et d'une solitude infinie. Brecht accomplit son voyage d'intellectuel bourgeois au bout de la nuit et du désespoir. Voici venu pour lui le temps du mépris. S'il s'intéresse au sport, à la boxe, c'est qu'il ne peut concevoir d'autres relations entre les hommes que de lutte. A la limite, la lutte elle-même devient d'ailleurs impossible. Les adversaires ne s'atteignent plus et le combat lui-même n'est plus qu'une partie de shadow.

C'est en 1926 que Brecht amorce son grand »retournement«. Il se met alors, avec conscience et modestie, à l'étude du marxisme-léninisme.[153] Suivant le conseil de Marx, il va »laisser de côté la philosophie« et »se mettre à l'étude de la réalité en tant qu'homme ordinaire«.[154]

Il convient de déterminer clairement ce que l'étude du matérialisme dialectique et historique a apporté à Brecht:

Cette étude a fait sortir Brecht de sa province allemande et a donné à sa pensée les dimensions du monde.

Le marxisme-léninisme lui a expliqué le processus de l'histoire. Il lui a fourni la clé qui à la fois lui a ouvert la compréhension du monde et lui a donné la possibilité d'agir sur le monde, le point d'appui qui lui a permis de faire basculer le monde. A partir de 1926, la politique est la catégorie qui englobe toutes les autres. Les idées politiques déterminent son œuvre et son œuvre exprime ses idées politiques.

Aussi les recherches de l'homme de théâtre, du »producteur«, sont-elles inséparables de ses recherches sur le plan général. Dans le temps même où Brecht était parvenu à prendre pied dans les théâtres, il avait fait cette expérience fondamentale qu'il ne suffit pas de s'imposer, de disposer de l'instrument pour réaliser ses projets: »En fin de compte, les pièces nouvelles

153 Au cours de l'entrevue qu'elle nous a accordée à Berlin, Elisabeth Hauptmann a fortement insisté sur cette modestie, cette rigueur et cette méthode, les opposant à la légèreté d'un Dürrenmatt. La démarche intellectuelle de Brecht étudiant Marx et Lénine est un travail en profondeur, qui ne peut être comparé qu'à celui de Schiller étudiant la pensée de Kant. Cf. déjà Reinhold Grimm, *Bertolt Brecht* (Stuttgart, 1961), p. 68: »Brechts Hinwendung zum Marxismus, der ein jahrelanges, an Intensität und Wirkung dem Kant-Studium Schillers vergleichbares Bemühen um die marxistischen Schriften vorausging . . .«

154 *L'Idéologie allemande*, p. 269.

n'ont fait que servir le vieux théâtre en retardant sa chute, qui leur est pourtant indispensable.«[155] Seule la transformation globale du régime social permettra de changer la fonction sociale du théâtre. La nécessité de la révolution s'impose autant au »producteur« qu'à l'homme. Elle s'impose sur le plan du métier autant que sur le plan de la vie.

Comment l'homme de théâtre peut-il œuvrer aux côtés de la classe ouvrière à cette nécessaire transformation du monde? L'influence de Korsch – nous l'avons vu – fut ici déterminante: le théâtre doit être le lieu d'une prise de conscience. Il peut alors être un acte révolutionnaire, en ce sens que transformer les consciences c'est déjà transformer le monde.

Ainsi le marxisme a sorti l'homme de théâtre de l'impasse. Il a donné un sens nouveau à son travail de »producteur«: toute œuvre littéraire s'inscrit dans l'histoire qu'elle reflète et contribue à transformer.

Brecht sait maintenant: il ne suffit plus d'interpréter le monde, il faut le transformer.[156] Mais il achoppe alors à une dernière difficulté. Parce qu'il était un intellectuel bourgeois, parce qu'il est venu au marxisme par la théorie plus que par la vie, le problème de l'engagement personnel aux côtés de la classe ouvrière s'est d'abord posé à lui en termes de morale idéaliste et d'ascèse.

Exaltation à l'infini, expansion illimitée du Moi, tel avait été le premier thème de l'œuvre d'adulte de Brecht. Voici que maintenant il se porte à l'autre extrême: celui qui veut changer le monde, doit être prêt à renoncer totalement à lui-même. Que Brecht ait ainsi, dans un premier temps, exigé que l'homme, pour transformer le monde, »efface son visage«, prouve seulement le profond sérieux de sa démarche: venir au marxisme, pour lui, ne pouvait être seulement un acte de compréhension intellectuelle, mais exigeait l'accord de tout l'être (»ein Anderswerden«, a écrit Johannes R. Becher).

Sans doute y a-t-il aussi cette idée – profondément léniniste – qu'il faut disparaître dans la masse pour être éduqué par elle: »Sinke doch! Auf dem Grunde / Erwartet dich die Lehre. / Zu viel Gefragter / Werde teilhaftig des unschätzbaren / Unterrichts der Masse«, est-il dit dans le »Untergang des

155 »Sollten wir nicht die Ästhetik liquidieren?«, SzTh 1, S. 98.

156 *L'Idéologie allemande*, Thèse XI, p. 34 *L'Idéologie* avait été publiée en allemand en 1926, in F. Engels, *Ludwig Feuerbach und der Ausgang der klassischen deutschen Philosophie.* Engels avait fait figurer les »Thesen zu Feuerbach« en appendice à son *Ludwig Feuerbach.*

Cf. aussi le témoignage de Sternberg (in *Der Dichter und die Ratio*, Göttingen 1963, S. 29): »Brecht voulait changer le monde, et il n'y a sans doute pas de phrase de Marx qui l'ait touché plus profondément que celle-ci: jusqu'à présent les philosophes n'ont fait qu'interpréter le monde de différentes manières, ce qui importe c'est de le transformer ...«

Egoisten Johann Fatzer«.[157] Texte que Walter Benjamin commente ainsi: »Zugrunde gehen heißt hier immer: auf den Grund der Dinge gelangen.«[158] Ce que Lénine a peut-être le plus admiré chez Marx, c'est d'avoir su, dit-il, »se mettre à l'école« de la classe ouvrière et s'instruire avec elle.[159] Brecht a su accomplir cette même démarche. En réaction contre l'individualisme forcené de ses premières années, il a aspiré profondément à trouver place au sein d'une communauté fraternelle.

Et le chemin le mènera ainsi à travers *Die Maßnahme*, jusqu'à cet aboutissement provisoire que sera *Die Mutter*. Avec *Die Mutter*, enfin, nous aurons affaire à des hommes et des femmes qui ne se trouvent plus confrontés à une »doctrine« qui leur est extérieure, des hommes et des femmes qui font le communisme à petits pas, tous les jours, et en retour sont faits par lui, qui luttent de toute leur raison et de toute leur passion et qui, loin d'être brisés par cette lutte, y trouvent au contraire leur accomplissement.

Nous avons ainsi suivi le chemin qui a mené l'intellectuel bourgeois en rupture de classe aux côtés du prolétariat révolutionnaire. Et la dialectique reprend ici tous ses droits: si Brecht doit beaucoup pour son évolution et son œuvre au marxisme-léninisme, il a, inversement, en trouvant les moyens artistiques d'un soutien à la lutte de la classe ouvrière, beaucoup apporté au mouvement ouvrier international. Et il nous plaît que notre étude s'achève ici avec l'évocation de »La Mère«, profession de foi et cri d'espoir d'un homme qui proclame sa confiance inaltérable dans l'homme, alors même que son pays s'apprête à sombrer dans la nuit de la déraison.

157 *Gedichte* 2, S. 195.
158 Walter Benjamin, *Versuche über Brecht*, edition suhrkamp 172, Frankfurt 1967, S. 37.
159 Cf. V. Lénine, *L'Etat et la Révolution* (à propos de la Commune de Paris). Œuvres choisies en trois volumes, Editions du Progrès, Moscou 1968, tome 2, p. 324.

Karl-Heinz Schoeps
[Urbana, Illinois]

BERTOLT BRECHT UND GEORGE BERNARD SHAW

Man wird verstehen, daß es einer aufrichtigen Ovation für Bernard Shaw gleichkommt, wenn ich unumwunden zugebe, daß ich ... mich blindlings und unbedingt der Shawschen Theorie anschließe. Denn: mir scheint ein Mann von solcher Verstandesschärfe und unerschrockener Beredsamkeit absolut vertrauenswürdig. (GW XV, 101)[1]

So endete Bertolt Brecht seinen Beitrag zu der Grußadresse zum siebzigsten Geburtstag von Bernard Shaw, die am 25. Juli 1926 im *Berliner Börsen-Courier* und gleichzeitig in der Wiener *Neuen Freien Presse* veröffentlicht wurde. Wie uns Werner Hecht mitteilt, hat Brecht im selben Jahre auch erstmals vom »epischen Theater« gesprochen und geschrieben[2]. Der Dramatiker Bernard Shaw erfreute sich überhaupt in den zwanziger Jahren in Deutschland und vor allem in Berlin großer Beliebtheit, die 1924 mit der Reinhardtschen Inszenierung der *Heiligen Johanna* einen Höhepunkt erreichte. Brecht, zu der Zeit zusammen mit Zuckmayer Dramaturg bei Reinhardt, war mit dem Berliner Theaterleben bestens vertraut. Sein damaliger Freund Arnolt Bronnen berichtet in seinen Erinnerungen, wie er und Brecht durch die Theater streiften und »von Shaw bis Shaw« alles in sich aufnahmen[3].

Die Wirkung der Shawschen Stücke und der Shaw-Lektüre soll im folgenden an einigen ausgewählten Beispielen untersucht werden. Brechts bekannte Laxheit in Fragen geistigen Eigentums – eine Eigenschaft, die auch Shaw nicht fremd war – und das Fehlen von Tagebuchaufzeichnungen für die zweite Hälfte der zwanziger Jahre erschweren die Untersuchung. Doch Brechts Äußerungen über Shaw sowie inhaltliche und formale Parallelen zwischen den Werken der beiden Stückeschreiber geben wertvolle Aufschlüsse. Einfluß, mit Ulrich Weisstein im weitesten Sinne verstanden[4], muß also zum großen Teil indirekt erschlossen werden. Da die beiden Komplexe von Einfluß und Affinität nur selten eindeutig geschieden sind[5], ist es unerläßlich, sie zusammen zu betrachten.

Es besteht kein Zweifel, daß sich Brecht ausführlich mit Shaw beschäftigt

1 Bertolt Brecht, *Gesammelte Werke*, 20 Bde. (Frankfurt, 1967), Bd. XV, S. 101.
2 Werner Hecht, *Brechts Weg zum epischen Theater* (Berlin, 1962), S. 4.
3 Arnolt Bronnen, *Tage mit Bertolt Brecht* (München, 1960), S. 33.
4 Ulrich Weisstein, *Einführung in die Vergleichende Literaturwissenschaft* (Stuttgart, 1968).
5 Ebd., S. 96.

hat. Neben der oben zitierten, recht positiv klingenden Beurteilung gibt es allerdings auch kritischere Bemerkungen. Sie illustrieren Brechts dialektische und oft situationsbedingte Haltung, in der er Lenin, einem seiner großen Vorbilder, gleicht, für den auch Shaw aufrichtige Bewunderung hegte. Brecht verfaßte die »Ovation« für Shaw während eines Sommerurlaubs in Wien, als er dort wirtschaftliche Informationen für sein geplantes Stück *Weizen* sammelte. Diese Bemühungen führten ihn zum intensiven Studium von Karl Marx und zum Marxismus. Die Kritik an seinem britischen Kollegen ist daher in erster Linie eine Ideologiekritik, ganz im Sinne der Partei-Marxisten, die Shaw als »petit bourgeois« abqualifizierten. So antwortete Brecht am 11. Juli 1927 im *Filmkurier* auf die »blödsinnige Zeitungsumfrage«, worüber er in seinem Leben am meisten gelacht hätte: »Als ich hörte, daß Shaw Sozialist ist[6].« Ende der dreißiger Jahre stellt er in einem Aufsatz zur »Übernahme des bürgerlichen Theaters« kategorisch fest: »Marx hat recht und nicht Shaw« (GW XV, 317). Im Bereich der Form, der Dramaturgie und der Theatergeschichte weist Brecht dem großen Iren jedoch durchaus einen wichtigen Platz an.

Wie Shaw legt Brecht keinen Wert auf stoffliche Originalität; es kommt auch ihm mehr auf das *Wie* als auf das *Was* an. »Diese Verwicklungen können Shaw nicht alt und bekannt genug sein, er hat darin gar keinen Ehrgeiz«, lobt Brecht in der »Ovation«. Als Beispiel nennt er Shaws *Saint Joan:* »Ein patriotisches Mädchen findet sich in der Geschichte, und es ist ihm nur wichtig, daß uns die Geschichte des Mädchens möglichst vertraut [...] ist, um desto gründlicher unsere veralteten Ansichten [...] herzunehmen« (GW XV, 99).

Brecht hat den Johanna-Stoff gleich dreimal für ein Stück verwendet: 1929/30 entstand *Die heilige Johanna der Schlachthöfe*, 1941/43 *Die Gesichte der Simone Machard* und 1952 eine Bearbeitung des Hörspiels von Anna Seghers *Der Prozeß der Jeanne d'Arc zu Rouen 1431*. Bernard Shaws *Saint Joan* entstand 1923; Max Reinhardt eröffnete die Berliner Theatersaison 1924/25 mit Shaws *Die heilige Johanna.* Brecht hat die Proben zu diesem Stück, das Günther Rühle als »das wirkungsreichste Stück dieser Jahre überhaupt« bezeichnet[7], mit äußerstem Interesse verfolgt; er war also mit dem Stück bestens vertraut. Shaw hat den Johanna- und den Heilsarmee-Stoff in zwei voneinander unabhängigen Stücken behandelt: *Saint Joan* und *Major Barbara* (1905). Brecht dagegen bringt beide Themen in einem Stück zusammen: seine Johanna ist ein Offizier der Heilsarmee. Wie die Heilsarmistin Barbara versucht Johanna, die Welt durch Verteilung von Suppen, durch Gebet und Bekehrung zu verbessern. Ihnen gegenüber steht die Welt des erbarmungslosen Kapitalismus in Gestalt von Andrew Undershaft und Pierpont Mauler, die sie auf den rechten Weg zu bringen versuchen. Beide Kapitalisten wissen die Heilsarmee zu schätzen, da sie wie alle religiösen Organisationen die Armen auf ein besseres Jenseits ver-

6 Hans Mayer, *Bertolt Brecht und die Tradition* (München, 1965), S. 41.
7 Günther Rühle, *Theater für die Republik* (Frankfurt, 1967), S. 556.

tröstet, statt deren Peiniger an den Pranger zu stellen und für ein besseres Leben auf Erden zu sorgen. Undershaft gesteht dies ohne Umschweife: »All religious organizations exist by selling themselves to the rich [. . .] an invaluable safeguard against revolution« (W XI, 298).[8] Aus dem gleichen Grunde fördert Mauler das Werk der »Schwarzen Strohhüte«, wie Brecht die Heilsarmee nennt:

> [. . .] Darum wollen wir
> Euch, den Schwarzen Strohhüten, ermöglichen euer ordnungsförderndes Werk
> Durch reiche Geldspenden. (GW II, 772)

Doch die Heilsarmeeoffiziere müssen schließlich die Wahrheit erkennen. Am Ende beider Stücke bleibt als einzige Möglichkeit, die Verhältnisse zu ändern: die Gewalt. Brecht spricht diese Hoffnung auf Revolution und Klassenkampf in seiner doktrinärsten Periode, gedrängt von den unhaltbaren Zuständen des damaligen Deutschland, unverblümt aus. Die sterbende Johanna bekennt: »Es hilft nur Gewalt, wo Gewalt herrscht« (GW II, 783). Shaw ist weniger direkt und marxistisch doktrinär, aber ebenso unmißverständlich. Major Barbara geht zwar nicht zugrunde, doch auch sie weist den Weg zur Befreiung des Proletariats: »The way of life lies through the factory of death« (W XI, 349). In einer unveröffentlichten Fassung von *Major Barbara* legt Shaw Undershaft noch deutlichere Worte in den Mund:

> Poverty and slavery have stood up for centuries to sermons and Bibles and leading articles and pious platitudes: they will not stand up to my machine guns. Let every English citizen resolve to kill or be killed sooner than tolerate the existence of one poor person or one idler on English soil; and poverty and slavery will vanish tomorrow.[9]

Zwischen den beiden Stücken gibt es praktisch keine textlichen Übereinstimmungen – bis auf eine Stelle, die Ernst Schumacher anführt. Am Ende der fünften Szene sagt Johanna zu den Viehzüchtern von Illinois:

> Wißt, auf den Mauler
> Hab ich ein Aug, der ist erwacht [. . .]
> Denn nunmehr soll er nicht mehr zur Ruhe kommen
> Bis allen geholfen ist. (GW II, 709)

Nach Schumacher[10] knüpft Brecht hier an die Stelle an, in der Shaws Johanna

8 George Bernard Shaw, *The Works of Bernard Shaw*, 20 Bde. (London, 1930 ff.), Bd. XI, S. 298.
9 Zit. nach Louis Crompton, *Shaw the Dramatist* (Lincoln, 1969), S. 119.
10 Ernst Schumacher, *Die dramatischen Versuche Bertolt Brechts 1918–1933* (Berlin, 1955), S. 577.

Bill Walker verspricht: »You'll never have a quiet moment, Bill, until you come round to us« (W XI, 301). Auch der Titel »Grillenfang« der sechsten Szene geht, wiederum nach Schumacher, auf eine Stelle in Shaws Vorwort zu *Major Barbara* zurück. Von wesentlich größerer Bedeutung sind jedoch die dramatischen Konzepte und Denkmodelle, die Brecht in Shaws Stücken und nicht zuletzt in ihren Vorworten findet; denn meist zeigen diese Vorworte Shaws Ansichten klarer als die Stücke – wie übrigens auch Brecht erkannte: »Bei Shaw wird der Hauptstoff als Gesprächsthema gebracht – oder in der Vorrede« (BBA 277/55). Das gilt in besonderem Maße für das Vorwort zu *Major Barbara*, in dem Shaw eine treffende Analyse der Heilsarmee in einer kapitalistisch organisierten Gesellschaft bietet.

Die angeführten Parallelen verlocken dazu, Anthony Abbott zuzustimmen, der in seinem Buch *Shaw and Christianity* kategorisch feststellt, Brecht habe sich bei der Abfassung der *Heiligen Johanna der Schlachthöfe* stark auf Shaws *Major Barbara* gestützt[11]. Doch so einfach ist es nicht. Wie Elisabeth Hauptmann, Brechts Mitarbeiterin an seinem Heilsarmeestück, mir erzählte[12] und wie die zahlreichen Veröffentlichungen und Notizen über die Heilsarmee, die sich im Brecht-Archiv finden, beweisen, hat Brecht selbst ausführliche Studien über die Heilsarmee getrieben (vgl. BBA 897). An literarischen Vorbildern stand ihm zum Beispiel ein Stück wie *Von morgens bis mitternachts* seines »Lehrmeisters« Georg Kaiser zu Gebote. Die wichtigste von allen Darstellungen der Heilsarmee war ihm aber vermutlich die Interpretation ihrer Funktion in der kapitalistischen Gesellschaft, die Friedrich Engels in der Einleitung zu seinem Buch *Entwicklung des Sozialismus von der Utopie zur Wissenschaft* gibt. Auf Engels verweist Brecht ausdrücklich im Material zum Stück *Brotladen*, einer Vorstufe zur *Heiligen Johanna* (vgl. BBA 1355/09). Die zuletzt genannten Quellen sprechen nicht gegen den Einfluß Shaws, doch sie rücken ihn in die rechte Perspektive. Eine für Brecht wichtige Quelle weist geradezu den Weg zu Shaw. Am 31. August 1920 notierte Brecht: »Ich lese P. Wieglers *Figuren*, ein ausgezeichnetes Buch mit Schattierungen und viel Stoff« (GW XVIII, 9). In dem von Brecht so geschätzten ›lässigen Ton‹ berichtet Paul Wiegler in diesem 1916 in Leipzig erschienenen Buch von zahlreichen bedeutenden und exzentrischen Figuren, darunter Jeanne d'Arc und William Booth. Das Kapitel »Propheten« gipfelt in dem Hinweis auf Bernard Shaws *Major Barbara:*

> Als eine riesige Konsumgenossenschaft wird die Salvation Army ihre ökonomische Macht behaupten. Shaws Heilsarmeestück *Major Barbara* und die Einleitung dazu [...] ist die erste Kritik dieser neuen Heilsarmee, dieser Heilsarmee ohne William Booth. (S. 163)

11 Anthony S. Abbott, *Shaw and Christianity* (New York, 1965), S. 136.
12 Bei einem Interview in Berlin im April 1970.

Brechts *Heilige Johanna* unterscheidet sich von Shaws *Saint Joan* zunächst dadurch, daß Shaw seine Johanna in der mittelalterlichen Welt beläßt (mit Ausnahme des Epilogs), während Brecht sie nach Upton Sinclairs Chicago versetzt. In einer Zeitungsnotiz vom 2. August 1930 weist er selbst darauf hin:

> Bert Brechts nächstes Drama *Die heilige Johanna der Schlachthöfe* wird den Fall der Jungfrau von Orleans sozusagen in modernstem Milieu wiederholen und zur Diskussion stellen. Auch gegenüber Shaws *Johanna* wird der Unterschied darin liegen, daß Leben und Schicksal der Brechtschen Heldin, der Kampf einer glaubensstarken Frau für eine Idee, unmittelbar den materialistischen Bedingungen der Gegenwart unterliegen.[13]

Ferner fehlt Shaw Brechts proletarischer Blickwinkel. Die Parallelen zu Shaws *Johanna* sind jedoch zu offensichtlich, als daß man von Zufall sprechen könnte. Schon die zitierte Zeitungsnotiz macht den Bezug auf Shaws Johanna-Stück deutlich. Auch der Titel deutet auf Shaw, dessen *Saint Joan* von Siegfried Trebitsch mit *Die heilige Johanna* übertragen wurde. Sowohl Johanna als auch Saint Joan schreiten von naivem Glauben zu klarer Erkenntnis vor. Beide werden den Herrschenden zu einer Bedrohung, nachdem diese sie für ihre eigenen Zwecke mißbraucht haben. Ihre wahre Botschaft wird übertönt vom Lobgesang derer, die sie kritisieren; sie selbst gehen schmählich zugrunde. Beide Stückeschreiber benutzen keine Schwarz-Weiß-Malerei bei der Zeichnung ihrer Charaktere, sondern statten ihre Protagonistinnen mit Schwächen und deren Feinde mit menschlichen Zügen aus. Auch in ihrer Absicht kommen sich die Dramatiker nahe: beiden dient die Johanna-Figur zur Demonstration der Lehre, daß die Gesellschaftsform, in der sie leben, geändert werden muß.

Ein anderes Thema, das beide Stückeschreiber aufgegriffen haben, ist das Boxen. Im Jahre 1882 schrieb Bernard Shaw einen Roman, dessen Hauptcharakter ein Boxer ist. *Cashel Byron's Profession* enthält seinen Teil an romantischen und trivialen Elementen, aber der Roman zeigt auch die Vitalität eines Kampfes sowie dessen ökonomische Hintergründe und entlarvt die Scheinwelt der viktorianischen Gesellschaft. Mit dem Boxer-Motiv erreicht Shaw zweierlei: er schockiert und bringt frische Luft in eine ansonsten sterile bürgerliche und literarische Welt, und er erhält zugleich eine treffende Metapher für den Kampf ums Überleben in einer kapitalistischen Gesellschaft.

> A prizefighter is a hero in comparison with a wretch who sets a leash of greyhounds upon a hare [...] honest and brave, strong and beautiful [...] The face of a pagan god, assured of eternal youth, and absolutely disqualified from comprehending *Faust*.[14]

13 Zit. nach Günter Hartung, Brecht und Schiller. In: *Sinn und Form* 18 (1966), S. 750.

14 Zit. nach Arthur Zeiger (Hrsg.), *Selected Novels of G. Bernard Shaw* (New York, 1946), S. 504.

Dieses rousseauistische Konzept wird mit Sozialismus verbunden und die Darwinsche Lehre vom Kampf ums Überleben auf die gesellschaftlichen Verhältnisse übertragen. Cashel mit dem ironisch klingenden Beinamen Byron belehrt die Gesellschaftsdame Lydia in seinem Boxeridiom:

What is life but a fight? [...] the game ones and the clever ones win the stakes, and have to hand over the lion's share of them to the loafers. [...] You were born with a silver spoon in your mouth. But if you hadn't to fight for that silver spoon, some one else had. (S. 402)

Auch Brecht war vom Boxen fasziniert. Wie Shaw, der den Boxer Gene Tunney zu seinen Freunden zählte, schloß er Freundschaft mit einem Boxer. Samson-Körner war deutscher Mittelgewichtsmeister, und 1926 begann Brecht, dessen Biographie zu schreiben. Zusammen mit Körner verfaßte er auch die Kurzgeschichte *Der Kinnhaken*. Ein Boxergedicht, »Gedenktafel für 12 Weltmeister«, stammt aus derselben Zeit, und im Brecht-Archiv befinden sich sogar bisher noch unveröffentlichte Fragmente eines Boxerromans. Dieser Roman, der den Titel *Das Renommée* tragen sollte, »folgt in einigen Zügen dem Weltmeisterschaftskampf Dempsey-Carpentier« (BBA 424/24). Brecht war am Boxthema aus ähnlichen Motiven interessiert wie Shaw. Im »Kurzen Bericht über 400 (vierhundert) junge Lyriker« wendet er sich gegen die literarischen Produkte seiner Zeit: »Die letzte Epoche des Im- und Expressionismus [...] stellte Gedichte her, deren Inhalt aus hübschen Bildern und aromatischen Wörtern bestand. [...] Das sind ja wieder diese stillen, feinen, verträumten Menschen, empfindsamer Teil einer verbrauchten Bourgeoisie, mit der ich nichts zu tun haben will« (GW XVIII, 55 f.). Brecht erklärt in diesem Bericht, warum er Hannes Küppers Song »He! He! The Iron Man« über den Radrennfahrer Reggie MacNamara den Produkten von 400 Lyrikern vorzieht: es handle sich um »eine interessierende Sache« mit einem »gewissen dokumentarischen Wert« (GW XVIII, 56). Aus dem gleichen Grunde bevorzugte er auch Boxer. Brecht wollte schockieren, Vitalität und einen guten Kampf schildern; auch seine Hauptabsicht war gesellschaftlicher Natur. Er wollte »die Verflechtungen von Zeitung, Gesellschaft und Sport« (BBA 424/31) enthüllen und zeigen, »wie ein Mann gemacht wird.«[15] Shaw benutzte dasselbe Material für ein Stück (*The Admirable Bashville*). Brecht mag die gleiche Absicht gehabt haben; denn im Archiv finden sich einige Szenen und Entwürfe für vier Akte (vgl. BBA 424). In der äußeren Handlung und in der Struktur gibt es ebenfalls einige Parallelen zwischen den Boxerromanen von Brecht und Shaw. Doch wie steht es mit direktem Einfluß? Als einziges Werk von Shaw enthält Brechts Bibliothek heute den Roman *Cashel Byrons Beruf*. Das Buch ist zwar schon 1924 beim Kiepenheuer-Verlag erschienen, kam aber wohl erst nach 1933 in Brechts Hand. Auf der

15 BBA 424/23. – Bemerkenswert an dieser Stelle ist die Parallele zu *Mann ist Mann*.

Innenseite des Einbandes ist der Name Karin Michaelis verzeichnet, die Brecht 1933 nach Dänemark einlud. In ihrer Bücherei fand wohl sein Sohn Stefan das Buch: dessen Name steht auf der ersten Seite, ansonsten finden sich keine weiteren Eintragungen. Andererseits ist nicht auszuschließen, daß Brecht den Roman doch gekannt hat, entweder aus Leihbüchereien, die er vor allem aus finanziellen Gründen häufig aufsuchte, oder aus seiner eigenen Bibliothek, von der durch Emigration und Kriegseinwirkung manches verlorengegangen ist. Der größte Unterschied zwischen den beiden Romanen von Brecht und Shaw liegt jedoch im Ton. Shaws Sprache ist unnatürlich gestelzt. Brechts Sprache dagegen ist bester »Journalistenjargon«. Es ist daher schwer vorstellbar, daß er, der die Sprache der Sportseiten und der Tagespresse, eines Kipling, Swift und Sinclair schätzte, sich an einem Stil erbaut haben sollte, der die Eierschalen der viktorianischen Tradition noch nicht abgeschüttelt hatte.

Mrs. Warren's Profession gehört mit *Widowers' Houses* und *The Philanderer* zu Shaws *Plays Unpleasant*. Es ist nicht verwunderlich, daß diese dem Brechtschen Werk thematisch besonders nahestehen; denn sie sind zusammen mit dem Roman *An Unsocial Socialist* das unmittelbare Ergebnis von Shaws marxistischen Studien. Shaw nannte die Begegnung mit Marx einen Wendepunkt in seinem Leben: »Marx was a revelation [. . .] He opened my eyes to the facts of history and civilisation, gave me an entirely fresh conception of the universe, provided me with a purpose and a mission in life[16].« Als Brecht bei den Vorarbeiten zu *Weizen* Marx für sich entdeckte, äußerte er sich ganz ähnlich: »Und da, jetzt erst, las ich Marx. Jetzt erst wurden meine eigenen zerstreuten praktischen Erfahrungen und Eindrücke richtig lebendig« (GW XX, 46). Im Vorwort zu *Widowers' Houses* schreibt Shaw: »In *Widowers' Houses* I have shown middle-class respectability and younger son gentility fattening on the poverty of the slum as flies fatten on filth« (W VII, xxv). Sartorius in diesem Stück ist wie Meininger im *Brotladen*, Frau Mi Tzü im *Guten Menschen von Sezuan* und Mauler in *Die heilige Johanna der Schlachthöfe* ein Mietwucherer übelster Sorte, der nur in einer kapitalistischen Gesellschaft gedeihen kann. Zu *The Philanderer*, in dem Shaw die bürgerliche Ehe angreift (»the grotesque sexual compacts made between men and women under marriage laws;« W VII, xxv), findet sich keine direkte dramatische Parallele bei Brecht. Im Sonett »Über Kants Definition der Ehe in der *Metaphysik der Sitten*« jedoch definiert Brecht die bürgerliche Ehe fast genau wie Shaw als

> Den Pakt zu wechselseitigem Gebrauch
> Von den Vermögen und Geschlechtsorganen. (GW IX, 609)

In ihrer Ansicht über die Rolle der Ehe und Familie im Kapitalismus stimmen Brecht und Shaw somit im wesentlichen überein: für beide sind sie Instrumente der Ausbeutung.

16 Zit. nach Charles A. Carpenter, *Bernard Shaw and the Art of Destroying Ideals* (Madison, 1969), S. 29.

Das Thema von *Mrs. Warren's Profession* wird von Brecht in entsprechender Weise im *Guten Menschen von Sezuan* behandelt. Die kapitalistische Gesellschaftsordnung zwingt Mrs. Warren und Shen Te bestimmte Verhaltensweisen auf, die diese annehmen müssen, um überleben zu können: beide leben von der Prostitution. Es ist ihnen unmöglich, in der Gesellschaftsform, in der sie leben, gut zu sein. »In *Mrs. Warren's Profession,* I have gone straight at the fact that, as Mrs. Warren puts it, ›the only way for a woman to provide for herself decently is for her to be good to some man that can afford to be good to her‹« (W VII, xxv). Shaw sieht eine Lösung nur in der Änderung dieser Gesellschaft:

I believe that any society which desires to found itself on a high standard of integrity of character in its units should organize itself in such a fashion as to make it possible for all men and for all women to maintain themselves in reasonable comfort by their industry without selling their affections and their convictions. (W VII, xxv)

Mrs. Warren wird zum Paradigma der gesamten kapitalistischen Gesellschaft, für die Prostitution ein Schlüsselbegriff ist, der keineswegs nur auf Frauen beschränkt bleibt. In der bestehenden sozialen Struktur sind Männer, die ihre Fähigkeiten gegen ihr besseres Wissen im Dienste skrupelloser Geschäftemacher prostituieren, weitaus gefährlicher als Mrs. Warren:

We have great prostitute classes of men [...] who are daily using their highest faculty to belie their real sentiments: a sin compared to which that of a woman who sells the use of her person for a few hours is too venial to be worth mentioning, for rich men without conviction are more dangerous in modern society than poor women without chastity. (W VII, xxvi)

Den »prostitute classes of men« entsprechen die Brechtschen Tuis, »die Intellektuellen der Zeit der Märkte und Waren«, die sich als »Weißwäscher«, »Kopflanger«, »Vermieter des Intellekts«, »Formulierer« und »Ausredner« betätigen. Shen Tes Geständnis, das sie den Göttern macht, gilt dem Sinne nach auch für Mrs. Warren:

Halt, Erleuchtete, ich bin gar nicht so sicher, daß ich gut bin. Ich möchte es wohl sein, nur, wie soll ich meine Miete bezahlen? So will ich es euch denn gestehen: ich verkaufe mich, um leben zu können, aber selbst damit kann ich mich nicht durchbringen, da es so viele gibt, die dies tun müssen. Ich bin zu allem bereit, aber wer ist das nicht? (GW IV, 1497)

An kritischer Schärfe bleibt *Mrs. Warren's Profession* im Kanon des Shawschen Werkes unübertroffen, wie Charles A. Carpenter bestätigt: »Nothing in the Shavian canon matches it in raw anticapitalist power.«[17]

17 Ebd., S. 49.

In der »Ovation« lobt Brecht besonders Shaws »lässige (schnoddrige) Haltung«, seinen Humor, seinen unerschrockenen Appell an den Verstand und sein »Vergnügen, unsere Gewohnheitsassoziationen in Unordnung zu bringen«. Damit beschreibt er ziemlich genau die wesentlichen Eigenschaften seines eigenen, »epischen« Theaters und dessen Mittel der Verfremdung, obwohl er den letztgenannten Ausdruck damals noch nicht gebrauchte. Werner Hecht bestätigt: »Brecht fand in den Formenelementen Shawscher Dramen [. . .] beachtenswerte künstlerische Mittel, die er für sein episches Theater übernehmen konnte.«[18] Die Verwandtschaft zwischen Brechts und Shaws Werken wird noch durch Reinhold Grimms Feststellung der Wesensverwandtschaft zwischen Komik und Verfremdung unterstrichen[19]. Beide, Komik und Verfremdung, beruhen auf Kontrast, Distanz und Überraschung. Diese Verwandtschaft wird durch einen Artikel Brechts in einer schwedischen Zeitung augenfällig bestätigt. Er trägt den Titel »Det finska undret« (»Das finnische Wunder«) und behandelt den finnischen Winterkrieg von 1940 in satirischer Form. Er wurde aus Gründen der Tarnung mit »Sherwood Paw« unterzeichnet (vgl. GW XX, 11*). Wer Brechts Vorliebe für Namenverdrehungen kennt, kann aus diesem Pseudonym ohne große Schwierigkeiten den Namen Bernard Shaw heraushören. Wie nahe die Satire der Verfremdung steht, geht aus den Definitionen Wolfgang Kaysers und Brechts hervor: Kayser definiert die Satire als »negierende Darstellung eines Negativen[20]«, Brecht die Verfremdung als »Negation der Negation« (GW XV, 360). Wesentlich ist bei beiden die gesellschaftsbezogene Komponente, die sowohl für Shaw als auch für Brecht unerläßlich war. Dazu Brecht: »Die neuen Verfremdungen sollten nur den gesellschaftlich beeinflußbaren Vorgängen den Stempel des Vertrauten wegnehmen, der sie heute vor dem Eingriff bewahrt« (GW XVI, 681). Und Shaw: »In this world if you do not say a thing in an irritating way, you may just as well not say it at all since nobody will trouble themselves about anything that does not trouble them. The trouble given by a criticism is in direct proportion to its indigestibility.«[21] Shaw klagt darüber, daß die Leute ihr Privatleben und ihr Geschäftsleben fein säuberlich voneinander trennen. Mit Hilfe der Komik will er die Trennwände einschlagen: »They realize the immense commercial advantage of keeping their ideal life and their practical business life in two separate conscious-tight compartments, which nothing but ›the Comic Spirit‹ can knock into one.«[22]

18 Hecht, *Brechts Weg zum epischen Theater*, S. 59.
19 Vgl. Reinhold Grimm, Verfremdung. Beiträge zu Wesen und Ursprung eines Begriffs. In: *RLC* 2 (1961), S. 230.
20 Wolfgang Kayser, *Das sprachliche Kunstwerk* (Bern, [11]1965), S. 381.
21 Zit. nach Archibald Henderson, *George Bernard Shaw: Man of the Century* (New York, 1956), S. 709.
22 Zit. nach John J. Enck, Elizabeth T. Forter, Alvin Whitley (Hrsg.), *The Comic in Theory and Practice* (New York, 1960), S. 41.

Brecht will dem Theater wieder die Funktion erobern, die es bei Horaz und den »großen Aufklärern Lessing und Diderot« (GW XV, 292) einst besessen hatte: nämlich Unterhaltung und Belehrung. Shaw stimmt damit völlig überein: »If I have ulterior designs [. . .] you can depend on me to get plenty of fun out of the most dismal subjects[23].« Beide Stückeschreiber wollen den Zuschauer nicht in einen wohligen Dämmerzustand versetzen, sondern an sein Denkvermögen appellieren. Der Zuschauer soll »seine Vernunft nicht mit dem Mantel in der Garderobe abgeben« (GW XV, 189), wie Brecht mehrmals betont. Ähnlich äußerte sich auch Shaw:

> And so effective do I find the dramatic method that I have no doubt I shall at last persuade even London to take its conscience and its brains with it when it goes to the theatre, instead of leaving them at home with its prayerbooks as it does at present. (W VII, 155)

Nach diesen Ausführungen nun einige konkrete formale Parallelen, und zwar zunächst zum *Gegenentwurf*. Nach Grimm »waltet das Stilprinzip der Verfremdung bis in die Einzelheiten der Sprachgebung, bis in die Wortbildung«[24]. Bei Anthony Abbott finden wir eine ganz ähnliche Aussage über Shaw: »One of Shaw's favourite habits was the use of common words in an uncommon manner; he particularly enjoys inverting the ordinary usage of terms.«[25] Dazu ein paar Beispiele. Bei Brecht heißt es in *Mutter Courage:* »Heeresgut nehm ich nicht. Nicht für den Preis« (GW IV, 1369). Oder: »Wir sind eben jetzt in Gottes Hand. – Ich glaube nicht, daß wir schon so verloren sind« (GW IV, 1378). In *Major Barbara* läßt Shaw Undershaft über seinen Sohn Stephen sagen: »He knows nothing and he thinks he knows everything. That points clearly to a political career« (W XI, 320); Stephen sei »fastened on by schoolmasters, trained to win scholarships like a racehorse, crammed with second-hand ideas; drilled and disciplined in docility and what they call good taste; and lamed for life so that he is fit for nothing but teaching« (W XI, 317). Mit Vorliebe werden gängige Zitate umfunktioniert. Die Bibel, Shakespeare und die deutschen Klassiker bieten sie in Fülle. Die Schlächter und Viehzüchter von Illinois überschreien die Erkenntnisse der sterbenden Johanna der Schlachthöfe:

> Soll der Bau sich hoch erheben
> Muß es Unten und Oben geben.
> Darum bleib an seinem Ort
> Jeder, wo er hingehört.
> Fort und fort

23 Zit. nach E. J. West, *Shaw on Theatre* (New York, 1967), S. 237 u. 240.
24 Reinhold Grimm, *Bertolt Brecht. Die Struktur seines Werkes* (Nürnberg, [5]1968), S. 26.
25 Abbott, S. 73.

Tue er das ihm Gemäße
Da er, wenn er sich vergäße
Unsre Harmonien stört.
Unten ist der Untere wichtig
Oben ist der Richtige richtig.
Wehe dem, der je sie riefe
Die unentbehrlichen
Aber begehrlichen
Die nicht zu missenden
Aber es wissenden
Elemente der untersten Tiefe! (GW II, 780-81)

Der große Mediziner Sir Ralph Bloomfield Bonington aus *The Doctor's Dilemma,* der – vor allem wenn der Patient arm ist – dem Berufsprinzip folgt:

Thou shalt not kill, but needst not strive
Officiously to keep alive (W XII, 176),

umhüllt seine Unfähigkeit mit Shakespeare entlehnten Zitaten. So erklärt er, nachdem er den Maler Dubedat gewissenlos zu Tode experimentiert hat:

To-morrow and to-morrow and to-morrow
After life's fitful fever they sleep well
And like this insubstantial bourne from which
No traveller returns
Leave not a wrack behind. (W XII, 169)

Eine verfremdend wirkende strukturelle Großform, in der dasselbe Prinzip sichtbar wird, ergibt sich durch das Anknüpfen an bekannte Stoffe und Formen. Brecht und Shaw wollen den Zuschauer weniger stofflich in Bann schlagen als vielmehr eine kritische Haltung zum Stoff bei ihm erreichen. Vorgegebene Stoffe wie beispielsweise der Johanna- und der Caesarstoff kommen ihren Zwecken besonders entgegen, da sie an ihnen ihre unterschiedliche Auffassung anschaulich demonstrieren können. Diese dramatische Technik kann man bei beiden am besten mit dem Begriff »Gegenentwurf« beschreiben. Brechts Gegenentwurf ist das Ergebnis seiner dialektischen Haltung zur Tradition. Im Gegensatz zu Lukács, der fast alle bürgerlichen Formen ablehnte, die auf den Realismus des 19. Jahrhunderts folgten, ist Brecht der Ansicht, daß der marxistische Schriftsteller gerade aus diesen, den Verfall der bürgerlichen Gesellschaft spiegelnden Formen lernen kann:

Das proletarische Schrifttum bemüht sich, von alten Werken formal zu lernen. Das ist natürlich. Es wird erkannt, daß man nicht einfach vorhergegangene Phasen überspringen kann. Das Neue muß das Alte überwinden, aber es muß das Alte überwunden in sich haben, es »aufheben«. [. . .] Es gibt Neues, aber es entsteht im Kampf mit dem Alten. (GW XIX, 314)

Bei der dichterischen Gestaltung eines Gegenentwurfes kann der Stückeschreiber zwei Wege beschreiten. Er kann die vorgeprägte bürgerliche Dramenform als Ganzes übernehmen und in diesem äußeren Strukturrahmen die Aushöhlung des Inhaltes und sein Gegenkonzept sichtbar machen; oder er kann die bürgerliche Form zerschlagen, Einzelteile übernehmen und daraus sein Gegenkonzept montieren. Der Marxist Brecht entschloß sich für den zweiten Weg. Brechts frühes Stück *Baal* ist noch ein Gegenentwurf zu einem einzelnen Werk, nämlich zum expressionistischen Grabbe-Drama *Der Einsame* von Hanns Johst. Dem expressionistischen Wandlungskult setzte er »eine Art Gegenkult des Vergehens« entgegen[26]. Wie Guy Stern darlegt, ist *Trommeln in der Nacht* nicht nur ein Gegenentwurf zum Expressionismus, sondern auch zum bürgerlichen Trauerspiel[27]. Mit der *Heiligen Johanna der Schlachthöfe* wird dann nicht allein Schillers *Jungfrau von Orleans*, sondern die deutsche Klassik überhaupt umfunktioniert[28]. Brecht baut aus mehreren Werken der Klassik Einzelteile in sein Stück ein und entwickelt daraus ein neues gehaltliches Konzept, in dem er die Aushöhlung der klassischen Humanitätsidee geißelt. Aus Goethes *Faust* übernimmt er die Figurenkonstellation Faust-Mephisto-Gretchen in Mauler-Slift-Johanna[29]. Ebenso wie Faust klagt sein Zerrbild Mauler über die zwei Seelen in seiner Brust. Für die Schlußszene macht Brecht Anleihen bei Schillers *Jungfrau von Orleans*. Dazu kommen Bruchstücke aus Schillers *Glocke* und Goethes *Zauberlehrling*, Hölderlins *Hyperions Schicksalslied*, klassische Versmaße und religiöse Hymnen.

Shaw hat ein ähnliches Verhältnis zur Tradition wie Brecht. Auch er ist bemüht, sie aufzuheben und zugleich zu überwinden. Dabei ist er jedoch weniger radikal als Brecht; er geht öfter den ersteren der zwei genannten Wege. Darin spiegelt sich nicht nur seine fabianistisch-evolutionäre Haltung, sondern auch der historisch-soziologische Unterschied zu Brecht. Indem Shaw an bekannte Formen anknüpft, lockt er den Zuschauer in ein vertrautes Milieu, um ihn sodann in seiner Erwartung gründlich zu enttäuschen und ihn über die Falschheit seiner Ansichten zu belehren. Martin Meisel beschreibt treffend das dramatische Mittel des Gegenentwurfs in Shaws Werken:

> Even in his primary phase of »bluebook« drama, Shaw turned to the popular genres of the nineteenth-century theater to provide the vehicle for his social and intellectual concerns. The simplest way of exploiting a popular genre for revolutionary purposes was by the method of systematic counterconvention, by the creation of a genre anti-type.[30]

26 Mayer, *Brecht und die Tradition*, S. 9.

27 Guy Stern, Brechts *Trommeln in der Nacht* als literarische Satire. In: *Monatshefte* 53 (1969), S. 241 ff.

28 Mayer, *Brecht und die Tradition*, S. 50.

29 Vgl. Peter Wagner, Bertolt Brechts *Die heilige Johanna der Schlachthöfe*. In: *Jahrbuch der Deutschen Schillergesellschaft* 12 (1968), S. 505.

30 Martin Meisel, *Shaw and the Nineteenth Century Theater* (Princeton, 1963), S. 141.

In *Mrs. Warren's Profession* entwickelt Shaw beispielsweise einen Gegentyp zum Kurtisanenstück, in *Captain Brassbound's Conversion* einen entsprechenden zum geläufigen »Adventure Melodrama«, und in *Arms and the Man* greift er die Liebes- und Heldenvorstellung der »Romantic Comedy« und des »Military Melodrama« an[31]. In seiner *Saint Joan* bezieht er ausdrücklich eine Gegenposition zu Schiller:

When we jump over two centuries to Schiller we find *Die Jungfrau von Orleans* drowned in a witch's caldron of raging romance. Schiller's Joan has not a single point of contact with the real Joan, nor indeed with any mortal woman that ever walked this earth« (W XVII, 24).

Andere Formen der Verfremdung, die beide Stückeschreiber benutzen, sind die Parabel, der Kontrast von Inhalt und Form, Bauformen wie Prolog, Epilog, Zwischenspruch, Spiel im Spiel, Nennung des Autorennamens, Kommentierung der Handlung und die Gerichtsszene. Sie alle dienen dazu, Distanz zu schaffen und die Einfühlung zu verhindern, abzuschwächen oder in richtige Bahnen zu lenken. Die Parabelform kommt den Bemühungen um ein lehrhaftes Theater deswegen besonders entgegen, weil durch sie eine »allgemeine sittliche Wahrheit oder Erkenntnis«[32] durch Entrücken in ein anderes Milieu oder in einen anderen – historisch oder geographisch entfernten – Raum verfremdet wird und den Autor von historischer Faktentreue entbindet. Brechts Sezuan steht wie sein Chicago für die Welt des Kapitalismus, ebenso Shaws »Unexpected Isles«, das namenlose tropische Land von *Too True To Be Good* und das visionäre England in *The Apple Cart*, das auf der einen Seite von einer Kette kommunistischer Sowjetrepubliken und auf der anderen vom amerikanischen Kapitalismus umgeben ist und vom amerikanischen Konsul Vanhatten den USA einverleibt werden soll: »into a bigger and brighter concern« (W XVII, 261). Von den illusionszerstörenden Bauformen ist das Spiel im Spiel vielleicht das interessanteste Mittel: »Binnen- und Rahmendrama relativieren einander, [. . .] sie lockern die theatralische Illusion. Denn der Zuschauer im Parkett sieht das Gegenüber von Publikum und Vorführung auf der Bühne wiederholt, er wird sich seiner Lage als Zuschauer bewußt.«[33] Als Beispiele seien *Der kaukasische Kreidekreis* von Brecht und *Fanny's First Play* von Shaw angeführt. Im gleichen Stück benutzt Shaw auch ein dem auktorialen Roman entnommenes Stilmittel: Einführung des Autors durch Nennung seines Namens. Der Kritiker Gunn spürt »the hackneyed old Shaw touch«. Vaughan opponiert: »Rot! [. . .] Poor as this play is, there's the note of passion in it. [. . .] Now I've repeatedly proved that Shaw is psychologically incapable of the note of passion« (W XIII, 331 ff.). Auch Brecht benutzt dieses Mittel. Die Kantinen-

31 Vgl. dazu Meisel.
32 Gero von Wilpert, *Sachwörterbuch der Literatur* (Stuttgart, [4]1964), S. 490.
33 Volker Klotz, *Bertolt Brecht. Versuch über das Werk* (Darmstadt, 1957), S. 55.

wirtin Leokadja Begbick führt Brecht im Zwischenspruch von *Mann ist Mann* ein, und in *Die Rundköpfe und die Spitzköpfe* trägt der Pachtherr einen Spitzkopf »auf Wunsch Herrn Bertolt Brechts« (GW III, 912).

Die Gerichtsszene ist für Walter Hinck »eine zentrale dramaturgische Form des Brechtschen Theaters überhaupt[34]«. Nicht nur weil man es zu großen Teilen als eine Anklageschrift gegen die herrschende Gesellschaft auffassen kann, trifft dies zu, sondern vor allem wegen der ihm innewohnenden Dialektik von Rede und Gegenrede und der Gebärden des Vorführens, Spielens und Demonstrierens. Gerichtsszenen finden wir in *Aufstieg und Fall der Stadt Mahagonny, Der kaukasische Kreidekreis, Der gute Mensch von Sezuan, Die Gesichte der Simone Machard* und *Der Prozeß der Jeanne d'Arc zu Rouen 1431*, um nur einige zu nennen. Ganz ähnlich liegen die Dinge bei Shaw. Auch er sitzt über seine Zeit und seine Zeitgenossen zu Gericht. Stücke, in denen das Gericht direkt in Erscheinung tritt, sind unter anderem *Saint Joan, The Shewing up of Blanco Posnet, The Devil's Disciple, Captain Brassbound's Conversion* und *Geneva*. Die dramatische Behandlung des Prozesses gegen Jeanne d'Arc macht noch eine andere Gemeinsamkeit zwischen Brecht und Shaw sichtbar: nämlich ihre historisch-dialektische Denkweise im Anschluß an Hegel und Marx. An historischen Personen wie Johanna und Galilei läßt sich die dialektische Entwicklung des Fortschritts aus dem Konflikt von zwei an sich berechtigten substantiellen Mächten anschaulich demonstrieren.

Da beide Stückeschreiber gegen die herrschende Kunstrichtung in der Literatur ihres Wirkungsbereiches verstießen, wurde beiden wegen ihrer dramatischen Form und ihrer strukturellen Mittel der Vorwurf gemacht, sie seien keine Realisten. Beide wiesen die Vorwürfe mit fast gleichen Argumenten zurück. Sie beriefen sich auf Cervantes, Shelley, Swift, Gay, Beaumarchais und Samuel Butler sowie ihre Mission, die Welt zu interpretieren, damit sie geändert werden kann. An einem naturalistischen Portrait der Welt ist ihnen nichts gelegen. Das besorgt eine Photographie besser, wie beide schreiben. Zunächst Shaw:

> Holding a mirror up to nature is not a correct definition of a playwright's art. A mirror reflects what is before it. Hold it up to any street at noonday and it shows a crowd of people and vehicles and tells you nothing about them. A photograph of them has no meaning [. . .] the playwright must interpret the passing show by parables.[35]

Und Brecht:

> Die Lage wird dadurch so kompliziert, daß weniger denn je eine einfache »Wiedergabe der Realität« etwas über die Realität aussagt. Eine Photographie der Krupp-

34 Walter Hinck, *Die Dramaturgie des späten Brecht* (Göttingen, 1959), S. 74.
35 Zit. nach Meisel, S. 92 f.

werke oder der A.E.G. ergibt beinahe nichts über diese Institute. [. . .] Es ist also tatsächlich »etwas aufzubauen«, etwas »Künstliches«, »Gestelltes«. Es ist also tatsächlich ebenso Kunst nötig. Aber der alte Begriff der Kunst, vom Erlebnis her, fällt eben aus[36].

An die Stelle von Spiegelung tritt also die Analyse der Wirklichkeit. Dahinter steht offensichtlich der Einfluß der Naturwissenschaften. Shaws Dramatik ist in gewissem Sinne bereits eine Experimentaldramatik. Zum experimentellen Charakter seiner Stücke bemerkt Shaw: »The drama progresses by a series of experiments made on the public by actors and actresses with new plays.«[37] Er betrachtete demnach wie Brecht seine Dramen als »Versuche«. Brecht selbst erkannte das sehr genau: »Die Dramatik der Ibsen, Tolstoi, Strindberg, Gorki, Tschechow, Hauptmann, Shaw, Kaiser und O'Neill ist eine Experimentaldramatik. Es sind große Versuche, theatralisch die Probleme der Zeit zu gestalten« (GW XV, 288). Er stellt den Stückeschreiber Shaw in die historische Entwicklung des epischen Theaters, des Theaters des wissenschaftlichen Zeitalters. Zum Inhalt der ersten Nacht des *Messingkaufs* notierte Brecht:

Die Linie der Versuche, bessere Abbildungen des menschlichen Zusammenlebens zustandezubringen, läuft von der englischen Restaurationskomödie über Beaumarchais zu Lenz. Der Naturalismus (der Goncourts, Zolas, Tschechows, Tolstois, Ibsens, Strindbergs, Hauptmanns, Shaws) markiert die Einflußnahme der europäischen Arbeiterbewegung auf die Bühne. (GW XVI, 1*)

Brecht führt diese Linie weiter bis zu ihrem bisherigen Endpunkt. Er ändert den klassenmäßigen »point of view« und bricht radikal mit der aristotelischen Dramatik.

Versucht man, die dramatischen Elemente des Werkes von Brecht und Shaw unter einem Oberbegriff zusammenzufassen, so ergibt sich eine weitere Parallele zwischen den Stückeschreibern: beide machen bewußt nicht-aristotelisches Theater. In seiner Kritik an der aristotelischen *Poetik* setzt Brecht bei der Katharsis ein. Er wendet sich gegen die zur Reinigung von Furcht und Mitleid geforderte Einfühlung der Zuschauer. Da sein Theater sich in erster Linie an den Verstand richten und eine kritische Haltung des Zuschauers bewirken soll, bleibt für eine Katharsis als seelisches Laxativ kein Raum mehr. Brechts »Reinigung« soll sich außerhalb des Theaters durch Umsetzung in gesellschaftliches Bewußtsein und gesellschaftliches Handeln vollziehen: »Eine völlig freie, kritische, auf rein irdische Lösung von Schwierigkeiten bedachte Haltung des Zuschauers ist keine Basis für eine Katharsis« (GW XV, 241). Zwar stimmt Brecht mit einigen Stellen der *Poetik* überein: »Solange der Aristoteles – im

36 Zit. nach Viktor Žmegač, *Kunst und Wirklichkeit. Zur Literaturtheorie bei Brecht, Lukács und Broch* (Bad Homburg, 1969), S. 16.

37 Zit. nach West, S. 54.

vierten Kapitel der *Poetik* – ganz allgemein über die Freude an der nachahmenden Darstellung spricht und als Grund dafür das Lernen nennt, gehen wir mit ihm« (GW XV, 240). Doch die Unterschiede sind weitaus gewichtiger. Im Formalen unterscheiden sich Brechts Werke fundamental von den Strukturprinzipien des Aristoteles. Dieser verlangt:

Es muß daher, wie auch in den anderen nachahmenden Darstellungen die einzelne Nachahmung Darstellung eines einzelnen Gegenstandes ist, so auch die Fabel, da sie Nachahmung einer Handlung ist, Nachahmung einer einheitlichen und zwar einer vollständigen sein. Und es müssen die Teile der Begebenheit so zusammenhängen, daß, wenn auch nur einer dieser Teile versetzt oder weggenommen wird, das Ganze zerstört wird und auseinander fällt[38].

Man denke dagegen nur an Brechts *Kaukasischen Kreidekreis* mit seinen zwei getrennt voneinander verlaufenden Fabeln oder an die lockere Szenenfolge in *Furcht und Elend des Dritten Reiches*, die man beliebig ändern kann. Im Gegensatz zu Brecht waren epische Züge im Drama für Aristoteles unmöglich. Brechts Charaktere gehen nicht an dem von Aristoteles geforderten »folgenschweren Irrtum«, der »hamartia«, zugrunde, sondern an den gesellschaftlichen Mißständen. Ja, man kann geradezu von einer Umkehrung der »hamartia« des Aristoteles sprechen; denn Johanna, Shen Te und Grusche erwächst Unheil durch ihre Tugenden, nicht durch ihre Schwächen.

Shaws Kritik an Aristoteles' *Poetik* entzündet sich ebenfalls am Katharsis-Problem: »In the old days Aristotle said that tragedy purged the soul with pity and terror; [...] I have never regarded that as a permanent definition.«[39] Das Theater hat nach Shaw eine wichtige gesellschaftliche Funktion, bei der Erregung von Furcht und Mitleid fehl am Platze sind:

As to pity and terror, if people's souls could only be set going right by pity and terror, then the sooner the human race comes to an end the better. You cannot pity unless you have misfortune to pity. [...] I do not want there to be any more pity in the world, because I do not want there to be anything to pity; and I want there to be no more terror because I do not want people to have anything to fear. [...] You may throw pity and terror to one side, and you can reveal life, and you can stimulate thought about it, and you can educate people's senses.[40]

Wie Brecht stürzt Shaw den von Aristoteles aufgestellten und von Gustav Freytag vervollständigten pyramidalen Bau des Dramas, der »von der Einleitung durch die wachsende Wirksamkeit des erregenden Moments bis zum Hö-

38 Aristoteles, *Über die Dichtkunst*. Übers. v. Alfred Gudeman (Leipzig, 1921), S. 17 (1451 a).
39 Zit. nach West, S. 197.
40 Ebd., S. 197 f.

hepunkt steigt und von diesem bis zur Katastrophe abfällt.«[41] Dazu schreibt Shaw in *The Quintessence of Ibsenism*, seinem Pendant zu Brechts *Kleinem Organon:*

> The writer who practises the art of Ibsen therefore discards all the old tricks of preparation, catastrophy, *dénouement*, and so forth without thinking about it. [...] Hence a cry has arisen that the post-Ibsen play is not a play, and that its technique, not being the technique described by Aristotle, is no technique at all. (W XIX, 155 f.)

Darauf folgt ein Hinweis auf sein vom Technischen her wohl interessantestes Stück, *Fanny's First Play*, in dem er seine neue Form des Theaterspielens mit der traditionellen konfrontiert. Einig sind sich beide Stückeschreiber auch darin, daß ihre »neue Technik« nur auf der zeitgenössischen Bühne neu ist; denn als Wirkungsästhetik hat sie ihre Wurzeln in der Rhetorik, wie Shaw ausführt:

> The new technique is only new on the modern stage. It has been used by preachers and orators ever since speech was invented. It is a [...] forensic technique [...] with a free use of all the rhetorical and lyrical arts of the orator, the preacher, the pleader, and the rhapsodist. (W XIX, 156 f.)

Zusammenfassend können wir zweifellos Einflüsse von Shaw auf Brecht, vor allem formale, feststellen, aber nicht in einem eng begrenzten positivistischen Sinne, sondern in Form von katalytisch wirkenden Impulsen, die von neuartigen und bahnbrechenden Konzepten ausgehen. Brecht fand in Shaws Werk die Bestätigung eigener Theorien, und er fühlte sich dadurch auf seinem Weg bestärkt. An Umfang und Intensität kann sich jedoch die Wirkung, die von Shaw auf Brecht ausging, nicht mit derjenigen Wedekinds, Valentins oder Kaisers messen. Zugleich illustriert diese Untersuchung von Einflüssen und Affinitäten aber auch ein Kapitel europäischer Theatergeschichte, in der nach Peter Szondi eine zunehmende Episierung spürbar wird[42].

41 Wilhelm Dilthey, *Die Gliederung der Tragödie;* zit. nach Benno von Wiese (Hrsg.), *Deutsche Dramaturgie des 19. Jahrhunderts* (Tübingen, 1969), S. 78.

42 Vgl. Peter Szondi, *Theorie des modernen Dramas* (Frankfurt, 1956).

Charlotte Koerner
[Cleveland, Ohio]

DAS VERFAHREN DER VERFREMDUNG IN BRECHTS FRÜHER LYRIK

I. Theoretisches

Daß der Begriff ›Verfremdung‹ um 1935 durch Brecht erstmals in die theoretische Diskussion seiner in der Theaterarbeit angewendeten Kunstmittel eingeführt wurde, ist bekannt. Dagegen hat man der Tatsache, daß auch schon seine frühe Lyrik durch die Anwendung verfremdender Kunstmittel gekennzeichnet ist, bisher wenig Beachtung geschenkt. Die Aufgabe, das Prinzip der Verfremdung in der Lyrik anhand von Brechts Gedichten zu veranschaulichen bzw. durch eine eingehende Untersuchung aller seiner Gedichte zu zeigen, daß Verfremdung tatsächlich das strukturbildende Prinzip auch der Brechtschen Lyrik ist, hat sich bisher niemand gestellt[1]. Ich habe eine solche Analyse, vorläufig allerdings erst für die Gedichte bis 1933, vorgenommen und glaube, daß diese Erkenntnis sich für die Interpretation der Brechtschen Lyrik als ausschlaggebend erweist[2].

Man lese Brechts frühe Gedichte einmal in der chronologischen Reihenfolge, wie sie in der Suhrkamp-Ausgabe von 1967 geboten wird[3]. Zunächst wird man auf eine enttäuschende Ansammlung abgenutzter, gefühlsmäßig flach wirkender, gewohnter, ja geradezu altmodischer Bilder stoßen, über die auch die von Anfang an auffallenden rhythmischen und klanglichen Qualitäten nicht hinwegtrösten können. Unwillkürlich kommt einem Brechts Kritik an dem Gedicht *Flüsterlied* des Lyrikers Fritz Brügel in den Sinn:

> ... die gefühlsmäßige Beteiligung des Lyrikers war nicht tief und gleichmäßig genug, daß eine zwingende und volle Logik sein Gedicht ausbalancierte.[4]

Dieselbe Kritik verdienen Brechts eigene früheste Gedichte. Ihre kraftlose Metaphorik zeigt deutlich, daß er sich auf »traditionelle« Weise nicht mit den

1 Einen deutlichen, wenn auch allgemein gehaltenen Hinweis gab Reinhold Grimm schon 1959. Vgl. *Bertolt Brecht. Die Struktur seines Werkes*, 4. durchges. u. erg. Aufl. Nürnberg: Verlag Hans Carl (1965), 7 u. 72.

2 *Weisen der Verfremdung in Bertolt Brechts lyrischem Werk bis 1933*. Unveröff. Diss., The University of Michigan (1970).

3 *Bertolt Brecht. Gesammelte Werke in 20 Bänden.* Werkausgabe Edition Suhrkamp. Hrsg. vom Suhrkamp Verlag in Zusammenarbeit mit Elisabeth Hauptmann. Frankfurt a. M. (1967).

4 *Bertolt Brecht. Über Lyrik*, zusammengest. von Elisabeth Hauptmann und Rosemarie Hill. Ohne Ortsangabe: Edition Suhrkamp (1964), 22.

Problemen des Todes, der menschlichen Situation, der Rechtfertigung menschlichen Handelns (wie des Sterbens und Tötens fürs Vaterland) hat auseinandersetzen können. Beim Versuch der dichterischen Darstellung des von *ihm* als *wahr* und *wirklich* Empfundenen versagte anscheinend die Aussagekraft der noch aus dem christlichen Mythos oder aber den neuen Mythen, die sich seit der Romantik entwickelt hatten, schöpfenden Bilder. Besonders da, wo Brecht den Expressionisten zu folgen versucht, die durch »innere Aufschwünge« das durchaus empfundene äußere Dilemma der Zeit zu überwinden suchten, drückt sich in den abgegriffenen Bildern deutlich der Mangel an »gefühlsmäßiger Beteiligung« und innerer Überzeugung aus. Hier nun, wo sich offenbar kein neues, lebendiges (und vor allem für jeden brauchbares) poetisches Bild mehr finden läßt, beginnt Brecht plötzlich, gewohnte Bilder, Ausdrucksweisen und Meinungen zu »verfremden« – d. h. er macht sie mit Hilfe bestimmter Kunstmittel als »das Gewohnte« bewußt, während er sie gleichzeitig aus einer ungewohnten, neuen Perspektive zeigt. So entsteht eine für sein Werk typische doppelte Perspektive des poetischen Bildes: es ist zugleich Bild und dessen logische Interpretation. Erste Ansätze zur Verfremdung finden sich in Umkehrungen und unerwarteten Kontrastierungen von »Gewohntem«, auf die man schon in Gedichten wie *Moderne Legende* (1914) und *Das Lied der Eisenbahntruppe von Fort Donald* (1916) stößt – also lange, bevor von »Verfremdungseffekten« im Drama die Rede ist oder gar der Begriff ›Verfremdung‹ als Bezeichnung für derartige Kunstmittel eingeführt wird.

Ist dies nun dieselbe Verfremdung, die in Brechts eigener Theorie und Theaterarbeit diskutiert und angewendet wird? Anders ausgedrückt: Handelt es sich schon in den frühen Gedichten um die gleichen Kunstmittel, die Brecht später, und zwar in der Theaterarbeit, als »verfremdend« bezeichnete? Oder ist es legitim, den Begriff in einem weiteren Sinne zu gebrauchen, ohne daß er dadurch jegliche spezifische Bedeutung verlöre?

Mein Interesse am Studium dieses Aspekts Brechtscher Lyrik, der fraglos ein zentraler ist, wurde tatsächlich durch das *Erlebnis* der Verfremdung geweckt, d. h. eines Erstaunens, Stutzens, oft des Schocks gegenüber einer ungewohnten Sehweise oder Verarbeitung von an sich Gewohntem oder Bekanntem. Deshalb sei die Beantwortung der oben gestellten Frage mit einigen Bemerkungen über die *Wirkung* der Verfremdung, wie sie in Heinrich Lausbergs *Elementen der literarischen Rhetorik* beschrieben wird, eingeleitet[5].

84 Die Verfremdung ... ist die seelische Wirkung, die das Unerwartete ... als Phänomen der Außenwelt im Menschen ausübt. Diese Wirkung ist ein psychischer *choc*, der sich in verschiedenen Arten und Graden verwirklichen kann.

5 München: Max Hueber Verlag (1963). Im folgenden nur als Lausberg, *Elemente* zitiert. Auf Seitenzahlen wird verzichtet, da die Zitate durch die Nummer des betreffenden Paragraphen bereits identifiziert sind.

85\. Der Verfremdung ... steht das Gewöhnlichkeits-Erlebnis gegenüber, dessen extreme Form der Überdruß *(taedium, fastidium)* ist. Dieses Erlebnis wird hervorgerufen durch die gleichförmige, eintönige Abwechslungslosigkeit ... der Außenwelt.

87\. Unter »Außenwelt« ... ist in unserem Zusammenhang die Rede zu verstehen, die auf das Publikum den Verfremdungs-Effekt ausübt.

88\. Das von der Rede ... vermittelte Verfremdungs-Erlebnis im weitesten Sinne besteht somit in jedem Zuwachs an Wissen ... und an affektischem Erleben ...

Was hier zunächst auf die Kunst der Rede angewendet wird, trifft in noch viel umfassenderer Weise auf die Dichtkunst zu. Reinhold Grimm weist darauf hin, daß der Vorgang der Verfremdung in der Dichtung seit jeher bekannt war,

ja man darf sagen, daß er wesenhaft zu ihr gehört. Das dichterische Wort trifft uns, indem es eine scheinbar vertraute Welt, in der wir selbstsicher und achtlos geworden sind, aufreißt und in ihrer unbegreiflichen Widersprüchlichkeit oder Herrlichkeit neu enthüllt.[6]

So definiert, betrifft der Begriff ›Verfremdung‹ *alle* Dichtung. Wenn Verfremdung jedoch auf Abweichung vom Gewohnten beruht, so muß sie als Erfahrung transitorischen Charakter haben: das Gewohnheitserlebnis kann also auch durch die Dichtung selbst, etwa durch abgegriffene Metaphern (oder Bilder, die einem nicht mehr »relevant« erscheinenden Symbolkreis entstammen) hervorgerufen werden. Wer die Verfremdung im Werke eines bestimmten Dichters untersuchen will, muß dem, was in der Alltagssprache *und* in der Dichtung als »gewohnt« empfunden wird, in gleicher Weise Rechnung tragen; Stoff für das Verfremdungsverfahren des Dichters sind demnach die Umgangssprache ebenso wie die dichterische Tradition.

Wenn nun bisher der Begriff ›Verfremdung‹ im Zusammenhang mit Brechts Werk benutzt wurde, so bezog er sich fast ausschließlich auf die Wirkungen, die der Dichter in seiner dramatischen Arbeit anstrebte, und auf seine zu diesem Zwecke benutzten Kunstmittel. Der zu verfremdende »Stoff«, also das »Was«, waren die Rollen der Menschen im gesellschaftlichen Zusammenleben; das »Wie« (die Techniken) hing von den Möglichkeiten des Theaters (szenisch, darstellerisch und sprachlich) und von der Weltsicht ab, die vermittelt werden sollte – also von den Erfordernissen sowohl der Gattung als auch einer bestimmten Ideologie. Diese Erfordernisse aber führten zur Auswahl bestimmter, in der Brecht-Literatur vielfach beschriebener Kunstmittel.

Hier geht es dagegen um die Untersuchung von Weisen der Verfremdung in der *Lyrik;* und in ihr verbietet es sich, die Erfordernisse der dramatischen mit denen der lyrischen Gattung gleichzusetzen und etwa anzunehmen, daß der Satz: »Wir leiten unsere Ästhetik, wie unsere Sittlichkeit, von den Bedürf-

6 *Struktur seines Werkes,* 5.

nissen unseres Kampfes ab« schon in den frühen Jahren über Brechts Schaffen gestanden habe. Wenn Clemens Heselhaus in seinem Vortrag über *Brechts Verfremdung der Lyrik* erklärt,

> den Poetiker zieht die Aufgabe an, den von Brecht vorwiegend thematisch verwendeten Begriff zu formalisieren, d. h. den Begriff aus der Brechtschen Theaterarbeit als Stilfigur oder als Redeweise zu formulieren, so daß er auch auf die Brechtschen Gedichte anzuwenden ist,[7]

so schränkt er die Perspektive durch eine falsche Voraussetzung unnötig ein. Bei einer Diskussion der Verfremdung in der Lyrik ist von der Theorie des lyrischen Bildes auszugehen. Man muß von vornherein dem Gedanken offenstehen, daß in Brechts frühem Werk und überhaupt in seiner Lyrik das Verfahren der Verfremdung auch im ideologisch durchaus nicht klar abgegrenzten Raum in Erscheinung treten kann – was keineswegs bedeuten muß, daß es sich dann um »rein ästhetische« Phänomene handelt.

Damit wird es notwendig, nach einem poetischen Bezugssystem zu suchen, das über Brechts eigene dramatische Theorien hinausgeht. Auf dieses weitere Bezugssystem hat John Willett schon 1959 hingewiesen, als er im Zusammenhang mit der Frage nach der Herkunft und Bedeutung des von Brecht benutzten Begriffs ›Verfremdung‹ schrieb:

> Its obvious derivation is from that »Priem Ostrannenija,« or »device of making strange« (or »Verfremdungseffekt«) of the Russian Formalist critics ... and it seems significant that conception and catch-word alike only enter his work after his first visit to Moscow in 1935.[8]

Zur Schule der russischen Formalisten, die bekanntlich um 1915–16 entstand, in den zwanziger Jahren ihren Höhepunkt erreichte und um 1930 unterdrückt zu werden begann, gehörte auch Viktor Šklovskij, Mitglied der »Gesellschaft zum Studium der Dichtungssprache« oder *Opojaz*.[9] Er war es, der unter Zuhilfenahme moderner linguistischer Erkenntnisse das alte Wissen um die Verfremdung als Grundprinzip der Dichtung für die moderne ästhetische Theorie und Praxis wieder fruchtbar machte.

Als Autorität für den russischen Formalismus wird gern Victor Erlich herangezogen, dessen 1955 erschienenes Buch die bisher ausführlichste Behandlung der Entwicklung und Doktrin dieser kritischen Schule darstellt. Er bespricht

7 In Hrsg. *Immanente Ästhetik – Ästhetische Reflexion.* Hrsg. von Wolfgang Iser. München (1966), 308.

8 *The Theatre of Bertolt Brecht: A Study from Eight Aspects*, 3rd, rev. edition. London: Methuen & Co., Ltd. (1967), 178.

9 Victor Erlich, *Russian Formalism: History – Doctrine*, with a Preface by René Wellek. 's Gravenhage (1955), 47.

auch Šklovskijs Arbeit eingehend, macht aber zu dessen Theorie der Verfremdung die kritisch-einschränkende Feststellung:

As if in order to prove that »the device of making it strange« *(priem ostranenija)* was not merely a slogan of the literary avant-garde, but an omnipresent principle of imaginative literature, Shklovskij drew his most telling examples from the master of the »realistic« novel, Lev Tolstoj.
That in the ... examples »making it strange« became a vehicle of social criticism, of the typical Tolstoyan debunking of civilization on behalf of »nature«, is incidental to Shklovskij's argument. He is not concerned here with the ideological implications of the device. What he is interested in is Tolstoj's challenge to the cliché – the elimination of the »big words«, the technical claptrap invoked usually in discussing the stage performance, the mass, or the institution of private property, for the sake of a basic, »naive« vocabulary.[10]

Verständnisvoller, umfassender und besonders in einem Punkt aufschlußreicher scheint mir die 1964 von Jurij Striedter vorgelegte Interpretation von Šklovskijs Theorie in seinem Vortrag über *Transparenz und Verfremdung* zu sein, in dem er gleichzeitig als erster den Versuch unternimmt, Šklovskijs »Verfahren der Verfremdung« an einem Beispiel aus der russischen Lyrik zu exemplifizieren[11]. In der folgenden kurzen Zusammenfassung der für uns wichtigsten Gedanken Šklovskijs beziehe ich mich daher sowohl auf Erlich als auf Striedter.

Ausgangspunkt der Arbeit Šklovskijs war die Theorie des lyrischen Bildes. In diesem Zusammenhang wurde der Unterschied zwischen Alltags- und Dichtungssprache untersucht und vor allem die unterschiedliche Funktion des Bildes in der Alltags- und der poetischen Sprache betont. »If in informative ›prose‹«, so beschreibt Erlich den Gedankengang Šklovskijs,

a metaphor aims to bring the subject closer to the audience or drive a point home, in ›poetry‹ it serves as a means of intensifying the intended esthetic effect. Rather than translating the unfamiliar into the terms of the familiar, the poetic image »makes strange« the habitual by presenting it in a novel light, by placing it in an unexpected context.[12]

Erlich zitiert aus Šklovskijs *Literatura i kinematograf* (Berlin, 1923), S. 11:

People living by the seashore grow so accustomed to the murmur of the waves that they never hear it. By the same token, we scarcely ever hear the words which we utter ... We look at each other, but we do not see each other anymore. Our perception of the world has withered away, what has remained is mere recognition.[13]

10 Ibid., 150–51.
11 In *Immanente Ästhetik – Ästhetische Reflexion*, 263–96.
12 *Russian Formalism*, 150.
13 Ibid.

Wie Erlich die ethischen und moralischen Implikationen dieses Gedankengangs übersehen oder verleugnen kann, ist unverständlich. Striedter erkennt sie klar:

> Wie für Tolstoj die eigene künstlerische Technik Resultat und Entsprechung einer kritisch durchreflektierten Weise des Wahrnehmens und Denkens zu sein hatte, um über ein den Gegenständen angemessenes Verhalten zur ethischen Wandlung des Subjekts und seiner Umwelt zu führen, so enthält auch Šklovskijs Verfremdungs-Begriff (besonders, aber nicht nur durch die Explikation an Tolstoj) von vornherein neben dem rein ästhetischen Aspekt einen erkenntnistheoretischen und ethischen.[14]

Striedter ist es auch, der – meines Wissens als erster – die Tatsache erwähnt, daß Šklovskijs Benutzung des Begriffs *priem ostranenija* ursprünglich aus seiner Polemik gegen das Programm der russischen Symbolisten hervorgegangen ist. Gerade diese Tatsache aber gibt uns einen wichtigen Schlüssel für das Verständnis Brechtscher Verfremdung in der Lyrik an die Hand.

Das Programm der russischen Symbolisten forderte vor allem »Transparenz« des poetischen Bildes und des gesamten Stils. Die theoretische Begründung dieser Schule durch Merežkovskij, der sich scharf gegen Zola als »Haupt der herrschenden naturalistisch-sozialkritischen Prosa« wandte, stützte sich auf die Philosophie Kants und auf die Dichtung Goethes. Sie vertrat die Auffassung, daß es die Aufgabe der Kunst sei, die Kluft zwischen Wissen und Glauben zu überbrücken, das Unfaßbare im Faßbaren wiederzugeben, und schloß daraus, daß jede Kunst symbolisch zu sein habe[15]. Das symbolische (oder symbolistische) Bild sollte durch seine Transparenz entweder Durchblick auf eine andere höhere Realität, auf die echte oder selbst auf die »leere« Transzendenz gewähren, oder seine Transparenz sollte, wie in der Poetik Brjusovs, zur Erkenntnis der Dinge als solcher führen, aber außerhalb der rationalen Formen des Denkens in Kausalitäten[16].

Šklovskij nun bestritt in seiner Polemik vor allem, daß der Dichter primär Bilderschöpfer sei und daß

14 »Transparenz und Verfremdung«, 288.

15 Striedter zitiert Merežkovskij selbst, demzufolge »der Symbolismus . . . den Stil selbst, die künstlerische Substanz der Poesie vergeistigt, transparent, durchscheinend macht wie die dünnen Wände einer Amphora aus Alabaster, in der die Flamme entzündet ist.« – Vgl. »Transparenz und Verfremdung«, 266; zitiert aus D. S. Merežkovskij, O pricinach upadka i o novych tecenijack sovremennoj russkoj literatury (S.-Petersburg, 1893), ohne Seitenangabe.

16 Striedter zitiert Brjusovs Antwort auf die Frage, was Symbolismus sei: »Ich suche die Antwort vor allem in der Form, in der Harmonie der Bilder oder, richtiger, in der Harmonie der Eindrücke, die von den Bildern hervorgerufen werden, in der Versöhnung derjenigen Ideen, die sich unter ihrem Eindruck klären.« (Brief vom 18. 11. 1895; in Pis'ma Brjusova k P. P. Percovu 1894–1896, Moskau, 1927, pp. 45 seqq.); so zitiert in »Transparenz und Verfremdung«, 268.

die Leistung des Dichters am Schaffen neuer Bilder gemessen werden müsse ... Die historische Wandlung der Dichtung wäre dann als Abfolge solcher neuer Bilder zu sehen. Diese verbreitete Ansicht erweist sich jedoch als falsch. Je intensiver man sich in die Werke eines Dichters, einer Schule oder einer Epoche einarbeitet, desto klarer wird einem, daß die Bilder weder individuelles noch nationales Produkt oder Spezifikum sind, sondern tradiertes Allgemeingut ...[17]

Von hier aus ging er zu seinem Argument über, daß durch die Alltagssprache zwar »die Verständigung erleichtert und rationalisiert,« die »Wahrnehmung« aber »zunächst abstrahiert, dann automatisiert und dadurch zunehmend entleert« werde. In diesem Zusammenhang erscheint nun, wie Striedter mitteilt, zum ersten Male der Begriff ›Verfremdung‹[18]:

Und eben um das Gefühl des Lebens wiederzugeben, die Dinge zu fühlen, um den Stein steinern zu machen, existiert was man Kunst nennt. Ziel der Kunst ist, das

17 ibid., 287.

18 Es ist möglich, daß der Begriff »Verfremdung« tatsächlich von Brecht geprägt worden ist. Nach Reinhold Grimm ist »das Schwäbische ... offenbar die einzige deutsche Mundart, in der es – wenn auch vereinzelt – Belege für das Wort ›verfremden‹ gibt«, und zwar bedeutet es dort dasselbe wie »entfremden«. Der Begriff »Entfremdung« dagegen sei aus der Rechtssprache »schon seit Jahrhunderten geläufig. Allgemeiner bekannt wurde er indes erst durch Marx und Engels.« (Vgl. *Strukturen*, 216). – Brecht selbst schrieb zunächst in dem Aufsatz »Vergnügungstheater oder Lehrtheater« aus dem Jahre 1936: »Die Darstellung setzte die Stoffe und Vorgänge einem Entfremdungsprozess aus. Es war die Entfremdung, welche nötig ist, damit verstanden werden kann. Bei allem ›Selbstverständlichen‹ wird auf das Verstehen einfach verzichtet.« (Vgl. *Schriften zum Theater*, 63). Später dann gebrauchte er nur noch die Form »Verfremdung«.

Es ist zweifellos gerechtfertigt, wenn in diesem Zusammenhang immer wieder auf die thematische Beziehung des Begriffs zu der »Entfremdung« bei Karl Marx aufmerksam gemacht wird. Dort bezeichnet er einen Zustand, der entsteht, wenn das Zusammenwirken der Menschen – wie in der Arbeitsteilung in der modernen Industriegesellschaft – kein natürliches, sondern ein aufgezwungenes ist, so daß es den Individuen »als eine fremde, ausser ihnen stehende Gewalt« erscheint, »von der sie nicht wissen, woher und wohin, die sie also nicht mehr beherrschen können, die im Gegenteil nun eine eigentümliche, vom Wollen und Laufen der Menschen unabhängige, ja dieses Wollen und Laufen erst dirigierende Reihenfolge von Phasen und Entwicklungsstufen durchläuft« (Vgl. Grimm, *Strukturen*, 216). Grimm stimmt später jedoch mit Helge Hultberg überein, der darauf hinweist, daß »bei Marx ... Entfremdung einen Zustand der Gesellschaft, bei Brecht ... das Wort eine *Methode*, den Zuschauern diesen Zustand bewußt zu machen« bedeute. (Vgl. *Die ästhetischen Anschauungen Bertolt Brechts*, 141).

Eine Verwandtschaft der *Methoden* liegt jedoch beim Vergleich mit der Hegelschen Dialektik vor. Grimm spricht sogar von der »endgültigen philosophischen Grundlegung der Verfremdung,« die Hegel mit seiner Dialektik geliefert habe. (Vgl. *Strukturen*, 214). Für die Arbeit mit Brechts Lyrik werden diese Zusammenhänge jedoch erst an dem Punkt interessant, an dem auch in der Lyrik von »Verfremdung im Sinne Brechts« und nicht mehr nur, wie es für die hier vorgelegten Untersuchungen gilt, im Sinne Šklovskijs gesprochen werden kann.

Empfinden des Gegenstandes zu geben als Sehen und nicht als Konstatieren [bzw. Wiedererkennen, J. S.]; als Verfahren der Kunst erscheint das Verfahren der »Verfremdung« *(priem ostranenija)* der Dinge ...[19]

Die Anwendung des »Verfahrens der Verfremdung« hat Šklovskij, wie erwähnt, nicht an Beispielen aus der Lyrik veranschaulicht, sondern an solchen aus der epischen Gattung, nämlich den Romanen Tolstojs[20]. Das beweist, daß Šklovskij selbst

den Anwendungsbereich von Verfremdung weder gattungsmäßig noch zeitlich [einschränkte]. Für ihn ist dieses Verfahren kein Spezifikum der Moderne und schon gar nicht nur des modernen Theaters, sondern ein Charakteristikum der Dichtung überhaupt.[21]

Striedter erklärt die Verbindung zu Brechts Verfremdung im Drama: Tolstoj habe »ein solches Verfahren nur in der Beschreibung des Theaters, nicht aber in seiner eigenen Theaterproduktion« angewandt. Seine Dramen seien typische Produkte der Illusionsdramatik gewesen. Den Schritt von der verfremdenden epischen Wiedergabe einer Theaterhandlung zum »Theater der Verfremdung« als »epischem Theater« habe erst Brecht vollzogen, und wie in Tolstojs Epik sei in Brechts Dramatik »Verfremdung« sowohl ein formprägendes künstlerisches Verfahren als auch ein Instrument moralistischen Engagements mit dem Ziel, eine als unmoralisch, aber »veränderbar« gesehene gesellschaftliche Umwelt zu provozieren und zu verwandeln[22]. Damit ist aber unmißverständlich auf die gattungs- und ideologiebedingten Begrenzungen der Verfremdung im Brechtschen Drama hingewiesen. Striedter bestätigt also, daß es sich zwar bei der Benutzung des Begriffs ›Verfremdung‹ immer wieder um dasselbe Grundprinzip handelt, daß aber bei der Untersuchung seiner Anwendung Gattungs- und weltanschauliche Unterschiede eine wichtige Rolle spielen.

Es wäre nun zu zeigen, daß Brecht auch in seiner frühen Lyrik schon verfremdende Kunstmittel anwendet, indem er etwa traditionelle, in die Alltagssprache übernommene und automatisch gewordene Symbolik verfremdet. Einige Gedanken über Goethesche Lyrik können hier die geeignete Perspektive herstellen. Goethe war es noch möglich, die eigene innere Vision der Welt so zu formen, daß sie im Gedicht zur universalen Erfahrung, d. h. »symbolisch« wurde. Er konnte die eigene Persönlichkeit mit dem »Menschen an sich« iden-

19 »Transparenz und Verfremdung,« 288. – Das Zitat stammt aus *O teorii prozy*, ohne Ortsangabe (1929), 13. – Hier wird besonders klar, daß die Auslegung Erlichs zu eng ist, wenn er meint: »The challenge to realistic esthetics was unmistakably clear. Not representation of life in concrete images, but, on the contrary, creative distortion of nature by means of a set of devices which the artist has at his disposal – this was, according to Šklovskij, the real aim of art.« *(Russian Formalism*, 57).

20 *Russian Formalism*, 150–51.

21 »Transparenz und Verfremdung,« 289.

22 Ibid.

tifizieren. Wenn er Natur im poetischen Bild »widerspiegelt«, so offenbart er hinter jedem Spiegelbild das »allgemeine Gesetz als einen einsichtigen Sinn[23]«. Es geschieht etwas mit der kleinen Rose auf der Heide, ehe sie mir im Spiegel als »das Heideröslein« zurückstrahlt – als ein Sinnbild (für Blühen und Gepflücktwerden, Unschuld und Raub der Unschuld, und was immer dem poetischen Bild der Rose traditionell an Symbolischem anhaftet). Hier ist es Zweck der Dichtung, die Harmonie zwischen Phänomen und Ur-Phänomen, den Sinn aller Dinge oder auch den »Weltzusammenhang« überhaupt bewußt zu machen. Das poetische Bild bei Brecht scheint dagegen fast den umgekehrten Zweck zu haben – nämlich den, bewußt zu machen, daß ein solcher »höherer Sinn« nicht waltet, daß er vielmehr erst vermittels des sprachlichen Symbols geschaffen wird, daher menschlich und »veränderbar« (und nicht transzendent und ewig) ist, und daß es Aufgabe der Kunst ist, die Wirklichkeit so abzubilden, wie sie vom modernen Menschen erfahren wird, der das echte Gefühl der Transzendenz verloren hat, wobei aber gleichzeitig der Sprache wieder ein neuer Sinn gegeben wird (auch wenn dies zunächst nur in Richtung der ironischen Abwertung geschieht). Immer wieder scheint es Brechts Hauptanliegen zu sein, den Kontakt, die Kommunikation zwischen Erfahrungswelt und Kunstgenießer erneut herzustellen – und nicht etwa »die Kluft zwischen Wissen und Glauben zu überbrücken«. Seine Kunst versucht nicht, in Unbekanntes einzudringen, und auch nicht, die Entfremdung des modernen Menschen von seiner Umgebung im Kunstwerk lediglich darzustellen und festzuhalten; vielmehr macht er sie auf eine gewisse kritikauslösende Weise bewußt. Ich glaube, daß Brecht auf diese Neubewußtmachung von Anfang an zusteuerte, daß er dabei alle Dinge, nicht nur den Zustand der Gesellschaft im Sinne hatte, der allerdings dann Mitte der zwanziger Jahre durch die Theaterarbeit in den Vordergrund trat. Aber die notwendige intellektuelle Beteiligung des Publikums statt Suggestion und Beschwörung kennzeichnet schon viele der frühesten Gedichte Brechts. Die anscheinend zunächst beabsichtigte »Entlarvung« des symbolischen poetischen Bildes und Hinwendung zum »beschreibenden Bild« der Wirklichkeit geschieht durch Anspielung auf den symbolischen Hintergrund und gleichzeitige Anwendung von Kunstmitteln, die Distanz zu ihm schaffen, ihn eher als etwas Bekanntes, Gewesenes, vom Verstand kritisch zu Betrachtendes erscheinen lassen denn als die »Wahrheit«. Wer daher Brechts Bilder als transparent oder symbolisch auffaßt, ohne sich der gleichzeitig stattfindenden Verfremdung bewußt zu werden, kommt bei ihrer Interpretation nicht zum Ziel.

Ich bin an anderer Stelle ausführlich auf die bisherigen Beiträge zu Brechts Lyrik und speziell zu Verfremdungseffekten in den Gedichten eingegangen[24].

23 Walter Killy, *Über Gedichte des jungen Brecht*, Göttinger Universitätsreden 51. Göttingen: Vandenhoeck & Ruprecht (1967), 6.

24 *Weisen der Verfremdung in Bertolt Brechts lyrischem Werk bis 1933*, 24–40.

Es ist erstaunlich, wie wenige Kritiker sich ausschließlich mit Brechts Lyrik befaßt haben. Immer wieder heißt es, er sei vor allem Dramatiker gewesen; nur selten erhebt sich eine Stimme wie die folgende, die auch den anderen Brecht kennt:

He was by temperament a lyric poet, endowed with a most exceptional sensitivity towards mood, climate, landscape, season and human relationship.[25]

Bei Durchsicht der Sekundärliteratur ergab sich eindeutig, daß als Bezugssystem für die Analyse von Verfremdungsphänomenen, soweit solche in Brechts Lyrik überhaupt vermutet und bemerkt werden, niemals die Theorie Šklovskijs, sondern immer wieder die Verfremdungstheorie aus Brechts eigener Arbeit herangezogen worden ist. Daß dies in eine Sackgasse führt, glaube ich theoretisch hiermit gezeigt zu haben. Einige praktische Beispiele sollen nunmehr veranschaulichen, wie die Verfremdung in Brechts Lyrik (zunächst nur bis 1933) tatsächlich aussieht.

II. Brechts Anwendung des Verfahrens der Verfremdung

a) Die ungewöhnliche Metaphorik

Bei der Untersuchung der *Gedichte 1913–1926*[26] fielen besonders die ungewöhnliche Metaphorik und eine Vielfalt von gedanklichen Verfremdungstechniken auf (über die ich an anderer Stelle zu berichten beabsichtige). Die Bildwelt dieser frühen Gedichte ist als Hintergrund für Brechts gesamte spätere Dichtung von großer Bedeutung. Deshalb wollen wir uns ihr zuerst zuwenden.

Es erwies sich als lohnend, die verfremdend wirkenden Bilder zunächst einmal aus ihrem Kontext herauszulösen, um zu sehen, welche Muster und Tendenzen sich schon in der frühesten Dichtung erkennen lassen. Dabei kristallisierten sich verschiedene charakteristische Merkmale der Brechtschen Bildwelt und seiner Verfremdungstechnik heraus. In seiner Darstellung der menschlichen Umwelt fielen jene Bilder, die mit Himmel, Wasser (auch Schnee und Regen), mit Wind und Wolken zu tun haben, am meisten auf. Die pflanzliche Welt ist fast ausschließlich auf den Wald beschränkt; die mineralische Welt erscheint als Felsen oder Gestein, gegen Ende dieses Zeitabschnitts auch als Stadt – aber auch das bedeutet im Grunde genommen Stein, nämlich Steinwüste. Zu dem landschaftlichen Hintergrund tritt eine Menschendarstellung, die sich häufig wiederkehrender Vergleiche aus dem Bereich des Tierischen und Pflanzlichen bedient. Es kann schon hier vorweggenommen werden, daß Brecht seinem Publikum eine Welt *zeigt* und daß es keine fruchtbare und bebaute ist,

25 Ernest Bornemann, »Credo quia Absurdum: An Epitaph for B. B.« *Kenyon Review*, XXI (1959), 169–80.

26 *Gesammelte Werke in 20 Bänden.* Bd. 8. Dieser Abschnitt enthält außer den Gedichten der *Hauspostille* noch 164 Gedichte aus diesem Zeitabschnitt.

in der die Produktivität des Menschen Zeugnis von seiner Herrschaft über die Natur ablegt, sondern eine Welt, in der die Natur wieder elementar zu herrschen beginnt und nicht als lebenspendend und -erhaltend, sondern als verheerend und dämonisch machtvoll charakterisiert wird, während der Mensch (oder das, was von ihm übrig ist) langsam vertiert und verfault.

Brechts erstes Waldbild tritt schon 1916 im *Lied der Eisenbahntruppe von Fort Donald* auf:

Die Männer von Fort Donald, hohé!
Zogen den Strom hinauf, bis die Wälder ewig und seelenlos sind. (13)[27]

Im *Lied der Schwestern*, das 1920 entstand, schrieb er:

In den finstern Wäldern, sagt man,
Wächst er auf wie fremdes, sanftes Vieh. (64)

Das Gedicht *Die schwarzen Wälder* aus demselben Jahr beginnt:

Die schwarzen Wälder aufwärts
Ins nackte, böse Gestein
Es wachsen schwarze Wälder bis
In den kalten Himmel hinein.

Es schreien die Wälder vor Kummer
Von Frost und Oststurm zerstört –. (72)

In dem Psalm *Gottes Abendlied*, der um die gleiche Zeit entstand, singt der Dichter von dem »großen kosmischen Choral«, der »Gottvater ... erquickt, und dem er sich hingibt«, und Teil dieses Chorals ist das folgende Waldbild:

Der Schrei überschwemmter Wälder, die am Ertrinken sind. (75)

Ebenfalls aus dem Jahr 1920 stammt das Gedicht *Prometheus*, in dem es heißt:

Das ist die Stunde ihres Triumphes.
Die blauen Wälder sind wie Eisenspiegel aufgebaut.
Sie selbst steht wie ein weiß Gespenst verbrannt im Dunst des Sumpfes.
Der Felsen wächst durch rohe Fetzen meiner Haut. (87)

27 Die den Zitaten in Klammern folgenden Zahlen verweisen auf die Seiten, auf denen das betreffende Zitat in Band VIII–X der *Gesammelten Werke* erscheint. (Die Seiten dieser drei Bände sind fortlaufend numeriert, so daß sich eine Angabe des Bandes erübrigt.) Für Gedichte, die in den *Gesammelten Werken* innerhalb einer bestimmten Sammlung erscheinen, wodurch die sonst weitgehend chronologische Zusammenstellung teilweise durchbrochen wird, wird außer der Seitenzahl eine entsprechende Abkürzung, wie HP für *Hauspostille*, angegeben. Wo im Text mehrere auf der gleichen Seite vorkommende Zitate hintereinander aufgeführt sind, erscheint die Seitenzahl nur nach dem letzten Zitat.

Dann scheint der Wald aus dem Blickfeld zu verschwinden, bis er, sozusagen in Form der Erinnerung, nochmals in dem wohl bekanntesten Bild aus dem 1922 entstandenen[28] Gedicht *Vom armen B. B.* auftaucht:

> Ich, Bertolt Brecht, bin aus den schwarzen Wäldern.
> Meine Mutter trug mich in die Städte hinein
> Als ich in ihrem Leibe lag. Und die Kälte der Wälder
> Wird in mir bis zu meinem Absterben sein. (261, HP)

Endlich, im Jahre 1924, benutzt Brecht ein Goethesches Waldbild parodistisch in der *Liturgie vom Hauch*, wenn er zunächst spottend nachahmt:

> Darauf schwiegen die Vöglein im Walde
> Über allen Wipfeln ist Ruh
> In allen Gipfeln spürest du
> Kaum einen Hauch,

um dann durch den Inhalt des Gedichts auf die Abänderung des Refrains nach dem letzten Vers zuzusteuern:

> Da schwiegen die Vöglein nicht mehr
> Über allen Wipfeln ist Unruh
> In allen Gipfeln spürest du
> Jetzt einen Hauch. / (181 ff., HP)

Der verfremdende Effekt des letzten Beispiels wird nicht zuletzt dadurch erreicht, daß das Bild einer symbolischen Landschaft zum Teil ganz wörtlich genommen wird, wodurch dann der kritische Gegensatz von »ist Ruh« / »ist Unruh« und von »Kaum ein Hauch« / »Jetzt einen Hauch« möglich wird. Ein solches »die-Sprache-beim-Wort-Nehmen« erweist sich überhaupt als eine für Brechts Verfremdung charakteristische Technik. Ansonsten entwickelt sich, wie man sehen kann, sein Waldbild teilweise aus der bestehenden Tradition: etwa aus den magischen Vorstellungen der Märchen und der Tieckschen Romantik, wenn es heißt »In den finstern Wäldern / Wächst er auf« oder aus der beseelten Landschaft bei Klopstock oder den Romantikern in Bildern wie »Es schreien die Wälder vor Kummer«. Andererseits scheinen die Bilder aber auch wieder in bewußtem Gegensatz oder Widerspruch zu diesen Traditionen ge-

28 Diese Datierung darf angezweifelt werden, da sie die ursprüngliche und von der bisher bekannt gewordenen sehr verschiedene Fassung bzw. den »Entwurf« dieses Gedichts betrifft, bei dem es sich um ein für Brecht sehr seltenes Beispiel von »monologischer Lyrik« handelt. Über die These, daß wir es tatsächlich bei der heutigen Fassung mit einem *zweiten* Gedicht zu tun haben, das durch den Prozeß der Verfremdung des ursprünglichen Entwurfs entstanden ist – anders ausgedrückt, mit einer »Verfremdung« des eigenen Materials – beabsichtige ich in einer getrennten Veröffentlichung ausführlicher zu berichten. In dem Entwurf heißt es auch noch nicht »die Kälte der Wälder«, sondern nur »die Wälder«.

wählt: statt der Gott anbetenden und beruhigten Wälder Klopstocks die »schreienden« und »zerstörten«; statt des die Sehnsucht nach dem Ideal verkörpernden Blau der Romantik die greifbar nahen, aber grausamen »blauen Wälder«, die »wie Eisenspiegel aufgebaut« sind; statt der Seele in der Natur die Wälder, die »ewig und seelenlos sind«; vor allem aber statt des vertrauten, heimatlichen, wie der Rest seiner kultivierten Landschaft zum Menschen gehörigen Schwarzwalds der Heimatdichtung die eher unheimlich, urhaft und feindlich wirkenden »schwarzen Wälder«. Im letzteren Fall gelang es Brecht, durch die scheinbar spielerische Verfremdungstechnik der Paronomasie den schärfsten Gegensatz zu dem für das deutsche Publikum wohl bezeichnendsten, »aus realistischen und romantischen Elementen hergeleiteten«[29] Waldgefühl – daß die Wälder schön sind, und so gesund, und zur Erholung da – zu formulieren[30]. In dem Gedicht *Die schwarzen Wälder* ist diese Verfremdungstechnik nicht ganz so leicht zu erkennen wie in *Vom armen B. B.*, wo deutlich auf den Schwarzwald als ursprüngliche Heimat von Brechts Familie angespielt wird.

Eine deutliche Neigung, den mythologisch-symbolischen Bedeutungsassoziationen eines Wortes durch Bilder entgegenzuwirken, welche die diesseitig-natürliche und rational erfaßbare Bedeutung betonen, läßt sich auch bei Brechts Wasserbildern beobachten. Einerseits lassen die anscheinend realistischen, an das industrielle Zeitalter gemahnenden Bezeichnungen »schmutzgelbe Meere« (219, HP), »das gelbe, ölige Meer« und »ein schwarzes Gewässer« (69) oder auch das Bild »die Welt ist ein stinkender Teich« (60) die Suche nach symbolischen, auf der Ebene des Übernatürlichen liegenden Bedeutungen fast absurd erscheinen; andererseits deutet die Tatsache, daß diese Bilder in den einzelnen Gedichten meist im Zusammenhang mit Tod und Ver-

29 Wolfgang Baumgart veröffentlichte im Jahre 1936 die Studie *Der Wald in der deutschen Dichtung*, Stoff- und Motivgeschichte der deutschen Literatur, Nr. 15, in der er eingehend über die Wandlungen des Waldbildes berichtete. Er kommt am Ende zu einem »Waldbild aus realistischen und romantischen Elementen«, das überall dort, wo der Wald in der Dichtung vorkomme, »bis heute weitergepflegt« werde. Eine wiederum neue, entscheidend andere Prägung des Waldbildes sei seither nicht erschienen (121). An dieser Feststellung interessierte nicht so sehr, daß offensichtlich die Entwicklung in der symbolischen und expressionistischen Phase der Literatur, wie auch Brechts Lyrik, ignoriert wird (was für das Jahr 1936 nicht verwundert), sondern daß mit der Formulierung »ein Waldbild aus realistischen und romantischen Elementen« tatsächlich in kürzester Form die zu Brechts Zeit – und vielleicht noch heute – populären Bedeutungsassoziationen des Wortes »Wald« gegeben sind.

30 Lausberg, *Elemente*, 277. Die Paronomasie wird hier als »ein die Wortbedeutung betreffendes Wortspiel« bezeichnet, »das durch die Änderung eines Teils des Wortkörpers entsteht, wobei häufig einer nur geringfügigen Änderung des Wortkörpers eine überraschende (›verfremdende‹) ›paradoxe‹ Änderung der Wortbedeutung entspricht.«

gehen erscheinen und daß nie von einem bestimmten Gewässer die Rede ist, wieder auf die traditionelle Symbolik zurück. So spürt der Leser zwar das Bestreben, die materielle Welt unverklärt und in von ihren mythologischen Assoziationen befreiten Bildern zu »zeigen«, bleibt sich aber dieser Symbolik doch noch bewußt. Diese Zweischichtigkeit hat meistens die Funktion der »Entlarvung« der mythologischen Assoziationen. Häufig stehen Bilder in ironischem Kontrast zu diesen. Bei dem Vers »Die Welt ist ein stinkender Teich« (60) möchte man zunächst an die antithetische Metaphorik des Barock denken, die die Erde, das »Jammertal«, in den düstersten Farben schilderte, um ihr um so eindringlicher das strahlende Gegenbild der Welt des Geistes bzw. der Welt nach dem Tode entgegenhalten zu können. Daß von dieser Art Antithetik bei Brecht keine Rede sein kann, ja, daß seine Dichtung bewußt darauf zielt, ihre positive Seite zu entkräften und als Illusion zu entlarven, wird durch Signale im Zusammenhang des Gedichts deutlich. In den Versen

Na, schließlich ist es auch gleich
Es ist keiner auf Kissen gebettet
Die Welt ist ein stinkender Teich
Siehst du, Jack, und du bist gerettet (59)

aus *Karl Hollmanns Song* ist der Satz »Es ist keiner auf Kissen gebettet« eine deutlich verspottende Sprichwort-Perversion, in der ein idealisierendes Symbol – »Rosen« – durch das prosaische Wort »Kissen« ersetzt wird; diese Ironie überträgt sich auf den nächsten Vers, der damit leicht als verfremdend benutztes Zitat aus der Barockliteratur empfunden werden kann. Dazu kommt die Verspottung der Religion bei der Beschreibung des Zustandes nach dem Tode:

Leer jetzt wie ein Zeitungsblatt!
Weihrauchgeräuchertes! Quitter
Mit dem Teufel ist niemand ...

und als Krönung am Ende der Zusatz zu der negativen Vorstellung der Welt als eines »stinkenden Teichs«:

Ja, der Teich, Jack, der ist immerhin
Zwischendurch auch ziemlich warm oft!

mit dem das ursprüngliche Bild, das im Barock dazu gedient hätte, die Häßlichkeit dieser Welt zu betonen, hier plötzlich positiv qualifiziert wird.

Das Bild des stagnierenden Teiches oder des regungslosen Sees ist, wie Bernhard Blume bemerkt, eins der »Lieblingsgleichnisse der niedergehenden Epoche[31].« Bei Brecht leitet es das Gedicht *Von den verführten Mädchen* ein:

31 »Das ertrunkene Mädchen: Rimbauds *Ophélie* und die deutsche Literatur,« *Germanisch-Romanische Monatsschrift*, Neue Folge, IV (1954), 111.

Zu den seichten, braun versumpften Teichen
Wenn ich alt bin, führt mich der Teufel hinab.
Und er zeigt mir die Reste der Wasserleichen,
Die ich auf meinem Gewissen hab. (251, HP)

Es ist durch Benutzung der geeigneten beschreibenden Adjektive zu einem realistisch und plausibel wirkenden Bild verarbeitet, d. h. Brecht verfremdet das Gleichnis zur Beschreibung einer Örtlichkeit. Im Zusammenhang des Gedichts trägt diese Technik der Gestaltung traditioneller Motive (das verführte Mädchen, die Konfrontation des Sünders mit seinen Opfern, der Tod im Wasser) in realistisch beschreibenden Bildern zur ironisch-verfremdenden Abwertung des Vorgangs selbst bei, der in dem Gedicht dargestellt wird. Diese Verfremdungstechnik findet sich auch in dem Gedicht *Vom ertrunkenen Mädchen,* das mit den Versen beginnt:

Als sie ertrunken war und hinunterschwamm
Von den Bächen in die größeren Flüsse. (252, HP)

Kunstmittel der Verfremdung ist also hier die »natürliche« Beschreibung symbolisch-mythischer Strukturen.

Dann wieder erscheint das Wasser als Lebenselement – aber auf ungewohnte Weise: der »traditionell unterhalb des menschlichen Existenzbereichs liegende« Bereich des Wassers[32] wird zu einer Art von menschlichem Bereich. Dabei erweist er sich aber nicht als Symbol einer höheren Welt, sondern ist deutlich als ganz diesseitiges Phänomen gekennzeichnet. In einem Jugendgedicht Brechts heißt es:

In den apfellichten Teichen karpften
Wir gefräßig leicht in windiger Flut. (50)

Aber erst in dem Gedicht *Vom Schwimmen in Seen und Flüssen* wird die Verfremdung wirklich deutlich. Hier wird der Mensch der materiellen Natur eingegliedert:

Im bleichen Sommer, wenn die Winde oben
Nur in dem Laub der großen Bäume sausen
Muß man in Flüssen liegen oder Teichen
Wie die Gewächse, darin Hechte hausen. (209, HP)

In der Bildwelt der Bibel, einer von Brechts wichtigsten Quellen poetischer Bilder, und in der Poesie des Mittelalters und der Renaissance stehen die menschliche und die materielle Natur auf zwei verschiedenen Ebenen; räumlich

32 Northrop Frye, *Anatomy of Criticism,* Princeton University Press (1957), 146: »Water . . . traditionally belongs to a realm of existence below human life, the state of chaos or dissolution which follows ordinary death, or the reduction to the inorganic.«

gesehen befindet sich die menschliche Natur dabei über der materiellen, so wie die nächste Ebene, der Himmel der Religion, auch räumlich oberhalb der menschlichen Welt dargestellt wird[33]. Diese biblische – und nach wie vor populäre – Ordnung der Natur wird in dem obigen Gedicht deutlich verfremdet.

Es könnten anhand weiterer Zitate von Himmel-, Wind- und Menschenbildern in Brechts früher Lyrik noch viele ähnliche Beispiele seiner Verfremdungstechnik gegeben werden; doch glaube ich, daß dies im Rahmen dieses Artikels nicht mehr notwendig ist[34]. Immer wieder bestätigt sich, daß der Einfluß symbolischer Dichtungsweisen in den *Gedichten 1913–1926* sehr stark ist, daß Brecht ihn aber durch eine Art sachlich beschreibender, antisymbolisch zu nennender Darstellung der Dinge überwindet, um eine Welt darzustellen, in der es zwar dämonisch zugehen mag, aber nichts gibt, was der Mensch letzten Endes nicht erklären und verstehen könnte. Als letztes Beispiel hierfür soll noch das Gedicht *Prototyp eines Bösen* zitiert werden. Es beginnt mit einem Bild, das in die dämonische Bildstruktur zu gehören scheint:

1
Frostzerbeult und blau wie Schiefer
Sitzend vor dem Beinerhaus
Schlief er. Und aus schwarzem Kiefer
Fiel ein kaltes Lachen aus.
Ach, er spie's wie Speichelbatzen
Auf das Tabernakel hin
Zwischen Fischkopf, toten Katzen:
Als noch kühl die Sonne schien. (23)

Ein gewisser, an die Morgensternsche Groteske erinnernder Ton läßt dieses Bild vielleicht von vornherein nicht völlig ernst nehmen. Aber erst die folgenden Strophen lösen es auf bzw. verfremden es zum übertriebenen Schreckbild, das die Phantasie aus einem »verkommenen Subjekt« macht. Wie stellt das Brecht an? Nach einer aus nichts als einem langgezogenen »Aber« bestehenden zweiten Strophe – dies in sich selbst eine Verfremdung – wird das Schreckgespenst in der dritten und vierten Strophe durch die übertriebene Nachahmung volkstümlicher Vorstellungen des »Bösen« (deren Urbilder zumeist biblische Metaphern sind) ganz einfach lächerlich gemacht.

3
Wohin geht er, wenn es nachtet
Der von Mutterzähren troff?
Der der Witwen Lamm geschlachtet
Und die Milch der Waisen soff?

33 Northrop Frye, »The Drunken Boat,« *Romanticism Reconsidered,* Selected Papers from the English Institute. New York (1963), 3.

34 *Weisen der Verfremdung,* 47–90.

Will er, noch im Bauch das Kälbchen
Vor den guten Hirten, wie?
Tief behängt mit Jungfernskälpchen
Vor die Liebe Frau Marie?

Bei dieser ironischen Identifizierung haben wir es übrigens schon mit einer Form der *sermocinatio* als Verfremdungstechnik zu tun, von deren Anwendung in der Lyrik der folgende Abschnitt handelt. Zusammenfassend ist zunächst festzuhalten: Die Struktur der poetischen Bilder dieser Phase regt vielfach zur symbolischen Interpretation an, weil der Dichter auf traditionelle Symbolik zurückgeht bzw. anspielt; Brecht wirkt diesem »gewohnten« Verfahren jedoch durch realistisch-versachlichende Beschreibung entgegen. Es ergibt sich daraus das entscheidende Merkmal seiner bildlichen Verfremdung: die doppelte Perspektive. Sie distanziert das Publikum vom Bild, indem sie gleichzeitig auf den Stoff und auf seine Verarbeitung aufmerksam macht.

b) Darstellung des sprachlichen Gestus als Verfremdungsmittel

Wir hatten uns bisher auf Beispiele aus den *Gedichten 1913–1926* beschränkt. Auf diese folgen, nach der von den Herausgebern vorgenommenen Einteilung, die *Gedichte 1926–1933*[35]. Am Ende der ersten Periode sind die Gedichte der *Hauspostille* abgedruckt, am Anfang der zweiten die der Gruppe *Aus einem Lesebuch für Städtebewohner*. Ich betone diese Einteilung aus folgendem Grunde:

Geht man beim Lesen direkt von den Gedichten der *Hauspostille* zu denen des *Lesebuchs* über, so entsteht leicht der Eindruck eines scharfen Einschnitts in Brechts künstlerischer Entwicklung um 1926, weil meist übersehen wird, daß die *Hauspostille* vor allem die schon in Augsburg entstandenen Balladen und Lieder mit ihrem reichen Schatz an Naturbildern enthält sowie eine Reihe ihnen gleichender, in Berlin und München entstandener Gedichte aus der ersten Hälfte der zwanziger Jahre, während Brecht für die Gruppe *Aus einem Lesebuch für Städtebewohner* eine ganz bestimmte Art von Gedichten aus der in der Mitte der zwanziger Jahre entstandenen Lyrik auswählte, in denen das Naturbild völlig fehlt und darüber hinaus fast jedes persönliche Element vermieden ist. So entsteht der Eindruck eines scharfen Gegensatzes. Die tatsächlich viel allmählichere und organischere Entwicklung von Brechts Lyrik und die Tat-

35 Hierzu gehören die Gedichte, die Brecht unter dem Titel »Aus einem Lesebuch für Städtebewohner« in Heft 2 der »Versuche« (1930) zusammengefaßt hatte und die – laut Anmerkung der Herausgeber auf Seite 9 – als Texte für Schallplatten gedacht waren; eine weitere Gruppe von Gedichten, die von den Herausgebern unter dem Titel »Zu einem Lesebuch für Städtebewohner gehörige Gedichte« für die *Gedichte*, Band I (Berlin und Frankfurt a. M.: Suhrkamp, 1960–65) zusammengestellt worden waren; und 82 weitere Gedichte – viele von ihnen undatiert – aus den Jahren 1926 bis 1933, sowie zwei Gedichte aus dem Jahre 1934.

sache, daß es sich bei ihr mehr um Akzentverschiebung und bewußte Auswahl unter den zur Verfügung stehenden, von ihm beherrschten Kunstmitteln handelt, kommt aber gerade durch die Analyse seiner Verfremdungstechniken deutlich zum Vorschein.

Brecht begann das verfremdende Verfahren der *sermocinatio* oder Ethopoiie[36], ein Verfahren der Distanzierung, das dem Lyriker die Möglichkeit gibt, Menschen (einschließlich seiner selbst) durch ironische Nachahmung ihrer charakteristischen Ausdrucksweise zu »zeigen«, schon um und vor 1920 anzuwenden, und zwar in Gedichten wie *Auslassungen eines Märtyrers* (37), *Anna redet schlecht von Bidi* (52), *Lied der Schwestern* (64) und *Politische Betrachtungen* (89). Die stärkste Wirkung des schon 1922 entstandenen Gedichts *Von der Kindsmörderin Marie Farrar* (176, HP) rührt davon her, daß in ihm der sprachliche Gestus dreier verschiedener Personen eingefangen ist: der Angeklagten, des berichtenden Beamten und des Dichters. Und in dem Gedicht *Anna hält bei Paule Leichenwache* (155; 1925 entstanden) erreicht diese Technik der Menschendarstellung vermittels des sprachlichen Gestus (hier in indirekter Rede) bereits einen frühen Höhepunkt:

1
Paule war gestorben
Und Anna saß dabei
Und das ganze Leben war ihr verdorben
Durch diese verfluchte Schweinerei.

2
Natürlich wurde es auch noch dazu Nacht
Der Mond war auch nicht zu vermeiden
Anna hätte das nicht von Paule gedacht
Sie war immer die vertrauensselige von beiden.

3
Es hatte sich natürlich gerächt
Wie alles im Leben
Und Paule hatte es ihr gegeben
Das war wieder von Paule echt!

4
Natürlich konnte er jetzt wieder nichts dafür!
Aber für was hatte Paule je etwas gekonnt?
So einer lebt ja für sich hin wie ein Tier!
Was morgen war, das ging schon über seinen Horizont!

36 Lausberg, *Elemente*.

5
Jetzt verzog er sich hinter seiner Leichenstarre
Beim Sichdrücken, da hatte er immer Talent!
Arme Anna! Gegen Morgen, bei einer billigen Zigarre
Gab sie für ihr Leben nicht mehr einen Cent!

In allen diesen Gedichten spielt also bereits das Verfahren der »gestischen Sprache« eine Rolle, über das Brecht erst später und nur teilweise im Zusammenhang mit der Lyrik theoretisierte. Um 1927 wußte er zwar schon genau, worum es ihm ging, und drückte es in seiner Kritik der spätbürgerlichen Dichter eindeutig aus:

Aber von einigen solchen Ausnahmen abgesehen, werden solche ›rein‹ lyrischen Produkte überschätzt. Sie entfernen sich einfach zu weit von der ursprünglichen Geste der Mitteilung eines Gedankens oder einer auch für Fremde vorteilhaften Empfindung. Alle großen Gedichte haben den Wert von Dokumenten. In ihnen ist die Sprechweise des Verfassers enthalten, eines wichtigen Menschen.[37]

Um das Jahr 1932 schrieb er in einer Notiz über gestische Musik:

Unter Gestus soll nicht Gestikulieren verstanden sein; es handelt sich nicht um unterstreichende oder erläuternde Handbewegungen, es handelt sich um Gesamthaltungen. Gestisch ist eine Sprache, wenn sie auf dem Gestus beruht, bestimmte Haltungen des Sprechenden anzeigt, die dieser anderen Menschen gegenüber einnimmt.

Schon in dieser Notiz unterscheidet er übrigens zwischen verschiedenen Arten von Gestus und definiert:

Nicht jeder Gestus ist ein gesellschaftlicher Gestus. Die Abwehrhaltung gegen einen Hund kann einer sein, wenn zum Beispiel durch ihn der Kampf, den ein schlechtgekleideter Mensch gegen Wachthunde zu führen hat, zum Ausdruck kommt. Versuche, auf einer glatten Ebene nicht auszurutschen, ergeben erst dann einen gesellschaftlichen Gestus, wenn jemand durch ein Ausrutschen »sein Gesicht verlöre«, das heißt eine Geltungseinbuße erlitte . . .[38]

Aber erst 1938 bezog sich Brecht direkt auf die Lyrik, als er schrieb:

Die Sprache sollte ganz dem Gestus der sprechenden Person folgen.[39]

Über allen diesen Äußerungen steht das Prinzip, daß »Gesamthaltungen« nur durch »gestisches Sprechen« dargestellt werden können. Dieses Prinzip wird in sämtlichen angeführten Gedichten schon auf eine gewisse spielerische

37 »Kurzer Bericht über 400 (vierhundert) junge Lyriker,« *Gesammelte Werke*, XVIII, 55.
38 *Schriften zum Theater*, 253.
39 »Über reimlose Lyrik mit unregelmäßigen Rhythmen,« *Gesammelte Werke*, XIX, 398.

Art angewendet. Das Kunstmittel der gestischen Sprache muß aber unter die Verfahren der Verfremdung gerechnet werden, weil es Vorgänge und menschliche Haltungen gewissermaßen »vorführt« und, indem es ihnen alle natürlichen Widersprüche beläßt, auch die Äußerungen eines Menschen zum poetischen Bild seiner Gesamthaltung macht. Zumindest in der Lyrik ist das völlig neu und ungewohnt.

Die Entwicklung von der noch spielerischen *sermocinatio* über den »Gestus der Entfremdung« zum »gesellschaftlichen Gestus« habe ich in meiner Dissertation ausführlich behandelt. An dieser Stelle soll statt dessen noch an der Interpretation eines Gedichts gezeigt werden, wie wichtig das Erkennen von Verfremdungstechniken und besonders auch die Unterscheidung zwischen »Transparenz« und »Verfremdung« des poetischen Bildes ist.

c) *»Transparenz« und »Verfremdung« bei der Interpretation*

LIED DER SCHWESTERN

In den finstern Wäldern, sagt man
Wächst er auf wie fremdes, sanftes Vieh.
Viele Männer kamen von den Wäldern.
Aber aus den Wäldern kam er nie.

Und man sagte uns: in jenen Feldern
Mit den Bäumen wächst er sanft und still.
Aber viele kamen von den Feldern. Keiner
Der uns seinen Ort verraten will.

In den Städten, sagt man, leben viele.
Und in Höfen sieht man viele stehn.
Viele fragten wir, die dorther kamen:
Aber keiner hatte ihn gesehn.

Seitdem denken wir: in weißen Wolken
Gibt es oft ein sonderbares Licht.
Vielleicht sehen wir einst in den Wolken
Weiß, vom Wind verwehet, sein Gesicht. (64)

Walter Killy hat seinerzeit der Interpretation dieses Gedichts einen Teil seiner Rektoratsrede an der Göttinger Universität gewidmet[40]. Einleitend schlägt er vor, einem »im Hinblick auf die Gedichte Brechts gegebenen Rat« Walter Benjamins zu folgen, der besagte:

Wie... wenn man, den Stier bei den Hörnern packend und des besonderen Umstandes eingedenk, der der Schwierigkeit, heute Lyrik zu lesen, genau entspricht: der

40 *Über Gedichte des jungen Brecht* (Vgl. Anmerkung 23).

Schwierigkeit nämlich, Lyrik heut zu verfassen – wie wenn man eine heutige lyrische Sammlung dem Unternehmen zugrunde legte, Lyrisches wie einen klassischen Text zu lesen?[41]

Der klassische Text ist für Killy die Dichtung Goethes; und wie diese zu lesen sei, dafür zitiert er Goethe selbst:

Was von meinen Arbeiten durchaus und so auch von den kleineren Gedichten gilt, ist, daß sie alle, durch mehr oder minder bedeutende Gelegenheit aufgeregt, im unmittelbaren Anschauen irgend eines Gegenstandes verfaßt worden, deshalb sie sich nicht gleichen, darin jedoch übereinkommen, daß bei besonderen äußeren, oft gewöhnlichen Umständen ein Allgemeines, Inneres, Höheres dem Dichter vorschwebte ... Weil nun aber demjenigen, der eine Erklärung meiner Gedichte unternimmt, jene eigentlichen, im Gedicht nur angedeuteten Anlässe nicht bekannt sein können, so wird er den inneren, höhern, faßlichern Sinn vorwalten lassen ...[42]

Bei dem Versuch, in Brechts Gedicht die »Anlässe der Poesie« zu finden – »man hat für sie die Vokabel vom ›lyrischen Ich‹« – wird die erste Schwierigkeit registriert: sie sind nicht faßbar.

... wer spricht? Es ist kein Ich, sondern ein Wir – wer sind die Schwestern? Die Überschrift als integraler Teil des Gedichts, als das erste, was der Hörer hört, setzt das Rätsel, aber der Verlauf löst es nicht auf.[43]

Killys nächster Schritt – »ein probates Mittel beim klassischen Gedicht angesichts solcher Schwierigkeit« – ist, sich des Ortes zu versichern:

Da stellt sich gleich heraus, daß die Verse nicht im unmittelbaren Anschaun eines Gegenstandes verfaßt sind; vielmehr überspielt die Unmittelbarkeit ihrer Wirkung die Tatsache, daß es in den ersten drei oder vier Strophen Verse vom Hörensagen sind ....

Das ist Bericht und alles andere als die überquellende Rede, die man so gerne der Lyrik zuschreibt.[44]

Er macht dann auf »eine sehr subtile zeitliche Wirkung« aufmerksam,

die – wie stets bei Poesie – ein erstes Hören zwar wahrnehmen, aber erst genauere Betrachtung bewußt machen kann. In den finstern Wäldern, sagt man Wächst er das ist ein sagenhaftes Präsens, in eine nicht absehbare Zeit sanften Wachstums zurückreichend, ein Praesens mythicum ...[45]

41 Walter Benjamin, *Versuche über Brecht.* Frankfurt a. M.: Suhrkamp Verlag (1966), 49.
42 J. W. von Goethe, *Werke,* hrsg. im Auftrag der Großherzogin Sophie von Sachsen, I. Abt. Bd. 42, Weimar (1887 ff.), 329.
43 *Über Gedichte des jungen Brecht,* 8.
44 Ibid.
45 Ibid., 9.

Vom sagenhaften Präsens der ersten Strophe geht die Entwicklung zu größerer zeitlicher Greifbarkeit in der zweiten; »in der dritten Strophe schließlich scheint die Zeitbewegung auf eine reale Gegenwart hinauszulaufen«.[46] Die Beobachtung dieser zeitlichen Wirkung stützt sich bei Killy vor allem auf die von Brecht benutzten Wendungen »sagt man,« (»ein Praesens mythicum«) und »Und man sagte uns,« (»Wechsel der Inversion im Präsens zu dem Aussagesatz im definitiven Präteritum«).

Doch gibt es nirgends wirkliche Gewißheit:

Eine einfache Sprache scheint alles genau zu bezeichnen; aber die Genauigkeit ist nicht zu fassen – die – mit Goethe zu reden – Gelegenheit des Gedichts entzieht sich wie seine Umstände; wie es anhaltend spielt zwischen sagt man und sieht man, zwischen der allzu gegenwärtigen Evidenz des In den Städten, sagt man, leben viele und dem allzu gewissen Präteritum Aber keiner hatte ihn gesehn; so realisiert es sich überhaupt in einem außerordentlichen Widerspiel zwischen Vagheit und Genauigkeit, das in der letzten Strophe seinen Höhepunkt findet.[46]

Killys Interpretation erreicht ihren eigenen Höhepunkt mit der Analyse des Wolkenbildes, mit dem das Gedicht schließt:

Der irdisch ungewiß blieb, wird am Himmel vielleicht gesehen, wenn nicht er, so sein Gesicht. Das Antlitz bezeichnet das Bestimmteste, die eigentümlichsten Züge einer Person; sehen wäre der gewisseste Akt des Wahrnehmens. Aber in einem einzigen großen Oxymoron wird all dies fortgenommen, es wäre ein verwehtes Gesicht, also gar keines; das Adjektiv weiß steht ἀπὸ κοίνοῦ, unbestimmt, ob es zum erhofften Antlitz oder den sonderbaren Wolken gehört. Am Anfang schien es, als ob das Gedicht, als ob der Erwartete einen Ort habe ... Am Ende blicken wir in einen ortlosen Ort; die Hoffnungen sind in den Wind geschlagen ... Wenn ein faßlicher, höherer, innerer Sinn vorwaltet, so ist es dieser sinnlose. Das anfänglich so sinnfällig eingehende Gedicht wird immer hermetischer, aber indem es nichts verbirgt, enthüllt es Nichts.[47]

Es gibt keinen höheren Sinn, das Wirkliche ist flüchtig und das Ideelle nichtig, setzt Killy hinzu. Als ob es jedoch nicht anginge, die Interpretation mit der Erkenntnis zu beschließen, daß es sich um »ein nihilistisches Gedicht« handele, verfolgt er sie noch weiter. Wichtig ist vor allem – das klingt fast wie der Versuch einer Ehrenrettung Brechts – die Sprache des Dichters, »so klar und durchsichtig, wie sie es (nicht zuletzt in der Prosa) immer geblieben ist; sie lebt in der sprachlichen Überlieferung«[48]. Brecht verstehe es, »Die Bilder der Natur und die ursprünglichen Emotionen, die sie im Hören [sic] hervorrufen können,« beizubehalten, und doch »den so abgenutzten Erscheinungen einer poetisch gebrauchten Natur wirksam Glaubwürdigkeit« zurückzugewinnen.

46 Ibid.
47 Ibid., 10.
48 Ibid., 14.

»Brecht tut das schon früh, lang ehe er Theorien dafür hatte, indem er die Sphäre des Sprechens von der Sphäre der Emotion trennt«.[49]

Es war notwendig, Killys Ausführungen so genau wiederzugeben, um die nun folgenden Zusätze verständlich zu machen. Um Zusätze, nicht um Neuinterpretation handelt es sich; denn das Auffallende an Killys Interpretation ist gerade, daß er eigentlich alles Wichtige sagt, alle Einzelerscheinungen analysiert, und daß ihm doch die »Lösung des Rätsels« entgeht, weil er den konkreten Gegenstand des Gedichts nicht erkennt. Der Grund dafür ist: Killy sieht das poetische Bild als »transparent«; er sucht einen Sinn hinter ihm und bemerkt dabei nicht das Prinzip der Verfremdung, das in diesem Gedicht durchaus waltet. Er verkennt die Tatsache, daß der Sinn in der Darstellung des Gegenstandes selbst liegt.

Wer dagegen von vornherein nach Anzeichen der Verfremdung Ausschau hält, stutzt zweifellos zuerst vor dem Wolkenbild, das in Killys Interpretation »Nichts enthüllt, indem es nichts verbirgt«, das also das Symbol der »leeren Transzendenz« ist. Es erinnert nämlich, wie so viele der Bilder und Gedanken Brechts, an einen Bibeltext; in der Offenbarung des Johannes heißt es:

> Siehe, er kommt mit den Wolken, und es werden ihn sehen alle Augen . . .
>
> (Offenb. 1:7)

Daß das Thema des Gedichts eine Gottsuche ist, steht außer Frage; daher ist auch dieses biblische Bild der »Erscheinung« Gottes durchaus relevant. Brecht nun »verfremdet« es, d. h. er gibt es nicht so wieder, daß es einfach »wiedererkannt« würde; vielmehr gibt er auf seine bekannte Art zunächst der ursprünglichen Vision, die sich der Metapher bedient[50], Wirklichkeitscharakter. Die Worte »in den Wolken / Weiß, vom Wind verwehet« beschreiben die Wolken, statt sie nur zu nennen und beschreiben gleichzeitig – auf diese Ambiguität macht ja auch Killy aufmerksam – das »Gesicht« des gesuchten Gottes, als ob es ein solches gäbe. Die Verfremdung hat damit strukturverändernde Wirkung: aus der Metapher innerhalb der anagogischen Struktur wird die Umkehrung innerhalb der satirischen Struktur. Brechts Mittel ist es, »die Sprache beim Wort zu nehmen«, um die Metapher als betrügerische Illu-

49 Ibid., 15.

50 Was in der Bibel die Metapher, das ist in der Antike die Maske. In seiner Studie *Satire* bezeichnet Ulrich Gaier »die Maske des Dionysos, die bei den Kultfesten an einem Baum oder Pfahl aufgehängt wurde,« als »völlig unauflöslich, absolut notwendig und sozusagen die substantiale Erscheinung der Ironie . . . Der Gott hat keine so feste vorgestellte Gestalt wie Apollon or Athena, sondern seine vielen Verkörperungen und Verwandlungen sind Masken vor einem gestaltlosen Eigentlichen. Die Maske ist demnach als Irreführung bewußt, aber nur durch sie ist die Anwesenheit des Gottes möglich« (392). – Ebenso ist für den Christen das »Bild« Gottes nur als Metapher möglich.

sion oder – etwas schonender ausgedrückt – als reines Produkt der menschlichen Einbildungskraft zu entlarven.

Killys »sehr subtile zeitliche Wirkung« ist bei näherem Hinsehen ebenfalls kaum auf die Formen eines »Praesens mythicum« und der Aussage »im definitiven Praeteritum« zurückzuführen; wäre sie es, so müßte das »sagt man« der dritten Strophe dieselbe Funktion und Wirkung haben wie das der ersten. Offensichtlich ist aber das Gegenteil der Fall: die Aussage, auf die es sich bezieht, wird von den »Schwestern« in der ersten Strophe, wo dies keinen Sinn hat, ebenso wörtlich genommen wie in der dritten, wo es welchen hat. Wir denken an die Formulierung Šklovskijs, daß der Dichter sich viel mehr an die Bilder »erinnert« als sie neu »schafft«, und führen die beobachtete Wirkung der mythologischen Ferne in der ersten Strophe auf den Bildcharakter, der an magisch-mythische Vorstellungen in der Dichtung erinnert, und die größere zeitliche Greifbarkeit des Bildes in der zweiten Strophe auf seine Ähnlichkeit mit den pantheistischen Darstellungen der Romantik zurück. Damit werden die verschiedenen Strophen zu Nachahmungen der Gottsuche in verschiedenen Stadien: zuerst dem magisch-mythischen, dann dem romantisch-pantheistischen; in der dritten Strophe – und hier wird die Satire vollständig – geht die Gottsuche weiter, obgleich ihr gar keine Ortsbestimmung vorausgegangen ist, die den »Gott« beträfe, sondern nur eine Ortsbestimmung überhaupt. Aus Gewohnheit, so scheint es, wird weitergesucht; darin dürfte eine Art naturalistisch-agnostischer Phase zu sehen sein. Die vierte Strophe schließt den Kreis, indem sie auf die ursprüngliche »Erscheinung« in der metaphorischen Sprache der Offenbarung zurückgreift, sie aber in ironischer Umkehrung realisiert.

Wenn nun, wie es das Prinzip der Verfremdung voraussetzt, die Bilder der verschiedenen Erscheinungsorte des Gottes nicht nur als symbolisch, sondern vielmehr als Anspielungen auf symbolische Vorstellungen aufgefaßt werden, so fällt als nächstes auf – und auch hierauf spielt Killy an, ohne es zu erklären –, daß die »Schwestern«, die das »Lied« singen, durch ihre Sprechweise zu erkennen geben, daß sie die Vorstellungen der ersten und zweiten Strophe ebenso wörtlich nehmen wie die Erfahrung der dritten. Sie behandeln die Bilder, als seien es realistische Ortsbestimmungen. Vielleicht ohne sich dessen bewußt zu sein, verfolgt Brecht damit den Weg der Kultur – und der abendländischen Dichtung – in Richtung auf eine der Erfahrungswelt immer stärker angeglichene Gottesvorstellung (man vergleiche sein Gedicht *Die gute Nacht*) und den allmählichen Verlust der Fähigkeit, Metaphern zu »sehen«, bis zu dem Punkt, wo die christliche Religion sinnlos erscheinen muß. Indem er das *Lied* den »Schwestern« in den Mund legt, gewinnt er selbst die ironische Distanz, die er dem Publikum verschafft und die eine solche Beobachtung erst möglich macht. Gleichzeitig charakterisiert er durch die Sprechweise nicht sich, sondern diejenigen, welche die sinnlose Gottsuche nicht aufgeben wollen. Die »Schwestern« bilden eine Parallelgruppe zu den Männern in *Und immer wieder gab es Abendröte* – beide Gedichte sind 1920 entstanden –, die am Ende »ja ins Ungewisse« sagen,

> Und gaben's auf und sanken in die Knie
> Und schon vergingen ihre Bitternisse (73)

wozu der Dichter nur noch den eigenen ironischen Kommentar gibt:

> (Und etwas früher noch vergingen sie.)

Der dargestellte – oder vielmehr: der sich selbst darstellende – Gegenstand sind die »Schwestern«, und sie sind Brechts Zeitgenossen. Seine Verse sind vielleicht weniger »im unmittelbaren Anschauen« dieses Gegenstandes entstanden als in seinem Anhören. Wer diese Eigenart von Brechts Kunst außer acht läßt – den ungeheuer feinen Sinn für Gehörtes, für Tonfälle, und die Gabe, sie zum poetischen Bild zu verwandeln –, wird schwerlich ganz zum Kern solcher Gedichte durchdringen. Killy selbst bemerkt übrigens eins von Brechts Mitteln, »die Veränderung der wörtlichen Perspektive durch den Gesang«, glaubt aber selstamerweise, daß es nicht in diesen Zusammenhang gehöre. Warum wohl nennt Brecht das Gedicht *Lied der Schwestern*? Auch durch den Gesang selbst, den man sich, wie wir wissen, nicht romantisch-einfühlend, sondern chansonhaft-reflektierend vorzustellen hat, dürfte das poetische Bild der »Schwestern«, um das es sich hier handelt, zu dem konkreten Gegenstand werden, den Killy vermißt.

Erst wenn das Prinzip der Verfremdung im Auge behalten wird, treten also die ganzen Wirkungsmöglichkeiten des Gedichts und seine weitreichende Bedeutung ans Licht. Erst wenn man die doppelte Perspektive erkennt, ihr nachgeht und den ironischen Gedankengang selbst nachvollzieht, gelangt man auch zum vollen Genuß eines solchen Gedichts, das gleichzeitig das Gefühl und den kritischen Verstand anspricht. Damit aber erweist es sich, daß es keineswegs »Nichts enthüllt«, sondern gerade durch die Verfremdung den von Brecht geforderten »Charakter eines Dokuments« erhalten hat.

Antony Tatlow
[Hongkong]

THE HERMIT AND THE POLITICAN: ON THE TRANSLATION OF CHINESE POETRY

One of the more curious facts of literary life is the existence, the persistent existence, of a double standard with regard to the evaluation of poetry. If a poem is a translation, it is still commonly judged differently from a poem which is not. The difficulty of translating poetry is an acknowledged fact. The translation of Chinese poetry is notoriously difficult. But the problems confronting the translator of Chinese poetry are not in principle any different from those facing the translator who is working with languages which have closer linguistic and cultural connections. The greater complexities merely bring the essential problems into better focus.

If you will allow me to simplify deliberately a rather complex matter, I think that we can detect two main approaches to literary translation of a poem. The translator can either attempt to achieve the closest acceptable literal approximation to the original poem in terms of his own language, or he can state it again in his own terms. He can try either to reproduce it or to recreate it.

The subsequent dilemma is well known. "Reproducing" seldom, if ever, results in acceptable, let alone significant, poetry. "Recreating" seldom, if ever, satisfies the philologist. If it were merely a question of a decision between the philologist's pursuit of all–inclusiveness and the poet's deliberate and realistic refusal to entertain such pedantry, then the matter would be simple indeed: the poet would win every time. One would cheerfully ignore the philologist's impossible demands. But, paradoxically, some of the most desperate attempts to avoid literal transcription by recreating have been made by philologists. However they have been done not in terms of their own creative compulsions but in terms of outworn literary and linguistic conventions.

The dilemma has been rather disarmingly formulated in the following entry in a well-known pocket lexikon:

> Dichtungen wie etwa von Verlaine, Rimbaud und Baudelaire sind unübersetzbar. (Der beste Beweis sind die bisherigen ›Übertragungen‹.) Hier gibt es nur den Ausweg der Nachdichtung.[1]

Nachdichtung is seen here as a sort of last resort, a courageous final attempt

1 *Fischer Lexikon der Literatur*, Bd. 2, Teil 2, S. 586.

to be made when all else has failed. Yet one cannot help feeling sympathy for this critic's ill-concealed suspicion, and this brings me back to the question of a double standard. The very mention of the word *Nachdichtung*, especially in the context of Chinese poetry, puts one immediately on one's guard, because of the quantity of bad poetry that has been allowed to proliferate under the protection of this term.

I am not thinking of the very obvious illustrations such as are furnished by the wholly admirable sinologist but truly execrable poet Alfred Forke, whose profound knowledge of China was so thoroughly betrayed by verses like the following:

> Nur Orchideen noch prangen
> Und Chrysanthemen blüh'n.
> Ich denke an meine Holde,
> Sie kommt mir nicht aus dem Sinn.

"Chinesische Lieder aus der Küche" is all that one need say about this sort of translation. Neither am I referring to the kind of *Nachdichtung* popularized by Hans Bethge, whose insouciance towards the quality of the original, matched only by his indifference to the consistency of his own verse, resulted in an often comically inconsequential Chinoiserie style, nicely exemplified in the following verse:

> Der Strom geht stark, das Wasser rauscht wie Seide
> Und quillt empor und kräuselt sich im Winde,
> Trotz aller Mühe komm ich nicht vom Fleck.

These once very popular *Nachdichtungen* fail so transparently as poetry that they need detain us no longer. More interesting is the type of *Nachdichtung* practiced by Klabund, who still has his sometimes cautious champions[2] because his poems are better than those of Forke and Bethge (both of whom are also recreating), since he has a greater sense of consistency of style.

Klabund's poetry is not now estimated very highly. But it would seem that another standard is applied to his translations. Although being acknowledged *Nachdichtungen* they should be subject to the same critical scrutiny. A normally reliable critic, Marianne Kesting, analyses accurately the weaknesses of Klabund's poetry in her introduction to the recent edition of his work, yet she can speak of him as being a convincing translator:

Er war ein genialischer Nachempfinder und Anempfinder; auch darum schon schlüpfte er spielerisch leicht in viele Masken, war er ein überzeugender Übersetzer, Nacher-

2 For example, I. Schuster, »Klabund und die Sinologen«, *Neue Zürcher Zeitung*, 17. 1. 71. I have taken two verses from her Forke and Bethge illustrations but none of her analysis.

zähler, Nachdichter und Bearbeiter älterer Dichtung, und darum sind viele seiner Dichtungen unkonturiert.[3]

Her argument amounts to this: an essentially imitative poet has made use of this deficiency in the translation of other men's work. In spite of Klabund's claim to the honorific "poet," the argument does not really sound plausible and is not borne out by the facts. If it were true, then we would expect to find in Klabund's translations as broad a range of styles and attitudes as can be found in the originals, whose particular quality he is professedly so able to capture.

Klabund's translations from the Chinese constitute the most important single body of *Nachdichtungen* in his work. Let us examine them briefly by comparing two very different poems. The first is from the Hsiao Ya section of the *Shih Ching,* the classical Confucian anthology, and the second is a translation of a poem by the T'ang dynasty poet Li Tai-po. It is difficult to find a suitable analogy in European terms, but I would think that the originals are comparatively speaking as different from each other as, say, the *Edda* is from a lyric of Walther von der Vogelweide. I will quote two verses from each of Klabund's versions. The first, entitled *Klage der Garde,* consists of three verses of which the last two read:

General!
Wir sind des Kaisers Adler und Eulen!
Unsre Kinder hungern . . . Unsre Weiber heulen . . .
Unsre Knochen in fremder Erde fäulen . . .
General!

General!
Deine Augen sprühen Furcht und Hohn!
Unsre Mütter im Fron haben kargen Lohn . . .
Welche Mutter hat noch einen Sohn?
General?[4]

The second poem, with the title *Der ewige Rausch,* has four verses. These are the first two:

Herr, vom Himmel nieder in das Meer
Rast der große gelbe Strom in betäubendem Schwung.
Keine Welle weiß von einer Wiederkehr.
Herr, den Spiegel her: dein Schädel ist alt – nur deine Seufzer sind jung . . .

Noch am Morgen glänzten deine Haare wie schwarze Seide,
Abend hat schon Schnee auf sie getan.

3 Klabund, *Der himmlische Vagant* (Köln, 1968), p. 13.
4 *Loc. cit.*, p. 530.

Wer nicht will, daß er lebendigen Leibes sterbend leide,
Schwinge den Becher und fordre den Mond als Kumpan.[5]

If Marianne Kesting were right, then we would find the specific and differing qualities of the originals skillfully recreated. In fact we find nothing of the sort. It is true that there are superficial differences in, for example, the rhythmical structure. Clearly the second of these two poems is much better than the first. But these divergencies are overwhelmed by the similarities in the diction. Far from being examples of a unique sensitivity to the particular qualities of the original poems, we find that they are very clearly the product of a consistent, but surely misguided, conviction with regard to the method of translating Chinese poetry, and that this method is so consistently employed that it amounts to a personal style. We find a facile preoccupation with sound – facile, because so much is sacrificed to it – in end rhyme, interior rhyme, alliteration. The verse is characterized by a cloying, totally outworn, sub-Brentano lyricism most apparent in the second example, which may have been his attempt to intuit the musicality of Chinese verse and something of the structure of sound patterns, but which does so only at the expense of all German poetic values. His *Nachdichtungen* have not dated since he made them. They were already dated when he made them.

As a sort of side-product of this almost manic preoccupation with the sound of his verse which results inevitably in a lack of concern for the sense of his own poem, the Chinese original is totally misrepresented. The soldiers, in the first of these poems, are the king's "claws and teeth." Klabund turns them into "Adler und Eulen," but only so that they can rhyme with "heulen" and "fäulen." "Adler," for the soldiers, might pass; but not "Eulen," and "Adler" it is because of "Eulen." "Deine Augen sprühen Furcht und Hohn," which has no basis whatsoever in the original, is a very confused line. The words are there because of the internal rhymes and alliterations: sprühen-Mütter, Furcht-Fron, Hohn-Lohn.

It is instructive to compare Pound's version of this third verse. In its own way it is just as free as Klabund's, yet it succeeds as English poetry and also captures nicely the sense of the archaic, which Klabund is also aiming for:

Minister of War, aye slow in the ear,
how hast construed
that a mother's corpse
is soldier's food.[6]

Klabund's *Nachdichtungen* are simply inferior poetry. This is why they fail as translations. I can see no justification whatsoever for considering them, as Marianne Kesting does, to be "bezaubernde Nachdichtungen fernöstlicher

5 *Loc. cit.*, p. 555.
6 *The Classic Anthology defined by Confucius* (London, 1955), p. 99.

Lyrik"[7] unless one were to understand the phrase ironically. He should have heeded what the Duchess said to Alice: "Take care of the sense and the sounds will take care of themselves." There can be no double standard, for if the poem fails as *Dichtung*, then it will also fail as *Nachdichtung*.

Unlike Klabund, but like Pound, Brecht was more concerned with sense than sound. Brecht translated relatively few poems, but his approach was so successful that it has been held up by at least one sinologist and translator as the best method of translating some Chinese poetry.[8] In view of this fact and in order to understand exactly how Brecht did translate, it is worth examining in some detail the process by which he arrived at his versions.

This process began with Arthur Waley, perhaps the most celebrated translator from the Chinese. Waley's translations represented a considerable advance on the rhymes as on the blank verse and iambic pentameter versions which were popular at the end of the last century and during the first decades of this century. Waley's translations were, I suspect, easily the most widely read; they certainly achieved the greatest circulation, far beyond those of any other sinologist. It would be truer to say, borrowing Eliot's phrase, that it was Waley and not Pound who was "the inventor of Chinese poetry for our time."[9] Naturally this is not intended as a value judgement, but merely as a quantitative statement of fact. There was, one suspects, a particular reason for this. People felt that Waley's versions could be trusted, that they were more "reliable," whereas one could never be sure where Pound started and where Pound stopped, unless one could consult the original.

But there is a very real sense in which Waley's "reliability" is a barrier to a proper appreciation of the poems which he is translating. To understand this, we must examine the principles behind Waley's method of translation, and then show them at work in the translation of a particular poem. We will then be in a better position to understand what Brecht has accomplished.

There are two principles to be examined. They have to do with rhythm and with imagery. The question of rhythm is perhaps the more important. Waley followed Pound by taking the Chinese phrase and line as the unit of translation. Previous translators had worked in terms of English verse forms and had forced the Chinese into those patterns. For Pound this innovation was only the start of his work, whereas for Waley it was more like a stopping-point. His method was based on formal considerations. He held it to be desirable to reproduce the number of characters in the Chinese line by the same number of stresses in a line of English verse. In his *170 Chinese Poems* he has explained his position as follows:

7 Loc. cit., p. 10.
8 Joachim Schickel, *Mao Tse-tung, 37 Gedichte* (München, 1967), p. 63.
9 Ezra Pound, *Selected Poems* (London, 1959), p. 14.

Any literal translation of Chinese poetry is bound to be to some extent rhythmical, for the rhythm of the original obtrudes itself. Translating literally, without thinking about the metre of the version, one finds that about two lines of every three have a very definite swing similar to that of the Chinese lines. The remaining lines are just too short or too long, a circumstance very irritating to the reader, whose ear expects the rhythm to continue. I have therefore tried to produce regular rhythmic effects similar to those of the original. Each character in the Chinese is represented by a stress in the English; but between the stresses unstressed syllables are of course interposed. I have prefered to vary the metre of my version, rather than pad out the line with unnecessary verbiage.
I have not used rhyme because it is impossible to produce in English rhyme-effects at all similar to those of the original, where the same rhyme sometimes runs through a whole poem. Also, because the restrictions of rhyme necessarily injure either the vigour of one's language or the literalness of one's version... What is generally known as ›blank verse‹ is the worst medium for translating Chinese poetry, because the essence of blank verse is that it varies the position of its pauses, whereas in Chinese the stop always comes at the end of the couplet.[10]

From this we can see that Waley has rejected one kind of formal correspondence (rhyme) but has retained another two, both of which have to do with rhythm. Waley rightly disliked "blank verse," but for the wrong reasons. Instead of rejecting it on account of its formidable position in English poetry – it would be impossible to write in it without being absorbed by this tradition – he refuses it because it allows enjambement and he wanted to end-stop his lines, and even more firmly his couplets, simply because this is what the Chinese does.

Waley's poems are in reality interlinear translations. He is aiming for literalness and careful reflection of the metrical structure of the original. It is only when one compares him with the rhymers that preceded him that one realizes the nature of his achievement. He not only breaks with their notion of poetic form, he achieves the deliberate simplicity of language which was an important step forward towards a truer approximation to the quality of *some* Chinese poetry. I will be returning to this point again. Nevertheless his method of line-by-line correspondence, while creating a body of verse that is superficially more similar to the original poetry, has in reality two serious drawbacks. It results in an artificial form of English verse that takes too little account of the natural rhythms of the English language and we receive an impression of Chinese poetry which seriously impairs the quality of the original precisely because it is based on the principle of faithfully reflecting that quality.

The second of Waley's principles concerns imagery. He writes:

Above all, considering imagery to be the soul of poetry, I have avoided either adding images of my own or suppressing those of the original.[10]

10 Loc. cit. (New York, 1919), p. 33 f.

We will be seeing that the peculiarly "distant" character of some of Waley's diction, its "Chinese" quality, which should not be confused with Chinoiserie (the latter is an attempt to be deliberately and artificially Chinese), is the direct result of his reluctance to add images of his own–though he does not always abide by this principle–or to suppress those of the original. In practice this often means that a natural, because colloquial or idiomatic expression in Chinese, since the image is not suppressed, has become a peculiar and hence misleading English phrase. But there are other and perhaps greater dangers inherent in this approach. When Waley misunderstands an image, and he would surely have admitted that his knowledge of Chinese in 1919 was not that extensive, he retains this misunderstood image, in spite of its paucity, because his principle requires him to do so, instead of seeking a more convincing alternative in terms of his own version. The consequence of his method is all too often a loosely-structured, visually imprecise style that is pinned together by its punctuation. In many ways Waley was a skillful translator, but he operated within essentially artificial boundaries of his own setting.

Let us now turn to the source of Brecht's poem, Waley's »Hermit and Politician«:

»I was going to the City to sell the herbs I had plucked;
On the way I rested by some trees at the Blue Gate.
Along the road there came a horseman riding,
Whose face was pale with a strange look of dread.
Friends and relations, waiting to say good-bye,
Pressed at his side, but he did not dare to pause.
I, in wonder, asked the people about me
Who he was and what had happened to him.
They told me this was a Privy Councillor
Whose grave duties were like the pivot of State.
His food allowance was ten thousand cash;
Three times a day the Emperor came to his house.
Yesterday his counsel was sought by the Throne;
To-day he is banished to the country of Yai-chou.
So always the Counsellors of Kings;
Favour and ruin changed between dawn and dusk!«

Green, green – the grass of the Eastern Suburb;
And amid the grass, a road that leads to the hills.
Resting in peace among the white clouds,
Can the hermit doubt that he chose the better part?[12]

This sort of translation is clearly preferable to the Klabund type of *Nachdich-*

11 Loc. cit., p. 33.
12 *Chinese Poems* (London, 1948), p. 151.

tung. Yet its very successes, the urbanity of its tone, fail to communicate the degree of urgency, as any such literal translation must fail, that lies behind Po Chü-yi's poem. Brecht does achieve this through his alterations. The urgency for Po Chü-yi resulted from his own involvement in political affairs and can be clearly seen in his celebrated letter to Yüan Chen. He was caught between the moral duty of remonstration, which was his sole function during his time as Censor, and his exasperation over the endless demeaning intrigues of political life. If Waley is correct in assuming that this poem refers to the downfall of the Chief Minister Wei Chih-i, then it has even greater personal significance for Po Chü-yi, for he had addressed an appeal to Wei to free himself from the insulation of his sycophants and to go out and examine for himself the true state of the country.[13] The Blue Gate was the southernmost of the Eastern gates of Ch'ang-an, the capital, and Po Chü-yi, not many years later, was to ride through it into exile.

There is not time enough in a short essay to discuss in sufficient detail the complexities involved in the relationships between the different versions of this poem.[14] I am forced to restrict myself to making one or two points, to giving examples for the criticisms which I have made. These have to do with rhythm and with the results of Waley's retention of images.

I would think that the rhythmical weaknesses of Waley's poem are self-evident. He writes in couplets, which are themselves divided, usually by a semi-colon marking a definite pause. In doing this Waley is merely retaining one feature of a very complex pattern, the whole interrelated structure of verbal and tonal correspondence which characterizes Chinese poetry; although in this particular poem, which is of the five syllabic Ku shih or Ancient Verse type, there is not the strict tonal patterning we find in Regulated Verse, nevertheless the rhyming syllables must all be in the same tone. These complexities cannot really be conveyed in any translation, but what is the purpose in retaining one aspect of this structure, and not the most important one at that, when you cannot retain the others which give meaning to it? The retention of this one structural characteristic leads directly to the rhythmical deficiencies of the English poem.

As far as Waley's approach to questions of imagery is concerned, two examples must suffice. An illustration of his excessive deference to the Chinese and of its effect on the whole poem can be seen in the lines: "They told me

13 A. Waley, *The Life and Times of Po Chü-yi* (London, 1949), p. 37 f.

14 This paper was presented in the Comparative Literature section of the 14th Congress of the Australasian Language and Literature Association held in Dunedin, New Zealand in January 1972. In my book – *Brechts Chinesische Gedichte* (Frankfurt, 1973) – I have examined the genesis of Brecht's poem and the relationship between the various versions in greater detail. In this paper I have used two kinds of Romanization for reasons which I have explained in my book.

this was a Privy Councillor / Whose grave duties were like the pivot of State." One asks oneself what kind of idiom Waley is employing. His poem had begun with the natural speech of a man telling a story. This sentence is in reported speech, but nobody would ever use these words. In the Chinese "shu" means »pivot« and the compound »shu wu« means »affairs of state.« The whole line means that the man's responsibility in the government was for the affairs of state, that he held a central position. Waley's excessive deference has led him here into a linguistic limbo between natural Chinese idiom and idiomatic English. "Grave duties" is, incidentally, a Chinoiserie for which there is no justification in the original, where the relevant line reads "dang guo wo shu wu," (govern country hold pivot affairs). Waley's third line tells us that a horseman was riding along the road. This was to be expected. The original says that he was riding like a courier, that is very fast. Waley misunderstands the passage yet his principles do not allow him to depart from the flat and repetitious English line. I will return to this phrase later.

Brecht called his poem "Der Politiker," a change symptomatic of his whole approach to these Chinese poems.

Wie üblich, meine frisch gepflückten Kräuter
Zum Markt zu bringen, ging ich in die Stadt.
Da es noch früh am Tag war
Verschnaufte ich mich unter einem Pflaumenbaum
Am Osttor.
Dort war's, daß ich die Wolke Staubs gewahrte.
Herauf die Straße kam ein Reiter.
Gesicht: grau. Blick: gejagt. Ein kleiner Haufe
Wohl Freunde und Verwandte, die am Tor
Schlaftrunken und verstört auf ihn gewartet, drängten sich
Um ihn, ihm Lebewohl zu sagen, aber
Er wagte nicht zu halten. Ich, erstaunt
Fragte die Leute um mich, wer er war
Und was ihm zugestoßen sei. Sie sagten:
Das war ein Staatsrat, einer von den Großen.
Zehntausend Käsch Diäten jährlich. Noch im Herbst kam
Der Kaiser täglich zweimal in sein Haus. Noch gestern
Aß er zur Nacht noch mit Ministern. Heute
ist er verbannt ins hinterste Yai-chou.
So ist es immer mit den Räten der Herrscher.
Gunst und Ungnade zwischen zwölf Uhr und Mittag.
Grün, grün das Gras der östlichen Vorstadt
Durch das der Steinpfad in die Hügel führt, die friedlichen
Unter den Wolkenzügen.[15]

15 *Gesammelte Werke*, Bd. 9, S. 619.

What has Brecht accomplished? One can see that while he stays remarkably close to his *Vorlage* he has transformed the poem by abandoning Waley's artificial rhythmical restrictions. The monotony of Waley's rhythms had been merely inhibiting. Brecht restructures the poem and rhythm becomes once more an integral part of the poetic structure, as it had once been for Po Chü-yi, instead of an external imposition. By departing from metrical superficialities to which he has no particular allegiance and by reforming the rhythm in terms of his own poetic intelligence, he comes closer to the original in a much more meaningful way. Whatever else Brecht may have learned from these Chinese poems, it is clear that he did not learn "rhythmische Variabilität," as has been suggested;[16] on the contrary, he imparted it to them.

Together with this vital improvement in the rhythmical structure of the poem we find two further kinds of transformation which are themselves related and have their root in Brecht's own poetic requirements. It is not merely a question of greater vividness, of abstract unrelated visualization, but of the precise connection between this kind of visualization and Brecht's ability to see events more clearly in terms of those people entangled in them. In fact these alterations amount to an interpretation of the whole poem, most apparent in the last lines. Therefore I am not entirely happy about the description of Brecht's translations from the Chinese as "paraphrastische Gedichte . . ., die im Grunde Originalprodukte sind"[17] unless one bears in mind the important act of critical interpretation that is involved.

Let me illustrate these points briefly. Instead of Waley's vaguer "by some trees," Brecht writes "unter einem Pflaumenbaum." It is characteristically precise. We see him sitting there. Moving on from this elementary kind of visualization, we realize that Brecht's visualization of the participants results from his more subtle definition of the relationships beween them: the urgent concern of the relatives, the disinterested curiosity of the herb-gatherer, the resigned indifference of the bystanders – "einer von den Grossen," they have seen this many times before, it is not part of their world. Due to this kind of language, Brecht's poem regains an immediacy, a relevance that is not apparent in Waley's version. Because of the imprecision which is characteristic of Waley's style, it is important that we should not confuse Po Chü-yi with Waley. Po Chü-yi's precision lies in part in the incommunicable structure of Chinese poetry. The only European equivalence for such precision must be another kind of precision, that of imagery and rhythm, which Brecht achieves and Waley does not.

You will have noticed the divergence in the ending of these two poems.

16 Klaus Schuhmann, »Themen und Formen der späten Lyrik Brechts,« *Weimarer Beiträge*, Brecht-Sonderheft (1968), p. 49.

17 Ulrich Weisstein, *Einführung in die vergleichende Literaturwissenschaft* (Stuttgart, 1968), p. 91.

Waley's hermit can contemplate the events with a degree of self-satisfaction. Brecht will have found these implications inappropriate for his conception of the poem. He omits any mention of the hermit and implies, by means of the image alone, the possibility of another kind of life, which shows up the life of the great man in all its hectic futility. Waley's third line, "Along the road there came a horseman riding," had conveyed nothing of the speed of events. The horseman is doing something that all horsemen must do. Po Chü-yi was much more definite. The man is galloping into exile. He is riding with the speed of a courier. It is obvious that Brecht comes far closer to the original than Waley had done with his much vaguer couplet. The hooves are now raising a cloud of dust. The rider feels "gejagt." Now the force of Brecht's final image derives its strength from the contrast in movement between the gentle passage of the clouds and the frantic gallop of the horse.

Because of its better structure Brecht's poem achieves an inner consistency which Waley's lacked but which had been present in Po Chü-yi. But if Waley's translation had not lacked it, Brecht might possibly not have written his own poem. We can see from this as from the other poems that Waley was a useful mediator and that Brecht was able to adapt his conversational tone to the requirements of his own style. The conclusions which I have drawn from an examination of this poem apply also to the other Chinese poems of Brecht which were based on Waley's translations, though less so for the shorter ones, since Waley's translations of them are better and Brecht's translations, as a result, more literal. In all of them we can observe a similar process at work. They regain their relevance with Brecht. If one were to ask what is the relationship between the consistency of Brecht's poem and the consistency of the original, I would think that it is a relevant extension of the Chinese. If one were to name one quality of Po Chü-yi's poetry which is more convincingly recreated by Brecht, I would select the clarity of his diction, which is itself a function of the urgency he felt, an urgency which Brecht shared. Po Chü-yi wrote in a deliberately simple language because he realized that Confucian convictions concerning the didactic quality of poetry were more likely to bear fruit if those poems were readily understood. Brecht held identical views. They both felt that this was the way to achieve the greatest moral and political effect. Their moral and political convictions had in both cases exceptionally clear poetical consequences. Brecht's clarity is naturally a different kind of clarity. One can only measure each in terms of its own particular poetic tradition. In Brecht's versions the Chinese poems come to life again. They do so because of his sympathetic understanding of Po Chü-yi and because he was prepared to interpret Waley's more literal, but sometimes misleadingly literal, versions. Brecht has recreated on the basis of Waley's reproductions.

In Brecht's approach to these poems we can observe a process that characterizes his attitude to tradition. He adapts and re-interprets but, in doing so, throws light on a significant core of meaning which had been obscured by intermediate interpretations. Provided it is understood in a wider sense and not merely as referring to the figures in the poem we have been considering, the title of my essay can now be seen to have been an irreverent but not inaccurate comment on the respective roles of Waley and Brecht. Brecht's poems are certainly not, as Marianne Kesting said of Klabund's translations, "bezaubernde Nachdichtungen fernöstlicher Lyrik," but that is of couse one reason why they are so successful.

Jack Zipes
[Milwaukee, Wisconsin]

EIN INTERVIEW MIT PETER STEIN*

Zipes Herr Stein, können Sie mir etwas über Ihre Laufbahn sagen? Wo haben Sie Theater studiert, wo haben Sie inszeniert, wie sind Sie dazugekommen, an der ›Schaubühne‹ zu arbeiten?

Stein Ich habe Theater überhaupt nicht studiert. Ich habe 1956 Abitur gemacht und bin zur Universität gegangen.

Zipes Wo war das?

Stein Das war in Frankfurt. Da habe ich Abitur gemacht und dann in Frankfurt und in München studiert, und zwar Kunstgeschichte und Germanistik. In der Zeit habe ich mich für Theater eigentlich nur nebenher interessiert. Anschließend bin ich beim Studententheater in München etwas tätig gewesen. Ich habe dann ein paar Stücke übersetzt und bin 1965 fest an die Münchener ›Kammerspiele‹ gegangen.

Zipes Als Dramaturg?

Stein Als Regieassistent und Dramaturg. 1967 habe ich das erstemal eigene Regie geführt. Außerdem habe ich bei nicht sehr bedeutenden Regisseuren assistiert. Bei den ›Kammerspielen‹ habe ich einen, zwar sehr hochstehenden und sehr renommierten, aber immerhin doch von der Struktur her relativ normalen Theaterapparat kennengelernt und dort sehr gute Schauspieler bei der Arbeit beobachtet. Davon habe ich eigentlich am meisten gelernt. Das erstemal führte ich Regie bei *Saved* von Edward Bond, in einer bayrischen Bearbeitung von Martin Sperr, die ich selbst veranlaßt habe.

Zipes War das im Werkraumtheater?

Stein Das war im Werkraumtheater. Anschließend assistierte ich Herrn K. bei seiner Regie von *Fräulein Julie*, die mich ziemlich beeindruckt hat, und wo ich auch ziemlich viel gelernt habe. Dann habe ich 1967 in Bremen das erstemal gastiert, mit einer Inszenierung von *Kabale und Liebe*, bei der ich jene Schauspieler kennenlernte, die nachher mit mir zusammen den Kern der sogenannten Stein-Truppe gebildet haben und immer noch bilden. Dies ist der Kern der Truppe, die auch momentan noch an der Schaubühne arbeitet. Dann habe ich 1968 im Werkraumtheater *Im Dickicht der Städte* von Brecht und den *Vietnamdiskurs* von Peter Weiss inszeniert. Im Zusammenhang mit dem

* This interview with Peter Stein was taped in Berlin on June 20, 1972. An abridged English version appeared in *Performance* (September-October 1972), along with an essay, »Ends and Beginnings: West German Theater Now«, by Jack Zipes.

Vietnamdiskurs, aber nicht nur deshalb, sondern auch wegen anderer weitergehender Vorstellungen von innerbetrieblicher Organisation, bin ich in den Kammerspielen rausgeschmissen worden, trotz meines Zweijahresvertrages, den ich damals hatte. Bereits an den ›Kammerspielen‹ habe ich ein Konzept für ein Werkraumtheater mit frei veränderbaren Bühnen und einem Ensemble entworfen, das ideologisch und ökonomisch auf eigenen Beinen steht. Aber aufgrund meiner politischen Einstellung, die damals noch sehr rabiat war und als provokant empfunden wurde, konnte ich diese Pläne nicht verwirklichen. Ich habe dann den *Vietnamdiskurs* 1968–69 hier an der ›Schaubühne‹ wiederholt, ebenfalls mit einem Riesenknatsch. Wiederum gab es einen großen Krach mit unseren jetzigen Mitarbeitern oder Mitdirektoren, auch um innerbetrieblicher Vorgänge willen. Dann habe ich 1969 in Bremen meine zweite Inszenierung gemacht, und zwar *Tasso*, wiederum mit den Schauspielern, die ich als den Kern des Ensembles hier bezeichnen würde. Und dann sind wir 1970 bis 1971 in Zürich gewesen. Dort habe ich *Early Morning* von Bond inszeniert. Da in Zürich noch andere Schauspieler zu uns stießen, gab es dann Überlegungen, ein eigenes Ensemble aufzubauen und in einem eigenem Theater jene Ideen zu verwirklichen, die man sich gemacht hat. Im Grunde genommen waren diese Überlegungen von dem Ensemble ausgegangen, das den *Tasso* gespielt hatte. Das sind nur vier Leute. Die wollten beieinander bleiben und wollten die Vorstellungen, die wir bei dieser *Tasso*-Produktion erarbeitet hatten, das heißt Vorstellungen organisatorischer Art und einer neuen Funktion von Kunst innerhalb der Gesellschaft, in einer Arbeitsweise, wie wir sie uns vorstellten, ausprobieren und weiterführen. Die erste Bewerbung war in Frankfurt, wofür wir uns ein kollektives Leistungsmodell ausgedacht hatten, das aber abgelehnt wurde. Dann hat sich im Frühjahr 1970 der Senat von Berlin dafür entschieden, uns hier die finanzielle Möglichkeit zu geben, die Ideen, die wir formuliert hatten, zu realisieren. Diese Ideen beziehen sich auf ein Theater mit einer permanenten Fragestellung nach der eigenen gesellschaftlichen Funktion. Das ist die eine Seite. Die andere Seite ist die Vorstellung, daß die Organisation der Arbeit in einem Theater sich nicht wesentlich unterscheiden darf von den Vorstellungen, die man von der Organisation der Gesellschaft hat, wie man sie sich vorstellt. Und dementsprechend waren wir gehalten, in diesem Theater Formen kollektiver Arbeit auszuprobieren und organisationsmäßig zu installieren. Und so ist es zu diesem Modell hier gekommen. Soviel erst mal zu dem sogenannten ›Werdegang‹.

Hier an der Schaubühne inszenierte ich zuerst *Die Mutter* von Brecht mit Therese Giehse in der Hauptrolle. Dann habe ich den *Peer Gynt* und die *Optimistische Tragödie* in Szene gesetzt. Das sind die drei Sachen. Dazwischen habe ich noch ein kleines Stück für unser hiesiges Arbeiter- und Lehrlingstheater, *Die Auseinandersetzung* von Gerhard Kelling, inszeniert.

Zipes Können Sie mir ein bißchen über Ihre politische Entwicklung sagen?

Das ist natürlich interessant, daß Sie nie richtig Theater studiert haben. Kam das völlig plötzlich, daß Sie sich für Kollektivarbeit interessiert haben?

Stein Ja, daß ich zur Kollektivarbeit übergegangen bin, das hätte ich zur Not auch ohne irgendwelche politischen Implikationen tun können, weil die Arbeitsform des Theaters eine gewisse Kollektivität erfordert, die mich von vornherein gereizt hat. Ich habe mein Studium hauptsächlich aus dem Grunde nicht fortgeführt, weil die völlig isolierte Arbeitsweise mit der dazu notwendigen Innenschau und sehr großen Autosuggestion für mich nicht möglich war, sondern ich die Wirklichkeit in einer unmittelbareren Art und Weise wahrnehmen wollte. Die Wahrnehmungsmöglichkeiten und Darstellungsmöglichkeiten des Theaters schienen mir da aufgrund ihrer von Natur aus kollektiven Eigenart viel mehr Möglichkeiten zu geben. Sie verhinderten, daß ich mich langweilte. Denn es war mein Hauptproblem, daß ich über Büchern immer eingeschlafen bin. Die Frage nach meiner politischen Überzeugung ist gar nicht zu beantworten ohne den Hinweis auf die Studentenbewegung und das, was 1966, 1967 und 1968 in der Bundesrepublik in diesem Zusammenhang vorgegangen ist. Ich bin in dieser Zeit das erstemal mit historischen Fakten und auch philosophischen Argumenten konfrontiert worden, die man mir bis dahin total verschwiegen hatte; von denen ich definitiv nichts wußte. Seitdem hat sich bei mir ein Politisierungsprozeß in Richtung auf den Marxismus-Leninismus vollzogen, der, wie gesagt, ohne die Vorgänge innerhalb der Gesellschaft und der Bewegung, die in diesen Jahren begann, gar nicht zu denken ist. Das hat sich dann mit meinen eigenen Vorstellungen und persönlichen Bedürfnissen aufs engste vereinigt. Es ist zu sagen, daß ich – aus großbürgerlichen Zusammenhängen kommend – im Gegensatz zu anderen Leuten vielleicht nicht die Möglichkeit hatte, mich früher zu politisieren; obwohl ich noch den Krieg und Faschismus erlebt habe und sehr früh eine ganz rigide antifaschistische Einstellung bezog, die allerdings in frühen Jahren meines Studiums noch stark mit antikommunistischen Vorstellungen gepaart war. Im Grunde ist das ein ganz normaler Werdegang des Bewußtseins, wie Sie ihn in der Bundesrepublik zu Tausenden und Abertausenden finden können.

Zipes Sie sprachen über die Funktion des Theaters. Was halten Sie von der Funktion des Theaters und im besonderen von der Funktion der Schaubühne?

Stein Das ist eine sehr, sehr komplizierte Frage, die Sie da angeschnitten haben, die ich kaum beantworten kann. Ich kann nur versuchen, ein paar Stichworte zu nennen. Die Kunst, wie überhaupt alles, was in den kapitalistischen Staaten mit Kultur zusammenhängt, ist eine Sache der Bourgeoisie und in Verlängerung davon der Kleinbourgeoisie. Das ist zum Beispiel in den sozialistischen Staaten ganz anders. Nirgends ist bisher im Westen der Versuch gemacht worden, Kultur und Kunst tatsächlich dem Proletariat oder den Arbeitern als Klasse zur Verfügung zu stellen, sondern man hat nichts weiter gemacht, als den Besuch organisiert und die Preise etwas gesenkt, so daß mehr

Leute in das ›bürgerliche‹ Theater hineinkamen. Denken Sie etwa an die Volksbühnenbewegung zu Anfang des 20. Jahrhunderts hier in Deutschland. Der Erfolg dieser Sozialdemokratisierung der Kunst ist so nachhaltig und so durchschlagend, daß es völlig irrig wäre, sozusagen direkt Theater für Arbeiter zu machen und von dort her an neue ästhetische Kategorien heranzukommen. Wo man heute direkt Theater für Arbeiter macht, wird man im Bewußtsein seiner Zuschauer stets die Niederungen des bourgeoisen Kunst- und Kulturapparates wiedertreffen. Das ist eine Entwicklung, die sich schon vor nahezu 100 Jahren angebahnt hat. Kunst und Kultur unterliegen der totalen Verwaltung durch die Bourgeoisie, und zwar mit dem Einverständnis der Arbeiterklasse bzw. des Akzeptierens des bürgerlichen Kulturbegriffs. Dementsprechend muß man zunächst einmal davon ausgehen, wie die Verhältnisse hier sind. Wer geht bei uns überhaupt ins Theater? Das sind durch die sogenannte Volksbühnenbewegung wesentlich mehr Arbeiter, als das in Frankreich, Italien oder in England der Fall ist. Doch was ist das Durchschnittspublikum? Das ist ein sehr bürgerliches, ein sehr kleinbürgerliches. Ungefähr 6% der Bevölkerung, 6-7% maximal. Von diesen 6-7% sind nur 10-15% Arbeiter, die ins Theater gehen. Wenn man das abzieht, bleibt also ein ganz, ganz kleiner Rest. Aber diese Rate von 15% von den Gesamttheatergängern ist doch sehr viel im Vergleich zu anderen europäischen Ländern. Wahrscheinlich auch im Vergleich zu Amerika. Das ist also die Struktur, die seit Jahrzehnten hier existiert. Davon muß man ausgehen. Wenn man das verändern will, wenn man für Arbeiter und für das Proletariat spielen will, muß man sich darüber im klaren sein, daß, so wie die Sachen in Deutschland momentan stehen, das Theater als unmittelbares Kampfinstrument überhaupt nicht gebraucht wird, weil nicht nur das Bewußtsein, sondern auch die sozialen Kämpfe hier sehr gering entwickelt sind. In diesem Sinne wird die Kunst als unmittelbare Waffe, als Agitation auf der Bühne kaum gebraucht. Das können andere Medien wesentlich besser. Wenn man also für Arbeiter, für das Volk spielen will, müßte man ganz andere Mittel entwickeln. Diese Mittel gibt es durchaus – aber sehr beschränkt, sehr schmal, davon kann kein Theater existieren. Denn die Arbeiterklasse ist momentan gar nicht bereit, auch gar nicht daran interessiert, sich ein eigenes Theater zu leisten. Während dagegen die Bourgeoisie der Meinung ist, sie müsse sich unbedingt ein Theater leisten. Das ist die Situation. Also gehe ich davon aus, daß man primär für und mit dem Publikum arbeitet, das normalerweise ins Theater geht, nämlich mit dem bürgerlichen Publikum. Daß man sich bemühen muß, die Schichten des bürgerlichen Publikums, die aufgeschlossen und fortschrittlich denken und fortschrittlich sein wollen (es ist immer sehr schwierig herauszulesen, ob sie es auch tatsächlich sind) herauszufinden und dann für sie ein Theater zu machen, das sie in dieser Richtung weiterbringt. Das ist die Hauptlinie. Man muß sich dabei unbedingt bemühen, die Darstellungen dessen, was man auf der Bühne macht, so zu gestalten, daß Arbeiter – falls sie im Raum wären – zumindest dem Gang der Handlung folgen könnten. Daß man dann in diesem Prozeß immer weiter fortschreitet und sich bemüht, in einem längeren Versuchsprozeß Arbeiter für ein Theater zu interessieren, das sich mit den Gegenständen des Klassenkampfes und des Fortschritts innerhalb der Geschichte, mit Berichten über die Kämpfe der Arbeiterklasse und über revolutionäre Veränderungen in der Gesellschaft oder auch in der Kunst beschäftigt, nur die Arbeiter dazu zu bewegen, bei solchen Themen ins Theater zu gehen und sich damit vertraut zu machen, und zwar auf eine möglichst spaßhafte Weise, wie das Brecht einmal formulierte. Ich habe übrigens ganz vergessen, daß ich schon sehr, sehr früh ein starkes Verhältnis zu den Brechtschen Theorien gefunden habe, allerdings ein noch sehr widersprüchliches. Ich fand viele Sachen hervorragend und bestimmte Schlußfolgerungen ganz schlecht – aber das würde jetzt vielleicht zu weit führen. So eine Taktik, so ein Vorgehen innerhalb der Arbeit an einem Theater darf auf keinen Fall ausschließen, daß man sich bemüht, Themen und Darstellungsformen zu finden, die der Arbeiterklasse unmittelbar nützen, unmittelbar helfen. Aber das könnte nur ein sehr kleiner, sehr schmaler Sektor sein, weil es die Arbeiterklasse organisiert nicht gibt. Man müßte daher ihren Besuch im Theater erst einmal organisieren. Genauso wie das bürgerliche Publikum ebenfalls seinen Besuch organisiert. Das ist so ungefähr das Konzept, das mir bei meiner Theaterarbeit vorschwebt. Sozusagen die bündnisfähigen Teile der Bourgeoisie und der Kleinbourgeoisie in ihrem Interesse mit den Problemen der Arbeiterklasse und mit ihren eigenen Problemen, soweit sie dem Fortschritt nützlich sind, also Nachrichten über ihre eigene Klasse unter dem Aspekt der Klassenkämpfe enthalten, bekannt zu machen. Das kann selbst mit ganz alten Stücken geschehen. Ich kann natürlich nicht sagen, daß das die bisherige Funktion der Schaubühnenarbeit war, sondern das ist ungefähr die Richtung, in der hier gearbeitet wird. Denn wir sind der Meinung, daß es entscheidend darauf ankommt, daß möglichst viele ästhetische Bewegungen innerhalb der bürgerlichen Kunst überhaupt in unsere Arbeit mit einfließen, weil wir noch nicht in der Lage sind zu sagen: jetzt wissen wir genau, was wir zu tun haben, und jetzt schließen wir den Laden zu. Wir wissen noch keineswegs, ob jeder Schritt, den wir unternehmen, tatsächlich richtig ist. Die Situation ist viel zu unklar und viel zu offen und die Kampf- und Organisationssituation hierzulande so wenig entschieden und am Tage liegend, daß es gar keine Möglichkeit gibt, eine Berufstheaterperspektive lediglich auf einem unmittelbar die Gesellschaft revolutionierenden Konzept aufzubauen.

Zipes Was ich sehr interessant finde, ist, daß Sie in den letzten 2-3 Jahren Stücke ausgesucht haben, die aus dem 18. und 19. Jahrhundert und auch aus dem frühen 20. Jahrhundert stammen. Können Sie das erklären? Versuchen Sie diese Stücke umzufunktionieren, damit man die plebejische oder bürgerliche Tradition besser verstehen kann? Warum suchen Sie ausgerechnet diese Stücke aus?

Stein Das ergibt sich schon aus dem, was ich vorhin gesagt habe. Es ist so, daß unsere unmittelbare Gegenwart, die im Augenblick eine sehr sozialdemokratische Gegenwart ist, nicht besonders bühnenfähig ist. Das zeigt sich schon darin, daß es nicht sehr viele Theaterautoren gibt, die diese Realität unmittelbar abbildend in den Griff bekommen und auf den Punkt bringen können. Sei es, daß sie meinen, es solle verändert werden, sei es, daß sie nur eine Bestandsaufnahme machen. Das ist äußerst schwierig und schwammig, das heißt nicht sehr gut fürs Theater geeignet. Das ist die eine Feststellung. Ich meine, daß man sich dennoch bemühen sollte, diese Darstellung auf dem Theater zu versuchen; aber das wird sehr, sehr mühevoll sein. Schildert man die Verwaltungstechniken des sozialdemokratischen Staates auf der Bühne, schläft jeder nach 5 Minuten ein. Das ist nicht bühnenfähig. Dagegen sind wir der Meinung, daß die Stücke, welche die Klasse, aus der sich unser Publikum zusammensetzt, hervorragenderweise hervorgebracht haben, fortschrittliche Stücke sind. Leider Gottes wurden in der immer stärkeren Versklavung des Theaters an die bürgerliche Klasse diese Stücke ihrer fortschrittlichen Aspekte beraubt, das heißt, falsch aufgeführt. Vom Umfunktionieren kann bei uns überhaupt keine Rede sein. Das gibt es gar nicht. Sondern es handelt sich darum, diejenigen Stücke auszusuchen, die historisch in der fortschrittlichen Tradition des Bürgertums stehen bzw. in einem ganz starken Gegensatz dazu. Beide Arten kann man benutzen, um polemisch aufzuzeigen, wie die ›Verhältnisse‹ einmal ausgesehen haben. Aber diese großen Stücke, diese Dokumente der bürgerlichen Kunst, vor allem aus dem späten 18. und frühen 19. Jahrhundert und dann die ersten Versuche, das neue historische Subjekt, die Arbeiterklasse, und ihre Kämpfe auf dem Theater darzustellen, das sind die beiden Linien und die beiden Aspekte gewesen, die uns an diesen Stücken interessiert haben. Sie verstehn, man muß da zunächst einmal in die Historie hineingreifen; deswegen haben wir Stücke über die Oktoberrevolution und auf der anderen Seite Stücke über die Probleme der fortschrittlichen Bourgeoisie im 19. Jahrhundert gespielt. Und da wir für ein bürgerliches Publikum spielen, ist es ungeheuer wichtig und nicht mit irgendwelchem Zynismus oder so etwas verbunden, wenn wir die revolutionären Traditionen dieser Klasse aufzeigen und klarmachen, wo auch die Kraft und die Möglichkeit der Angehörigen dieser Klasse noch liegen, wenn sie in der richtigen Weise eingesetzt werden. Deswegen ist die Hauptlinie bei den Stükken, die wir aus dem 19. Jahrhundert bringen, immer die gewesen, daß wir den zentralen Begriff der bürgerlichen Ideologie, nämlich den des Individuums, in Frage gestellt haben und gesehen haben, daß diese Begriffsvorstellung schon denjenigen äußerste Schwierigkeiten bereitet hat, die sie mit so großer Macht propagiert haben. Aus diesem Grunde war ein Stück wie *Tasso*, in dem ein subjektverhafteter Künstler gegen die Gesellschaft steht, deshalb war der *Prinz von Homburg* und natürlich auch der *Peer Gynt*, in dem gezeigt wird, wie jemand mit der bürgerlichen Ideologie vom allmächtigen und selbständigen Individuum ernst machen möchte und damit ganz furchtbar scheitert, so wichtig. Alle diese Helden können ihre Individualität gar nicht realisieren, weil sie sich sofort in den Kampf mit anderen Individuen verstricken. Und das ist vielen bürgerlichen Intellektuellen, Studenten, Schülern überhaupt nicht klar. Das versuchen wir als eine Art Leitthema durch die Behandlung dieser Stücke zu ziehen, um auf der anderen Seite klarzumachen, welch ungeheure Kraft und Möglichkeit hinter den Vertretern der Bourgeoisie in der historisch richtigen Zeit gestanden hat und wie weit man heute von einer solchen historischen Situation entfernt ist. Und daß die Bourgeoisie selber überhaupt nichts ausrichten kann, auch selber keine Revolution machen kann, sondern daß sie lediglich ihre Kraft und ihre Möglichkeit, ihren Erfindungsreichtum und auch ihre Tradition einbringen kann in einen Kampfzusammenhang, der von anderen gesellschaftlichen Kräften, nämlich von der Arbeiterklasse, geführt wird.

Zipes Warum dann die *Mutter* und warum die *Optimistische Tragödie*, die so ganz anders sind?

Stein Das habe ich ja vorhin schon gesagt. Diese gehören zu den Stücken, welche die revolutionären Bewegungen spiegeln, die von den Kämpfen der Arbeiterklasse berichten. In diesem Zusammenhang ganz eng aufeinander bezogen *Die Mutter*, die sich mit der Oktoberrevolution und der Phase davor beschäftigt, und dann ein russisches Revolutionsstück, das die Kämpfe unmittelbar nach der Revolution behandelt. Um die Tendenz und den Ansatz dieser Stücke zu realisieren, wird dem Publikum deutlich gezeigt, daß es sich hier nicht um Probleme handelt, die sozusagen jeder von denen im Publikum ebenfalls erleben kann. Also wird nichts so gemacht, daß man die Sache vereinnahmen kann. Man soll nicht sagen dürfen, das sind alles sehr ›menschliche‹ Probleme, sondern im Gegenteil, es soll auf die Distanz hingewiesen werden, die in dem Verhalten der Figuren innerhalb dieser revolutionären Situation zu beobachten ist, nämlich Fragen der Solidarität, der Kampfbereitschaft, des direkten Einsatzes von Leben und Kraft für eine Sache. Man soll sehen, daß das im Gegensatz steht zu dem, was unser Publikum tagtäglich exerziert und betreibt. Es kam uns also darauf an, diese Stücke nicht etwa zu aktualisieren, sondern sie eher zu distanzieren. Dann aber auch die Lehren daraus zu ziehen, die wesentlichen Grundwidersprüche, die sich in diesen Stücken verbergen, offenbar zu machen und als durchaus nicht bewältigte und auch bei uns vorhandene deutlich zu machen und dadurch unserem Publikum eine Möglichkeit zu verschaffen, mit historischen Gegenständen umzugehen und aus ihnen zu lernen.

Zipes Können Sie mir etwas über Ihre Arbeitsmethode sagen? Sprechen wir über den *Peer Gynt* und dann über die anderen Stücke. Wie war der ganze Vorbereitungsprozeß?

Stein Da mein Ansatz der ist, etwas im Theater von der Welt oder von der

Geschichte zu erfahren, so ist die erste Arbeitsphase stets die des Kennenlernens des Gegenstandes. Man wird also im engeren und weiteren Umkreis Literatur zusammensuchen und durcharbeiten, wie auch Bildmaterial und was dazu gehört. Diese Arbeit ist sehr komplex, weil es oft so ist, daß das meiste, was man profitiert, in der Vorbereitungsarbeit liegt, daß in dieser Phase ein Stück seine Lebendigkeit, seinen Interessenpunkt bekommt. Ich meine das historische Material, das man da zur Kenntnis nimmt. Auch die Art und Weise, wie ein solches historisches Material, wie zum Beispiel beim *Peer Gynt,* in früheren Zeiten, aufgenommen worden ist, interessiert uns. Diese ganze wissenschaftliche Arbeit ist sehr umfänglich. Gleichzeitig laufen parallel dazu permanente Überlegungen, wie man diesen sehr komplexen und komplizierten Stoff zunächst einmal in möglichst simpler Weise realisieren kann. Das sind sehr provokante Feststellungen, die man für sich selber und auch als Anregung für die anderen Mitarbeiter, die Schauspieler und die Dramaturgen und die Bühnenbildner, trifft, die da mitarbeiten. Und dann kommt als nächstes eine Phase, in der man versucht, aus dieser Zusammenstellung von provokanten Bemerkungen zu Stoff und Stück eine theatralische Realisierung herauszudestillieren. Das ist die zweite Phase, in der wir hauptsächlich am Bühnenbild arbeiten und so.

Zipes In der ersten Phase wird die Arbeit geteilt?

Stein Nein, nein, die erste Phase findet nur in den Köpfen jener statt, die unmittelbar an der Ausarbeitung des Projekts beteiligt sind. Erst wenn die Punkte der Realisierungschancen feststehen, wird die Arbeit zu den Schauspielern hin verbreitert. Dann werden einzelne Wissens- und Themenkomplexe an die Schauspieler übergeben, die diese dann referatähnlich erarbeiten und so dazu beitragen, daß für alle wenigstens die groben Umrisse des Themas und des Stücks abgesteckt werden. Das sind ganz unterschiedliche Themen, die zum Teil gar nicht so direkt mit dem Stück zu tun haben. Wir halten diese Arbeit natürlich in einem solchen Rahmen, daß die Schauspieler auch noch Spaß daran haben. Es soll da keine wissenschaftliche Perfektion angestrebt werden, sondern nur eine möglichst komplexe Kenntnisnahme des Umkreises eines solchen Stücks versucht werden. Dann wird in der nächsten Phase über die Realisierungsmöglichkeiten im engeren Sinne gesprochen, vor allem über die Besetzung. Und dann kommt die Probenarbeit. Die ist natürlich mit Abstand das allerwichtigste. Im speziellen Fall von *Peer Gynt* war die Vorbereitung besonders gründlich und sorgfältig. Alle wußten ungefähr, worum es geht, und hatten auch Lust und Spaß dabei. Ohne diese selbständige Mitarbeit der Schauspieler wäre es gar nicht möglich gewesen, dieses Stück, diesen Doppelabend in so kurzer Zeit auf die Beine zu bringen. Erst wurden die Szenen genau durchanalysiert, und dann haben die Schauspieler sie relativ selbständig ausgearbeitet. Am Schluß kam der Zusammenführungsprozeß. Das sind im Grunde genommen die Phasen, die da durchgegangen werden mußten.

Zipes Wie arbeiten Sie mit den Schauspielern? Sie sind präzis, Sie sind sehr genau.

Stein Es gibt da eine entscheidende Sache. Genauso wie es für mich das Wichtigste an der Arbeit an einem Stück ist, etwas kennenzulernen und etwas zu erfahren, genauso will ich bei der Probenarbeit etwas kennenlernen und erfahren. Und zwar die Schauspieler kennenzulernen und zu erfahren, wie diese Schauspieler, die ich kennengelernt habe, miteinander umgehen, bestimmte Probleme realisieren und was mir dazu einfällt. Das wäre so meine Methode, eine sehr indirekte. Ich bin 100% davon abhängig von dem, was ich sehe. Bevor ich nicht irgend etwas sehe, was zwischen 2 oder 3 Schauspielern vorgeht, kann ich dazu überhaupt nichts sagen. Ich bin vollkommen unfähig, von vornherein irgendwelche Einfälle oder so etwas von mir zu geben. Das kann ich gar nicht. Deswegen widme ich bei der Probenarbeit den Eigenarten und der Arbeitsweise der Schauspieler sehr viel Aufmerksamkeit. Und davon profitiere ich am allermeisten. Die Präzision kommt daher, daß bei der Arbeit mit mir kein Schauspieler irgend etwas macht, was nicht in seiner Psyche vorgegeben und was von mir dann nur mehr oder weniger in einer verstärkten oder ins Extreme getriebenen oder etwas zurückhaltenden Weise geordnet und zueinander in Beziehung gesetzt wird. Das ist meine Hauptmethode. Da unterscheide ich mich total von Kortner. Der hat das überhaupt nicht gemacht. Der hat sich zwar seine Leute auch sehr genau angesehen, aber dann seine Eigenart sehr stark auf die Schauspieler projiziert, worauf dann ein Wechselspiel zwischen Eigenheit des Schauspielers und Eigenheit des Regisseurs stattgefunden hat. Während das bei mir ganz anders aussieht. Meine Dominanz oder meine Leitungsfunktion liegt hauptsächlich in dem Bemühen, Tatbestände, die ich gesehen und erkannt habe, in meinen Schauspielern sehr deutlich, sehr sinnlich darzustellen. Ich will den Schauspielern Mut und Lust darauf machen, das, was sie selber gemacht haben, wieder an sich zu entdecken. Das ist der Prozeß; und das ist natürlich nicht für alle Schauspieler gut und richtig, sondern das ist im Grunde nur für Schauspieler möglich, die eine ziemlich große Selbständigkeit und Eigenwilligkeit besitzen, eine absolute Ehrlichkeit ihren eigenen Mitteln und Möglichkeiten gegenüber haben und die nur in zweiter Linie von künstlerischen Illusionen und von dem, was man als Pfirze im Hirn bezeichnet, gekennzeichnet sind. Mit Leuten, die rumspinnen, total rumspinnen, mit denen habe ich es sehr schwer.

Zipes Suchen Sie die Schauspieler, die jetzt zur großen Gruppe gehören, danach aus, ob sie politisch derselben Meinung sind und auch diese Selbständigkeit haben, die Sie fördern?

Stein Das ist so, daß es schön ist, wenn das so ist. Aber wir sind auch an Schauspielern interessiert, die wissen, was hier gemacht wird und was hier angestrebt wird, die ein Interesse haben, sich mit diesen Dingen zu beschäftigen, selbst wenn sie noch kein in dieser Richtung hin entwickeltes Bewußtsein haben, aber es gerne entwickelt haben wollen. Mit solchen Schauspielern, mit solchen Kollegen arbeiten wir selbstverständlich und sehr gerne zusammen. Wir gehen dabei natürlich davon aus, daß nicht allein das richtige Bewußtsein jemanden dazu befähigt, Theater zu machen. Jemand, der das richtige Bewußtsein erlangen will und hervorragende darstellerische Qualitäten besitzt, ist mir lieber als jemand, der das richtige Bewußtsein hat und überhaupt seine Arme nicht bewegen kann.

Zipes Die Schaubühne gilt heute als Modell für viele andere Theater in der Bundesrepublik und sogar außerhalb der Bundesrepublik. Glauben Sie, daß das Modell sich durchsetzen wird, und wie betrachten Sie die Tendenz der Schaubühne?

Stein Ich meine, daß die Schaubühne in ihrer engeren Organisationsform, überhaupt kein Modell sein kann. Die Schaubühne ist nur insofern ein Modell, als man sich sehr stark um die genaue Untersuchung und Kenntnisnahme der Stücke und ihrer Themen bemüht, also um eine gewisse Wissenschaftlichkeit in der Methode der Vorbereitungsarbeit, eine sehr große Genauigkeit und Ernsthaftigkeit in der Arbeit und um den Versuch, sämtliche unmittelbar an einer Produktion Beteiligten sehr eng um ein solches Thema und um ein solches Stück zu scharen und sie an möglichst vielen Vorgängen dieses Bewußtwerdungsprozesses über ein bestimmtes Stück zu beteiligen, so daß man dann am Ende ein sehr bewußtes Produkt vorzuweisen hat. Daß diese Art des Ansatzes bestimmt Schule machen wird und Schule machen muß, glaub ich schon. Doch all das sind Dinge, die nicht etwa die Schaubühne erfunden hat, sondern das hat die Schaubühne selbstverständlich Unternehmungen wie dem ›Berliner Ensemble‹ nachgemacht. Allerdings in sehr veränderten Organisationsformen. Wir sind hier der Meinung, daß die Organisationsformen wesentlich offener sein müssen, als sie bisher gewesen sind. Es muß eine größere Kollektivität angestrebt werden, und das ist bei uns auch gelungen. Es sollte jedem möglich sein, an Entscheidungen über diesen Betrieb unmittelbar mitzuwirken, zumindest für die Leute, die hier tatsächlich ernsthaft arbeiten wollen und also eine längere Perspektive haben. Dieses Bestreben wird sich wohl durchsetzen, weil man von niemandem verlangen kann, daß er auf der Bühne so tut, als wisse er, wo Gott wohne, und daß außerhalb der Abendveranstaltungen sich kein Aas dafür interessiert, was derselbe Schauspieler denkt. Dieser Widerspruch wird immer wieder zur Entladung kommen und wird sich immer negativ auf die Arbeit auswirken, vor allen Dingen auch auf das Endprodukt. Schon deswegen wird sich diese Form von Arbeitsweise, wenn auch nicht in der gleichen Organisationsform, die wir haben, aber doch in der Tendenz, zur offenen, kollektiven Organisationsform zwangsläufig durchsetzen. Es werden sich nur noch die Kräfte, die in der Lage sind, kollektiv zu arbeiten, wirklich halten können. Was nicht bedeutet, daß autoritäre Einzelkämpfer und Wahnsinnige innerhalb des deutschen Theater-systems weiterexistieren werden. Das ist mir vollkommen klar. Aber der generelle Trend wird in diese Richtung gehen. Es muß nur noch eines sichergestellt werden, daß die Zielrichtung zu einer kollektiven Arbeit auf keinen Fall zum Absinken des Niveaus führen darf. Wenn es das bedeutet, dann muß man diese Entwicklung stoppen und die Entwicklung so lange abwarten, bis das Niveau gehalten werden kann. Nur wenn das künstlerische Niveau der Einzelnen in einer kollektiven Arbeit gehalten werden kann, hat das Ganze einen Sinn. Wenn Kollektivität lediglich Absinken des Niveaus bedeutet, dann ist da irgendwo der Wurm drin.

Herbert Knust
[Urbana, Illinois]

BRECHTS DIALEKTIK VOM FRESSEN UND VON DER MORAL*

»Ich werde in die Literatur eingehen als ein Mann, der den Vers geschrieben hat: ›Erst kommt das Fressen, dann kommt die Moral‹.« Wenn Brecht diese Worte mit einem Seufzen begleitete, wie Hans Mayer berichtet[1], so nur deshalb, weil jene flott-frechen Zeilen aus dem Zweiten Dreigroschen-Finale, gesungen vom Räuber Macheath und der Spelunken-Jenny[2], zu den vielen berühmt-berüchtigten Versen aus der *Dreigroschenoper* zählt, die von einem begeisterten Publikum immer wieder genußvoll-kulinarisch nachgeplärrt wurden. Dem eifrigen Verfechter einer anti-kulinarischen, verfremdenden Theatertheorie wollte das nicht munden. Auch in der Brecht-Kritik ist das Motto vom Fressen vor der Moral zu einem geflügelten Wort geworden. Man zitiert es gern – und oft kritiklos – in Zusammenhängen, die jener Stelle in der *Dreigroschenoper* zu entsprechen scheinen, ohne der Verschiedenartigkeit der zahlreichen Varianten im Sentenzhaften wie im Bildhaften – angefangen mit dem Erstlingsstück *Die Bibel*[3] bis hin zum letzten Drama *Turandot*[4] – im einzelnen Rechnung zu tragen. Der Literaturkritiker Hans Bänziger, der dem wiederkehrenden Motiv besondere Aufmerksamkeit schenkte, bezeichnet das »Fressen« als asoziale These im Frühwerk *Baal*, die »Moral« als marxistische Antithese in den dann folgenden Lehrstücken und kommt zu dem Schluß, daß in den Spätwerken eine Synthese aus kulinarischer und moralischer Nahrung geboten werde, besonders in Mahlszenen, deren Ähnlichkeit zur christlichen Abendmahlsliturgie unverkennbar sei[5]. Der Theaterfachmann Alf Sjöberg dagegen hebt neben Ideologie und Didaktik besonders die heidnisch-faunische Sinn-

* Erweiterte Fassung des am 28. April 1972 an der Universität zu Köln gehaltenen Vortrags »Kulinarisches und moralisches Theater: Zur Bildersprache Brechts.«

1 *Brecht und die Tradition* (Pfullingen, 1961), S. 44.

2 Bertolt Brecht, *Gesammelte Werke in 20 Bänden*, Werkausgabe edition suhrkamp (Frankfurt am Main, 1967), II, 457-458. Im folgenden beziehen sich alle anderen Brecht-Zitate oder Hinweise – sofern nicht anders angegeben – auf diese Ausgabe.

3 Z. B. der Satz: »Weißt du, Großvater, es ist leicht bekennen, wenn man satt ist« (VII, 3033-3034).

4 Z. B. die Szene vom Auf- und Ab-Ziehen des Brotkorbes, welcher die »Moral« des Geprüften bestimmt (V, 2212-2213).

5 »Zuerst kommt das Fressen, dann kommt die Moral« (sic), *Reformatio*, XI (1962), 496-503.

lichkeit in Brechts Werk hervor, die sich nicht zuletzt in der Eß- und Trinklust seiner vitalen Figuren ausdrücke. Solche Sinnlichkeit aktiviere die politische Moral; Brechts ungeheurer Lebenshunger müsse nur recht in Szene gesetzt werden, damit die Not der Leidenden als unhaltbarer Zustand eindringlicher erkannt und wirkungsvoller bekämpft werden könne[6]. Robert Brustein wiederum sieht im »*Fressen*, one of the most important activities in Brechtian drama«, einen beständigen Ausdruck anarchischer, amoralischer Appetite mit einem Anflug von Lebensekel[7]. Diese vereinzelten Beiträge bieten einige interessante, wenn auch widersprüchliche Anhaltspunkte für eine eingehendere Untersuchung des oszillierenden Wechselverhältnisses vom »Fressen« und von der »Moral«, von dem Brecht, Dramatiker und Moralist *par excellence*, zeit seines Lebens geradezu besessen war. Wie immer auch die Inhalte der beiden Konzepte und die Perspektiven, unter denen sie dargestellt werden, variieren – sie sind, sowohl im Nacheinander als auch im Nebeneinander, untrennbar miteinander verbunden. Mit anderen Worten: das, was mit »Fressen« und »Moral« bezeichnet wird, ist nie nur eine Sequenz von zwei unabhängigen Größen, sondern stets ein Zusammenspiel von zwei einander bedingenden Variablen, aus welchem Brecht einen Sinn des menschlichen Daseins zu schaffen trachtete. Diese Variablen verhalten sich meist extrem zueinander, wie jener immer essende Optimist und sein Partner, der immer prophezeiende Pessimist, denen beiden der Appetit vergeht, wenn sie sich gegenseitig wahrnehmen, und die gerade dadurch eine objektive Realität fördern (VII, 2851); oder aber sie halten sich maßvoll die Waage und fallen in einem utopischen Idealzustand zusammen, den Brecht zwar oft genug forderte, aber selten gestaltete, da er wußte, daß dort das Theater und seine dramatisch-kontrastierenden Wirkungen verblassen.

Brechts Jugendwerk steht unter dem Zeichen des Fressens als existentieller Lust und der Moral als unausgesprochener Forderung. Nur so ist der aufbegehrende Selbstanspruch seiner frühen Figuren sowie sein beißender Zynismus zu verstehen. Die Lebensgier des Fressers Baal, der im Rhythmus vegetativer Dynamik die Welt schmatzend abgrast, jedes Erlebnis bald »satt« hat, aber unersättlich bleibt, ist privat-lyrischer Ausdruck von Brechts eigenem unbändigem Lebenshunger[8], seiner Sympathie für solch vital-sensualistische Gestalten wie Wedekind, Verlaine und Rimbaud und seiner Antipathie gegen den dünnblütigen Geniebegriff eines Hanns Johst[9]. Aber dieser grenzenlose, bis zur Selbstvergottung reichende Lebensanspruch Baals entspringt im Grun-

6 »Sensuality in Brecht«, *The Drama Review*, XII (Fall 1967), 143-148.

7 *The Theatre of Revolt* (Boston, Toronto, 1962), S. 256; auch in »Brecht against Brecht«, *Partisan Review*, XXX (1963), 43.

8 Vgl. Hans Otto Münsterer, *Bert Brecht. Erinnerungen aus den Jahren 1917–22* (Zürich, 1963), S. 83.

9 Vgl. Dieter Schmidt, *»Baal« und der junge Brecht* (Stuttgart, 1966), S. 11-29.

de der Bedrohung des Selbstverlustes, der Reaktion gegen das Nichts. Seine Lust entfacht sich an erbarmungsloser Antithetik; seine Seele ist wie das »Funkeln in den Augen zweier Insekten, die sich fressen wollen« (I, 33); er gewinnt Existenz aus dem Fressen dessen, was ihn fressen will:

Zu den feisten Geiern blinzelt Baal hinauf
Die im Sternenhimmel warten auf den Leichnam Baal.
Manchmal stellt sich Baal tot. Stürzt ein Geier drauf
Speist Baal einen Geier, stumm, zum Abendmahl.

(I, 4, 62-63)

Sein Sensualismus kämpft bis aufs Messer: selbst den Tod will er noch hinunterschlucken und den Knall hören, wenn er am Sich-Überfressen platzt. Doch dieses Abbild eines Gottes, der die Welt frißt, um sie als Exkrement zu entlassen, gerät unvermeidlich selbst in den Verdauungsprozeß der Natur, muß das Leben, das er mit den Zähnen wie Beute an sich riß, wieder ausspeien. Seine gefräßige biologische Lyrik wandert, gleich ihm, auf den Abort der Welt. Seiner Selbstvergottung folgt der Atheismus; seine Selbsterhöhung, die sich aus der Erniedrigung anderer speiste, treibt ihn in die Vereinsamung, in der er sich selbst verzehrt. Gewissensbisse nagen an ihm: die Moral folgt dem Fressen. Schon *Baal* ist eine Variation des Brechtschen Aphorismus: »Die Menschen handeln nach ihrem Hunger und empfangen ihre Belehrung vom Tod« (XVIII, 46).

Doch was läßt sich daraus schließen? Aus der sozial-moralischen Sicht des späteren Brecht war es ein leichtes, das individualistisch-amoralische Genießertum Baals als im Grunde unmoralisch zu verwerfen und dem Stück Weisheit abzusprechen (XVII, 947–948). Trotzdem bleibt Baal eine ambivalente Figur. Denn zur gleichen Zeit entschuldigt Brecht Baals asoziales Verhalten durch die asoziale Welt, in der er lebt, und vergleicht ihn mit jenem dicken chinesischen Gott, der das Glücksverlangen der Menschen symbolisiere, wobei Brecht weislich offen läßt, wieweit dieses Gottesglück individuell realisierbar ist. Erst von den Jüngern des Gottes heißt es, daß sie das persönliche Glücksstreben sozialisierten. Somit bietet sich Baals egoistische, materialistische Genußsucht zugleich als Prototyp individualistischer Ausbeuterei und als Quell kommunistischer Verheißung an[10]. Angesichts des Todes als Prüfstein jeglicher Lebensmoral – und Brecht kennt keine andere – werden Lebensgenuß und Glücksverlangen durchaus bejaht – solange sie nicht auf Kosten anderer gehen. Diese Ambivalenz teilt Baal mit späteren Figuren, bei denen Vitalität und Sinnenlust in verschiedenem Ausmaß mit Schuld gepaart sind, wie etwa bei Galilei, bei Puntila, bei Azdak.

Das Fressen als Symptom sozialer Korruption wurde von Brecht also nicht nur im Rückblick kritisiert. Stellte er schon in der einleitenden Tafelszene in

10 Zu letzterem vgl. W. A. J. Steer, »Baal: A Key to Brecht's Communism«, *German Life and Letters*, 19 (1965), 40-51.

Baal die verlogene Moral und parasitäre Genüßlichkeit des Bürgertums an den Pranger[11], so ist der Einakter *Die Kleinbürgerhochzeit* eine einzige Dekuvrierung einer blindlings fressenden, pseudo-moralischen Gesellschaft, die die Möglichkeit der Selbsterkenntnis durch die lehrhaften Anekdoten des Vaters in Speise und Sahne erstickt. Im Revolutionsdrama *Trommeln in der Nacht* erhält das Verlobungsfest unter Kleinbürgern, die vom Krieg schmarotzt haben, den wenig schmeichelhaften Szenenhinweis »Fressen« (I, 76). Zwar wird den Fressern durch den wie ein Phantom auftauchenden Kriegsheimkehrer Kragler der Geschmack gründlich verdorben, doch will der ausgemergelte Soldat selber nichts anderes als seinen Teil vom Kuchen, der ungleich kümmerlicher ausfällt als Baals gewaltige »Portion« (XVII, 954). Kragler zieht den beschränkten, aber sicheren sinnlichen Genuß der unsicheren politischen Moral vor, indem er dem Spartakusaufstand den Rücken kehrt und seine wiedergefundene, wenn auch »beschädigte« Braut – ein klägliches Beuteobjekt – ins große weiße Bett führt. Die »Zustimmung des Stückschreibers«, die hinter dieser Handlungsweise »geahnt werden kann« (XVII, 945), wird nicht nur durch den späteren Brecht, sondern auch durch die parodistische Technik des Stücks in Frage gestellt[12]. Als diminutiver Abklatsch der ersten *Baal*-Szene konfrontieren sich auch hier die dekadente Genußsucht der Profitler und der existentielle Genußanspruch des einzelnen, der nicht »verwurstet« werden will – mit dem wesentlichen Unterschied, daß mit der Revolution eine sozialbewußte, moralische Alternative ins Bild rückt. Bemerkenswert ist, daß die Gier der Balickes und die Gier Kraglers durch den Krieg in kausalen Zusammenhang gebracht sind. Diese Konfliktsituation bildet ein Grundmodell für Brechts spätere Konfrontationen der »Großen«, die am Fressen Appetit gefunden haben, und ihrer Opfer, der »Kleinen«, deren Hunger, durch Entbehrung angefacht, sich mit dem nächstliegenden Bissen abfindet, ohne irgend etwas zu verändern[13]. Zur Zuspitzung des dialektischen Wechselverhältnisses dieser beiden konträren Triebe: Fressen aus Lust und Fressen aus Not, kommt es erst mit der stärkeren Herausbildung von Brechts sozialökonomischem Bewußtsein.

Die kämpferische Potenz von Hunger, Armut und Not der Massen ist in den

11 Diese Szene hat Brecht besonders beschäftigt, wie ein Vergleich der verschiedenen *Baal*-Fassungen zeigt. Vgl. Dieter Schmidt, *»Baal« und der junge Brecht* und die von Schmidt edierten und kommentierten Bände edition suhrkamp 170 und 218: *Baal.* Drei Fassungen (Frankfurt/M., 1966, [4]1969); *Baal. Der böse Baal der asoziale. Texte, Varianten, Materialien* (Frankfurt/M., 1968).

12 Hans Kaufmann, »Drama der Revolution und des Individualismus: Brechts Drama *Trommeln in der Nacht«*, *Weimarer Beiträge* (1961), Heft II, 316–331; Guy Stern, »Brechts *Trommeln in der Nacht* als literarische Satire«, *Monatshefte*, LXI (1969), 241-59.

13 Dieses problematische ›Sich-seinen-Teil-herausschneiden‹ ist ein wiederkehrendes Motiv, das die Entwicklung von Brechts Moralbegriff beleuchtet (vgl. *Mann ist Mann*, I, 332; *Dreigroschenoper*, II, 457-458; *Mahagonny*, II, 560; *Die Mutter*, II, 840; *Die Rundköpfe und die Spitzköpfe*, IV, 1437; *Turandot*, V, 2249-2251).

frühen Stücken Brechts noch nicht ausgewertet und tritt hinter einem forcierten individualistischen Selbstanspruch zurück, der sich in sinnlicher Gier und raubtierhaftem Beutegelüste ausdrückt. Im *Baal* hat die Armut noch grotesk-absurden Anstrich. In *Trommeln in der Nacht* bildet sie nur einen bedrohlich schattenhaften Hintergrund. Im Stück *Im Dickicht der Städte* werden Elend und Armut als Folge rücksichtsloser Kampfmethoden etwas näher profiliert, doch ist der physisch-kreatürliche Hunger noch kein soziales Kampfmotiv. Vielmehr hat der unerbittliche, raubtierhafte Zweikampf zwischen Shlink und Garga den Anstrich eines persönlichen Prinzipienduells, das mit stets wechselnder und immer komplizierterer Methodik ad absurdum geführt wird. Es ist ein Kampf aus purer Lust, aus Passion und Ausschweifung; Moral ist nur Mittel zum Zweck. Die lyrisch-monologische Freßlust Baals ist in die dramatisch-dialogische Lust am Zähnezeigen umgeschlagen, aber auch diese wird durch die unendliche Vereinzelung des Menschen bedingt und begrenzt. Aus dem »metaphysischen Kampf«, der eine »Fleischerbank« hinterläßt (I, 160), geht keine Verständigung, kein Sieger hervor. Am Ende bleibt einfach der Jüngere, der biologisch Lebendige – und beim Zuschauer der Eindruck einer ungeheuren, allmählich stagnierenden Energieverschleuderung am falschen Objekt. Das modellhaft Neue am Konflikt dieses Stückes, nämlich die Situation: Wenn die Großen sich zerfleischen, werden auch die Kleinen gefressen, lenkt das Augenmerk aber schon auf einen neuen Hauptgegenstand des moralischen Einsatzes: den Kampf gegen die Ausbeutung der hungernden Vielen durch die ichsüchtige Gefräßigkeit der Einzelnen.

Der Gegenpart zum »Dickicht der Städte« ist der Dschungel der Geschichte in *Leben Eduards des Zweiten von England*, einem wilden Bestiarium, in welchem sich die Großen wie brünstige, tollwütige Tiger und Wölfe bespringen, anspringen und zerfleischen. Die Umkehrbarkeit aller Werte wird in diesem Stück exemplarisch demonstriert, zumal an der Moral. Die *Ilias*, die von Lust, zehnjähriger Schlacht um eine Frau und von »menschlicher Lippen Verwandlung / In Tigerlefzen« (I, 214) berichtet, dient nicht als Belehrung, sondern als Prototyp für die seltsamen Gelüste zwischen dem König und seinem Günstling Gaveston, der Königin und Mortimer und – ähnlich dem Duell Shlink-Garga – auch zwischen Eduard und Mortimer, Gelüste, welche sich in einem dreizehnjährigen gegenseitigen Abschlachten Luft machen, von dem auch das ganze Land gefressen wird. Die Maßlosigkeit der Begierden und die Lust am Kriegsgemetzel sind in einer bestialischen Bildersprache des Fressens, Schlachtens und Zerfleischens objektiviert. Davon wird das auf Vernunft bauende soziale Motiv der Volksernährung verschluckt. Um seines Lustknaben willen verschleudert Eduard einmal willkürlich die Hirsekammern in Irland oder aber verspricht ein andermal jedem Bettler ein Pfund Fleisch. Mortimers Sorge um das Mehl, das London braucht, verrinnt vor dem Genuß an seiner eigenen Größe:

Nur nicht zwischen
Essen und Mundabwischen so kopfüber
hinunter, weil ein Junges
um sein verrecktes Vatertier nach Blut blökt.
(I, 294)

Selbst die Sorge des Volkes um seine Nahrung wird relativiert durch die Lust an dem, der sie ihm aus Lust versagt:

Für Londons Volk ein Fressen und Schauen.
Der König Eduard mit seinen zwei Frauen.
(I, 212)

Der Soldat Baldock, der erst an der Mißwirtschaft des Königs Kritik übt, dann sein Mundschenk wird, ihn dann in der Mehlkammer einer Abtei verrät, damit seine Mutter in Irland Brot essen kann, versetzt schließlich sein Geld in einer Volkswette, die darum geht, wer von den beiden großen Volksschlächtern, Eduard oder Mortimer, die Oberhand behalten wird. Dieser im kleinen dargestellte Sachverhalt beleuchtet ebenso wie die Widersprüche im großen den allgemeinen Krebsfraß der Leidenschaft an der Vernunft in einer absurden Welt, in der fleischliche und geistige Lust, die eine in die andere umschlagend, gleichermaßen verheerend sind, und in der eine Auge-um-Auge-Zahn-um-Zahn-Gerechtigkeit nur den Kreislauf des Übels fortzusetzen droht.

Auch das »Lustspiel« *Mann ist Mann* ist eine neue Variation über des Menschen einzige Konstante: die Lust, sich sein »Stück Fleisch« herauszuschneiden (I, 332). Anhand eines nahezu mathematischen Beweises wird gezeigt, wie der kleine Packer Galy Gay, der »*fast* keine Leidenschaften hat« (I, 299)[14] und sich nur einen kleinen privaten Fisch zum Essen kaufen will, durch berechenbare Manipulation seines Genußtriebes, der ihn nicht nein sagen läßt, in eine unersättliche Kriegsmaschine umgebaut wird, die den Kameraden die Portionen wegfrißt und dabei Appetit aufs Zerfleischen bekommt:

Und schon fühle ich in mir
Den Wunsch, meine Zähne zu graben
In den Hals des Feinds
Urtrieb, den Familien
Abzuschlachten den Ernährer
Auszuführen den Auftrag
Der Eroberer. (I, 376)

Bezeichnend ist, daß dieser verwandelbare Galy Gay Austauschmann wird für den Soldaten Jip, der auf derselben Basis verwandelt wird: für ein Stück

14 Gesperrt gedruckte Hervorhebung durch Verfasser.

Beefsteak läßt er sich zum Gott einer Pagode umbauen im Dienst der Ausbeutung der Gläubigen. Ebenso wie in *Leben Eduards* scheint die Umkehrbarkeit und Austauschbarkeit von Figuren im Negativen verhaftet.

Trotzdem werden Brechts moralische Intentionen immer spürbarer. Wenn am Ende von *Leben Eduards des Zweiten* der junge Eduard der Dritte, mit dem nach seines Vaters und nach Mortimers länder- und menschenverschlingender Schreckensherrschaft ein dritter Zyklus des Herrschens anhebt, ein Urteil fällt, das als kalte Moral und entmenschte Gerechtigkeit bezeichnet wird (I, 294-296), so entsteht die dringliche Frage, welche Art von Moral überhaupt zu einer wirklichen Veränderung der Verhältnisse im Kreislauf des Wechsels führen kann. Wenn Brecht uns auf wissenschaftlich-behavioristischer Basis die Verwandelbarkeit des Galy Gay in eine monströse Kriegsmaschine und des Jip in einen Gott, die sich beide in ihrer fressenden Zerstörung ergänzen und auswechselbar sind, *explizit* als Warnung vorhält, so heißt das *implizit,* daß die triebhaften, naturgebundenen Appetite des Menschen auch zu anderen Ergebnissen umfunktioniert und gesteigert werden können. Die positive Beantwortung dieser anfangs am negativen Beispiel gestellten Frage nach neuer Moral geschieht aus wachsender soziologischer Perspektive. In dem Maße, in welchem sich Brechts soziales Bewußtsein schärfte, verschärfte sich seine Kritik am amoralisch-individualistischen Genießertum und dem daraus manipulierbaren Ausbeutertum. In dem von ihm mit immer größerer Deutlichkeit dargestellten Kausalzusammenhang zwischen Überfluß und Mangel, Reichtum und Armut, Haben und Nichthaben, Oben und Unten, Groß und Klein wird das Fressen zusehends zum typischen Merkmal der Ausbeuter, der Hunger zum Hauptsymptom der Ausgebeuteten. Die wilde Raubtiersymbolik aus *Leben Eduards* wird auf die Brutalitäten des Kapitalismus übertragen. Unter dem Zeichen des Tigers, des Wolfs, des Krokodils, des Aasgeiers und vor allem des Haifischs reißt der Ausbeuter das Fressen an sich. Alle Großen, Dicken werden suspekt. Mit der Gefräßigkeit der raubtierhaften Großen steigert sich der reißende Hunger der auf eine ebenfalls tierische Stufe herabgedrückten Kleinen. Brecht, der einmal wegen Unterernährung in die Berliner Charité eingeliefert worden war, wußte, was er sagte, wenn er den Hunger nicht nur aus moralischen Gründen unerträglich fand (XV, 287). So setzte er den Hunger in seiner ganz kreatürlichen, notdürftigen Vehemenz als ein Hauptmotiv gegen das Motiv des Sich-Überfressens. Die Konfrontation dieser konträren Appetite auf sozialökonomischer Ebene spiegelt sich mit unterschiedlicher Intensität in Brechts Stücken und theoretischen Schriften seit etwa 1926.

Die *Dreigroschenoper,* in der das Wechselverhältnis von Fressen und Moral thematisch so stark in den Vordergrund tritt, ist nur ein Übergangsstadium, das diesen Konflikt der Appetite auf zynische Weise beleuchtet. Der Haifisch Mac, der Tiger Brown und der fette Ausbeuter Peachum sind die

Raubtiere der Gesellschaft, die sich ihre Beute gegenseitig teils streitig machen, teils zuschieben. Das Gefährlichste an ihnen – und darauf lenkt Brecht durch seine kontrastierende »Verfremdungs«-Technik besondere Aufmerksamkeit – ist, daß sie nicht wie gewöhnliche Raubtiere an ihren offen gezeigten Zähnen, Flossen und Klauen erkennbar sind, sondern diese unter moralisierender Rede und dem weißen Handschuh der Sitte verbergen[15]. Kurz: sie vollführen ihren Raub nach allen Regeln der Moral, Peachum nach der Bibel, Mac nach der bürgerlichen Sitte, und Brown nach dem Gesetz. Aber wo die einen unter dem Deckmantel solcher Moral ihr Steak ins Trockene bringen, die besten Forellen aus dem Teich fischen (II, 399), mit gestohlenem Fressen ihre Hochzeit feiern (II, 405-411), im Geschäft wie im Krieg aus dem Menschen ihr »Beefsteak Tartar« machen (II, 419-420), da müssen andere nach den Richtlinien der nämlichen Moral Stein statt Brot essen (II, 430), haben nichts im Magen und leben in Hütten, daran Ratten nagen (II, 447). Eine Moral, die dem einen das Fressen ermöglicht, es dem anderen verbietet und es zuläßt, daß »der Mensch ... den Menschen peinigt, auszieht, anfällt, abwürgt und frißt« und vergessen läßt, »daß er ein Mensch doch ist« (II, 458), hat offensichtlich ausgespielt. Aber die an die Adresse der Herren gerichtete logische Konsequenz und provozierende Gegenmoral ist eine sehr zweischneidige Sache. Die Zeilen

Zuerst müßt ihr uns was zu fressen geben
Dann könnt ihr reden: damit fängt es an.
. . . .
Das eine wisset ein für allemal:
. . . .
Erst kommt das Fressen, dann kommt die Moral.
Erst muß es möglich sein auch armen Leuten
Vom großen Brotlaib sich ihr Teil zu schneiden
(II, 457-458)

werden von Mac *und* von Jenny gesungen, vom bürgerlichen Ausbeuter kleinen Stils *und* von der heruntergekommenen Spelunkendirne. Beide bekennen sich zu demselben Motto. Beide setzen Fressen gegen Fressen. Die »höheren« Kreise benehmen sich wie die »niederen« und die »niederen« werden sich benehmen wie die »höheren.« Diese anarchisch-absurde Freßmoral deutet zunächst nur auf eine Zuspitzung, nicht auf eine Lösung der verrotteten sozialen Verhältnisse. Auch die anklägerische Parodie der komplementären

15 Durch ähnliche Verstellungskünste werden auch die Frauen in *Puntila* hereingelegt: »Wir sind zu dumm für ihre Witze und Tricks und fallen ihnen immer wieder herein. Warum, sie schauen aus wie unsereiner, und das täuscht. Wenn sie ausschauten wie Bären oder Kreuzottern, möcht man auf der Hut sein« (IV, 1674).

Mahl- und Gerichtsszenen läßt nichts anderes erwarten. Das Hochzeitsessen im Stall, eine wesentliche Neuerung gegenüber der Gayschen Vorlage, verbildlicht nicht nur, daß Religion (Hochwürden Kimball), Gesetz (Brown) und kleinbürgerliche Gaunerei (Mac) unter einer Decke stecken, sondern läßt in Anspielung auf die biblische Krippenszene auch durchblicken, daß die Heilsbotschaft in dieser Gesellschaft zur Beutebotschaft verkehrt worden ist, wie ja auch Macs Henkersmahlzeit nicht aus Essig und Galle, sondern aus einem delikaten Spargelgericht besteht, und in Umkehrung der Menschheitserlösung durch Christi Kreuzigung Mac selbst durch einen reitenden *deus ex machina* vom Galgen erlöst wird und als Menschheitsplage im Bankfach, d. h. als Gauner großen Stils, weiterleben wird. Das Motto vom Primat des Fressens, mit dem sich die Größten und die Kleinsten dann in extremen, unversöhnlichen Positionen gegenüberstehen, wird – wie *Die heilige Johanna der Schlachthöfe* am deutlichsten zeigt – nicht mehr genügen. Die anarchische Antithetik Fressen gegen Fressen wird durch eine neue, idealistische Moral modifiziert werden müssen – aber noch war Brecht nicht so weit.

Sein nächster Schritt bestand darin, die Stärkung der einen Position vorzubereiten, indem er die andere schwächte. Bei dem nach Veränderung drängenden Spannungsverhältnis zwischen dem Freßbetrieb der Ausbeuter und dem Hunger der Ausgebeuteten setzte er seine Hoffnung nämlich ebenso auf die Dekadenz der Übersättigung wie auf die Kräftigung der neuen Appetite. Die Verfallserscheinungen des Kapitalismus galten gleichermaßen für dessen Kunstanschauung, den Kulinarismus, und es ist nur konsequent, wenn Brecht in seiner Kritik an beidem das Gleichnis des tödlichen Sich-Überfressens gebraucht.

Der Kulinarismus, ein Wort, das sich aus dem lateinischen *culina*-Küche ableitet und »Freuden des Essens« oder »Tafelgenuß« bedeutet, ist in Brechts derber Metaphorik der korrupte Kunstgenuß der schmarotzenden Bourgeoisie (XV, 469), die sich im Theater an Individuen sattfrißt und wenig auf Handlung gibt (XV, 49). Man kriecht in die Helden hinein, ißt, trinkt und fühlt mit ihnen (XV, 53), konsumiert ihre Freude und genießt ihren Schmerz als Amüsement (XV, 143). Das Drama des großen individuellen Erlebnisses ist das Drama für »Menschenfresser«, die einfach alles schlucken: Shakespeares Dritter Richard wird »mit Behagen« und Hauptmanns Fuhrmann Henschel »mit Mitleid gefressen, aber immer gefressen« (XV, 149). Und dieser »Zustand, in dem schon alles gefressen wird«, ist viel »schlimmer als der Zustand, in dem nur das Schlechte gefressen wird« (XV, 156). Eine Dramatik, die nur auf Mitgehen, Miterleben, Mitfühlen, Rührung aus ist, ist also eine »Menschenfresserdramatik« (XV, 214); und das, was das parasitäre Publikum nicht aus eigenen Stücken frißt, wird ihm von der kulinarischen Kritik z. B. eines Kerr oder Diebold vorgekaut (XVIII, 164), einer Kritik, die »mehr und mehr zu einer Sammlung von kulinarischen Naturlauten herabgesunken ist, einem in irgendwelche Worte gebrachten Schmatzen oder Aufstoßen« (XV, 377). Diese von Brecht so zynisch bedachte Menschenfresserdramatik hat offenbar zwei Seiten. Einmal wird der Mensch als Genußobjekt auf der Bühne von einem kulinarischen Publikum verschlungen; dann aber wird auch das parasitäre Publikum selbst, das sich mit den Genußobjekten identifiziert, indem es in diese hineinkriecht und selbst zum Objekt wird, durch seinen eigenen Kulinarismus gefressen. Das heißt: jene Menschenfresserdramatik der Einfühlung raubt dem Zuschauer seine menschlichste Eigenschaft: das Denken. Seine Kritikfähigkeit wird durch sein rein schmarotzendes Miterleben, seinen entnervenden, unfruchtbaren Genußakt (XV, 480-481) verkonsumiert, und er wird als entscheidungsunfähiges, krankhaft übersättigtes, appetitloses Objekt ausgeschieden (XV, 200).

In der Oper *Aufstieg und Fall der Stadt Mahagonny* nimmt Brecht den Kulinarismus und die Gesellschaft, die ihn benötigt, zugleich aufs Korn. Die Dekadenz des Fressens, Sich-Überfressens und Gefressenwerdens spielt sich auf zwei Ebenen ab. Was sie verbindet, ist das Gold. Mahagonny, die goldene Netzestadt für eßbare Vögel, ist eine Gründung von Haifischen rund um den Angelstock, das Hotel zum Reichen Mann (II, 502-503). Die Beute, die hier geködert wird, sind die Unzufriedenen, die nichts genossen haben und sich den Genuß kaufen wollen:

Denn es ist die Wollust der Männer
Nicht zu leiden und alles zu dürfen
Das ist der Kern des Goldes.

(II, 502)

Geld macht zweifach sinnlich (II, 515): die, die es haben und Genüsse wollen, und die, die es wollen und Genüsse bieten. Somit ist Mahagonny Brechts Bild vom kapitalistischen Welt-Theater, in dem kulinarische Genüsse als Ware gehandelt werden:

Erstens, vergeßt nicht, kommt das Fressen
Zweitens kommt der Liebesakt
Drittens das Boxen nicht vergessen
Viertens Saufen, laut Kontrakt.
Vor allem aber achtet scharf
Daß man hier alles dürfen darf.
(Wenn man Geld hat.)

(II, 532)

Doch der Mensch ist schrecklich, wenn er seinen »Spaß« will, schrecklicher als ein Taifun (II, 526). Die zügellose Freßgier des Kapitalismus und Genußgier des Kulinarismus führen zum Selbstmord. Jakob der Vielfraß ißt drei Kälber, äße sich gerne selber und fällt tot um. Joe wird vom Dreieinigkeitsmoses, der ja für Geld auch alles »darf« (einschließlich unfairen Kämpfens), zu Tode geboxt. Paul Ackermann, der sich durch die schlimmste aller Sünden: Geldmangel, auf den elektrischen Stuhl bringt, sieht ein, daß das »Stück Fleisch«, das man sich für Geld »herausschneidet«, faul ist: »Ich aß und wurde nicht satt, ich trank und wurde durstig« (II, 560-561)[16]. Mahagonny geht schließlich im Kampf aller gegen alle unter.

Die Moral der Geschicht' ist[17], daß ein System der entfesselten Begierden sich selbstmörderisch zu Tode frißt. Dies geht bereits einen Schritt über die *Dreigroschenoper* hinaus, ist aber immer noch unbefriedigend. Doch Brechts »episches Theater«, dessen Grundsätze er im Zusammenhang mit der *Mahagonny*-Oper programmatisch entwarf (XVII, 1009-1010), sollte ja auch keine Ansprüche *befriedigen*, sondern aktivieren. Er stellte dem kulinarischen Genuß eine neue Art von Kunstgenuß gegenüber, der nicht sättigen oder gar übersättigen, sondern den Appetit (im Sinne von *appetere* = verlangen, zu erreichen suchen) kräftigen sollte (XV, 75). Er wollte kein konsumierendes, verdauendes Genießen, sondern ein produktives, kritisches Genießen (XIX, 393). Damit die Kritik aus dem Schlemmertum herausgebracht würde, müsse sie statt des ästhetischen, kulinarischen den soziologisch-wissenschaftlichen Standpunkt einnehmen (XVIII, 106). Dieser kritisch-intellektuelle Genuß entstehe nicht beim Augen- und Ohrenschmaus (XV, 329), sondern bei der belehrenden Denkaufgabe (XIX, 453), nicht beim sinnlichen Miterleben, sondern beim forschenden Beobachten[18]. Erst so erwachse eine moralische

16 Anscheinend eine inverse Anspielung auf die Gerechtigkeitsvorstellung der Bergpredigt, Matthäus, 6: »Selig sind, die da hungert und dürstet nach der Gerechtigkeit; denn sie sollen satt werden« (vgl. Lukas 6, 21), bzw. auf Jesus als das Brot des Lebens. Johannes 6, 26: » . . .weil ihr von dem Brot gegessen habt und seid satt geworden . . . Wer zu mir kommt, den wird nicht hungern; und wer an mich glaubt, den wird nimmermehr dürsten.«

17 Auf die moralischen Effekte seiner erneuerten Oper legte Brecht großen Wert: »In der Oper ›Mahagonny‹ sind dies jene Neuerungen, die es dem Theater ermöglichen, Sittenschilderungen zu bringen (den Warencharakter des Vergnügens sowie den des sich Vergnügenden aufzudecken), und jene, durch die der Zuschauer *moralisch* eingestellt wird« (XVII, 1016, Anm. 1).

18 Den Mißbrauch wissenschaftlicher Forschung(sergebnisse) zu kulinarischen Zwekken geißelte Brecht nicht nur in seiner Theatertheorie, sondern auch in seiner Radiotheorie: »Es war ein kolossaler Triumph der Technik, nunmehr einen Wiener Walzer und ein Küchenrezept endlich der ganzen Welt zugänglich machen zu können« (XVIII, 119). Vgl. dazu das Wechselspiel zwischen kulinarischem und wissenschaftlichem Gebrauch des Teleskops im *Galilei* (III, 1247–48):
RATSHERREN Ich kann die Befestigungen von Santa Rosita sehen, Herr Galilei. – Auf dem Boot dort essen sie zu Mittag. Bratfisch. Ich habe Appetit.
GALILEI Ich sage dir, die Astronomie ist seit tausend Jahren stehengeblieben, weil sie kein Fernrohr hatten.
RATSHERR Mit dem Ding sieht man zu gut.
Ich werde meinen Frauenzimmern sagen müssen,

Einstellung. Nun ist es zwar richtig, daß Brecht bereits in seinen früheren Stücken, namentlich in der *Dreigroschenoper* und *Mahagonny*, durch Satire, Parodie, Zynismus und andere Mittel der Verfremdung eine solche kritisch-forschende Einstellung zu erzeugen suchte. Aber er hatte auch erfahren, daß selbst Parodie und Zynismus kulinarisch genossen werden konnten. Außerdem hatte er den soziologischen Appetiten, die er stärken wollte, immer noch keine klare Zielrichtung gegeben. Also entschloß er sich, nach dem Fressen und dem Kulinarismus nun auch den neuen moralischen Appetit und die Belehrung thematisch zu behandeln. Die Lehre aber war das, was er gerade selbst erst gelernt hatte: der Marxismus.

In den Lehrstücken spielt Brecht nicht mehr in erster Linie das Fressen gegen das Fressen, sondern das Wissen gegen das Fressen aus, aber nicht das Wissen um seiner selbst willen, sondern das praktische Wissen, welches durch Veränderung der Verhältnisse zu einer gerechten Verteilung der Lebensgüter führen und nicht nur einzelnen, sondern allen die Lust am Leben ermöglichen soll. Nach wie vor dreht sich die Moral um die »Nahrung« als Inbegriff materialistischer Lebensgüter und Voraussetzung zur Lebensfreude; ja, der Kampf der Hungrigen um die Nahrung wird zum sittlichsten aller Kämpfe, schon allein deshalb, weil in den herrschenden Ideologien die körperlichen Bedürfnisse als »niedrig« gebrandmarkt wurden[19]. Aber da Brecht den intellektuellen Genuß der Zuschauer am abstrakten Denkprozess höher ansetzte als den kulinarischen Genuß am rein Sinnlichen, tendierte er nun auch dazu, den Sensualismus der Darstellung zugunsten der direkten Lehre zu vermeiden oder abzuschwächen, in der Hoffnung, daß Lehre als Thema und Belehrung als Methode zur Anregung der produktiven Appetite genügen würden. Die sinnfällige Bildersprache und besonders die Szenik des Fressens (bzw. Hungerns) weicht der formelhaften Stilisierung in demonstrativen Lie-

daß das Baden auf dem Dach nicht mehr geht.
GALILEI Weißt du, aus was die Milchstraße besteht?
SAGREDO Nein.
GALILEI Ich weiß es.

19 Z. B.: »Die Zeiten der äußersten Unterdrückung sind meist Zeiten, wo viel von großen und hohen Dingen die Rede ist. Es ist Mut nötig, zu solchen Zeiten von so niedrigen und kleinen Dingen wie dem Essen und Wohnen der Arbeitenden zu sprechen, mitten in einem gewaltigen Geschrei, daß Opfersinn die Hauptsache sei« (XVIII, 223). »Als niedrig gilt, was für die Niedergehaltenen nützlich ist. Niedrig gilt die ständige Sorge um das Sattwerden« (XVIII, 235). »Die körperlichen Bedürfnisse spielen für den Realisten eine riesige Rolle. Es ist geradezu entscheidend, wieweit er sich von den Ideologien, den Moralpaukereien losmachen kann, welche die körperlichen Bedürfnisse als »niedrig« brandmarken ... Die Sinnesfreudigkeit tritt freilich in unserer Zeit der Ausbeutung des Menschen durch den Menschen als Beschäftigung mit dem Hunger, der schlechten Wohnung, der sozial indizierten Krankheit, der Perversion der Sexualverhältnisse auf« (XIX, 371).

dern und belehrenden Choreinlagen, in denen die wirtschaftlich-gesellschaftlichen Prozesse rationell und rational analysiert werden, z. B. in Zeilen wie:

Das Essen von unten kommt
Zu den Essern oben. Die
Es schleppen, haben
Nicht gegessen
(*Die Maßnahme*, II, 643)

oder:

Aus der Gefahr steigt der eine
Aufatmend an das eroberte Ufer.
Er betritt sein Besitztum
Er ißt neues Essen.
Aber der andere steigt aus der Gefahr
Keuchend ins Nichts
(*Die Ausnahme und die Regel*, II, 806)

oder:

Denn das Korn nimmt der Feind weg.
Der Bauer
Wischt den Schweiß aus den Augen
Aber das Brot ißt
Der das Schwert hat.
(*Die Horatier und die Kuriatier*, III, 1053)

Eine in *Leben Eduards* noch als nebensächlich empfundene und in der zweiten Fassung gestrichene Zeile »Das Mehl wird davon nicht billiger[20]« wird im *Badener Lehrstück vom Einverständnis* in der Formel »das Brot wurde davon nicht billiger« (II, 592-593) zum leitmotivischen Beweissatz dafür, daß der Mensch dem Menschen nicht hilft und daß die Moral der Hilfe schließlich abgelehnt und durch die Moral der Weltveränderung ersetzt werden muß, die auch die Moral der gerechten Brotbeschaffung ist. In der *Maßnahme* wird diese Moral durch antithetisches Vordemonstrieren der Eß- und Ehr-Motivik gestützt. Dem Leib- und Tischlied des Händlers – dessen »Freßmoral« aus der Sicht der Elenden treffend in den Worten des jungen Genossen formuliert ist: »der Mangel wird für sie gekocht, aber ihr Jammer wird verzehrt als Speise« (II, 654) – werden drei Fälle von »Eßmoral« entgegengehalten, von denen aber nur einer zu wirklichen Ehren kommt: nicht das sechsmal im Refrain der reisschleppenden, ausgehungerten Kulis geäußerte Motiv: »Zieht rascher, die Mäuler / Warten auf das Essen« (II, 640-643); nicht

20 *Leben Eduards des Zweiten von England. Vorlage, Texte und Materialien.* Ediert von Reinhold Grimm (edition suhrkamp 245, Frankfurt/M., 1968), S. 117.

die vom jungen Genossen abgelehnte unwürdige Eßgemeinschaft mit dem Händler, die vielleicht zur Bewaffnung der Kulis hätte führen können; sondern nur das Verhalten jener, die am »kargen Tisch« (II, 636) die große Tat der Befreiung besorgen:

> Aber es lädt der ärmliche Esser die Ehre zu Tisch
> Aus der engen und zerfallenden Hütte tritt
> Unhemmbar die Größe.
>
> (II, 639)

Gegenüber dieser Moral wird alle andere Ethik relativiert oder verdammt, nicht nur die Regel der individuellen Selbstbehauptung: »Es setzt sich zum Essen, wer den Sieg sich erstritt« (II, 808), oder die Ausnahme der individuellen Hilfeleistung: »Er / Gibt einem Menschen zu trinken, und / Ein Wolf trinkt« (II, 820), sondern vor allem auch die großzügige Ehren-Abspeisung der Hungernden, worauf Brecht in geißelnden Hinweisen immer wieder das Augenmerk lenkte in wohldosierten Formeln wie: »Und wie verschwenderisch verteilen die Satten Ehre an die, welche sie sättigen, selber hungernd« (XVIII, 232), oder: »Denn was soll mir die Ehre dann / Wenn ich kein Brot für kaufen kann?« (III, 1023).

In den Stücken *Die heilige Johanna der Schlachthöfe* und *Die Mutter* kommt Brecht wieder zur szenischen Gestaltung des Fressen/Moral-Komplexes zurück. Durch die Erweiterung der formelhaften zur bildhaften Zeigegestik rückt ein betont sinnfälliges Element wieder in den Vordergrund, das die Belehrung keineswegs verdrängt, sondern sich ihr beiordnet. Obwohl Brecht oft genug die Wichtigkeit der abstrakten Erfassung von Prozessen betonte, griff er doch immer wieder sinnlich verdeutlichende Bilder auf. Selbst den *kritischen* Kunstgenuß verglich er einmal mit dem Eßprozeß (XVIII, 274). Auch war er zu sehr Theatermann, als daß er auf visuelle Bildhaftigkeit verzichten konnte. Er mußte sich sagen, daß die Zuschauer, an die er appellierte, ja nicht nur einen scharfen Intellekt, sondern ebenso ihre fünf Sinne mitbrachten, daß die Appetite, die er in ihnen erregen wollte, ihren sinnlichen Beigeschmack nicht einbüßen durften. Um dem Volk näher zu kommen, hatte er ihm, wie einst Luther, aufs Maul geschaut, aber auch dem Doktor Luther selbst, und da wimmelte es nur so von sinnfälligen Gleichnissen – unter ihnen nicht zuletzt die Topik des Essens – als Vermittler der Moral. Schon 1922 hatte Brecht das Interesse am Gleichnis als »eine höhere Art von Interesse« bezeichnet (XV, 62). Gerade aus kulinarischen Gleichnissen ließ sich für das Volk Lehre holen. In Brechts theoretischen Schriften, besonders in seinen Ausführungen zum Realismus, zeichnet sich in zunehmendem Maße die Wiedereinbeziehung des Sensualismus zum Zweck der Erkenntnisvermittlung ab.

Uns interessiert in diesem Zusammenhang vor allem der Appell an den

Geschmacks-Sinn. Auf rein sprachlicher Ebene begegnen uns auch weiterhin noch stilisierte Formeln ökonomischer Wechselverhältnisse. Daneben mehren sich aber die realistischen Details als sinnfällige Demonstrationsobjekte, so z. B. wenn der Sinn eines pointierten Satzes wie »Doch zum Essen setzt sich der / Und der geht weg und schafft das Essen her« (III, 1035) in folgender Verbildlichung dargestellt wird, die ihrerseits durch die szenische Gestik des Duckens und Auf-den-Tisch-Hebens untermalt wird:

Der Pachtherr grübelt Tag und Nacht
Was er alles noch kriegen kann
Und wenn er sich etwas ausgedacht
Das Pächtervolk schafft es ihm ran.
Auf den Tisch
Stellt es ihm Suppe und Fisch
Einen Bottich mit Wein
Gießt es ihm hinein.
In sein Bett
Bringt es noch ein Kot'lett
Mit Kartoffelsalat
Und dann legt es ihn ins Bad.
(III, 971-972)

Brecht bemüht nicht nur dünne Suppe, Kartoffel, Kleie und karges Brot zur belehrenden »Appetitanregung«, sondern auch leckere Bissen, bis hin zu lukullischen Delikatessen,

... Lammfleisch mit Lorbeer und Dill!
Kappadozisches Wildpret! Ihr Hummern vom Pontus!
Und Ihr phrygischen Kuchen mit den bitteren Beeren!
(IV, 1455)

Aber er serviert sie keineswegs als kulinarische Happen, sondern hängt sie als Köder an verfremdende Haken, welche belehrende Widersprüche aufreißen und dazu dienen sollen, die Appetite zu kontrollieren und in neue Bahnen zu lenken. Vor allem findet er es nützlich, den soziologischen Blick durch befremdlich scheinende Fragen nach der Entstehung und Beschaffung solcher Speisen zu schärfen: »Wußten sie, wo das Korn wuchs, das sie aßen? Kannten sie den Namen des Ochsen, den sie als Filet verspeisten?« (XV, 210). »Meint man, die tragische Wirkung tritt ein, wenn der Zuschauer sich fragt, ob denn das Essen, das Lear von seiner Tochter für 100 Höflinge verlangt, da ist, woher es gegebenenfalls zu schaffen wäre?« (XV, 333). Durch paradoxen Gebrauch bildstarker Redewendungen aus der Volkssprache verwandelt Brecht gastronomische (und gastrische) Effekte in moralische Effekte, so etwa, wenn die Kleinen Kohldampf schieben, bis die Schiebung der Großen vorbei ist, ausgehungerte Arbeiter hören, Gottes Wort sei *noch süßer als*

Schlagsahne, die *Suppe aber nicht fett wird* durch den Dienst für den lieben Gott (II, 672, 675, 685); wenn einem genüßlichen Amtsrichter plötzlich *eine schöne Suppe eingebrockt* wird (III, 1112), oder wenn das Fernrohr, mit dessen Hilfe ein neues Leben anbrechen könnte, *für ein Butterbrot* verkauft wird (III, 1252); wenn man hungert, daß *die Schwarten krachen*, ein Soldat seinen Rittmeister, der ihm das *Trinkgeld versauft*, *zu Koteletten hauen* will, einem vor Hunger nach Kapaun, Senfsoße, gelben Rüben und Rotkohl der Frieden *zum Hals heraushängt*, beutelustige Soldaten *ins Gras beißen* und *Dreck fressen* müssen (IV, 1361, 1392, 1418, 1357, 1438); oder wenn man sich alle *Finger danach leckt*, nichtsnutzige Götter zu bewirten, Shen Te *der Magen knurrt*, auch wenn der Kaiser Geburtstag hat, Sun die Wiederauffindung der schluchzenden Shen Te als *ein gefundenes Fressen* betrachtet (IV, 1491, 1494, 1589); wenn Eva weiß, *auf welcher Seite* Mattis *Brot gebuttert* ist (IV, 1662), oder die flüchtende Grusche in einem Wirtshaus den Rat erhält, *»verschwinde wie die Wurst im Spinde«* (V, 2032). Umgekehrt wird aber auch der Belehrung durch Gaumeneffekte Schmackhaftigkeit verliehen, so etwa, wenn man hört, der Marxismus werde *»wie warme Semmeln hineingefressen«* (II, 862), das Volk *schnappte* nach Wahrheit (III, 1258), oder wenn dem »abgeschmackten«, fruchtlosen Disput der Hofwissenschaftler Galileis lustvolles, weltveränderndes Wissen gegenübersteht, das man verschlingt, wie den *Apfel der Erkenntnis* (III, 1267, 1297).

Bei der Ergänzung der Sprache durch Szenik verdichtete Brecht das zentrale Problem der Rechtsfindung und Nahrungsbeschaffung zu komplexen Bildern, die sowohl emblematischen als auch gestischen Charakter haben. Die dialektische Struktur dieser Bilder verweist immer wieder auf das Wechselverhältnis von (Fr)Essen und Moral, so etwa in dem Nebeneinander von Suppengeschirr und Buch, Eßtopf und Bibel in *Die Mutter*, von Milchtopf und Buch, gemästeten Gänsen und den *Discorsi* im *Galilei*. Das Pendant zu den in Flugblätter eingewickelten Eßwaren der Pelagea Wlassowa ist das ins Tischtuch gepackte Fernrohr des Galilei. Oder man denke an die Wurfschlacht mit Semmeln, Brotlaiben und Bienenstichen in *Der Brotladen*[21], an die Simultanszenik und die Gewehre und Brote der Frau Carrar, an die auf Bajonette gespießten Brotlaibe in *Die Tage der Commune*. Besonders komplex ist die bilderreiche Schlußszene von *Die Rundköpfe und die Spitzköpfe:* zu Füßen der tafelnden Pachtherren löffelt der gefügige Pächter Callas seine Suppe, während die rebellischen Pächter unter dem Galgen stehen; zu spät belehrt schüttet Callas seinen Teller aus; ein großes Kanonenrohr senkt sich über den Eßtisch, und ein großes, rotes Sichelzeichen erscheint an der Wand, wie das Menetekel bei Belsazars Gastmahl. Nicht weniger sinnfällig sind die Bilderbogen von *Furcht und Elend des Dritten Reiches*, wo die Mehrzahl der

21 Vgl. in diesem Zusammenhang auch die Geschichte »Eßkultur« (XI, 337-343).

vierundzwanzig Szenen in konkreter Optik Variationen über das Thema (Fr)Essen und Moral abhandeln. Zahlreiche andere kulinarisch-belehrende Demonstrationsobjekte lassen sich anführen: Maulers Fleischkonserven, Johannas Heilssuppe, Galileis und Andreas Apfel, Frau Sartis Kringel, Mutter Courages Kapaun, Lukullus' Kirschbaum, Shen Tes Reis, Herrn Puntilas Schnapsflaschen, Mattis Hering, Arturo Uis Karfiol, Simone Machards Eßkörbe, Anna Kopeckas »Kelch«, Schweyks Hund, Balouns Mahl, Grusches Gans, Azdaks Käse, Nu Shans Brotkorb, usw. Aber die komplexen Zusammenhänge, die Brecht mit ihrer Hilfe aufzeigt – und vor allem die kunstvolle Art und Weise, wie er sie aufzeigt – erfordern Einzelanalysen, die im folgenden nicht ausgeführt werden können. Doch sei kurz skizziert, wie auch in Brechts Meisterwerken die (Fr)Ess-Metaphorik und -Szenik entscheidend dazu beiträgt, die zu großen oder zu kleinen Appetite – wie Brecht einmal die Inhalte seiner Stücke bezeichnete (XV, 70) – zu deuten und zu regulieren.

In keinem Stück hat Brecht das Wechselverhältnis zwischen Fressen und Moral schärfer gestaltet als in *Die heilige Johanna der Schlachthöfe*. Unter dem Eindruck der Weltwirtschaftskrise von 1929 und seiner Lektüre des *Kapitals* griff er auf Sinclairs Chicago-Roman *Der Sumpf* zurück, den er schon zehn Jahre vorher als Antidosis gegen Schillers Freiheitsideologie empfohlen hatte (XV, 9-11), und demonstrierte in einem seiner bittersten und gelungensten Gegenentwürfe die entmenschende Gewalt des Hungers und vor allem die menschlichen Gewalten, die ihn verursachen. Dem von Schiller idealisierten Bündnis zwischen dem König von Frankreich und dem Gott der Schlachten, vermittelt durch den edlen Opfersinn der heiligen Johanna der Schlachthöfe, hält Brecht das kommerzielle Bündnis zwischen dem König der Chicagoer Schlachthöfe und der Heilsarmee, zustande gebracht durch die gutherzige Naivität der heiligen Johanna (Dark) der Schlachthöfe entgegen. Doch beließ er es diesmal nicht – wie in der *Dreigroschenoper* oder in *Mahagonny* – bei der zynisch-parodistischen Demaskierung der Allianz zwischen kapitalistischer Freßmoral und pervertierter christlicher Ethik, der die Hungernden und Lechzenden zur Beute fallen, sondern er konfrontierte diese Allianz mit einer Inszenierung der marxistischen Moral, mit der er in den Lehrstücken noch ziemlich abstrakt experimentierte. Die Brutalität des Kampfes um die Beute und die dadurch verursachte »gemeinste Freßgier, tierischste Gewöhnung« (II, 406) der Hungernden prallen in Kontrasten von ungeheurer Bildstärke aufeinander. Die Welt ist ein blutiges Schlachthaus: Vieh, Packherren, Arbeiter und sogar der liebe Gott werden – vereint durch das zentrale Bild des brüllenden abschlachtbaren Ochsen (dem man das Maul nicht verbinden soll) – zur konsumierenden und konsumierbaren Ware gestempelt. Dieses Motiv erhält seine gräßlich-groteske Zuspitzung im Fall des Arbeiters Luckerniddle, der in den Sudkessel stürzt, wie das Viehfleisch zu Blattspeck verarbeitet und in Büchsen gepackt wird, und dessen Platz und

Rock gleich begierig von einem Ersatzmann eingenommen wird. Verbunden damit ist wohl das krasseste Beispiel menschlicher Erniedrigung durch Hunger, der zwangsläufig das Fressen vor alle Moral stellt: nämlich Frau Luckerniddles ans Kannibalistische grenzendes Einverständnis, für zwanzig Mittagessen ihren Mann zu vergessen.

In diese Schlachthauswelt, in der sich die Freßgier von Ausbeutern und Ausgebeuteten auf Gedeih und Verderb gegenüberstehen, tritt Johanna mit dem Anspruch, daß auf beiden Seiten die christliche Moral doch vor dem Essen kommen müsse. Die Widersprüche in ihren (von Brecht weidlich ausgeschlachteten) Bibelgleichnissen führen aber nur zum Gegenbeweis. Den Börsenhaien predigt sie eine Moral, die denen letzten Endes wieder das Fressen ermöglicht: »Betrachten Sie doch einmal den Dienst am Nächsten einfach als Dienst am Kunden! Dann werden Sie das Neue Testament gleich verstehen und wie grundmodern das ist« (II, 705). Die Hungernden wiederum speist sie im Sinne des biblischen »Der Mensch lebt nicht von Brot allein« mit dünner moralischer Suppe ab. An sich selbst muß sie erfahren, daß die Macht des Hungers vor dem »Höheren« kommt. Durch Entbehrungen und Mißerfolge getrieben, geht sie zu Mauler, der sich von seinem pseudo-moralischen Schwächeanfall durch den Genuß eines halbrohen Beefsteaks erholt hat, das ihm wieder Lust zum Hautabziehen gibt. Wie Mauler ihr nutznießend die Moral aus der Hand frißt, so macht sich Johanna, gierig wie zuvor die Frau Luckerniddle, über das notdürftige Essen aus Maulers Hand her[22], obwohl sie ihn gerade mit dem sündigen Adam verglich, der »die Hände sozusagen wieder bis über die Ellenbogen in einer Hirschkuh« hat (II, 728). Aber Mauler sieht die Moral nicht aus der Perspektive Adams, sondern aus der Perspektive Gottes: ihm liegt daran, daß der opferfordernde Gott der Hungernden wieder aufgerichtet wird, damit der opferfressende Gott der Schlachthöfe weiterexistieren kann. In ihrer allmählichen Erkenntnis dieser Zusammenhänge wendet sich Johanna den Kommunisten zu, verrät deren Sache aber, weil sie vor Gewalt zurückschreckt. Noch gehört sie nicht zu den völlig Erniedrigten; noch weiß sie, daß man auf sie mit einer Suppe wartet. Erst als sie nichts mehr zu hoffen hat, als sich das große Schneetreiben wie ein Leichentuch um sie legt, aus welchem ihr Stimmen ihr Versagen ins Gewissen rufen, sieht sie, daß nur völlige Selbstverleugnung zur Änderung der Dinge führen kann. Den neuen Vertrag zwischen dem König der Schlachthöfe und dem Gott der Heilsarmee kann sie nicht mehr verhindern. Sie war Anstifterin und wird Opfer dieses Bündnisses, das den Mühseligen und Beladenen den Topf weiter mit gerade soviel Suppe füllt, daß sie ihr Handwerkszeug

22 DIE DREI PACKHERREN (zu Johanna): »... Da sollen Sie doch Einfluß haben. Es heißt, der frißt Ihnen aus der Hand« (II, 721) und JOHANNA (zu Mauler): »Ja, und darum dachte ich, ich gehe einmal zu dem Herrn Mauler.« *Sie beginnt gierig zu essen* (II, 729).

nicht zerschlagen und ihren Brotkorb nicht zertrampeln (II, 772). Dieses Komplott ist nötig, begründen die Schwarzen Strohhüte, denn es bleibe »alle / Mühe Stückwerk, unbeseelt / Wenn der Stoff dem Geiste fehlt«; und die Schlächter stimmen zu: »Herrlich ist's in jedem Falle / Wenn sich der Geist dem Geschäfte vermählt!« (II, 779). Das heißt nichts anderes, als daß in der religiösen Praxis das Fressen die Seele der Moral, für die Geschäftspraxis die Moral die Seele des Fressens ist, und für beide erst das Fressen, dann die Moral kommt. Diesen zwei Seelen in des Menschen Brust, die sich so brüderlich vertragen, setzt die sterbende Johanna in einer letzten großen Geste eine neue Moral vor dem Fressen entgegen: unter dem Hosianna-Gesang aller Versammelten versucht man, ihr ein Gnadensüppchen einzuflößen. Zweimal weist sie den Teller zurück; das dritte Mal ergreift sie ihn, hält ihn hoch wie eine Monstranz und schüttet ihn aus. Kein anderes Bild könnte pointierter die christliche Erlösungsmoral in marxistische umsetzen: dort die Hostie, der Leib des Herrn, als Sinnbild göttlichen Opfers zum Wohle der Menschheit – hier die verschüttete Suppe als Sinnbild menschlichen Opfers zum Wohle der Menschheit. In dieser Verwandlung liegt beileibe nichts Blasphemisches, wenn man die humane Gesinnung hinter beiden Motiven bedenkt.

Aber bei aller radikalen Konsequenz im Dienst einer neuen Humanität, die gar nicht so neu ist, haftet diesem Bild doch auch die ganze Problematik der marxistischen Utopie an. Erst angesichts des Todes bekennt sich Johanna zur kommunistischen Lehre, die zur Lebensfreude aller führen soll. Im Verhör des Lukullus sind es die durch Sinne nicht mehr bestechlichen Stimmen der Toten, die für die »gern lebende Nachwelt« sprechen. In anderen Lehrstücken forderte Brecht immer wieder die Todesbereitschaft des einzelnen zur glückbringenden Veränderung der Welt. Glaubte er wirklich, den gesunden Appetit des Publikums auf das diesseitige Leben dadurch stärken zu können, daß er die individuelle Negierung dieses Appetits zur Voraussetzung machte, also eine Tugend verlangte, die in ihrer Selbstlosigkeit sämtliche christlichen Tugenden übertreffen mußte? Gab es nicht eine Moral *für* das Leben, die sich mehr *am* Leben selbst als am Tod orientierte und den Appetit des einzelnen etwas schmackhafter mit dem Appetit der Gesamtheit verband?

Wie sehr Brecht dieses Problem beschäftigte, zeigt seine wechselvolle Arbeit am Schauspiel *Leben des Galilei,* in welchem er Sensualismus und Lehre, Individualismus und soziales Bewußtsein einmal aufs engste verflocht, dann wieder bewußt trennte. Galileis Sinnlichkeit ist kein reiner Kulinarismus, sondern gekoppelt mit Vernunft: er denkt aus Sinnlichkeit; Wissen ist für ihn gleichbedeutend mit Leidenschaft, Forschung mit Wollust; er ißt die Oliven nicht geistesabwesend (III, 1309); bei gutem Essen fällt ihm am meisten ein (III, 1253); er liebt die Fleischtöpfe und sammelt dabei Beweise (III, 1259). Es entsteht der Eindruck, daß Eß- und Lehrmoral Hand in Hand gehen, auch in sozialem Sinn, denn Galileo zählt darauf, daß die wissenschaftlichen Entdeckungen eine Veränderung der Gesellschaft herbeiführen, daß ein großes Zeitalter angebrochen ist, in dem zu leben für alle eine Lust ist.

Erst angesichts der Todesfolter wird die Einheit seiner sinnlichen und geistigen Lust in zwei widersprüchliche feindliche Pole zerspalten. Unter dem Druck der Inquisition widerruft Galileo seine Lehre, schmuggelt aber eine heimlich verfertigte Kopie der *Discorsi* aus dem Land. Sein späterer Vernunftstandpunkt, der Widerruf aus Sorge um sein leibliches Wohl sei ein verdammungswürdiger Verrat an der Menschheit und der Standpunkt seines Schülers Andrea, der Widerruf als Täuschungsmanöver verrate eine neue Ethik im Dienste der Menschheit, schließen sich nicht gegenseitig aus. Zuschauer, die aus dem einen oder dem anderen Argument praktische Lehre zögen – und da beginnt nach Brecht erst die wirkliche Moral – würden sich, jeweils auf besondere Art dem sozialen Wohl verpflichtet, in die Hände arbeiten, wie Brecht ja auch selbst in der letzten (fünfzehnten) Szene des Stücks eine Synthese aus Galileis und Andreas Ethik bildet.

Der Todesmut des einzelnen ist also keine absolute Voraussetzung für die Veränderung der Welt. Der Hypothese: Wenn Galileo den Tod nicht fürchtete, würde die Welt schneller verändert, kann aufgrund der noch vor der Inquisition liegenden Widersprüche eine andere Hypothese entgegengehalten werden: Wenn Galileo sich in bestimmten Situationen anders verhalten hätte – ohne deshalb sich und seine Lehre aufzugeben – wäre es nicht zur Inquisition gekommen. Denn Galileos Schuld liegt nicht in erster Linie in seinem Widerruf, sondern darin, daß er, der seiner Zeit weit voraus war, allzu optimistisch die spontane Sinnen- und Vernunfteinheit auch von der Menschheit erwartete. Dieser Glaube, der sich bei einem, der das Zweifeln lehrt, seltsam paradox ausnimmt, wird nirgends schlagender widerlegt als in dem revolutionären Chaos der Fastnachtszene und der Reaktion der Kirche. Galilei täuscht sich, wenn er beim Volk die Einstellung voraussetzt, mit der Vernunft komme auch das Essen, ohne die Tatsache einzuräumen, daß mit dem Essen auch die Vernunft komme. Diese Gegensätze deuten sich in einer Reihe von nebensächlich scheinenden Argumenten an, so z. B. in Galileis Bemerkung: »Und du weißt, ich verachte Leute, deren Gehirn nicht fähig ist, ihren Magen zu füllen« (III, 1259) und Frau Sartis Kommentar: »Ich wußte, was ich sagte, als ich ihm riet, den Herrn zuerst ein gutes Abendessen vorzusetzen, ein ordentliches Stück Lammfleisch, bevor sie über sein Rohr gehen. Aber nein! *Sie ahmt Galilei nach:* ›Ich habe etwas anderes für sie‹« (III, 1262). Solche Widersprüche werden erst dann überbrückt, wenn das Interesse für die Milchstraße und andere Gestirne des Himmels Hand in Hand geht mit dem Interesse für die tägliche Milch und den notwendigen Lebensbedarf. Galilei selbst sieht das ein (III, 1340), aber Andrea zeigt den praktischen Weg in der letzten Szene, der Brecht – wie auch anderen seiner Schlußszenen – besonderes Gewicht gab.

Und zwar demonstriert er diesen Weg anhand der zwei Leitmotive, die schon im ersten Satz des *Galilei* als zentrale Begriffsbilder für Nahrung und Belehrung auftauchen: Milchkrug und Buch. Andreas Grenzüberschreitung versinnbildlicht den Übergang zu einer neuen Zeit durch die Synthese zwischen Wissenschaft und Sorge für das Volkswohl: mit den Augen verschlingt er Galileis *Discorsi*, zugleich verfolgt er aber mit den Ohren das Gespräch der Jungen, welche glauben, die alte Marina komme nur als Hexe zu einem Topf Milch. Andreas letzte Handlung, mit der das Stück schließt, besteht darin, daß er Wissen für die Jungen und einen Krug voll Milch für die alte Marina verteilt, Belehrung für die abergläubische, doch wissensdurstige neue Generation mit Hilfsbereitschaft für die Hungrigen der alten Generation verbindet. Dies ist nicht Brechts einziges Beispiel einer Gestik, die eine Existenzerleichterung eher von einer umsichtigen, allmählichen Erziehung durch Wissen und Güte als von einer revolutionären, leidvollen Umkehrung der Dinge abhängig macht.

Die im *Leben des Galilei* angestrebte Synthese von Sensualismus und Vernunft, Lebenshunger und Wissensdurst im individuellen wie im sozialen Bereich zerfällt in *Mutter Courage und ihre Kinder* wieder in eine scheinbar hoffnungslose Antithetik. Wie im *Galilei* begegnet uns auch hier gleich am Anfang Brechts zentrales Doppelmotiv in einer verfremdenden Wendung des Feldwebels: »Wo soll da Moral herkommen . . . Jeder frißt, was er will« (IV, 1349). Sind im *Galilei* die belehrten Kinder die Hoffnung der neuen Generation, so sind sie in *Mutter Courage* die Opfer der alten. Aber Brecht will den Todesmut der stummen Kattrin, die eine Stadt vor dem Feind warnt, keineswegs glorifizieren. Vielmehr fordert er ein moralisches Bewußtsein, das die sich bedingenden Paradoxe im Fluß des Lebens zu einem Ausgleich bringen soll und nicht erst in eine absurde Polarität auseinanderspalten läßt, wo in unüberbrückbarem Gegensatz der Stein zu reden beginnen muß, weil der Mensch, zum Raubtier geworden, schweigt. Die bestialische Freßmetaphorik als Ausdruck für die im Krieg vertierte Menschheit reicht bis zum Kannibalismus[23]. Im Gespräch mit Feldkoch und Feldprediger, die selber die vom Krieg lebende und dem Krieg dienende Aufspaltung von Fressen und Moral verkörpern, ist die Courage nahe an der Erkenntnis, daß das Fressen und die »Ethik« des Todesopfers sich gegenseitig bedingen (IV, 1365). Trotzdem frißt sie als Hyäne der Schlachtfelder das Brot, mit dem der Krieg seinen Mann ernährt (IV, 1355, 1409, 1414), beißt den Gulden, den ihr der Krieg bringt (IV, 1359), wofür ihre Familie im kleinen – wie die Menschlichkeit im großen – vom Krieg gefressen wird. Was der Courage als belehrendes Prinzip nicht aufgeht, wird den Zuschauern an zahlreichen sinnfälligen Gleich-

23 Vgl. Walter Boeddinghaus, »Bestie Mensch in Brechts *Mutter Courage*«, *Acta Germanica*, 2 (1968), 81-88.

nissen verdeutlicht, in denen immer wieder die Veränderbarkeit der Dinge am Wechselverhältnis von Lust (in der Metaphorik des Fressens) und Ratio (in moralischen Argumenten) zutage tritt. Dieses Prinzip reicht bis in kleinste Sprachgefüge, derart, daß ein Wort »das mit Fl angeht«, nicht nur die Lust auf *Fl*eisch, sondern auch den Appetit auf *Fl*uß (d. h. Veränderung) anregen soll (IV, 1364). Die großartigste Verquickung von kulinarischen und belehrenden Effekten zeigt Brecht aber an Mutter Courages Kapaun, der als Objekt verschiedener Interessen in wechselnden Situationen zum Mittelpunkt der vertracktesten Dialektik vom Fressen und von der Moral wird (IV, 1360–1365). An diesem fetten Vieh und jämmerlichen Vogel haftet am Ende der Geruch von Nahrhaftigkeit und Erpressung, von Saus und Braus und Hungertuch, Ratten, gekochten Lederriemen und stinkendem Ochsenfleisch, von Ehrenmahl und Bauernschinden, von fünfhundert gezauberten Broten und menschlichem Hackfleisch, von Semmeln und Wein und schimmligem Brot – Grund genug, sich um eine weniger gepfefferte Speise zu bemühen, die den Sinnen und der Vernunft gleichermaßen bekömmlich ist.

Die verlorene, doch wiederzufindende Einheit von Leibes- und Geisteswohl hat Brecht mit großer Vorliebe an »Gerichten« dargestellt, und zwar in doppelter Bedeutung des Wortes. Im Idealfall halten sich Gericht als Speise und Gericht als Recht ein harmonisches Gleichgewicht, ja, die Begriffe kommen auf bildhafter Ebene gewissermaßen zur Deckung, so etwa im Vorspiel zum *Kaukasischen Kreidekreis*, wo die Bewohner zweier Kolchosdörfer bei mäßigem Genuß von Wein und Käse sich friedlich ein Recht finden, das der besseren Volksernährung dient, und dann fröhlich zum gemeinsamen Essen gehen. Diese Szene steht im Zusammenhang mit solchen, wo die beiden Inhalte des Wortes auseinanderklaffen, wo sich ein Speisen ohne Rechtlichkeit und ein Rechtsanspruch ohne Speisung konfrontieren, wie z. B. in dem Gegenüber des dicken essenden Bauernpaars und der vor Entbehrung zusammenbrechenden Grusche, oder auch in jener kunstvollen Simultanszene, in der die beiden ungleichen, inkompletten Hälften: Jussufs Sterbekammer und der Schmaus der Hochzeitsgäste, verbunden durch das gestische Spiel der hin- und herwandernden Kuchenbleche, einen symbolischen Kommentar zum widerspruchsvollen Wechselverhältnis zwischen Recht und Magengericht abgeben.

Mit der Zweiteiligkeit des Gericht-Konzepts spielte Brecht in Wort und Bild. Im »Lied von den Gerichten« in *Die Ausnahme und die Regel* heißt es, daß die Gerichtshöfe, die den Erschlagenen auch noch das Recht erschlagen, den Aasgeiern Nahrung geben (II, 812-813). Gegen Ende von *Die Rundköpfe und die Spitzköpfe* erklärt der verbrecherische Vizekönig in Vorbereitung jener großen Bankett- und Galgenszene, bei der sich die Pachtherren aus dem Unrecht ein Gericht bereiten:

Doch nun zum Essen, Freunde, nun zum Essen!
Ich denk, wir nehmen diesen Richtertisch
An dem wir vieles richteten, zum Eßtisch.
(III, 1036)

Der Feldherr Lukullus steht »Zu der abendlichen Zeit, da Rom sich über den Gräbern zum Essen setzt / Vor dem höchsten Gericht des Schattenreichs« (IV, 1458). Im Sprachlich-Syntaktischen spiegelt sich diese Gericht-Dualität in einer unerhörten Fülle von Variationen des zweiteilig strukturierten Satzes »Erst kommt das Fressen, dann kommt die Moral«, die zumeist auf das Unrecht sittlicher Forderungen ohne Rücksicht auf den Magen hinauslaufen. Selbst einzelnen Metaphern eignet dieser Doppelgestus, so dem von Brecht mehrmals benutzten Bibelspruch, man solle dem Ochsen, der da drischt, das Maul nicht verbinden. In der Figurengestaltung begegnen uns immer wieder essende Richter und richtende Esser. Unter den Bühnenbildern häufen sich einerseits Mahl- und Küchenszenen, in denen sich Unrecht enthüllt oder von Recht die Rede ist (da besteht wenig Unterschied), andrerseits Gerichtsszenen, in denen namentlich das Essen als ganz konkreter Belang oder als metaphorischer Inbegriff sämtlicher existenznotwendiger Belange des Menschen zur Sprache kommt.

Auf den parodistisch-satirischen Enthüllungs- und Abrechnungscharakter der Eßszenen in Brechts frühen Werken wurde schon hingewiesen, ebenso auf das komplementäre Verhältnis getrennter Tafel- und Gerichtsszenen, wie in der *Dreigroschenoper*, wo beide Szenen als Perversion christlicher Moral dargestellt sind, oder im *Verhör des Lukullus*, wo dem rein sinnlichen Schlemmergericht das rein rationale Schattengericht dialektisch gegenübersteht. Fast gleichzeitig mit dem Hörspiel *Das Verhör des Lukullus* entstand das Parabelstück *Der gute Mensch von Sezuan* mit Brechts wohl berühmtester Gerichtsszene. Hier sitzen die Götter, welche den Menschen nicht ernähren können (IV, 1539), aber selber wohlgenährt sind (IV, 1490), über Shen Te / Shui Ta, die zugleich Reis verschenkt und Unrecht tut, zu Gericht und werden dabei selbst gerichtet. Die in dieser Szene kulminierende Gericht-Dialektik durchzieht als komplexes Strukturelement das ganze Stück. Die Austauschbarkeit von Richtern, denen von fetten Gänsen schlecht wird (IV, 1597), und fetten Göttern, die schlecht richten, ist bezeichnend, aber auch provozierend. Man erkennt recht wohl: die Widersprüche verschwänden erst, wenn Gott, Esser, Richter und Gerichteter in eins zusammenfielen. Oder bringen wir dies utopische Menschenbild in andere Worte: »Gerichte« wären überflüssig, wenn sich die Menschen nicht mehr um »Gerichte« rissen. Diese positive, tatbereite Erkenntnis soll durch das negative Beispiel aktiviert werden, so auch in kleineren Dialogpointen, z. B.:

DIE FRAU: ... Wirf ein Stück Fleisch in eine Kehrichttonne, und alle Schlachterhunde des Viertels beißen sich in deinem Hof. Wozu gibt's die Gerichte?
SHEN TE: Die Gerichte werden ihn nicht ernähren, wenn seine Arbeit es nicht tut.
(IV, 1504)

Aber ähnlich wie Mutter Courage versteht Shen Te die Wahrheit in ihren eigenen Worten nur im determiniert-begrenzten, nicht im dialektisch-veränderbaren Sinn. Sonst würde sie sich nicht so vorbehaltlos jener liebenswürdigen und doch auch fragwürdigen, gefühlshaften Güte verschreiben, mit der sie Nahrung verschenkt, die sie durch die rationale Härte des Shui Ta schaffen muß. Sie müßte dann nicht den Semmeldiebstahl des Jungen unbarmherzig durch Polizei und Gericht ahnden lassen (IV, 1515), brauchte nicht Opfer einer schmarotzenden Hochzeitsgesellschaft zu werden (IV, 1554–1563), sähe sich nicht gezwungen, ihrem noch ungeborenen Kind zugleich den Kirschendiebstahl und die Furcht vor dem strafenden Gesetz zu lehren (IV, 1568), würde nicht angesichts eines hungrigen Kindes, das aus einer Kehrichttonne ißt, zum Tiger für ihr eigenes (IV, 1572–73); kurz: sie würde nicht aus purem Mitleid in »wölfischen Zorn« verfallen, der ihr »die Lippe zur Lefze« verwandelt (IV, 1604)[24] und sie in einen extremen Widerstreit von Gefühl und Vernunft zerspaltet, anstatt bei jedem Schritt ein gewisses Maß von beiden walten zu lassen, um so erst einmal den Zusammenhalt der Kleinen unter sich zu stärken.

In *Herr Puntila und sein Knecht Matti* spielt sich diese Gericht-Dialektik im Rahmen von realen und illusionären Tischgemeinschaften ab. Das Stück beginnt damit, daß der Richter bei einem Zechgelage mit dem Gutsbesitzer Puntila betrunken vom Stuhl fällt, also gewissermaßen ausscheidet. Das wäre an sich kein schlechtes Zeichen. Tatsächlich scheint es, als ob in dieser Szene der gegenseitigen »Menschenfindung« Herr und Knecht unter sich auch das Rechte finden: Puntila schenkt Matti Rindsrücken, schimpft auf die »Großbauern«, die dem Gesinde »das Essen vom Maul abzwacken«, und »möcht am liebsten (s)einen Leuten nur Braten geben« (IV, 1615–1616)[25]. Auch Matti nimmt kein Blatt vor den Mund und erzählt, wie er seinem vormaligen Herrn, Pappmann, der seinen Leuten nur Mehlpapp zu essen gab, rebellische Geister (d. h. rebellischen Geist) auf den Hof zauberte, die erst beim Geruch von Fleisch wieder Ruhe gaben (IV, 1617). – Aber der Richter ist bei diesem Dialog ja nicht verschwunden, wie der Richter Azdak im Tanz der Paare verschwindet, der die friedliche Einheit aus gegensätzlicher Zweiheit versinnbildlicht. Vielmehr ist er nur betrunken, wie ja auch Puntilas »Gerechtigkeit«

24 Schon für das Bestiarium *Leben Eduards des Zweiten von England* benutzte Brecht dieses Bild der Vertierung: » ... menschlicher Lippen Verwandlung / In Tigerlefzen« (I, 214).

25 Ironischerweise heißt Puntila »Johannes« (IV, 1678), d. h. »der Herr gibt es«, »Gott ist gnädig.«

nur in der Trunkenheit zutage tritt. Nüchtern sieht er die Dinge anders: »Einen Dienstboten, dem die Augen herausquellen vor Gier, wenn er zum Beispiel sieht, was die Herrschaft ißt, kann kein Brotgeber leiden. Einen Bescheidenen behält man im Dienst, warum nicht? Wenn man sieht, daß er sich abrackert, drückt man ein Auge zu. Aber wenn er nur immer Feierabend haben will und Braten so groß wie Abortdeckel, ekelt er einen einfach an und raus mit ihm!« (IV, 1634). Was Wunder also, wenn Matti sich für Puntilas hungrige Bräute mehr verspricht, wenn er dem Herrn Aquavit bringt, statt den Sklavinnen Milch. Und doch liegt in dieser Umkehrung, mit der Matti Puntilas Doppelspiel begegnet, auch eine falsche Methode für eine richtige Absicht, d. h. ein Dienst an Puntila; denn Aquavit (d. h. Wasser des Lebens, oder Lebensquell) entspringt für den Herrn ja gerade aus der Tatsache, daß die Unteren unabhängig von ihm keine Milch bekommen. Demnach hat der Vergleich zwischen dem biblischen und dem weltlichen Herrn, von denen der eine auf Wasser, der andere auf Aquavit wandeln kann (IV, 1613), seinen gemeinsamen Nenner im Glauben des Volkes, das sich aus solchen Wundern Geistes- bzw. Magenstärkung erhofft. Puntilas Bräute verlieren ihren Glauben, als man ein Butterschaff, ein geschlachtetes Schwein und zwei Bierfässer ins Gutshaus rollt und sie sich nur mit dem Geruch davon begnügen müssen und mit Mattis großen Reden vom ersehnten Mittagsgericht, bei dem sie Seit an Seit mit dem Richter vom Hohen Gericht sitzen würden, der ihnen doch Recht geben müsse, wenn man ihnen die Gerichte verweigere. Nachdem sie die Verlobung mit Puntila, die keine Gemeinschaft brachte, aufgelöst haben, beschäftigt sie die Gericht-Dialektik auf eine neue Art in Form von zwei konträren Beispielen. Im einen Fall verzichtet eine Magd aus Liebe auf Rechtspruch und damit auf Alimente von einem Bauernsohn. Im anderen Fall verzichtet Athi, ein »Roter«, der im Gefängnis vor Hunger schon Gras fressen muß, aus Recht auf ein Fisch- und Buttergericht, das ihm seine arme Mutter als Geschenk von ihrer »guten« Gutsherrin mitbringt. Das Verhalten der Magd erscheint den Frauen dumm, das des Athi klug, weil es bei vielen, die davon hören, einen »Eindruck« macht – und doch bleiben »Recht« aus Liebe und »Recht« aus Opposition gleichermaßen brotlos und verändern nichts. Erst eine wohldosierte Mischung beider Lehren würde, in die Tat umgesetzt, weiterführen. Ist es das, was die Frauen beschäftigt, als sie aufstehen und schweigend weitergehen? Und dann folgt jene zweideutige Gerichtszene im Hause Puntilas, wo sich bei einem riesigen Büfett auch die Vertreter der weltlichen und göttlichen Gesetze (Richter, Advokat, Probst) wieder eingestellt haben, wie schon damals beim Hochzeitsbankett der *Dreigroschenoper*. Aber verglichen mit dem zynisch-klobigen Spaß jener Stallszene sprüht hier bei der Verlobung in Puntilas Eßzimmer das dialektische Wechselspiel der kulinarisch-moralischen Argumente wie ein Feuerwerk. Es gipfelt in der pointierten Inkongruenz der von Puntila gewährten Tafelgemeinschaft und der von Matti demonstrierten unüberbrückbaren sozialen Unterschiede, die eine Verlobung zwischen »oben« und »unten« illusorisch machen. Mattis gesalzene Heringsrede, mit der er den Oberen »Saures« gibt (IV, 1960), widerspricht nicht nur Puntilas Appetit auf Sandwich und der Pröbstin Genuß an gebutterten Pilzgerichten, sondern enthält zugleich eine bittere Lektion über Sozialrecht, sprich: soziales Unrecht. *Er nimmt einen Hering und faßt ihn am Schwanz:* »Willkommen, Hering, du Belag des armen Volkes! Du Sättiger zu allen Tageszeiten und salziger Schmerz in den Gedärmen! Aus dem Meer bist du gekommen und in die Erde wirst du gehn. Mit deiner Kraft werden die Fichtenwälder gefällt und die Äcker angesät, und mit deiner Kraft gehen die Maschinen, Gesinde genannt, die noch keine perpetua mobile sind. O Hering, du Hund, wenn du nicht wärst, möchten wir anfangen, vom Gut Schweinefleisch verlangen, und was würd da aus Finnland?« *Er legt ihn zurück, zerschneidet ihn und gibt allen ein Stückchen*(IV, 1687). Bänziger nennt diese Episode eine formale Analogie zum Abendmahl, und damit hat er nicht ganz unrecht. Aber genauer noch handelt es sich hier um eine Parallele zur biblischen Speisung der Viertausend bzw. Fünftausend[26], die Brecht in mehreren Stücken beschäftigte. In Bezug auf *Puntila / Matti* ist zu bemerken, daß auf die neutestamentliche Wundertat der Speisung der Fünftausend durch Teilung von Brot und Fisch sogleich noch eine andere folgt, nämlich des Herrn Jesu Wandel auf dem Meer[27], Vorbild für Herrn Puntilas Wandel auf dem Aquavit (IV, 1613). Diesen auch in Brechts Volksstück so eng verbundenen zwei Anspielungen ist eines gemeinsam, eben das Wunder, doch mit einer neuen, bereits angedeuteten Pointe: in der Bibel speist der Herr auf wunderbare Weise das Volk, bei Brecht speist das Volk auf wunderbare Weise den Herrn – kein Wunder also, daß dem Herrn Puntila der salzige Hering, der das arme Volk davon abhält, sich am Schweinernen des Gutsbesitzers zu vergreifen, »wie eine Delikateß« schmeckt (IV, 1687). Daher fällt es schwer, Bänziger zuzustimmen, der in Mattis Heringsansprache u. a. auch eine säkularisierte »Weihung des Brotes« sieht[28]; vielmehr spielt Mattis Hering hier eine ähnliche Rolle wie vormals Johannas Suppe: beide Speisungen sind Abspeisungen, denn sie vermitteln, in schlimmer Umkehrung der himmlischen Gemeinschaft zwischen dem Herrn und seinem Volk, die weltliche, ausbeuterische ›Gemeinschaft‹ zwischen Fabrikherr und seinen Arbeitern, Gutsherr und dessen Knechten. Ähnlich wie Johanna, nur mit weniger deutlichem Ausblick, kündigt auch Matti die Gemeinschaft mit den Oberen:

26 Vgl. Matthäus 14, 13-21 (15, 32-39); Markus 6, 31–44 (8, 14-21); Lukas 9, 10-17; Johannes 6, 1-13.
27 Vgl. Matthäus 14, 22-36; Markus 6, 45-56; Johannes 6, 15-21.
28 Op. cit., S. 501.

's wird Zeit, daß deine Knechte dir den Rücken kehren.
Den guten Herrn, den finden sie geschwind
Wenn sie erst ihre eignen Herren sind.
Er geht schnell weg

(IV, 1709)

Aber um eigener Herr zu sein, muß man erst einmal eigener Herr werden – und das nicht einfach nur im ökonomischen Sinn. Hatte Brecht in *Mutter Courage* und in *Der gute Mensch von Sezuan* die scheinbare Ausweglosigkeit des erniedrigten Menschen als offenes Problem belassen, im *Puntila* den Knecht einfach fortgehen lassen, als ob dadurch der Gutsbesitzer erledigt würde, wie der Prolog vermuten läßt, so verweist er im *Kaukasischen Kreidekreis* und in *Schweyk im zweiten Weltkrieg* – beide Stücke sind etwa zur gleichen Zeit entstanden – auf eine progressive Selbstverwirklichung des kleinen Mannes und greift damit wieder die positive, richtungsweisende Tendenz aus der Schlußszene des *Galilei* auf. Gemäß seiner Überzeugung, daß eine Weltverbesserung Sache der Kleinen sei, richtet Brecht in diesen Stücken das Augenmerk in erster Linie auf entscheidende, typische Prozesse unter den Kleinen selbst, die jeweils in der Schlußszene ihren großartigen Höhepunkt erreichen: einmal in der Begegnung zwischen Grusche und Azdak, und dann in der letzten Konfrontation zwischen Schweyk und Baloun. Nahrungs-Metaphorik, Gericht- und Mahlszenen als poetische Einkleidung des Problems von Essen und Moral sind auch hier von zentraler Bedeutung.

Grusche und Azdak, die beiden Hauptfiguren des *Kaukasischen Kreidekreises*, verkörpern zwei verschiedene und in sich widerspruchsvolle Verhaltensweisen des kleinen Mannes, die – beide für sich genommen – in einer ungerechten Welt zum Scheitern verurteilt sind. Dieselbe Grusche, die dem Gouverneur, einem Lebensgenießer und Menschenschinder, die fetten Gänse aussucht (was sie selbst zur dummen Gans stempelt), nimmt sich, noch unter dem Eindruck des Liebesversprechens zwischen ihr und Simon Chachava, aus reiner Güte des Gouverneurskindes an, das von dessen Rabenmutter auf der Flucht im Palast zurückgelassen wurde. Im Dienst der Großen, ausgenutzt von dicken Bauern, verfolgt von fetten Fürsten, die alle das Fressen vor die Moral setzen, besteht Grusches Moral darin, sich für den kleinen Michel aufzuopfern. Und gerade diese christliche Liebesmoral führt unter den gegebenen Umständen zu nichts. Die Nahrungssymbolik bei jenem denkwürdigen Hochzeitsessen und Todesschmaus versinnbildlicht vielleicht am deutlichsten, daß Grusche, indem sie anderen zur Zehrung gereicht, sich selbst verzehrt: von den Kuchen bekommt jeder sein Stück, Michel, die schmarotzenden Gäste und auch der totgeglaubte Jussuf; doch Grusche entfällt das Kuchenblech, als sie hört, die Soldaten kommen zurück, und anstatt die Kuchen aufzusammeln, nimmt sie das von Simon Chachava erhaltene symbolische Liebeszeichen, »das silberne Kreuz an der Kette aus ihrer Bluse, küßt es und fängt an zu beten«

(V, 2056). Und doch werden alle Früchte ihrer selbstlosen Liebestaten zunichte: Simon kehrt ihr den Rücken, die Panzerreiter des fetten Fürsten holen das Kind, der Ehekontrakt, der ein Liebeskontrakt für andere war, wird zum Strafkontrakt für sie selbst. Auf diese Weise hat Grusche keinen Teil am süßen Kuchen des Lebens, auch Simon nicht, auch Michel nicht.

Die Verhaltensweise des Azdak entspringt nicht einer selbstlosen christlichen Nächstenliebe, sondern einem durchaus egozentrischen Vernunftsprozeß. Doch ist seine kalkulierende Dialektik ebenso verhängnisvoll für ihn und seine sozialen Interessen: das Volk, wie die Herzensgüte für Grusche und ihre familiären Interessen: Simon und das Kind. Wenn Azdak dem gierig essenden Flüchtling, der schmatzt »wie ein Großfürst oder eine Sau« (was er beides ist), die Eßmanieren eines armen Mannes beibringen will, so liegt in dieser »Umkehrungs«- oder »Verkehrungs«-Figuration schon ein symbolischer Wink, daß Azdak ein »Hasenfresser« und Hasenfuß bleiben und kein »Menschenfresser« (sprich: Fürstenfresser) und Held sein wird (V, 2066-2068). Damit ist aber auch schon angedeutet, daß in dieser Art von dialektischem Umkehrungsprozeß, mit dem Azdak in nutznießender Berechnung allem gleich zuvorkommen will, kein wirklicher Fortschritt liegt. Das bewahrheitet sich in Azdaks fortlaufender Auf-und-ab-Gefährdung zwischen Galgen und Richterstuhl, in der im Lied vom Chaos wiederholt veranschaulichten Austauschbarkeit zwischen dem Tafeln der Oberen und dem Fressen der Unteren, in der Umkehrung von Richter als Lump und Lump als Richter, welch letzterer am »zuviel Essen, besonders von Süßem« (V, 2083) in anderen ein Verbrechen entdeckt, dessen er selbst schuldig wird, denn bei ihm geht »alles in Essen und Trinken« (V, 2100). Bei dieser Auge für Auge-, Zahn für Zahn-Dialektik, der zufolge Verwechselbarkeit ein Synonym für Recht ist, können die Zeilen »Und so brach er die Gesetze wie ein Brot, daß es sie letze« (V, 2086) nur einen zutiefst widersprüchlichen, labilen und prekären Übergangszustand in einem Kreislauf des Übels bezeichnen.

Dies ist in der Symbolik der Kreidekreisszene versinnbildlicht, in der offenbar wird, daß erst aus Widerstreit und Synthese von Grusches »Moral vor dem Essen« und Azdaks »Essen vor der Moral«, aus selbstloser Herzensgüte und selbstbezogener Geistesmechanik *zusammen* der üble Kreislauf der ungerechten Welt durchbrochen werden kann. Denn es ist das Wechselspiel *beider* Kräfte, das den kleinen Michel aus diesem Kreis in einen neuen Lebensbereich zieht und eine neue Zeit versprechen läßt. Und so ist Michel nicht mehr nur ein »Kind der Liebe«, wie Grusche zu Simon sagt (V, 2105), sondern nun auch ein Kind der Liebe *und* der Vernunft. Azdak selbst nimmt die geistige Vaterrolle der neuen Generation, der neuen Zeit an, wenn er verfügt, daß der »Garten für die Kinder« nach ihm »Der Garten des Azdak« heißen soll. Wie im *Galilei* setzt Brecht seine Hoffnung auf das Kind: das Kind als Produkt eines Erziehungsprozesses, der in klassischem Sinn gleichermaßen auf körperliches und seelisches Wohl bedacht ist, und das Kind als säkularisierter Heilbringer[29] für die Zukunft: Evolution und Revolution relativieren sich.

Einen ähnlichen Ausblick bietet die letzte (achte) Szene von *Schweyk im Zweiten Weltkrieg* in Verbindung mit dem hoffnungsvollen Moldaulied, das einen Wechsel der Zeiten verspricht: »Das Große bleibt groß nicht und klein nicht das Kleine / Die Nacht hat zwölf Stunden, dann kommt schon der Tag« (V, 1994). Der »kleine« Schweyk befindet sich zwischen zwei »Großen«: er steht nicht nur im Gegensatz zu seinem Feind Hitler, sondern auch im Gegensatz zu seinem Freund Baloun. Hitlers länder- und völkerverschlingender Machthunger und Balouns Freßsucht – »Essen is bei ihm ein Laster« (V, 1919) – sind in ihrer Gefährlichkeit für den kleinen Mann vergleichbar. Auf diese Parallele weist Schweyk schon im ersten Akt in seinem Exkurs über die »Großen« hin: »Einem großen Mann is das gewöhnliche Volk eine Kugel am Bein, das is, wie wenn Sie dem Baloun mit sein Appetit zum Abendessen ein Debrecziner Würstel vorsetzen, das is für nix« (V, 1927). Dieser Zusammenhang zwischen politischer und ziviler Ebene wird am Ende des Stückes verstärkt, denn dort kommt es nicht nur zu jener bizarren Konfrontation zwischen Hitler und Schweyk, sondern auch zu einer subtilen Gegenüberstellung von Baloun und Schweyk. Als Verkörperung des kleinen Mannes gelingt es Schweyk, durch sein opponierendes Mitläufertum die Pläne der Großen zu unterminieren und den Krieg – immer mit einem Auge auf die »Feldküchn« (V, 1983) – zu überleben. Aber mit dem Überleben allein ist nicht viel gewonnen, wenn das die Möglichkeit eines Rückfalls in ›kleine Verhältnisse‹ mit einschließt. Auch hier liegt die Chance ganz auf Seiten des kleinen Mannes. Im synoptischen Gegenüber der einander bedingenden Szenen: Opfertod und Lebensfest, hier ein verlorener Schweyk in eisiger russischer Steppe – dort ein fressender Nimmersatt Baloun im warmen heimischen »Kelch«, deutet Brecht

29 Das Kind heißt Michel (Michael = Wer ist wie Gott?) und wird von den Fürsten verfolgt wie Christus von Herodes. Analog zur Auferstehung Christi (Hoffnung auf himmlisches Heil) wird Michel »an jenem Ostersonntag des großen Aufstands« (V, 2065) zum Symbol der Hoffnung auf weltliches Heil. Vgl. die Szene »Das hohe Kind« in der das geknechtete Volk den Gouverneurserben wohl mit gemischten Gefühlen zu sehen begehrt (V, 2009), und später dann Grusches Lied:

Dein Vater ist ein Räuber
Deine Mutter ist eine Hur
Und vor dir wird sich verbeugen
Der ehrlichste Mann.

Der Sohn des Tigers
Wird die kleinen Pferde füttern
Das Kind der Schlange
Bringt Milch zu den Müttern.

(V, 2044)

erneut auf die Notwendigkeit einer Synthese der Verhaltensweisen. Wegen seines unverwüstlichen Einsatzes für seine Mitmenschen und *trotz* seiner dialektischen Gewitztheit ist Schweyk am Ende ausgepumpt und dem Tod nahe. In dem Moment, wo der selbstsüchtige Vielfraß Baloun, der für Schweyks Dilemma mitverantwortlich ist, mit dem Essen einhält und anhand einer Schweyk-ähnlichen, dialektischen Moral zur Einsicht des Maßhaltens kommt, erstarkt der gefährdete Schweyk und richtet sich wieder auf (V, 1988). Diese symbolische Gestik ist erneut ein feiner Hinweis darauf, daß die Kleinen erst dann aufhören werden, klein zu sein, wenn sich in ihrem Verhältnis zueinander Eigennutz in rechtem Maß mit Altruismus mischt, wenn die Sorge um den eigenen Magen und die Sorge um den anderen sich in der Tat die Waage halten. Nur durch die Entwicklung einer solchen sozialbewußten Solidarität kann verhindert werden, daß die Großen sich aufs neue stark machen.

Wenn in vorliegender Untersuchung besonderer Wert darauf gelegt wurde, zahlreiche bildhafte Beispiele aus dem gesamten Theaterwerk Brechts anzuführen, so geschah dies einmal in der Absicht, Kontinuität und Verzweigung als auch Wandelbarkeit und Entwicklung bestimmter Grundkonzepte in Brechts dramatischem Schaffen zu verfolgen; zum anderen in der Überzeugung, daß gerade in der von Brecht so meisterlich gehandhabten Bildersprache, die von seinen Kritikern noch viel zuwenig im einzelnen erforscht worden ist, wertvolle, oft entscheidende Anhaltspunkte für die Erschließung seiner Dichtkunst und Lebensansichten zu finden sind. Es würde sich lohnen, der Struktur und dem Gehalt häufig wiederkehrender Bildsymbolik oder szenischer Embleme nachzugehen, etwa Bildern wie Rad, Kreis, Fluß, Netz, Waage, Kind, usw. Gewiß ergäben sich in jedem Fall zahlreiche Nuancen und auch Widersprüche, doch ließen sich gerade durch die ›Zusammenschau‹ solcher Mannigfaltigkeiten wesentliche Anliegen des Dichters deutlicher erfassen, als dies in gewissen Äußerungen einzelner Figuren in bestimmten Situationen zutagetritt, oder auch in vereinzelten Äußerungen des Dichters selbst. Wenn wir im Rückblick noch einmal bedenken, welchen Einblick uns die so augenfällige Frequenz der (Fr)Eß-Metaphorik im Wechselspiel mit den damit verbundenen moralischen Anschauungen in das Verhältnis von Existentialismus/Nihilismus, Materialismus/Idealismus, Sensualismus/Rationalismus, Individualismus/Sozialismus, Egoismus/Altruismus, Kapitalismus/Kommunismus, Kulinarismus/Intellektualismus, Animalismus/Humanismus, Marxismus/Christentum, Revolution/Evolution, Optimismus/Pessimismus bei Brecht gestattet, so müssen wir feststellen, daß er keinen Grund zum Seufzen hatte, als er sagte: »Ich werde in die Literatur eingehen als ein Mann, der den Vers geschrieben hat: ›Erst kommt das Fressen, dann kommt die Moral‹«.

BUCHBESPRECHUNGEN

Bertolt-Brecht-Archiv. Bestandsverzeichnis des literarischen Nachlasses, Band 3, Prosa, Filmtexte, Schriften. Bearbeitet von Herta Ramthun. Herausgegeben von der Deutschen Akademie der Künste zu Berlin. Berlin und Weimar: Aufbau Verlag (1972). XII + 726 Seiten.

Nach den ersten Bänden (*Stücke*, 1969; *Gedichte*, 1970) ist nun der dritte und vorletzte Band des für die Brecht-Forschung so überaus wichtigen Bestandsverzeichnisses erschienen. Das Manuskript dieses dritten Teils lag schon etwa zwei Jahre vor; und Reinhold Grimm hat seinen Inhalt bereits kurz avisiert (*Bertolt Brecht* [Stuttgart ^{3}1971], S. 192). Mit 7035 Eintragungen (Nr. 11207–18242) ist dies der bisher umfangreichste Band, was nicht weiter überrascht, besteht doch rund die Hälfte von Brechts inzwischen veröffentlichten Werken aus ›Prosa‹ im weiteren Sinn des Wortes (vgl. XI–XX sowie die beiden Supplementbände der zweiundzwanzigbändigen *werkausgabe edition suhrkamp*).

Die allgemeinen Voraussetzungen für die Bestandsaufzeichnung sowie Herta Ramthuns erläuternde Verzeichnismethodik hat Gisela Bahr bereits im letzten *Brecht-Jahrbuch* (in ihrer Rezension des ersten Bandes) präzise dargelegt. Dem läßt sich – auch für den dritten Band – wenig hinzufügen, denn die Planung erstreckte sich ja auf das Projekt als Ganzes. Die in den Vorbemerkungen zum Band III begründete Gruppierung des Materials umfaßt, in laufender Anordnung: *D. Prosa* [a) Romane und Romanfragmente, b) Dialoge, c) Kleine Prosa (1. Sammlungen, 2. Erzählungen, Kurzgeschichten u. ä., 3. *Geschichten vom Herrn Keuner*, 4. *Me-ti* – Buch der Wendungen, 5. Lai-Tu-Geschichten), d) Prosaprojekte, -entwürfe, -fragmente, e) Mitarbeit an Prosastücken]; *E. Filme* [a) Filmerzählungen, b) Filmprojekte und -entwürfe, c) Drehbücher]; *F. Theoretische Schriften* [a) Schriften zum Theater (1. Sammlungen, 2. Aufsätze u. ä., 3. Notizen, Entwürfe, Fragmente, 4. Anmerkungen zu Stücken und Regienotate), b) Schriften zur Literatur (1. Aufsätze u. ä., 2. Notizen, Entwürfe, Fragmente), c) Schriften zum Film, d) zur Musik, e) zur bildenden Kunst, f) zur Kunst (allgemein), g) zur Philosophie und Wissenschaft, h) zur Politik, Kulturpolitik und Gesellschaft, i) Verschiedene Schriften]; *G. Tagebücher und Notizbücher* [a) Tagebücher, b) Notizbücher, c) Tagebuchartige Aufzeichnungen]; *H. Noten von Brecht; I. Zeichnungen von Brecht; K. Textbruchstücke und Notizen mit unsicherem Bezug.*

Soweit wie möglich hat sich die Herausgeberin um eine chronologische Anordnung innerhalb der einzelnen Gruppen und Sachgebiete bemüht – außer bei den zu einem Werk gehörigen Materialien, »deren Abfolge sich ohne größere Untersuchung zeitlich nicht bestimmen läßt« (V). Ein Vergleich mit der Anordnung der entsprechenden Texte in der *werkausgabe* zeigt beträchtliche Unterschiede, die sich zum Teil aus der Neugruppierung der Genres bzw. Sachgebiete erklären, vor allem bei den *Theoretischen Schriften.* [So stehen z. B. »Mies und Meck« nicht mehr unter »Schriften zur Politik und Gesellschaft«, sondern unter *Dialoge*, und der Zeitungsbericht zu »Der gute Mensch von Sezuan« nicht mehr unter »Schriften zum Theater« (»Anmerkungen zu Stücken und Aufführungen«), sondern unter *Kleine Prosa.*] Da sich die Titelfolge aber auch in sonst nahezu identischen Gruppenzuordnungen unterscheidet (z. B. bei den »Erzählungen« oder »Keuner-Geschichten«), läßt sich vermuten, daß in Fragen der Chronologie (die in manchen Fällen sehr unbestimmt ist) das Bestandsverzeichnis immerhin verläßlicher ist als die *werkausgabe*. Mangels genauer Datierungen für die ca. 290 *Me-ti*-Geschichten wählte die Bearbeiterin in diesem Fall statt der chronologischen die alphabetische Anordnung. Dies erleichtert natürlich die Auffindung von Titeln ganz erheblich, wogegen man bei den »Erzählungen«, »Keunergeschichten« und besonders bei den *Theoretischen Schriften* recht umständlich und langwierig suchen muß, zumal viele Titel, die in der *werkausgabe* nicht von Brecht, sondern von den Herausgebern stammen, *nicht* mit ins Bestandsverzeichnis übernommen wurden, so daß man sich an die Textanfänge halten muß. Dieser Mangel an Koordinationsmöglichkeit zwischen den veröffentlichten Werken Brechts und dem dritten Band des Bestandsverzeichnisses, welcher im Gegensatz zu den zwei ersten Bänden kein *ausführliches* Inhaltsverzeichnis enthält, mindert den Gebrauchswert dieses dritten Teils beträchtlich, aber nur vorübergehend; denn mit dem Erscheinen des vierten Bandes, der u. a. ein alphabetisches Gesamtregister aller Titel bzw. Textanfänge bringen soll, wird insbesondere der Wert des reichhaltigen dritten Bandes erst recht zur Geltung kommen.

Diese Reichhaltigkeit erkennt man schon beim bloßen Durchblättern des Buches, nicht nur in den Materialien zu – bzw. Fassungen von – einzelnen Werken oder in der Behandlung wiederkehrender Themen in verschiedenen Genres, sondern auch in noch Unveröffentlichtem. Besonders reizvoll ist – wie schon beim ersten Band (*Stücke*) – die Durchsicht der »Projekte, Entwürfe, Fragmente«, die den Themenkreis des bis jetzt bekannten Brechtschen Schaffens erweitern und noch der Erforschung harren. Zuweilen enthalten die Eintragungen Hinweise auf Brechts Lektüre bzw. seine Quellen. Nicht selten klingen die registrierten Textanfänge wie Aperçus (eine Art ›Brecht in Stichworten‹), die sogar das Lesen eines Bestandsverzeichnisses zum belehrenden Vergnügen machen. So lesen wir zum Beispiel: »da wir ein atheistisches Theater haben, sind wir auf die darstellungen der menschlichen (sic) beziehungen angewiesen« (S. 339); »was dem drama heute fehlt, sind eine handvoll theorien« (S. 345); »historische bilder; gestik statt reaktionsmimik« (S. 346); »es gibt nichts gefährlicheres als die bezeichnung natur für die zustände und vorgänge um uns« (S. 348); »der Hauptfehler des modernen Menschen ist: daß er getrennt marschiert« (S. 544); »ich lese aus mangel an schundromanen die bekenntnisse des augustinus« (S. 545); »Der Richterstand ist eine staatlich organis. Clique wahnsinnig gewordener Schullehrer« (S. 570); »Ein Anarchist ist ein Mensch, der eingesehen hat, daß er unzufrieden ist« (S. 571). Unter den »tagebuchartigen Aufzeichnungen« finden sich auch Notizen, die anscheinend biographischer Art sind, so z. B. aus dem Jahr 1924: »lernen: chauffieren – moderne jamben – stückkomponieren – fotografieren – skifahren . . . armbanduhr / hose aus chord / hemden aus khaki + rohseide / aga-kleinauto / schwarzer gummimantel« (S. 638). Das Verzeichnis der Tagebücher selbst ist nicht aufgeschlüsselt, da ihre Benutzung noch nicht freigegeben war. Doch wenn diese Besprechung gedruckt wird, wird wohl das letzte Exemplar der mehrbändigen Tagebuchausgabe, die Werner Hecht zu Brechts 75. Geburtstag vorbereitet hat, erschienen sein.

Die verdienstvolle Arbeit Herta Ramthuns sei noch einmal mit allem Nachdruck gewürdigt. Sie hat das schier unübersichtliche Nachlaßmaterial geordnet und somit der systematischen Benutzung zugänglich gemacht und mußte zu diesem Zweck ja erst einmal unzählige handschriftliche Texte entziffern. Sie ist eine der wenigen Personen, die Brechts Handschrift – in ihren säuberlichen *und* ›genialen‹ Phasen – überhaupt lesen kann. Viele der handgeschriebenen Texte hat sie bereits transkribiert und auch dadurch die Aufgabe der Brecht-Forschung erleichtert. Da sie neben ihrer mühevollen Detailarbeit am Bestandsverzeichnis auch den nicht wenigen Besuchern des Bertolt-Brecht-Archivs mit Auskünften stets bereitwillig zur Verfügung steht, wird man die relativ schnelle Fertigstellung der ersten drei Bände – denen gewiß bald der vierte und letzte folgen wird – besonders schätzen.

Herbert Knust
University of Illinois, Urbana, Ill.

Hannah Arendt, *Benjamin/Brecht, zwei Essays.* München, Piper, 1971. 107 Seiten, DM 6,–

Nobody will deny that Miss Arendt's political and historical insight qualifies her as a critic of a writer as engagé as Brecht. Surely, the author of *The Origins of Totalitarianism* (New York, 1951), *The Human Condition* (Chicago, 1958), and *Eichmann in Jerusalem* (New York, 1963) has both the scholarly distance from the Marxist poet and the sympathy for his moral concerns needed to appraise his work fairly. Yet I am exactly that nobody, for I find Arendt's verdict in what she calls, with a moral grandeur typical of her style but unsuited to the unassuming Brecht, »der Fall des Bert Brecht«, to be inadequate. I think that a poet may be judged for his social behavior like any other citizen; and Arendt is right to insist that a poet who speaks directly to the political concerns of his day is especially liable to public censure. But her argument does not rest on this belief as much as on her thesis that Brecht was condemned by the loss of poetic substance the last years of his life.

Arendt comes to this conclusion after tracing Brecht's political attitudes as they parallel his writing. As in the other essays which accompanied this one in her volume *Men in Dark Times* (New York, 1968), the author's work is made to stand out against the social horrors of his time. The background of »dark times« seems particularly apt for Brecht, as he used this very phrase to locate his own generation in one of the *Svendborger Gedichte,* "An die Nachgeborenen." In the preface to *Men in Dark Times,* Arendt contends that "even in the darkest of times we have the right to expect some illumination, and that such illumination may well come less from theories and concepts than from the uncertain, flickering and often weak light that some men and women, in their lives and their works, will kindle."

What Arendt herself tries to illuminate is the relation between art and politics, a matter of moral concern since antiquity. There are two poles, both the verdicts of poets, between which she locates her evaluation of Brecht. The first is a poem by W. H. Auden, which serves as an epigraph for the essay:

> You hope, yes,
> your books will excuse you,
> save you from hell:
> nevertheless,
> without looking sad,
> without in any way
> seeming to blame
> (He doesn't need to,
> knowing well
> what a lover of art
> like yourself pays heed to),
> God may reduce you

on Judgment Day
to tears of shame,
reciting by heart
the poems you would
have written, had
your life been good.

Since the Auden passage stands at the beginning of the essay, it may be taken to express the author's own evaluation of Brecht. And indeed the last few pages of the piece, which sum up Arendt's judgment of Brecht in her inversion of the Roman proverb, "quod licet bovi non licet Jovi," show that she sides with Auden. Yet she constantly gives the other side, which is expressed in Goethe's dictum, "Dichter sündgen nicht schwer," its due. Arendt's sympathy for this point of view emerges when she does not condemn what some critics have deplored in Brechts political biography. She calls it only an error, for instance, that the poet did not break with the Party after the Moscow trials, when his friends were tried, nor even after the Spanish civil war, when the Stalinists had clearly misused the revolutionaries for their own purposes. Arendt does not even condemn Brecht for his silence regarding the Hitler-Stalin pact.

According to Arendt's thesis that poets' sins are punished by the loss of their gift, Brecht's wrongs were "nicht schwer" until his poetry turned bad or ceased to flow entirely. Thus she decries mainly the last seven years of his life, when Brecht not only said nothing about the oppression surrounding him in East Berlin but also wrote no new play and no great poetry. Now, although Arendt will not leave the appraisal of Brecht to literary ciritcs (*den Leuten vom Fach*), as his case is too serious for that, she might consider a literary critic's objection that, in this period, Brecht "produced several substantive revisions of his earlier plans and a number of brilliant adaptations" i. e. *Kreidekreis* (1949) and *Galileo* (1945), as well as *Antigone* (1948), *Der Hofmeister* (1950) and *Coriolanus* (1953).

Actually, Arendt finds Brecht in trouble long before 1949. The first work she considers mendacious is *"Begräbnis des Hetzers im Zinksarg"* of 1936; just as the stilted prose of *Furcht und Elend des Dritten Reiches* (1938) is seen by her as proof of Brecht's own political hollowness. From this period until the end of his life Arendt traces the development of Brecht's "Unannehmlichkeiten," the problems of a Communist convinced that compassion will not create a better world. Seeing his work in the light of this revolutionary insight gives it an admirable coherence. Indeed this part of Arendt's essay ist the most compelling, for here she touches on essential matters: the ballad tradition, to which Brecht added so much of his own haunting compassion, and the moral ambivalence of his great dramatic heroes, such as Galileo and Mutter Courage.

Finally, Arendt says that Brecht's problems stemmed from his *engagement*. She seems to think that it would have been possible for him to have remained merely a voice, a *Volkssänger*, without actual involvement. But to separate Brecht's poetry from his politics seems unrealistic at least. And yet: another great solitary poet is just what the Germans did not need. If one accepts Brecht's unique contribution to German literature, why not also accept the man he had to be in order to produce such riches? It is only Arendt's hypothesis that he could have been different. One final swipe she takes at Brecht characterizes the pettiness of this view. Arendt claims that, in moving to East Berlin because the government guaranteed him a national theater, Brecht capitulated to that same "art for art's sake" attitude that he had long denounced. But, actually, this theater has been one of the very few to provide art for the people. Without the productions of the Berliner Ensemble, as well as the development which his theater made possible for Brecht himself, the modern repertoire would be quite impoverished. Arendt may not like the art in Brecht's later world any more than she does its politics; but scolding Brecht for his artistic modus vivendi in this world is as futile as criticizing his political beliefs. Arendt gives us a moving political biography, but her judgment of Brecht is based too much on moral hypotheticals to be convincing. Her verdict seems almost as unreal as Auden's God, who recites by heart ". . . the poems you would / have written, had / your life been good."

Naomi Ritter
Indiana University

THEORY AND PRACTICE OF THE DIDACTIC PLAY

Rainer Steinweg: *Das Lehrstück. Brechts Theorie einer politisch-ästhetischen Erziehung*. Stuttgart, Metzler, 1972.
Die Maßnahme. Kritische Ausgabe mit einer Spielanleitung. edition suhrkamp, 415. Frankfurt 1972.
»Das Lehrstück – Ein Modell des sozialistischen Theaters«, in *alternative*. Heft 78/79, (Berlin, 1971), pp. 102–116.
»Die Lehrstücke als Versuchsreihe«. Ebd., pp. 121–124.
Brechts »Die Maßnahme« – Übungstext, nicht Tragödie. Ebd., pp. 133–143.

Many people have criticized the Suhrkamp-Verlag for producing another incomplete collected works of Brecht in 1967, instead of pressing for a more genuinely comprehensive edition. They will do well to study Steinweg's publications. The complete critical edition, if it ever materializes, is obviously many years away. To say as much is not to detract from Steinweg's achievement, which is truly impressive, but merely to recognize the magnitude of the problem. Perhaps unfortunately, Brecht seldom threw away a scrap of paper. Anybody who has ever worked in the Archives must at times have wished that he had been more negligent. Sixteen years after Brechts' death, the process of cataloguing this vast material has yet to be completed. To catalogue means to categorize, and here the problems begin. Collecting and relating variant readings of the poems and of the later plays is a comparatively easy task, doing the same with the early plays a mind-stopping problem. Furthermore, the unrestricted study of all of Brecht's papers is not yet possible. Paraphrase and pre-selection, no matter how conscientiously executed, are simply no substitute. Steinweg, who has set himself the task of ordering and interpreting the material related to the *Lehrstücke*, also regrets these restrictions.

The "critical" edition of *Die Maßnahme* now published by Suhrkamp is an interesting collection of material related to this play. It is still not a complete critical edition, however. Steinweg could have prepared one, but the publisher apparently looked the other way. This is regrettable, and those who are interested will have to turn to Inter-Library Loan or to the Archives where Steinweg has deposited a copy of his *Vollständiger Kritischer Apparat zur "Maßnahme"* (1970).

The frustrations and delays of publication must have been partly responsible for the *alternative* articles. Yet Steinweg refers to the first of these in his Metzler book as the most suitable reading for somebody primarily interested in the practical application of Brecht's theory. The other arguments offered in *alternative* are a foreshortening of the fuller presentation and are inevitably cruder. Neither are they greatly enhanced by the futurology in Hildegard Brenner's editorial introduction to this important issue: "Die Lehrstücke . . . sind . . . ein Modell, das die Trennung Zuschauer/Schauspieler, damit Theater als gesellschaftlichen Sonderbereich, aufhebt und erst in einer sozialistischen Gesellschaft möglich sein wird." (p. 101) In Utopia all things are possible. It would be more helpful and critical to enquire why the *Lehrstücke* have been neglected in those states which are endeavouring to realize socialism, rather than once more postponing the apotheosis.

Steinweg himself is not immune to the heady prediction and the grandiose and irrefutable claim, although his scholarship and his philology are impeccable. I disagree with many of his opinions and notice many contradictions, not all of which stem from the attempt to impose theoretical order on unordered and developing ideas. Faced with predictions like the following, one wonders if the anarchistic work methods of what Steinweg calls the bourgeois "Literaturverwalter" were so reprehensible after all: "Das Lehrstück reflektiert . . ., wenn es entsprechend der Theorie 'aufgeführt' wird, sowohl die Verfahrensweise der modernen Wissenschaft als auch die durch ihre Anwendung zur Technisierung der Produktion bedingten Haltungen und Verhaltensweisen" (*alternative* p. 113). Such potentially productive, heuristic blandishments seem irresistible.

Although Steinweg is obviously hoping for the practical application of the clarified ideas, his concern in the publications under review is almost exclusively with the theory. Here lies the strength and the weakness of his work. Because he is reconstituting the theory, he does not have to ask himself these simple questions: Why were there such discrepancies between the theory and the practice? Did the practice refute the theory? Was, in fact, the theory practicable? These may seem to him irrelevant or, at most, excessively disingenuous questions. I entertain the wholly anarchistic and reprehensible feeling that he considers them to have been already answered (by the theory); perhaps also by the authority of Brecht's last (theoretical) words on the subject – that *Die Maßnahme*, in short, is the form of the theatre of the future.

The theory, as Steinweg presents it, might be summarized as follows: The *Lehrstücke* are not illustrations of a particular phase in Brecht's production, whilst he was adjusting to the exigencies of the new Marxist discipline. This has merely been the opinion of the bourgeois, and, for that matter, of the social-imperialist *Literaturverwalter*. On the contrary, they represent an entirely new form of participatory "theatre", which Brecht was unable to realize properly in his lifetime due to irksome historical circumstances, but which he considered, in 1956, to represent the hope for the theatre of the future. It is quite wrong to think of these plays as *pièces à thèse*. They are not, were not meant to be and do not offer solutions for particular problems. Instead, they are dialectical exercises. These plays were not written for spectators but solely for participants – this is called the *Basisregel* – because it is only through active participation that the mind becomes truly involved. They should, therefore, more properly be called *Lernstücke*. As such, they are not intended for the professional theatre but largely for amateurs and school children, for small groups eager to participate and learn. Their pedagogic efficacy is probably based on the assumptions of Bechterew's social reflexology rather than on Watson's behaviourism, as has often been thought, for the active performance of gestures and the demonstration of attitudes will affect social behaviour, and the harmfulness of certain asocial patterns of behaviour becomes most apparent to the person who actually demonstrates them in a group. Steinweg suggests that Brecht may have been encouraged in his experiments by the success of Asja Lacis in rehabilitating, shortly after the revolution in Russia, delinquent children by encouraging them to act out asocial roles. This suggestion would seem to be highly probable.

If Steinweg had been content to explain the theory of the *Lernstücke* as Brecht conceived it, he would have performed an unchallengeable service to criticism. He goes much further than this, however, and here, in my opinion, the trouble begins. His basic assumption it that the theatre as we know it ("so lange es diese Institution gibt") is not going to last. Brecht may have anticipated this eventuality. There cannot be much doubt that he wanted to change the theatre. Steinweg, however, assumes that the whole thrust of Brecht's thought on the subject of new theatrical forms was directed towards the replacement of the mindless entertainment of the debased consumers' theatre by the epic theatre of professional actors. This was to give way to a theatrical experience which still differentiated between actors and audience but which had stronger pedagogical intentions than the epic theatre and made greater use of amateurs. Brecht called this the *Kleine Pädagogik*. For him it was only a transitional form, destined to be replaced by the *Große Pädagogik*, which no longer needs an audience because all are participants, true students of dialectics, humming the choruses softly to themselves, so as not to disturb their neighbours' concentration. It sounds like secularized ritual, practiced by small groups demonstrating patterns of gesture that are not the expression of individuals (and, hence, do not require the skill of an actor) but transpersonal attitudes. But will the absence of histrionic talent not be counter-productive? On the contrary; Steinweg insists that "Das Lehrstück macht . . . die neue epische Darstellungsmethode, die auf der Schaupiel-Ebene nur Spezialisten erreichbar ist und Brecht auf dieser Ebene noch 1953 weitgehend unerreichbar schien [GW 16.798], allgemein zugänglich" (Metzler, p. 162). Steinweg winds the actual historical development of Brecht's theatre backwards to its theoretical beginnings but does not investigate why the theory went astray.

The quotation reminds us that Brecht developed his theory in the late twenties and early thirties. He was unable to realize it at that time, and it was, naturally, even more difficult to do so during the years of exile. If he looked on the *Lehrstücke* as representing the form of the theatre of the future, why did he not devote more time to them after his return to Germany? Why did he plunge into the task of producing the other plays? The answer seems to be either that Brecht did not then consider them to be so important or that he thought they would be equally misunderstood in East and West. Perhaps it is a case of both/and. But why were they misunderstood? Partly because Brecht did not offer sufficient explanation of their structure. If he felt that this was where the future lay, it is strange that he did not do so.

Steinweg argues that the later, the "great", plays, with which Brecht established his international reputation, are the result of a compromise forced on him by an inadequate response to his intentions. The *Lehrstücke* are the truly progressive plays, while the others represent a retreat to middle ground. This argument is original and interesting. It is only too easy to understand it in the context of the post-war reception of Brecht in West Germany. Brecht has been steamrollered by the cultural machine into the mould of a classic, an ideology of culture which exists only in the German-speaking world. The mould is broken in translation. These plays, at least, represent a form of theatre that is still undeniably divisive and controversial. They are bound to split the *Mother Courage* audience.

If these didactic plays are intended to teach dialectics and to preserve the suppleness of the mind, they must proceed by isolating and defining contradictions. But in any society which does not acknowledge the persistence of contradiction such plays can be revolutionary. I suspect that this is the reason why Brecht began to think of them again at the end of his life. It is very likely that this is also the reason why such plays continue to be neglected in certain places. One of the justifications for Brecht's continuing admiration for China lay in the open admission of continuing contradictions in that society. Indeed one of the projected *Lehrstücke* was to be directed at administrators. It was intended to encourage them to render themselves superfluous. This was one of the aims of the Cultural Revolution. In one sense, Brecht's theory is probably too progressive for implementation.

Steinweg calls his description of the theory a (re-)construction. He is perfectly justified in doing so. Brecht was no systematist, and his theoretical utterances were many and confusing. He wrote for different people in different places, and the degree of repetition, overlapping and inconsistency is correspondingly great. Some of the contradictions are not reducible, and Steinweg passes them over. One of these seems crucial to me, however. It concerns the nature of the participants/audience. The *Lehrstücke* are primarily conceived for children. But of Brecht's finished *Lehrstücke*, at least two – *Die Maßnahme* and *Die Ausnahme und die Regel* – are unsuited for children. They are probably the best of the plays, although I recognize that to assert this is to beg a question. If the *Lehrstücke* represent the form of the theatre of the future, will this theatre be entirely meant for children? One might think that the process of thought reflected in some of these plays is too complicated for children to understand. Steinweg speaks of the "Möglichkeit der Entschlüsselung" (Metzler, p. 152), which does not sound very encouraging. Brecht's answer to this was: "Die Schüler sollen die Stellen des Kommentars, die von den Lehrern für schwierig gehalten werden, *auswendig lernen*, noch bevor sie sie *begreifen*" (Metzler, p. 21). The theatrical form that is to encourage the development of emancipatory dialectical thought apparently begins with rote learning.

Although this theatre is primarily intended for children, it is also thought to be suitable for their elders. We have seen that Steinweg believes that it will enable amateurs to apply the techniques of the professional epic theatre. If they are badly applied, the result will be unendurable – perhaps it could be tolerated as one used to put up with indifferent singing in church. If these techniques are well applied, however, the result will be fascinating and indistinguishable from the less progressive forms of epic theatre. I do not see where the middle ground lies. In other words, I suspect that the *Basisregel* is probably not realizable. Either the upshot will be intolerably dull, or the twin demons *mimesis* and entertainment will be sharpening their claws.

One of Steinweg's central arguments is that these plays form a planned and consistent sequence, each one leading on to the next. Brecht did move from one *Lehrstück* to the next, and in a few cases there is obviously a continuation of argument. But to say that they were conceived as "Glieder einer Kette" (*alternative*, p. 121), and that this sequence was planned "von vornherein" is to assume a theoretical consistency where none existed. In order to support this fiction of a planned sequence, Steinweg has to suggest that the *Jasager*, the first sample, was intended as a deliberate provocation, and that the *Neinsager*, the next link in the chain, was simply the inevitable refutation, which is held to prove the success of the *Jasager*; not, as one might think, its failure.

The German mind enjoys explaining events in terms of theories, as Brecht once explained to Tretiakov. It is possible to construct a theory *post festum* which will connect a sequence of events. Whether those events came about on account of that theory is a different, and no less important, question. To determine whether this is so is the first and, so far, only possible test of the theory. This is precisely what

Steinweg does not do. He does not confront theory and practice. When practice refutes or misunderstands theory, as happened with *Die Maßnahme,* Steinweg maintains that understanding falls short of the theory, not that there was anything wrong with the latter.

It is simply not true that *Die Maßnahme* is devoid of *Lehre,* as Steinweg implies. Brecht later defended it on the grounds that it must not be treated as if it were proposing or defending any particular kind of behaviour. It should not be thought of as relating to specific historical circumstances – this was Kurella's mistake. It was solely for the *Selbstverständigung* of the participants, in particular if the *Junge Genosse* subsequently plays the other parts. This view has always seemed naive to me. What does it mean even in purely practical terms? All the participants must learn all the parts. They must play them all if they are to derive the proper benefit. By the fourth time round, surely, the most earnest and ardent student of dialectics will be experiencing a certain strain, a slight slackening in the intensity of concentration. The *Maßnahme* was misunderstood because it is *mißverständlich.* It is a very impressive play, but for all the wrong reasons. It is not sensible to judge the value of a work of literature according to certain theoretical assumptions regarding its underlying intentions. It must be judged by its effects, by its reception and by its text. But Steinweg (and Brecht) are saying: the play is all right, it is the audience which is wrong.

Because Brecht realized that the reception was "wrong", he abandoned this form of theatre and later forbade productions of this play, which could be resurrected for small groups of sufficiently dedicated minds. It would need a new score, however. Eisler's settings for *Die Mutter* (which is not a *Lehrstück)* are brilliant. The score of *Die Maßnahme,* on the other hand, is strident and dated. I am at a loss to see how it can, at the same time, profit from a "Reaktion . . . einer breiten Öffentlichkeit" *(alternative,* p. 110). Surely you cannot have your theoretical cake and eat it. I know that this is "irrelevant", subjectivistic, and possibly reminiscent of bourgeois-liberalist sentimentality, but I cannot approach *Die Maßnahme* without thinking, not of the development and encouragement of critical dialectical thought, but of the moral destruction of the party under Stalin. The Young Comrade admits that he is wrong, that he has endangered the others, that it is better that he should die than that the party should do so. If Stalin's "party" had died, the world would be a safer place for revolution. There is more theatrical and political truth in Kurella's arguments than Brecht would admit.

Why is it that the most successful of the *Lehrstücke, Die Ausnahme und die Regel,* is also the least satisfactory play from the point of view of Brecht's theory? The transition from *Die Maßnahme* to *Die Ausnahme und die Regel* seems to me absolutely crucial for the development of Brecht's subsequent plays. There is evidence in the Archives, to which Steinweg draws our attention, that Brecht tried to encase the plot of the later play in the kind of rigid pattern of commentary characteristic of the earlier one. Fortunately he gave up the attempt, for the texts would have been transformed into antiphonal chanting. He left behind theatre as secularized rite, as a theatre of agreement, and moved towards (and partly, of course, returned to) theatre as stage reality, as plot with a theatrical solution. The transition is also one from the value of agreement to the value of justice. It is no coincidence that this transition is paralelled by the movement from Japanese to Chinese sources.

Brecht always had difficulties with plots. The intransigent *Fatzer* material, which is of limited interest, foundered on this rock. Steinweg makes much of this fact. I have studied the manuscripts and find them unrewarding. Brecht was saved from this muddle by the exemplary clarity of Japanese, and later Chinese, theatrical style.

It is with plays like *Die Ausnahme und die Regel*, which need an audience and which will produce a critical audience whilst entertaining it, that the future of the theatre lies, and not in orientation programmes in dialectical thinking restricted to intellectual elites.

Antony Tatlow
University of Hong Kong

Rodney T. K. Symington, *Brecht und Shakespeare*. Bonn: Bouvier 1970. 230 pages, DM 29,80

The confrontation of Brecht and Shakespeare on a systematic basis is an undertaking which, according to Mr. Symington, is long overdue. His book sets out to remedy this deficiency and to show that Brecht's attitude to the Classics generally and Shakespeare in particular was a factor in the evolution of the Epic Theatre. The material used ranges over the whole of Brecht's career and covers both theoretical writings and plays in chronological sequence. The plays dealt with include *Eduard II*, *Die Rundköpfe und die Spitzköpfe*, *Arturo Ui*, *Coriolan*, Brecht's radio versions of *Macbeth* and *Hamlet* and his "Übungsstücke" written for actors rehearsing the last two plays plus *Romeo and Juliet*. For the sake of convenience, I propose to discuss first what Symington has to say about Brecht's pronouncements on Shakespeare and then what he has to say about the plays.

There is much to commend in Symington's chronological approach, which enables him to situate Brecht's attempt to make Shakespeare relevant to his day and age in the context of the experimentation with the Classics which went on in Germany in the inter-war years. By discussing the work of Jeßner and Piscator – among others – and the critical views of Herbert Jhering, he shows convincingly that the dissatisfaction with traditional methods of theatrical production, which is revealed in this experimentation, was a general feature of the German theatre, more particularly the Berlin theatre, after the war and the revolution. The social and political consequences of both events had a marked effect on the theatre which, in its most avant-garde form, sought to become instrumental in changing society.

Later in his book (68ff.), when he comes to discuss Brecht's conversion to Marxism under the guidance of Karl Korsch and Fritz Sternberg, Symington also elaborates on the similarities between Brecht's and Piscator's endeavours. I am not at all sure that he is right in this. Brecht himself was reticent about acknowledging a direct influence, an Jhering stated, paradoxically but accurately, that Piscator, the producer, was more effective in providing the raw material for a politically committed theatre than Brecht, the playwright, whose methods of production and theatrical style were better suited to a contemporary theatre (cf. H. Jhering, *Die Zwanziger Jahre* [Berlin 1948], p. 172.). Piscator's methods of production came close to the *Agitpropspiele* and aimed at an emotional as well as political engagement on the part of his audience. Brecht, on the other hand, with his claim to rationality and emotional distancing, developed his views on the theatre in a very different way.

Symington's chronological approach also enables him to show that Brecht's pronouncements on Shakespeare mellowed over the years. At the end of the 1930s, Brecht came close to concluding that Shakespeare – whatever one did to make him relevant to a theatre geared to exposing the economic bases of a capitalist society – was so much dead wood. But when he returned to Berlin after the war, he came to regard the English playwright as an indispensable foundation in the establishment of a German national theatre. For all this, Symington remains scrupulously accurate as regards Brecht's basic attitude to Shakespeare. Quite apart from emphasizing Brecht's consistent rejection of the purely psychological and moral motivation of characters which he found in Shakespeare, he stresses that actually Brecht only looked for, and accepted, those features of the Elizabethan drama which conformed to his notions of the Epic Theatre. More often than not, these features – the alleged use of alienation devices, the assumption that even in his own time the texts of Shakespeare's plays were emended and cut, and the scenes interchanged with the playwright's approval, and that therefore the Elizabethans were great experimenters and worked as a collective – have little or no justification except in Brecht's mind. Symington argues convincingly that this search for confirmation of the Epic Theatre in one of the great ages of drama, however misguided it may have been, does testify to Brecht's admiration of the English playwright. There is more direct evidence for this admiration in the view Brecht held on the importance of the plot and the interaction of figures in Elizabethan drama, and in his predilection for Shakespeare's historical plays, precisely because of their epic quality.

From his analysis of *Eduard II* it is clear that Symington regards this play as crucial for the way in which Brecht generally approached the task of adapting the Classics. He makes the point that the work was primarily aimed at establishing a new form for the theatre and infers from this that Brecht regarded Marlowe's text as raw material he could treat as he saw fit. The inclusion of scenes and motifs from Shakespeare exemplifies the freedom with which Brecht adapted his models. Imperceptibly Symington drifts away from the formal innovation of *Eduard II,* for he asks not *how* these motifs were used but *why.* Personally I find it very difficult to accept his thesis that they were incorporated in the play for their dramatic effectiveness – all the more so since he calls the play "epic". The grounds on which he makes the latter claim hinge on the view of critics who saw, and see, in *Eduard II* antecedents of the Epic Theatre – this is rather different from calling the play as such "epic". But it is certainly not epic in the sense in which Brecht meant his later works to be. Mr. Symington himself says that Brecht first came to use the term in connection with his study of Marxism. There is little in *Eduard II* to suggest a profound political commitment, but the general style of the play does illustrate an avoidance of traditional dramatic effects, which argues against Symington's interpretation of the use of Shakespearian motifs. Is it true, for instance (p. 59), that Eduard suffers those pangs of conscience that Symington adduces from the parallel between *Macbeth* (act III, sc. iv) and the parliament scene in Brecht's play? (cf. *Erste Stücke II* [Berlin, 1953], p. 33 ff.). The fact that Eduard weeps after Mortimer's long speech on the cause and course of the Trojan war is open to various interpretations, particularly as there is no textual explanation for his tears. There is certainly none for Symington's analysis in terms of a conflict, in Eduard, between personal passion and public duty; and the king's remark shortly after having wept – "Gott gebe / Daß deine Lippe, Mortimer, nicht lügnerisch ist" (p. 36) – might well argue for a different interpretation. What is significant about Eduard's weeping is that it is made striking, to use a Brechtian term. Mortimer concludes his speech with the caustic and cynical remark: "Freilich / Hätten wir dann auch nicht die *Ilias*" (p. 37), which weakens the impact his speech might have made on Eduard. Furthermore, there is a stage instruction specifying a pause between this remark and Eduard's tears. The effect of this caesura is to sever the natural dramatic link between the antecedent speech and the act which it presumably prompts. The Shakespearian motif here seems thus to have been used in connection with emotional distancing rather than anything else. Brecht's lack of interest in traditional dramatic effects can be equally well illustrated in *Die Rundköpfe und die Spitzköpfe*, and Symington provides – unwittingly – one excellent example of this in the comparison he draws between Brecht's Viceroy and the Duke in *Measure for Measure* (p. 134).

By invoking Brecht's choice of Shakespearian material for its dramatic effectiveness, Symington is attempting to lend weight to one of the central arguments of his book: namely that Brecht did not use Shakespeare primarily in order to parody or travesty him. In this he may well be right – with the proviso that, more often than not, what is left of Shakespeare after Brecht has adapted him is a caricature of the original. Symington provides more convincing evidence for this view by analysing Brecht's ultimate serious purpose in his role as adaptor. Brecht invariably sought to emphasize the economic factors governing human behaviour and human relationships after his salto mortale into Marxism, and – with the exception of *Eduard II* – all his adaptations show his complete dedication to the revelation of human frailty, inconsistency and greed under economic pressure. Symington does more than justice to an elaboration of this basic feature of the Epic Theatre. Thus in *Die Rundköpfe und die Spitzköpfe* nothing remains of the psychological and purely moral issues of its model, *Measure for Measure*, because Brecht's play is primarily an attempt to come to grips with Hitler's racial theories in the context of a corrupt capitalist society. (In light of the almost a-political nature ouf *Eduard II*, it is difficult to see what Symington does mean when he says of *Die Rundköpfe und Die Spitzköpfe* [p. 136] that it is nothing less than what Brecht had undertaken to do with Marlowe's play). For *Arturo Ui* Brecht borrowed from *Richard III*, *Macbeth* and *Julius Caesar* to reveal the hollowness of Ui-Hitler's heroic attitude. In the case of *Coriolan*, Symington shows clearly how Brecht misinterpreted much of the material of Shakespeare's play, more particularly the first scene, because he regarded it as crucial and as containing all the elements of the subsequent action. The misinterpretations are deliberate on Brecht's part, as they are meant to bring out economic factors and to produce a dialectic presentation of the material. *Coriolan* is not to be presented as the tragedy of an individual but as that of a society brought down by an individual whose wounded pride leads him to believe that he is indispensable.

By the standards of his own theatre, Brecht was not invariably successful in achieving the epic portrayal of Shakespearian material, and a case Symington discusses at length is that of Richard III's wooing of the Lady Anne, a motif which preoccupied Brecht and which he used both in *Eduard II* and *Arturo Ui*. To cut down on the psychological complexity of the relationship between Richard and Anne makes the motif unconvincing and prosaic.

In all these adaptations, a strong didactic element emerges, and the point Symington makes about the "Übungsstücke" – that for all Brecht's alleged aspiration towards an objective representation of Shakespeare, the emphasis on economic factors more often than not leaves room for only one interpretation – is equally well applicable here.

In the final analysis, then, Brecht's treatment of Shakespeare as "cannon fodder" means that he used the material to illustrate the class struggle and, by so doing, attempted to make Shakespeare relevant to the twentieth century. This may well be the right conclusion to draw in light of Brecht's theoretical writings, but I am not convinced that, with the possible exception of *Coriolan*, the plays Symington discusses reinforce that conclusion. When he deals with the plays, Symington tends to concentrate all his efforts on discussing their contents in relation to those of Shakespeare's dramas, but the fundamental concern of Brecht's theatre, after all, was one of form. The quest for a sober, detached and critical way of presenting plays not only preceded Brecht's interest in the class struggle but affected the way in which he portrayed that struggle. Seldom, if ever, did Brecht treat it in a realistic or naturalistic idiom – and this is where he so profoundly differs from Piscator. The fact that Brecht chose to deal with the highly topical issue of Hitler in *Die Rundköpfe und die Spitzköpfe* and *Arturo Ui* by experimenting with idioms from Shakespeare indicates, to my mind, not so much an attempt to modernize works of the English playwright as a search for a style that would sharpen the paradoxes of human behaviour.

This in no way invalidates Symington's claim that Brecht admired Shakespeare and learned from him – indeed, on the formal level the debt goes far beyond the plays Symington discusses. By restricting himself to those works with obvious contextual references to Shakespeare, Symington tends to limit the scope of his book, all the more so since some of the plays – Brecht's radio versions of *Macbeth* and *Hamlet* for instance, – have not really survived even in fragmentary form, and others like the "Übungsstücke", can, at best, be regarded as minor works. For all this, Symington's book is lucid and provides some valuable information on a subject which is by no means an easy one to handle. On the one hand, Shakespeare is hallowed ground to many, while, on the other, Brecht was notoriously – and, to many, healthily – irreverent.

Louise J. Bird - Laboulle
Dollar, Scotland

Die Schillerbearbeitungen Bertolt Brechts. Hrsg. von Gudrun Schulz. Tübingen: Niemeyer, 1972. 192 Seiten, DM 42,–

A list, compiled by Brecht, of those dramatists he respected most at the outset of his career in no way suggests Schiller to have been more of an influence than, say, Büchner or Goethe, but if we are to believe Gudrun Schulz, he was nothing less than the key figure of German drama for the early Brecht. There was the Schiller whom Brecht revered as the dramatist *par excellence* and on whose greatness he lectured eloquently in Augsburg. From that Schiller there was much to learn in the art of constructing a play and filling it with effective rhetoric and noble sentiments, although these aspects of Schiller tended to be stultified by the pretentious productions Brecht was initially exposed to. There was also the Schiller who personified much that Brecht was out to displace, including his unchallenged high standing in German literature. Quite erarly, Brecht – who explicitly referred to himself as "der neue Schiller" – conveyed to acquaintances the impression that if he did not succeed in equalling Schiller's reputation, he would look upon himself as an artistic failure. As Brecht moved towards Marxism, Schiller's preeminence became ideologically suspect to him: next to a writer like Upton Sinclair, he was, in fact, laughably trivial. Brecht not only began to react negatively to Schiller in his drama reviews, but also in plays that were strongly anti-idealistic and, at times, exposed Schiller to ridicule.

Schulz broadens her discussion of this phase of Brecht's career with an account of the *Klassikerexperimente* undertaken by directors like Erich Engel, Jeßner and Piscator. At first, Brecht was sympathetic towards their efforts to politicize the stage with ideologically slanted adaptations of the classics. Brecht's own opinion at the time was that classical literature was raw material which a writer was free to use as he saw fit. But Brecht soon grew disenchanted with such tendentious enterprises as

Piscator's production of *Die Räuber* – in which the robbers had turned into socialist heroes – describing them as lacking any authentic connection to the tradition from which they took their point of departure. Eventually, Brecht likened the manner in which Piscator tried to resuscitate the classics for modern audiences to the preservation of decaying meat with sharp sauces and spices. The kind of theatre Brecht objected to was also anathema to the learned critic Bernhard Diebold, whose reaction to Piscator's *Die Räuber* Schulz reports in the following terms: "Ein entheldeter Karl Moor bietet nicht dem Schiller ein neues Leben auf eigenen Ruinen, sondern mit Spiegelberg als moralischem Heros ist Schiller dem Klassikertod endgültig und ohne jedes Fragezeichen ausgeliefert . . . Ein Spiegelbergdrama ist nicht aus Schiller abzuleiten, sondern muß von – sagen wir von Brecht? – neu gedichtet werden."

One could say that the mainspring of Schulz's book, which draws on heretofore unavailable materials in the *Brecht-Archiv*, is to show that in *Die Heilige Johanna der Schlachthöfe* Brecht brilliantly honored Diebold's request. The evolution of the play is traced from a putative *Urfassung*, through two intermediate versions, and to its final, published form. The author concludes that Brecht was not, initially, concerned with the historical or literary implications of his composition, but that historical awareness on his part developed in the second phase of his preoccupation with the play; not until the final phase did he try to approximate Schiller, the better to combat the idealism of Schiller's *Johanna* play. To bear this out, Schulz offers sizeable excerpts from all of Brecht's extant drafts, along with corresponding excerpts from Schiller's play, and dovetails this evidence with commentary on the lexical and thematic similarities between the various versions. She subjects to particular scrutiny the *Erkennungsszene*, in which Brecht lets Mauler be recognized by Johanna on account of his bloody face instead of divine emanations; and the *Versöhnungsschluß*, which Brecht parodied in the final scene of *Die Heilige Johanna* by the manner in which Johanna dies (of pneumonia), as well as by the manner in which she is witnessed dying (by capitalists drowning out her call for violence with idealistic lyrics). In elaborating Schiller's share in such scenes, Schulz provides much useful information.

But the author will not leave it at that. To the proof that so much of Brecht's play is reminiscent of Schiller she ties an assertion that *Die Heilige Johanna* manifests a triumphant synthesis between a classical tradition built on values in need of radical redefinition and the kind of sophisticated Marxism not embodied by Brecht in the *Lehrstücke*, which Schulz negates *in toto* as pseudo-Marxist for their uncompromising materialism. *Die Heilige Johanna*, on the other hand, she finds to be authentically Marxist because the subjective as a vital historical factor – i. e., the ability of consciousness to influence historical developments – is acknowledged, in that the general strike is aborted because Johanna does not reason properly. This emphasis on the subjective element, says Schulz, owes much to Brecht's classical sources: "Die Elemente des klassischen Dramas, die Bezug auf individuelles Handeln nehmen, paßten nicht zur allgemeinen Erklärung eines Systems; sie zwingen Brecht zur stärkeren Herausarbeitung des subjektiven Faktors."

As regards more conventional aspects of Marxism, Schulz sees Brecht doing justice to them in such alterations of Schiller's text as the following excerpts reveal:

Brecht

Mauler: Was ist das für eine Organisation?

Der Detektiv: Sie sind weit verzweigt und zahlreich und angesehen bei den unteren Ständen, wo man sie die Soldaten des lieben Gottes nennt.

Schiller

Sorel:. . . Wer ist sie?

Raoul:... Sie nennt sich eine Seherin und Gott-Gesendete Prophetin ... Ihr glaubt das Volk ...

For Schulz's argument, the significance of Brecht's changes here can hardly be overstated. Ostensibly, they reflect the confrontation of an outdated historical model by its dialectical successor and call for an approach to *Die Heilige Johanna* that is predominantly concerned with this confrontation. Above all, the Brecht passage is crucial because, in divergence from Schiller, it stresses the primacy of organization and the reality of class divisions. Schulz dismisses the critics who are not prone to pursue this line. Thus, the structural and stylistic analyses of *Die Heilige Johanna* by Grimm and Debiel are described as "einseitig"; and Bentley's attempt to keep the play from being viewed as a mere exercise in literary parody goes unappreciated by Schulz, who claims that he has reduced the parody of Schiller in the play to what she calls "eine ästhetische Verschlüsselungsfunktion ..."

These criticisms could well be directed at their author. Is it not one-sided to exclude from the intelligent audience of *Die Heilige Johanna* anyone not equipped with a precise knowledge of its many Schiller parallels or to suggest that the sheer accumulation of such parallels makes for a great play? It would have been more to the point for Schulz to reply to some of the objections which *Die Heilige Johanna* has elicited – e. g., that it suffers from agit-prop stereotypes and is too much the vehicle for flat propaganda; and that in its treatment of the working class it manifests the kind of abstractness that is questionable by Brecht's own standards of realism. Especially one-sided is Schulz's peremptory reference to Grimm's analysis of *Die Heilige Johanna* in terms of *Verfremdung* when Schulz herself declares that one of Brecht's major aims in rewriting Schiller was to attack our habitual associations with the classical substance of the play. As for Schulz's case against Bentley – that he failed to see how Brecht, in his Schiller parody, was indicating that idealists and Nazis were co-conspirators – let Bentley speak for himself: "The authors parodied in this play are Shakespeare, Goethe, Schiller, and certainly they are not the targets ... One could begin to explain what the target is by mentioning that many supporters of Hitler could and did quote all three of these authors a great deal ..."

Schulz's tendency to discredit whatever poses a threat to the validity of her central thesis extends to her research on primary sources. Although Brecht's papers include, on the same page, the title of the recognition scene in *Die Heilige Johanna* and a picture with an inscription about the recognition of Charles VII by Jeanne d'Arc, any connection between the inscription and the title is rejected by Schulz because Brecht could only have composed his title in dialectic reaction to a familiar classicist, namely, Schiller. Schulz's dogmatism in such instances may well alienate some of her readers to the point where they will judge her book by its most assertive generalizations rather than by the body of valuable research on Brecht's revisions of Schiller.

As to why Brecht repeatedly made such revisions, a brilliant explanation is hardly required. It was for the same reason that Büchner, a century before him, singled out Schiller's work as inferior because there he could find no reflection of what, to him, was concretely real in everyday existence. There are indeed no Woyzecks in Schiller. Brecht often expressed admiration for Schiller, but when he adapted him, admiration was rarely in evidence, and he found Schiller to be just as abstract. Above all, Schiller had to be *corrected* – the term is Brecht's –, and Brecht started to do the correcting with *Im Dickicht der Städte.* In that play, he dismissed the moral idealism of *Die Räuber* as wholly irrelevant to the brutalities depicted in his version as well as Schiller's. In *Die Heilige Johanna,* moral idealism is attacked, even more directly, as a malign philosophy that cripples those with good intentions and serves as a perfect vehicle for the rationalizations of the inhumane. Brecht made this point again in *Der aufhaltsame Aufstieg des Arturo Ui*, discussed by Schulz as a play in which Brecht was very much concerned with such emotional aspects of classical style as *Einfühlung*. As in *Die Heilige Johanna*, here, too, Schiller is a recognizable object of parody. In addition the reactionary substance of Schiller's verse is the subject of Brecht's *Sozialkritische Sonette*, where Schiller's tendency to submerge concrete reality in a smog of abstractions constitutes Brecht's major target. Turning to Brecht's adaption of *Turandot*, Schulz expresses the view that Brecht was familiar with both Gozzi's and Schiller's versions, and that, in this case, his way of correcting Schiller was to remove all traces of the latter's hyper-seriousness. As regards what it was in Schiller that Brecht so often reacted to, Schulz's book could not have ended on a more revealing note.

Max Spalter
New York

Asja Lacis, *Revolutionär im Beruf*, Hrsg. von Hildegard Brenner. Munich: Rogner and Bernhard, 1971. 132 Seiten, DM 10,–

Sergej Tretjakov. *Die Arbeit des Schriftstellers*, Hrsg. von Heiner Boehncke, Reinbek: Rowohlt, 1972. 220 Seiten, DM 5,–

In her essay on Brecht, Hannah Arendt cites the poet's personal reserve as a main reason for the paucity of information about his life: "Schon weil er mit Mitteilungen dieser Art so zurückhaltend gewesen ist, wie kaum irgendein Autor unseres Jahrhunderts". To Brecht's undeniable bent toward anonymity was added the caution necessary for survival in such parlous times as his; and for this Arendt, like others, cannot wholly forgive him. The same secretiveness which Brecht practiced for himself in his "dark times" he evidently observed towards others when his mention of them might have had consequences, and this may partly explain the long silence about Soviet friends maintained in his life. Certainly his connections with Soviet culture, especially the Soviet theater, have been too little documented, although John Willett, in his basic book an Brecht, long ago pointed to their existence. Now the publication of these two anthologies makes available material on two of Brecht's most important informants about the Soviet theater, Asja Lacis and Sergei Tret'iakov, both of whom, for a time, suffered the obscurity concomitant with the Stalinist repression imposed on them.

Lacis' first encounter with Brecht was mentioned, although in a single sentence only, in the 1960 Russian biography of Brecht, written by her husband, Bernhard Reich, who, like his wife, was a pioneer proponent of Brecht's work in the Soviet Union. Since then, Reich has filled in further details in his recent memoirs, *Im Wettlauf mit der Zeit* (Berlin, 1970; translated into Russian, Moscow, 1972). But let Lacis herself recount her part as assistant director to Brecht in the staging of *Das Leben Eduards des Zweiten* (Munich, 1924):

"Mit Reich ging ich von Berlin nach München. An den Münchener Kammerspielen war Brecht engagiert. Er bereitete seine Inszenierung *Leben Eduards des Zweiten von England* vor. Mit Bert Brecht, wie er sich damals nannte, bekam ich sofort Kontakt. Er fragte mich über die Oktoberrevolution und die sowjetischen Theater aus. Er erzählte von seinem Inszenierungsplan für *Eduard II.* und sprach über die Soldatenszenen. Ich meinte, man müsse alle Soldaten weiß schminken, und sie müßten unter Kriegstrommeln mechanisch marschieren wie Marionetten. Das gefiel Brecht sehr gut, und er machte mir sofort den Antrag, bei ihm als Assistent mitzuarbeiten. Ich probierte die Massenszenen. Ich habe versucht, die Statisten in einen festen Rhythmus zu bringen. Ihre Gesichter sollten unbewegt und gedankenlos sein. Sie wußten nicht, warum sie schießen und wohin sie gehen. Das war meine Konzeption. Doch fehlte etwas an den Soldatenszenen. Valentin, der einer Probe beiwohnte, meinte: 'Blaß sind's. – Furcht haben's.' Brecht setzte noch hinzu: 'Müde sind's.' Jetzt war alles in Ordnung – die Szenen bekamen eine Farbe mehr" (p. 37).

Lacis' account does not make wholly clear to whom the famous device of the fearsome white-faced soldier puppets belongs, whether to her or Valentin or Brecht. Certainly, the non-realism of the battle scenes, thus conceived – shall we say collectively? –, made a profound impression later on, especially in *Mann ist Mann* as directed by Brecht himself in 1931.

Brecht's efforts to break with then established conventions of theater and acting has long been familiar as, for example, when he quarrelled with Heinrich George and Agnes Straub at rehearsals of Arnolt Bronnen's *Vatermord* (1922). Doubtless, their common opposition to accepted conventions pre-disposed Lacis and Brecht to the immediate contact between them of which she speaks. The anthology of texts, mostly authored by Lacis herself, begins by describing her youth, the background of this pre-disposition in her. The daughter of a Latvian saddler and tailor, living first in the country, then in Riga, she was able to realize, after the 1905 revolution, her father's proud notions of equality by achieving the higher education which her intelligence deserved. She went to the *Gymnasium* in Riga as the only working-class pupil at the time and then studied psychology under Professor Bechterev in St. Petersburg. There, in the pre-revolutionary capital, she first saw productions directed by Meyerhold. In Moscow during World War I she taught school in the daytime to Latvian war refugees while taking evening courses in theater in the studio of the eclectic Fedor Komissarzhevsky.

In Orel after the War she applied the knowledge gained in her three fields of preparation to the alleviation of a pressing social ill: Wild bands of war orphans – potential delinquents – were not to be lured into useful activity in the government asylums. Lacis succeeded in capturing their interest through theater. She improvised with them scenes on a Robin Hood theme after the play *Alinur* by Meyerhold. Did her theory of "the aesthetic education of children," based on this experience, influence Brecht in the writing of his *Lehrstücke*? She discussed her theory with another German writer, Walter Benjamin, whom she encountered in Capri the summer after first meeting Brecht in Munich, and got Benjamin to write it up for her in German as "Das Programm eines proletarischen Kindertheaters." It is included here as partly her own (pp. 26-31) work and appears also as Benjamin's product in *Über Kinder, Jugend und Erziehung* (edition suhrkamp Bd. 391, [Frankfurt, 1970], pp. 79-86).

Lacis recollects Benjamin's excitement at the news she gave him of a Soviet culture which she had doubtless opened up for Brecht as well: "Sofort war er [Benjamin] für ein proletarisches Kindertheater und für Moskau entflammt. Ich mußte ihm ausführlich erzählen, nicht nur vom Moskauer Theater, sondern auch von den neuen sozialistischen Sitten, von den neuen Schriftstellern und Dichtern ..." There follows a list of a dozen names, including Babel and Mayakovsky (p. 42). What Lacis herself does not, of course, mention is the great magnetism and charm she exerted on Benjamin, although he refers to her, in two letters to Gershon Scholem of June and July, 1924, as one of the most extraordinary women he has ever met.

The following winter in Berlin, Lacis was responsible for introducing Brecht and Benjamin to each other, and the two men must surely have talked together about the trip Benjamin then made to see Lacis' work in the theater. She staged – again with children, although this time (1925) in a workers' club in Riga – a *Lehrstück* entitled *The Sewing Machine and The Mill:* "Es wird erzählt von einem Menschen, dem sein letztes Produktionsmittel, eine Nähmaschine, weggenommen wird. Er wird zum Bettler. So wurden elementare ökonomische Tatsachen den Kindern anschaulich und im Spiel beigebracht. Aus diesem Spielen entstand die erste kleine Pioniergruppe in Riga" (p. 52). Lacis goes on gleefully to describe how Benjamin came to the première in his respectable middle-class clothes and had to climb onto the window-sill to escape the crush, emerging afterwards somewhat the worse for wear. He went on to Moscow, where he became acquainted with Meyerhold's theater and even published an article in the dispute "Ist Meyerhold erledigt?" Thus Benjamin, too, became a connoisseur of Soviet culture in the Berlin of the late twenties, where Brecht and he were soon rejoined by Lacis (1928–1930).

Lacis returned to work in the Berlin office of the Soviet *Handelsvertretung* as representative for cultural and pedagogical films. Under her auspices, Dziga Vertov and Esfira Shub showed in Germany their "camera-eye" films whose praise Siegfried Kracauer sang in the *Frankfurter Zeitung.* At this time, she writes, "kam ich sehr oft mit den drei Bs zusammen: Brecht, Becher, Benjamin" (p. 58). For this she had to endure the reproach of Becher, who scolded her for getting into wrong company with the other two, whom he called petty bourgeois. Becher arranged for Lacis to give a talk on Soviet theater in the *Bund proletarisch-revolutionärer Schriftsteller,* excerpts from which also appear in the present volume. Lacis adds that for those interested she secured the texts of plays, some of which were then produced. Finally, she had to answer Brecht's many questions about Meyerhold's and Tairov's methods of staging.

Two more brief sections of the present anthology concern Lacis' own work: one reports on the time (1931–1933) which she spent as assistant director with Piscator when he came to Russia to film an Anna Seghers novella, the other on her work as director of a theater in Latvia (1948–1957), after she had been released from the internment she underwent during the Stalinist repression.

The sections of the book thus far mentioned relate to Lacis' own life and work and are owed, for the most part, to the journalistic effort of Hildegard Brenner, editor of this anthology. Several sections are recollections which she requested Lacis to write; others were tape-recorded and transcribed from an interview the editor conducted in 1968. All have either been published in *Sinn und Form* or *alternative,* edited by Brenner, or broadcast in a program over the West German Radio, Cologne (1969); of the excerpts by Benjamin at least one stems from the Deutsches Zentral-Archiv, Potsdam, while others have already appeared in his published works.

The last forty pages of the anthology differ sharply fron the rest; they contain excerpts from Lacis' Russian book, *Revoliutsionnyi teatr Germanii* (Moscow, 1935) – purportedly, to begin with, a translation from a German manuscript by N. Barkhash –, which have been re-translated by N. K. Zatirow as *Revolutionäres Theater in Deutschland.* Although this work, too, propagates Brecht in Russia, no passage dealing with Brecht has been included among those re-translated for the anthology, which represent about one sixth of Lacis' book, not one third, as averred in the editor's postscript. The cuts and the choice of passages constitute a strangely arbitrary mosaic; indeed, one wonders at the inclusion of this material.

The chief criticism to be directed at the book concerns the lack of a critical introduction, of notes and of a bibliography. Nor do all the references in the footnotes check (e. g., the one to Benjamin's article on Meyerhold, which may be cleared up when a complete edition of Benjamin appears). Meanwhile, one must be extremely grateful to Hildegard Brenner for collecting so much information, together with twenty-four interesting photographs, attesting to Lacis' significance for Brecht, Benjamin and Piscator.

Another important link between Brecht and the Soviet Union was the Russian poet, playwright, journalist, leftist aesthetician and editor Sergei Tret'iakov, excerpts from whose work are published in *Die Arbeit des Schriftstellers.* For this anthology, the editor, Heiner Boehncke, has provided notes and even a two-page glossary of proper names, but no index. He has listed the sources of the excerpts, although without the pagination; thus, as the sources are not given together with the excerpts, it is hard to know what one is reading. Indeed, this editor, too, seems not to have had the necessary perspective on his sources, for he attributes some excerpts to the periodicals *Lef* and *Novyi Lef* and some to *Literatura fakta,* an anthology which, one year after the demise of the latter magazine, re-published the best articles from both.

Boehncke contributes a postscript amounting to a critical introduction, beginning with a brief biography of Tret'iakov. However, both here and in his choice of texts he is almost exclusively interested in the development of Marxist aesthetics and Tret'iakov's position in such matters, that is, with questions concerning Socialist realism. Thus over a half of the volume is devoted to articles from the magazine *Lef* (1923–1925), edited by Mayakovsky and Tret'iakov, and its successor *Novyi Lef* (1927–1928), edited in its last year after Mayakovsky's resignation, by Tret'iakov alone. Examples of "factography", the journalistic realism advocated by Tret'iakov, follow; among those included is an account of the collectivization of a village. The last three articles are profiles of contemporary Germans from the series of eight essays Tret'iakov wrote on those authors whose work had been burned by Hitler, later re-issued under the title translated here as *Menschen eines Scheiterhaufens* (1936) (*Liudi odnogo kostral*). Those included here are the pieces on Brecht, John Heartfield and Hanns Eisler.

The anthology thus slights Tret'iakov, the creative writer, in favor of Tret'iakov, the Marxist theoretician and journalist. The omission of Tret'iakov, the poet, is justifiable, for his poetry was, indeed, derivative, although his party marching songs might well have served in such a film as *Kuhle Wampe.* Tret'iakov's relationship to the "proletkult" movement, although mentioned in the postscript, is not explained, nor ist there more than a vague reference to his practical work for the film. His collaboration with Eisenstein, narrated in a passage taken from one knows not which version of Tret'iakov's "Autobiography" in *International Literature,* is wrongly described: "So entstanden z. B. aus solchen Aufführungen Eisensteins Dramen wie *Hörst Du, Moskau?* oder *Der überkluge . . .*" [p. 191]. The first is Tret'iakov's own play; the second his "contemporization" of a play from the classic repertory, *Even A Wise Man Stumbles* by A. Ostrovsky. Both are correctly attributed to Tret'iakov and the production to Eisenstein (on p. 189 of the postscript).

Tret'iakov's later plays, one of which Brecht revised in German translation, and his adaptations for the Meyerhold Theater are undoubtedly his greatest claim to fame, but are not sampled here. The postscript does give its due to Tret'iakov's most successful play, *Brülle China!* (1926), which was acted on stages around the world, but gives variants, from one page to the next, of the title of his most successful adaptation (*Die Erde bäumt sich,* p. 189, but *Das empörte Land,* p. 191, both undoubtedly translating *Zemlia dybom,* as Tret'iakov called his Russian version of *La Nuit* by M. Martinet). Nor is there any excerpt from Tret'iakov's practical application of his most significant literary theory, the "bio-interview", although this resulted in his most popular prose work, *Den Shi-khua,* the description of contemporary China by means of a specific case history – that of a Chinese student, whom Tret'iakov knew while teaching at the University of Peking. (Certainly, in Germany this is Tret'iakov's best-known work in the genre; first published in Wieland Herzfelde's Malik-Verlag [1932], it went into a second printing the year of its appearance.)

In a volume with major emphasis on literary theory, the most glaring omission, both in the selections and the editor's discussion of them, is the mere autobiographical reference to Tret'iakov's method of the "bio-interview" in the postscript: "Da ich dem Schriftstellerhirn, welches einen erdachten, aus den Beobachtungen an vielen Individuen entstandenen Typus schafft, nicht traute, war ich bemüht, ein solches Individuum ausfindig zu machen, das typisch für Epoche und Milieu wäre." (p. 191) The editor does not point out that this constitutes Tret'iakov's essential divergence from Lukács' model of Tolstoyan realism which was soon to become the official doctrine of Socialist realism. Finally, Boehncke does not mention Tret'iakov's editorship of *International Literature,* a multi-lingual periodical, of which Johannes R. Becher served both as editor-in-chief and editor of the German edition. Tret'iakov's position with this magazine led to the publication of Russian translations of Brecht's poems. From translating Brecht's poetry for this and other periodicals, Tret'iakov went on to publish, with his introduction, the first volume of Brecht's plays to appear in Russian, *Epic Theater* (1934). Boehncke cites this volume but does not specify which plays it contains (*Die Mutter, Die Heilige Johanna . . .* and *Die Maßnahme.*) Indeed, he passes over the relationship with Brecht in the phrase "Daß Tretjakov mit Brecht befreundet war . . . ist bekannt", (p. 209) without mentioning the poem Brecht wrote on Tret'iakov's death.

On the whole, the selections from Tret'iakov's writings in this volume chiefly elucidate his theories of "factography". The book recapitulates a chapter on Marxist literary aesthetics, which undoubtedly it is time to review. By the same token, Tret'iakow just as urgently needs to be viewed in toto also as a writer and man of the theater, in order to assess his importance to literature, above all through his significance for Brecht. This latter task is not even attempted in the present volume. At least Tret'iakov is for the first time presented to the Western public in the single capacity of Marxist theoretician and practitioner, although the many points at which his roots in Soviet culture may have borne fruit in Brecht's oeuvre are quite neglected.

Marjorie L. Hoover
Oberlin College

Julian H. Wulbern, *Brecht and Ionesco: Commitment in Context.* Urbana: University of Illinois Press, 1971. 250 Seiten.

Although this study, in comparing Brecht and Ionesco, highlights some hitherto unnoticed aspects in each author, it makes perhaps a more valid contribution to the criticism of the German than to that of the French author. It is gratifying that Wulbern belongs to the small number of critics who evaluate Brecht's work impartially, considering him neither as a totally didactic and committed Communist nor as someone who espoused the political views of East Germany merely as a clever and practical means of artistic survival. He evades such rigid classification by relying, instead, on a three-stage development of Brecht's theater: from quasi-romantic, individualistic non-involvement to bald and sober Marxist commitment and, finally, to a phase where, both personally and artistically, commitment takes the form of cunning, so that theatrical dialectics replace the didacticism of the earlier *Lehrstücke.* This dispassionate critical stance vis-à-vis the playwright permits Wulbern to compare his achievements more objectively with those of the allegedly non-didactic Ionesco.

By his own admission, Wulbern came to investigate Ionesco's theories more closely during a visit to the Berliner Ensemble and the Brecht Archives in East Berlin. Ionesco's *Notes and Counter-Notes,* having recently been translated into German, were discussed at a meeting of the Ensemble which Wulbern attended, and the group's reaction to Ionesco's severe criticism of the German playwright prompted the American critic to interview him. It was during these interviews that he learned how little Ionesco actually knew about Brecht's theater and to what extent his knowledge of Brechtian theories was distorted, simply because it was based on what French Marxist critics had written about Brecht, rather than on Brecht's own theoretical writings. Wulbern arrived at the conclusion that "Ionesco's clearly stated antipathy to polemic theater in general" was so great and "his sense of the ultimate absurdity of political action" so strong "that he could scarcely be expected to take a sympathetic or even an objective view of Brecht the poet."

Yet Wulbern agrees with such critics as Reinhold Grimm who have asserted that the two playwrights share a certain number of attitudes and even concepts. Indeed, he considers the work of both writers "demonstrably conditioned by their politics" in the sense of their conception of man's place in society. What they have in common appears to him to be, above all, a violent opposition to the drabness of bourgeois existence and a concern for the plight of the individual faced with authoritarian institutions and conditions that deprive him of his rights and his freedom. Wulbern sees a parallel between the Kragler of Brecht's early *Trommeln in der Nacht* and the Béranger of Ionesco's *Rhinocéros,* who both opt for non-involvement and assertion of the individual against conformity. But in Wulbern's view, Ionesco's theater has remained individualistic and metaphysical (although such a fusion seems startling), whereas that of Brecht turned to the exploration of man's capacity to change his condition. Although Brecht's protagonists never actually succeed in bringing about such change, Wulbern rightly maintains that Brecht presents "the individual as an element of the societal mechanism, while Ionesco regards the individual only as an individual" – that is, that Brechtian characters are historical, whereas those of Ionesco are a-historical.

Like other critics before him, Wulbern considers *Verfremdung* to be a basic concept of both playwrights. Although Ionesco would, no doubt, object to Brechtian labels, one can only agree with the critic that his *Exit the King* is an achievement in *Verfremdung* and dialectical theater in the most thoroughly Brechtian sense. For here death is "made strange" as it were. It has been dislocated from its wonted place in human affairs, confronts the spectator, in Wulbern's words, "with comic aspects of the essentially tragic and pathetic" and becomes, thereby, neither tragic nor comic but both at the same time. In his discussion of Brecht's own use of *Verfremdung,* Wulbern arrives at equally interesting insights and speaks, for instance, of the highly effective manner in which music is used, in this sense, in the *Lehrstück Die Maßnahme.* Authority, though represented by the Communist Party, is expressed by means of quasi-liturgical musical, whereas commercialized, cheap (not genuine) jazz inspired the musical score expressive of the corrupt capitalist society. This proves that, even at his most didactic, Brecht remained the imaginative artist. But Wulbern's observations on *Verfremdung* concentrate, above all, on the artistry of playwright and director. It is in this area that the two authors have comparable aims. But it should perhaps be pointed out more clearly that the *Verfremdung* Brecht sought to achieve through acting was never desired by Ionesco.

It is in his consciousness as playwright-director that Wulbern finds Brecht decidedly superior to Ionesco: "Theories represent only a part of the creative energies that went into his works, and the most important phase of that creation, the step that took his work from page to stage, was generally characterized more by an uncanny theater sense than philosophical or political cant." Wulbern seems to be convinced that Ionesco's theories, on the other hand, "reflect his lack of concrete experience in theatrical production in their abstractness." He feels, moreover, that Ionesco is "generally less concerned with the effect of his theater upon an audience than he is with the satisfaction of his own aesthetic and emotional needs." Brecht's conscious efforts to affect his audience must be associated, of course, with his belief in committed theater. In theory, Ionesco has strongly objected to such didacticism and has taken Brecht to task for advocating it. But as much as the two authors' theoretical pronouncements differ in this respect, the line that divides them is actually blurred. Ionesco himself has admittedly written "drames engagés." Certainly his *Rhinocéros* (mentioned by Wulbern) and his *Macbett* (written later) may be considered as such. Brecht, on the other hand, refrained from writing strictly didactic plays after the failure of his *Lehrstücke*.

Yet Wulbern detects another advantage in Brecht's commitment as compared to that of Ionesco. He rightly assumes that the dramatic techniques of the two authors are affected by their Weltanschauung, i. e., their notions of man's place in the universe, and concludes that as existence is considered static by Ionesco, his characters are always passive and his plays open-ended. They could start again where they leave off. According to Wulbern, Brechtian theater does not display such paroxysm and static quality, since Brecht thinks of man's condition as changeable and his characters do not exhibit the passivity of those of either Ionesco or Beckett. Wulbern himself has to admit, however, that even the most powerful Brechtian protagonists do battle and use their cunning in vain against society's remorseless mechanism, so that they, too, ultimately emerge as passive. Only in *Der kaukasische Kreidekreis* does justice win out. What Brecht's commitment has accomplished, then, is mainly "to allay the sense of despair, emptiness, and pointlessness which characterizes the early works." It is true that such alleviation is totally absent from Ionesco's theater, but it would seem to me that its absence can hardly be considered to impair this theater artistically. Only critical bias can declare metaphysical theater inferior to historical theater. Ionesco's plays – like those of Beckett – can be considered static only when one tacitly assumes that drama depends on plot, and when one overlooks the fact that theater has a language of its own which neither wholly depends on the ideas verbally expressed nor on events that form a plot with a beginning, a middle, and an end. Brecht himself was fully aware of that language, and in their efforts to employ it the two authors are alike in their very diversity.

Smith College
Edith Kern

Erwin Piscator's Political Theatre: The Development of Modern German Drama. By C. D. Innes. Cambridge: Cambridge University Press, 1972. 248 Seiten, £ 4.40, $ 14.95.

This is not really the first study of the work of Erwin Piscator as the dust jacket so proudly proclaims. Rather, it is the first *published* monograph in any language on that important theatrical figure, having been preceded by the extremely thorough and reliable two-volume dissertation with which Hans-Joachim Fiebach earned his doctorate at the East Berlin *Humboldt-Universität* in 1965. (This study, by the way, is not even mentioned in the sketchy bibliography appended to Innes' book.) What is more, the claims made in the subtitle are so grossly exaggerated as to be downright preposterous. For to say that Piscator's career provides "a guideline to the development of German (twentieth-century) drama" (p. 8) is one thing, to imply that *Erwin Piscator's Political Theatre* offers such an overview quite another. For while the author frequently glimpses at parallel developments, he does not attempt a systematic survey of the German stage contemporary with the career of his protagonist. The sketch furnished in the opening pages of Chapter Seven is only a minor exception to this rule. Judging by its neatly arranged table of contents, Innes' book would seem to be extremely carefully organized and well structured according to major genres and topics matched to fit (from "The Agitprop Theatre: Politics" by way of "Agitprop and Revue: Society," "Documentary Drama: the Material," "Epic Theatre: the Actor and the Structure," and "Total Drama: the Audience" to "New Drama: the Author"). But, as so often, here, too, appearances deceive, as the author fails to emulate successfully the faceted approach used by John Willett in his well-known book on Brecht. In the present case, the separation of topics breeds confusion rather than enhancing the clarity of presentation, since each chapter generates its own pattern, after all, and the reader wishing to know what Innes has to say about the famous production of *Schweik*, for instance, will have to consult the index. The chronological method would have been clearly preferable, for it would have enabled us to follow the evolution of Piscator's style stage by stage (no pun intended) and to coordinate it with parallel developments. As it is, the jumbled chronology renders it almost impossible to ascertain the true nature of the influences which the author is so fond of postulating, and which it is doubly difficult to prove in a field like *Theaterwissenschaft*, where one is constantly faced with near-intangibles. Is the influence of Bela Balázs' concept of a 'Theater of Communist culture' on Piscator really "obvious" (p. 141)? And what links, if any, can be fashioned between the 1910 Drury Lane production of *The Whip* and Piscator's use of the treadmill (p. 83)? Does *Mutter Courage und ihre Kinder* actually betray the impact of the dramaturgist's "machinery of expansion" (p. 224)? And did Brecht exploit his colleague's "distinctive techniques" by using "silent-film scene-titles" in the production of *Leben Eduards des Zweiten von England* (p. 198)? Since I have no space for exhaustive commentaries on specific issues, I would like to give the potential reader of the monograph a taste of the food he is likely to be served:

"Incidental Dadaist effects continued to appear in Piscator's work until the 1930s. For instance, his use of sound to portray 'the awakening of a city' in his adaptation of Gorki's play, *The Lower Depths,* was directly comparable to Marinetti's 'symphony', while the kicking of a soldier's body by a streetcleaner during the song 'Muck – Away with it!' in the production of Mehring's play, *The Merchant of Berlin,* was the exact equivalent in nationalistic terms of the moustache on the Mona Lisa. But Dada's importance for his development lay in the standards of realism and immediacy, which became Piscator's criteria for judging his work, rather than such incidental stage effects" (p. 18).

It is unfortunate that an author so knowledgeable in many ways does not spare his readers methodological nightmares of this kind. Perhaps one might condone passages like the above on the grounds that they contain interpretative blunders open to criticism but never without a shred of substantiating evidence. But there are factual errors as well, and these are surely inexcusable. What, for instance, are we to make of Innes' identification of "pre-Elizabethan stages" and an "eighteenth-century operetta" as models for Brecht's theatrical techniques (p. 10)? Could the author have had Marlowe's chronicle play and Gay's *Beggar's Opera* respectively in mind? And in what way was the Bauhaus theater "an integral part of the Cubist and Surrealist movements of the time" (p. 189)? Suspicion grows as one digs through the tunnel of flimsy and capricious generalizations relating to various styles and trends, as when our attention is drawn to "the grotesque and vicious commonplaces of the Neue Sachlichkeit" (p. 58 *et passim*).

Not surprisingly, Innes, undertaking an *Ehrenrettung* of Piscator – whom, by the way, he celebrates as a prophet of McLuhan –, slaps down Brecht as an imitator and eclectic. In his apostolic zeal, he duly fails to strike a balance. Thus he never informs us of the fact that, in 1926, Brecht was working on a play called *Weizen* or *Joe Fleischhacker in Chicago*, and that this drama was to have been premiered under the direction of Piscator. Nor are we told about the reasons for the parting of ways of these two theatrical geniuses, some of which are rather conveniently supplied in the radio conversation about *Trommeln in der Nacht* which Brecht conducted with Piscator and Sternberg. Instead of quoting Brecht as saying: "Sobald ich Schauplätze habe, die nicht mit Wirklichkeit übereinstimmen, geht es mir gut" (*Schriften zum Theater*, 2, 293), Innes summarily concludes: "... even Brecht, though he worked closely with Piscator, never gave him any of his plays to direct" (p. 158).

The lack of precision which characterizes *Erwin Piscator's Political Theatre* throughout makes itself felt in many different ways. Thus one might quarrel with the usage ("predestination" on p. 115), the accuracy of dates ("The style chosen as a suitable instrument for public policy and imposed by censorship in the U.S.S.R. after 1925 ..." [p. 76]), the spelling of names (not only in the index, where Paul von Hindenberg rubs shoulders with Albert Eisenstein, but also in the text itself, where Anna Segher is as truncated as Ludwig Bergner is inflated) and the wrong citation of titles (*Murder, Hope of Women* on p. 189 and *The Plebians Rehearse the Uprising* on p. 8). Equally regrettable, in my view, is the author's penchant for giving titles in English translation, for while, with some imagination, one can make out that *The Red Flag* corresponds to *Die Rote Fahne*, and *Transfiguration* to Die *Wandlung*, it takes a lot of ingenuity to associate *Economic Competition* with *Konjunktur*, the title of a play by Leo Lania.

What a pity that a promising scholar with a mind shrewd enough to recognize that *Agitprop*, by its very name, betrays its character ("a fusion of the antipathies of intellectual 'propaganda' and emotional 'agitation' [p. 30]) and a man who, searching for the flaws in the fabric of Piscator's thoughts, justly denounces him for abandoning "literary communication without creating a sufficient substitute for dialogue from his machinery" (p. 85) should have lacked the benefit of wise editorial counsel and supervision in organizing and verbalizing his ideas! In its present form, *Erwin Piscator's Political Theatre* is a book one can only half-heartedly recommend to the non-specialist, and which the specialist will find more fault with than is good for the reputation of its author.

Ulrich Weisstein
Indiana University

Theo Buck, *Brecht und Diderot oder über die Schwierigkeiten der Rationalität in Deutschland* Tübingen: Niemeyer, 1971. DM 24,–

Das Thema war fällig. Hier konnte, wie es in der Redensart heißt, eine berühmte »Lücke« ausgefüllt werden. Noch während die vorliegende Untersuchung im Druck war, veröffentlichte Marianne Kesting im *Euphorion* (Bd. 64, 1970) ihre Betrachtungen über »Brecht und Diderot oder Das ›paradis artificiel‹ der Aufklärung«. Buck setzt sich auf der letzten Seite seines Buches mit ihr auseinander, wobei er mit Recht das Baudelaire-Zitat vom »künstlichen Paradies« als bedenklichen Ausgangspunkt bezeichnet, weil dadurch der Charakter der »Realutopie«, die sowohl bei Brecht wie auch beim französischen Aufklärer entwickelt ist, ins Unverbindliche abgebogen wird. Mit gleichem Recht betont Buck gegen Kesting die Bedeutsamkeit von Brechts konkreter Theaterarbeit und seinen Arbeitsmitteln, die mehr darstellten (und darstellen!) als bloße Utensilien des dialektischen Theaters.

Auch Buck arbeitet im Untertitel seiner Studie mit einem Zitat. Freilich findet er es nicht bei Baudelaire, sondern bei Brecht selbst. An dessen Traktat über die Schwierigkeiten beim Schreiben der Wahrheit soll erinnert werden. Die konkrete Brecht-Ära ist gemeint, insbesondere in ihrer deutschen Ausprägung. Am interessantesten sind dabei Bucks Anmerkungen zum Thema »Literatur ohne Öffentlichkeit«, denn in einem Lande wie Deutschland, wo sich in allen Wandlungen der Öffentlichkeit, wie Habermas (der merkwürdigerweise bei Buck nur als Kritiker von Peter Weiss vorkommt, nicht aber mit seinen eigenen Untersuchungen zu einem Zentralthema des vorliegenden Buches) sie beschreibt, niemals richtige literarische Rationalität im Sinne von Brecht gegen eine übermächtige Innerlichkeit behaupten konnte, ist die Schwierigkeit des Schreibens von Wahrheit zu interpretieren als heikler Vorgang einer Durchrationalisierung auch des Literarischen.

Von hier aus wird verständlich, warum sich Brecht beim Entwerfen der Theorie eines dialektischen Theaters, sowie beim Entwickeln einer »plebejischen Tradition« der Literatur, zu Diderot bekennen durfte. Es war nicht allein Diderots »Paradoxe sur le comédien«, das auf die Paradoxa des *Messingkauf* abfärben sollte, auch der *Puntila* ist undenkbar ohne Diderots Roman von Jacques, dem »Fatalisten«, und seinem Herrn. Schon Hegel fand hier die Konstellation für sein Kapitel über »Herrschaft und Knechtschaft« in der *Phänomenologie des Geistes*, was Brecht bekannt war. Dieser selbst las in Finnland den Roman Diderots, wie das Arbeitsjournal vermerkt. So entstanden, angereichert durch Diderot, die Parallelschöpfungen des Volksstücks und der *Flüchtlingsgespräche*. Brecht wußte, was er im Sinn hatte, als er im Exil die Gründung einer Diderot-Gesellschaft erwog: um dadurch die politischen Bedingungen der Möglichkeit für Öffentlichkeit und Rationalität einer gesellschaftsverändernden Literatur zu schaffen. Eine Diderot-Gesellschaft, nicht jedoch eine mit dem Namen des »Aristotelikers« Lessing!

All dies wird bei Buck abgehandelt; auch die Auseinandersetzung Lessings mit der These Diderots, wonach auf dem Theater die Charaktere allein wichtig seien, und nicht, wie Diderot (dem Herder übrigens weitgehend zustimmte: gegen Lessing) postuliert hatte, die Gestalten als Repräsentanten gesellschaftlicher Typen. Die Frage bleibt bis heute ein Thema literaturtheoretischer Auseinandersetzung. Paul Rilla etwa, der Lessing-Editor und Brechtianer, hielt stets (das sei aus eigener Erfahrung mitgeteilt) auch gegenüber Brecht daran fest, Lessing habe die tiefere und richtigere Position bezogen.

Buck arbeitet seine Anmerkungen zu einem gewaltigen Thema weitgehend in essayistischer Form aus, wobei mit Exkursen und Digressionen nicht gespart wird. Die langjährige Tätigkeit des Verfassers als eines Vermittlers deutscher Literatur in

Frankreich drückt sich darin aus. Die Studie ist elegant geschrieben, obwohl (warum eigentlich: obwohl?) Buck seinen Stoff vollkommen beherrscht und auch die Sekundärliteratur sorgfältig durchgearbeitet hat. Ob dabei der an sich reizvolle Exkurs über die Folge deutscher Dramen zur französischen Revolution *(Dantons Tod, Die Tage der Commune, Marat/Sade*) unbedingt hier eingebaut werden mußte, bleibt eine von vielen offenen Fragen.

Man bleibt ein wenig hungrig und durstig bei Buck. Diderot erscheint nur als Zuordnungspunkt, nicht aber mit eigenem Recht. Vielleicht sollte der Verfasser – er wirkt jetzt als Professor in Göttingen als einem Zentrum bürgerlicher Aufklärung im Deutschland der Diderot-Zeit – nunmehr, auch gestützt auf Mortiers Studien über Diderot und Deutschland, den ganzen Komplex noch einmal aufarbeiten, und zwar als Konfrontation der bürgerlichen Rationalität in der Aufklärung und moderner Formen einer nicht mehr bürgerlichen »Dialektik der Aufklärung«.

Hans Mayer
Technische Universität Hannover

Erika Munk, ed. *Brecht.* New York: Bantam, 1972. 240 pages, paper, $ 1,25.

From the more than fifty pieces by and about Brecht which have appeared in *The Drama Review* (formerly *Tulane Drama Review*) since Brecht's death in 1956, Erika Munk has selected nineteen for reprinting in a diverse paperback anthology which will be useful to a broad audience. The volume is divided into four parts: "Theory/History" (six articles), "Theatre Practice" (seven articles, including Brecht's Shakespeare rehearsal scenes), "Critiques and a Playtext" (five pieces, including a capable translation of the *Baden Play for Learning*), and a compact "Essay at a Dramaturgic Bibliography." The authors are prominent international Brecht scholars, critics, and knowledgeable theatre people, and the articles give a handy, though not detailed, overview of Brechtian theory and technique, as well as exposure to several of the more heated controversies about the man and his work.

The collection is a "convenience" edition to save readers the effort of going through fifteen volumes of *TDR,* and there is no new material written expressly for this book (although Darko Suvin's bibliography has been updated from 1968). Munk's selection of articles, however, is judicious and clearly motivated by the desire to touch on as many aspects of Brecht as the format of a paperback anthology permits. The book is aimed at an American audience with little or no German, and subjects such as translation problems and Brecht's use of language are not covered here. The book is aimed at a popular youth market but presupposes some familiarity with the plays, and the reader who has seen a considerable number of these will gain much more from the book than the student who has seen only a college *Threepenny Opera* production. Among the plays discussed, readers will miss *Mother Courage, Threepenny Opera, Baal* and *The Good Woman of Sezuan* (to mention those which American audiences might be expected to have seen). On the other hand, there are pieces which deal with *The Mother, Coriolanus, Turandot,* the *Antigone* adaption, *The Caucasian Chalk Circle,* and *Galileo* (as well as the already noted playtext). Some omissions are understandable: Brecht's prose and poetry (except for Reinhold Grimm's article on Brecht's earliest writings) will hardly be covered in a collection of reprints from a drama review.

The book spans an ambitious range from anecdotal gossip (some of it intriguing and telling, as in Lee Baxandall's carefully researched piece on Brecht in America in 1935) to contentiousness (Martin Esslin's rebuttal to the critics of his 1959 Brecht biography in an article entitled "Brecht at Seventy") to practical instruction (three pieces on Brecht productions and the use of Brechtian techniques by the Living Theatre and the San Francisco Mime Troupe, including Steve Friedman's tasty "Carrot Speech" patterned after a scene in *Turandot*) to personal reminiscences (Max Frisch's perceptive observations on his meetings with Brecht in Zürich in 1948, Carl Weber's experiences as a Berliner Ensemble director, an interview with leading Ensemble personnel) and thorough literary scholarship (Ernst Bloch's important piece distinguishing between *Entfremdung* and *Verfremdung*, alienation and estrangement; Grimm's probing look at the young author of 1914–15; Suvin's instructive overview of Brecht's Marxist aesthetics; Eric Bentley's treatment of the differences between Brecht and Stanislavski; Ernst Schumacher's well-known treatment of *Galileo* as dialectical rather than epic theatre).

A fascinating and surprisingly genuine (i. e. contradictory) image of the man Brecht emerges from the collection. Despite the fledgling author's obvious talent, Grimm sees Brecht as writing "patriotic clap-trap" (p. 18) and "appallingly gung-ho stuff" (p. 16) at the outbreak of World War I. Baxandall quotes from the reminiscences of a Theatre Union member involved with the New York *Mother* production:

Here was this madman with his Gandhi glasses, grey silk shirt and leather jacket – he never varied that outfit, and smelled as though he had no change of shirt – racing down the aisle and jumping up on stage and behaving like his arch-foe Hitler, the same apoplectic indulgence, the same ranting and shrieking (p. 42).

Max Frisch remembers Brecht in 1948 as "an affectionate and a kind human being; but the circumstances are not such that this suffices" (p. 65) and notes the connection between the way Brecht thought and the way he lived. When Frisch once went swimming with Brecht and Helene Weigel, he observed:

. . . it was the first time that I had seen Brecht in natural surroundings, in an environment, therefore, which is not alterable and which for that reason holds little interest for Brecht (p. 63).

Esslin, writing in 1968, maintains that his own "thorough reading" of Brecht showed very clearly how the established and verifiable external facts of his life mirrored themselves in his writings – dramatic, lyrical, narrative, or theoretical, (p. 69) but the "external facts" shown in Grimm's, Baxandall's and Frisch's observations present a highly ambiguous "mirror" indeed – the source of practically all the major controversies about Brecht's intentions. Suvin captures Brecht's delight in contradiction: "One imagines him hugely enjoying the hubbub in his Elysian fields, reading mystery novels with the Houris, conversing with Lao Tse and the Augsburg fair barkers, writing caustic Elysian elegies in between consuming quantities of different cheeses with Galileo and Villon" (p. 229).

And what of the articles which were not included in the collection? There are first of all translations of a number of Brecht's theoretical writings and shorter plays. When the editor decided to include only the one playtext and the rehearsal scenes, although these do not necessarily make more significant or more interesting reading, this was simply a logical editorial cut. Some of the omitted pieces were accompanied by photographs, the inclusion of which the book's format and price did not permit. Munk expressly regrets not having been able to include Roland Barthes' "Seven Photo Models of *Mother Courage*." This and eight of the nineteen selections here reprinted come from a single special *TDR* Brecht issue (vol. XII, no. 1, [Fall, 1967]). An article such as Alf Sjöberg's "Sensuality in Brecht" (also in XII, 1) deals with Brecht's *Puntila* and may have been thought to be of limited interest to American readers. James Schevill's "Brecht in New York" (vol VI, no. 1, [September, 1961]) deals with Brecht in 1946 near the end of his American exile and would have duplicated, to some extent, Baxandall's and Frisch's essays. Other articles treat such subjects as music in Brecht's plays and the reception of Brecht on the Italian and Soviet stages. Perhaps these will be included in a second volume of reprints.

The audience reached through publication by Bantam Books in a large printing will presumably be much larger and much more diverse than *TDR*'s normal circulation, and this is a fact to be applauded. The book is a terrific bargain and can be used as a supplement in college courses on theatre arts, German literature, and cultural studies. It opens doors to a range of subjects well beyond what can be covered in an academic semester, and this soundly points up the complexity of Brecht too often reduced to superficial generalities. The book is nicely attuned to the present trend toward interdisciplinary study.

The packaging of the book is mildly irritating, however. A garish cover features a large red *Fraktur* title (hinting at Brecht's German-ness, one assumes), and the imposingly framed 1926 photograph of Brecht is perhaps too earnest and reflective (a matter of taste, to be sure). Bothersome, above all, is the blurb "Including Brecht's Underground Masterpiece 'The Baden Play for Learning,'" a piece of noisy advertising apparently designed to market Brecht as a counter-culture hero. It is a minor flaw in an otherwise worthwhile book.

Together with Brecht's plays in English translation (e. g. Grove Black Cat, although Suvin calls these translations "often inferior" [p. 231] or the emerging Methuen edition), this is a highly useful advanced introduction to Brecht. It packs a lot of information from widely different points of view and areas of interest. It captures a good deal of the appeal which continues to draw readers and playgoers to Brecht and is a welcome addition to the "Brecht industry."

Richard J. Rundell
Universität Regensburg

Antony Tatlow. *Brechts Chinesische Gedichte.* Frankfurt: Suhrkamp, 1971. 164 Seiten, DM 20,–

This little volume offers a thorough study of Brecht's "chinesische Gedichte" and the translations upon which they were based. "Chinesische Gedichte" refers here to those Chinese poems which Brecht retranslated from other Western language renderings. Following an introduction, each of the twelve poems is presented as follows: 1) Brecht's version, 2) the translation Brecht used as a model (in ten cases the work of the late English sinologist, Arthur Waley), 3) the Chinese original with a word-for-word, interlinear approximation of the poem given in English and German, and 4) a discussion of the merits of each of Brecht's versions vis-à-vis his model and the original poem. In these appended exegeses, Mr. Tatlow develops his thesis that Brecht's translations are not only better poems than his models but also more faithful to the original. Since this theory relates primarily to Mr. Tatlow's treatment of those poems written by Po Chü-i (A. D. 772-846) and translated by Arthur Waley, this review will concern itself primarily with these works.

Mr. Tatlow's thesis is first prepared in the introduction, where (p. 7) he explains the two basic standards for evaluating translation: first, a literal, word-for-word examination, which may even take into account the rhythm of the original, and, second, the estimation of the translated work as it exists in toto. Mr. Tatlow insists (p. 9) that the characteristics of the Chinese language and its prosody – indeed, the fundamental cultural differences between China and the West – make "transposition" or literal, word-for-word translation impractical. He chides academic translators such as Arthur Waley for their attempts along these lines. Tatlow suggests (p. 8) that Brecht and Po Chü-i were kindred spirits (it should be stressed, however, that Po Chü-i was neither poor nor a peasant, as is claimed on pp. 13-14), and that Brecht was therefore able not only to sense problems in Waley's translations and to see what these translations lacked as poems, but also to provide that which Waley's attempts wanted in his own versions. First in the introduction (p. 8 and p. 9), and later in his exegesis of the individual poems themselves (p. 53 and p. 69), Tatlow argues that Brecht's poems are more faithful to the original Chinese than Waley's. Several of the examples given in support of his argument are impressive. In his discussion of "Die Freunde" (Oaths of Friendship), an anonymous work of the first century B. C., Tatlow points to Brecht's "Wenn du in einer Kutsche gefahren kämst / Und ich trüge eines Bauern Rock . . ." and "Und wenn du Wasser verkauftest / Und ich käme spazieren geritten auf einem Pferd . . ." as clearly superior to Waley's "If you were riding a coach / And I were wearing a 'li'" and "If you were carrying a 'teng', /And I were riding on a horse." Waley's attention to the line length and the parallelism in the original caused him to opt for "riding a coach" rather than the more natural "riding in a coach." His use of transliteration (although he gives an explanation for both *li*, a peasant hat, and *teng*, an umbrella raised over a street vendor's stall, in footnotes) is far inferior to Brecht's version. Waley's translation is, in fact, not quite a poem.

Again, in the discussion of "Der Blumenmarkt" (The Flower Market) by Po Chü-i (pp. 102-103) Brecht's "In der Königlichen Hauptstadt ist der Frühling fast vorüber / Wenn die Gassen sich füllen mit Kutschen und Reitern: die Zeit / Der Päonienblüte ist da . . ." is shown to surpass Waley's "In the Royal City spring is almost over: / Tinkle, tinkle – the coaches and horsemen pass. / We tell each other 'This is the peony season'." Tatlow overextends his thesis, however, when he asserts that Brecht's poems more accurately conform to the originals *because* they deviate from Waley's versions. He intimates that, although there was no mention of the red and white flowers of the original Chinese poem in Waley's translation of "The Flower Market" (Waley refers only to "fine" and "cheap" flowers), Brecht arrives at these colors somehow through "intuitive insight into the substance of the original" (p. 104, cf. also p. 8). In fact, it is more probable that Brecht consulted other translations of this poem (such as the one by Richard Wilhelm in *Sinica* 3 [1928]) or Waley's later versions which included mention of the colors) in composing or revising his work. Tatlow, however, refuses to recognize that Brecht could have moved further away from the sense of the original by deviating from his model. He feels that Brecht's poetic acumen and his understanding of Po Chü-i inevitably led him closer to the original.

Tatlow should also be impugned for his use of the original texts. On p. 26 he warns his readers that his study is not to be taken as a sinological contribution and promises no traditional philological exegesis. Yet how else could one compare Brecht's versions to the original poems? And, in fact, on the next page (p. 27) Tatlow is forced to justify the inclusion of the Chinese texts. His word-by-word, interlineary rendering of the poems is not nearly clear enough for the nonspecialist and often rankles the sinologist. It is precisely for such methods of translation that Tatlow most strictly censures Arthur Waley. And how can any reader unable to read the Chinese original make sense of lines like "Crane cloak feather thin not real help / Wood cotton flower cold has hollow reputation"? (from "Die Große Decke" [The Big Rug], p. 41). Further examples of misleading glosses in these interlinear explanations can be found in the same poem. In the second couplet, both *hǎo* and *ví* are glossed as "good/gut," whereas actually the latter tends toward the meaning of "appropriate" or "fitting". Lines five and six, cited above, refer to types of material used in making cloth (the original title of the poem is "A Song Brought on by a Newly Made Damask Jacket"), although this is not clear from the glosses. The second syllable in line seven, *ān*, cannot mean "end-well". The final phrase in line ten, *yì hé qíng*, gives only an approximation of the sense which might be more closely rendered by "then/ what a/feeling," expressing the poet's increased concern for the common people, because he himself is comfortable in his new jacket. In line thirteen, the last syllable, *zhàng*, means "*ten* feet," not merely "feet," as is given here. Moreover, it is impossible to compare Brecht's poem to the original, since Waley and, therefore, Brecht have translated only lines nine through twelve. In this case, one can only echo Tatlow (p. 43): "This poem is [still] surrounded by misunderstandings." Similar problems are found in the other glosses.

Another point of contention regarding Chinese poetry in general might be raised by omitting the Chinese texts and shifting the emphasis to an analysis of Brecht's versions and the originals (p. 13 and p. 80). Po Chü-i's original poems were imprimis oral forms. Since one is not certain exactly how they were first recorded, such considerations are best avoided.

Although to the present reviewer the entire study would have been strengthened by omitting the Chinese texts and shifting the emphasis to an analysis of Brecht's versions as "relevant amplifications" of the originals (as Tatlow himself describes them on p. 13), this book makes substantial contributions to several areas of scholarship. Thus Tatlow shows yet another talent of Brecht: that of visualizing the poetic experience of a poet separated from him by a thousand years and thousands of miles. The attention paid to the entire process of translation, and especially to translations from Chinese into a Western language, is to be commended. By examining a Western sinologist's translations as poems, Tatlow has shown the need to reevaluate some existing criteria and methods of translation. Unrealistic dialogue (p. 20), archaisms (p. 22), and the attempt to retain the structure and syntax of the original language – the most serious flaws Tatlow discerns in Waley's translations – could be found in the translations of most philologists. But to argue, as Tatlow does, that Brecht's recreations are the only alternatives to Waley's overly literal versions is futile. As he himself states (p. 7), there are many stages in between these two extremes. In essence, the problem of translation, irrespective of the era and culture of the poet or his translator, involves some interpretation. The poet feels, reflects, and experiences something; and for him to put this into words is, in some sense, already a translation. Thus if the translator can discover this original poetic impetus and re-express it, he has translation of a form. But this can be most easily expedited when the translator sees as many nuances of the original as possible, and not just a single, final version from another translator. Brecht's "chinesische Gedichte" must be viewed in the spirit with which the book begins (p. 7): "The poet [as translator] ... interprets it [the poem], he criticizes it, and through this process we obtain in unique ways an insight into the structure of his own poetry." Brecht's versions are his own poetic expressions of recreated situations or feelings. As Patrick Bridgwater has commented on one of these poems in his essay "Arthur Waley and Brecht" (*German Life and Letters* 17 [1964]), "Brecht has ... improved on the Chinese original [p. 229]." Thus Brecht's "chinesische Gedichte" (and Tatlow's study) merit the attention of Brecht scholars and sinologists alike, but they should be considered as interpretations or amplifications of the original poems, perhaps consistently better than their models, but not consistently more accurate.

Despite the excessive attention given to the accuracy of Brecht's translations, this book is thought-provoking, carefully written, and attractively printed. Since it will be of great interest to scholars in several widely varied fields, an index should have been provided. It is to be hoped that some of the fascinating and original questions raised in this book will take precedence over attempts to show Brecht's insight into Chinese poetry in Tatlow's forthcoming *Brecht und China.*

W. H. Nienhauser
University of Wisconsin

EINGESANDTE BÜCHER

Gerda Goedhart. *Bertholt Brecht Porträts.* Zürich: Die Arche, 1964. 106 Seiten, SFr. 5.80.

Neuabdruck von Beiträgen Lion Feuchtwangers, Manfred Wekwerths und Käthe Rülickes aus dem Brecht-Sonderheft (1957) der Zeitschrift *Sinn und Form.* Dazu kurze Anmerkungen von Angelika Hurwicz (über eine Inszenierung von Ostrovskijs Stück *Die Ziehtochter)* und dem amerikanischen Regisseur Alan Schneider. Der literarische Inhalt des Bandes wird ergänzt durch vierzig Aufnahmen Brechts (im Gespräch und auf der Probe) aus den Jahren 1946 bis 1956.

Herbert Lüthy. *Fahndung nach dem Dichter Bertolt Brecht.* Zürich: Die Arche, 1972, 94 Seiten, SFr. 11.80.

Neuabdruck zweier Aufsätze Lüthys aus den Jahren 1952 bzw. 1956: »Fahndung nach dem Dichter Bertolt Brecht« *(Der Monat,* Mai 1952) und »Abschied vom armen B. B.« *(Die Zeit,* 23. August 1956). Dazu ein kurzes Nachwort des Verfassers (S. 89-94). Die beiden Texte wurden dem Sammelband *Nach dem Untergang des Abendlandes* von Herbert Lüthy (Köln: Kiepenheuer & Witsch) entnommen.

U.W.

BRECHT HEUTE – BRECHT TODAY

Jahrbuch der Internationalen Brecht-Gesellschaft

Die Internationale Brecht-Gesellschaft ist nach dem Modell von Brechts nicht verwirklichten Plänen für die Diderot-Gesellschaft als korrespondierende Gesellschaft gegründet worden. Durch Veröffentlichungen und regelmäßige internationale Tagungen fördert die Gesellschaft freie und öffentliche Diskussionen von jeglichen Blickpunkten, die Beziehung aller Künste zur heutigen Welt betreffend.

Jahrgang 1 (1971)
350 Seiten, kartoniert, 28,– DM

Beiträge:

E. M. Berckman: The Function of Hope in Brecht's Pre-revolutionary Theater · A. Tatlow: China oder Chima · M. Gorelik: Rational Theater · W. Hinck: Die Kamera als Soziologie · L. R. Shaw: The Morality of Combat: Brecht's Search for a Sparring Partner · H. Knust: Brechts Fischzug · G. Stern: The Plight of the Exile: A Hidden Theme in Brecht's Galileo Galilei · J. Hermand: Herr Puntila und sein Knecht Matti · J. Fuegi: The Caucasian Chalk Circle in Performance · L. Baxandall: The Americanization of Bert Brecht · D. Grathoff: Dichtung versus Politik: Brechts Corolan aus Günter Grassens Sicht · A. Wirth: Brecht und Grotowski · J. H. Wulbern: Ideology and Theory in Context

Jahrgang 2 (1972)
239 Seiten, kartoniert, 38,– DM, Leinen, 48,– DM

Beiträge:

G. E. Bahr: Brecht in den siebziger Jahren – Themen und Thesen · E. Schumacher: Brecht und seine Bedeutung für die Gesellschaft der siebziger Jahre · J. Willet: The Poet Beneath the Skin · M. Morley: Brecht's Chronicle of the Dialectical Principle in Action · D. Sölle: Dialektik und Didaktik in Brechts Keunergeschichten · W. Roth: Working with Bertold Brecht · D. Bathrick: »Anschauungsmaterial« for Marx: Brecht Returns to »Trommeln in der Nacht« · F. K. Borchardt: Marx, Engels und Brecht's Galileo · H. Glade: Brecht and the Soviet Theater · N. Schachtsiek-Freitag: Bertolt Brechts Beitrag zur Geschichte des deutschen Hörspiels · J. K. Lyon: Bertolt Brecht's American Cicerone · J. Fuegi: The Soviet Union and Brecht: The Exile's Choice

»Eine begrüßenswerte Bereicherung der beinahe schon unüberblickbar gewordenen Brecht-Literatur.« (Neue Zürcher Zeitung)

Athenäum Verlag GmbH · 6000 Frankfurt / Main